btb
Aus Freude am Lesen

btb

Buch

Der Schlüssel zu dieser Erzählung verbarg sich in einem alten Pappkoffer auf dem Flohmarkt von Jaffa: Hunderte von Briefen, Photographien und Dokumenten, die fünf Generationen der Familie Levy gesammelt und aufbewahrt hatten. Sie enthüllen die faszinierende Biographie einer jüdischen Familie, die einst zu den angesehensten und reichsten in Pommern gehört hatte. Gestützt auf das »Familienarchiv«, auf Interviews mit zahllosen Gesprächspartnern und weitläufige Recherchen, entfaltet Roman Frister die farbige Geschichte der Levys, die beginnt, als Ascher Jäckel, ein kleiner Hausierer, 1812 den Namen Levy annimmt. Mehr als ein Jahrhundert lang sind die Lebenswege und Schicksale der Levys mit der wechselvollen historischen, politischen und gesellschaftlichen Entwicklung in Pommern, Preußen und schließlich dem Deutschen Reich eng verwoben. Ihre Existenz auf deutschem Boden endet, als die Familie von den Nationalsozialisten gewaltsam zerschlagen wird.

Diese fesselnde Familien-Biographie erzählt vom Aufstieg und der Vernichtung des deutschen Judentums, von der Suche nach einem Ort zwischen deutschem Patriotismus und jüdischem Bekenntnis, von der schwierigen Liebe, die die deutschen Juden mit ihrer Heimat verband.

Autor

Roman Frister wurde 1928 in Bielsko/Bielitz (Polen) geboren. Er überlebte Konzentrationslager und Todesmärsche. Nach Kriegsende arbeitete er bis zu seiner Verhaftung durch die kommunistischen Behörden als Journalist in Polen. 1957 emigrierte er nach Israel. Nach langjähriger Tätigkeit als Redakteur der führenden israelischen Tageszeitung Ha'aretz übernahm Frister 1990 die Leitung der Journalistenschule Koteret in Tel Aviv. Seine Romane und Sachbücher wurden in mehrere Sprachen übersetzt, zuletzt seine Autobiographie »Die Mütze oder Der Preis des Lebens«, die in Deutschland monatelang auf der Bestsellerliste stand.

Von Roman Frister ebenfalls lieferbar
Die Mütze oder Der Preis des Lebens (75536)

Roman Frister

Ascher Levys Sehnsucht nach Deutschland

Aus dem Hebräischen von
Antje Clara Naujoks

btb

Umwelthinweis:
Alle bedruckten Materialien dieses Taschenbuches
sind chlorfrei und umweltschonend.

btb Taschenbücher erscheinen im Goldmann Verlag,
einem Unternehmen der Verlagsgruppe Bertelsmann.

1. Auflage
Genehmigte Taschenbuchausgabe Dezember 2000
Copyright © der Originalausgabe 1999 by Roman Frister
Copyright © der deutschsprachigen Ausgabe 1999 by
Siedler Verlag GmbH, Berlin, in der Verlagsgruppe
Bertelsmann GmbH
Umschlaggestaltung: Design Team München
unter Verwendung einer Collage von
Rothfos+Gabler, Hamburg
Satz und Reproduktionen: Bongé+Partner, Berlin
Made in Germany
BH · Herstellung: Augustin Wiesbeck
ISBN 3-442-72722-7
www.btb-verlag.de

Inhalt

Inhalt

»Erinnere dich immer daran, daß du ein stolzer und gleichberechtigter Bürger Preußens bist. Und vergiß niemals, daß du Jude bist. Vergißt du es, so wird es immer andere geben, die dich an deine Herkunft erinnern.«

Ascher Levy zu seinem Sohn Bernhard, 1858

Vorwort

Der Schlüssel zu dieser erstaunlichen Geschichte verbarg sich in einem alten Pappkoffer.

Auf dem Flohmarkt von Jaffa hatte ein Trödler seine Waren auf dem Gehsteig ausgebreitet. Zwischen gewundenen Kronleuchtern aus Messing, abgewetzten Schuhen und abgetragenen Kleidern wartete auch ein verbeulter Pappkoffer auf einen Käufer. Die Wände bogen sich von all dem Papier, das sich in seinem Inneren befand. Wer sich die Mühe machte, den Stapel Briefe in altdeutscher Handschrift durchzusehen, die mit offiziellen Stempeln versehenen Dokumente zu sortieren und die vergilbten, teils mehr als hundert Jahre alten Photographien zu betrachten, der mußte erstaunt feststellen, daß er jenen Schlüssel in der Hand hielt, der ihn zu der faszinierenden Geschichte der Familie Levy führte – und somit auch zu den Anfängen der schwierigen Liebe, die die deutschen Juden mit ihrer Heimat verband.

Über fünf Generationen hinweg hatten die Angehörigen der Familie jedes Dokument und jeden Zettel aufgehoben: von der Rechnung eines Polsterers, der Ende 1866 einen Salonsessel ihres Hauses in der Kleinstadt Polzin repariert hatte, über die Verleihungsurkunde eines Eisernen Kreuzes für Tapferkeit während des Ersten Weltkrieges bis hin zu einer Quittung der Schweizerischen Bankgesellschaft über sechzigtausend Franken, die bei einer Züricher Bank vor Ausbruch des Zweiten Weltkrieges einbezahlt worden waren.

Im schweren Winter des Jahres 1812, als die Armee Napoleons besiegt vom russischen Schlachtfeld zog, verkaufte ein erschöpfter Kavallerist, dem das Pferd abhanden gekommen war, den Rest seines Diebesgutes: zwei silberne Kerzenleuchter, die irgendwann während des Rückzugs von der Beresina gestohlen worden waren. Ein armer jüdischer Hausierer namens Jäckel hatte sie ihm gegen einen Sack Kartoffeln eingetauscht. Hundertsechsundzwanzig Jahre später, im Herbst 1938, hielt die deutsche Polizei einen offenen Wagen des Typs Stoewer an, der sich auf dem Weg zur Schwei-

Zürich, den 4.Januar 1939.

Herrn Siegfried L e v y
Via Breganzona 4/I
b/ Badmann
L u g a n o .

Wir sind im Besitze Ihrer Postkarte
vom 3.ds. und bestätigen Ihnen wunschgemäss, dass
Sie seit ca. 10 Jahren mit uns in Verkehr stehen.
Die Guthaben auf Ihren Rechnungen und die Wertpapiere,
die wir für Sie verwahren, stellen zur Zeit einen
Gegenwert von
Fr. 60'000.-- (sechzigtausend)
dar.   Wir bestätigen Ihnen sodann gerne, dass
Sie Ihre Geschäfte mit uns stets in korrekter und
angenehmer Weise abgewickelt haben.
Hochachtungsvoll
SCHWEIZERISCHE BANKGESELLSCHAFT

zer Grenze befand. Am Steuer saß eine gutaussehende Frau, die einen modischen Hut trug und einen Fuchsschwanz um die Schultern geschlungen hatte. Sie reichte den Beamten ihren Reisepaß: Ida Levy war ihr Name.

»Wohin?« fragte der Polizist.

»Urlaub in den Bergen«, antwortete sie ruhig, als wäre dies das Natürlichste von der Welt.

Ihre Dokumente waren einwandfrei, dennoch erregten die beiden silbernen Kerzenleuchter und der Koffer mit den Erinnerungsstücken der Familie, die sich im Kofferraum befanden, die Aufmerksamkeit der Beamten. Wer packt schon solche Dinge für einen Urlaub ein?

Ida wurde zum Verhör mitgenommen.

Wir werden niemals erfahren, wie sie es schaffte, sich dem Zugriff der Polizei wieder zu entwinden. So viel wissen wir jedoch mit Sicherheit: Nachdem sie die Grenze passiert und die Angst abgeschüttelt hatte, erfuhr sie von der Ermordung ihres Bruders Leo, der seinen Häschern während der berüchtigten »Reichskristallnacht« in seiner Wohnung in Bad Polzin in die Hände gefallen war.

Kurz vor Ausbruch des Zweiten Weltkrieges wurde der Koffer seinen rechtmäßigen Eigentümern übergeben: dem Ehepaar Siegfried und Lisbeth Levy, die vor den Schrecken des Hitler-Regimes an die malerischen Ufer des Schweizer Ferienortes Lugano geflüchtet waren.

Ein ehrenwerter Rechtsanwalt, Signore Valdo Riva, vertrat das Paar in allen finanziellen Angelegenheiten, die ihrer Ausweisung aus dem Kanton Tessin vorangingen. Sie fanden vorübergehend Asyl in Vichy-Frankreich. Die Überraschung des in die Jahre gekommenen Anwalts war groß, als ich Jahrzehnte später ohne Voranmeldung in seinem luxuriösen Büro in dem dreihundert Jahre alten Haus in der Via Pretoria 7 auftauchte und darum bat, die verstaubten Akten einsehen zu dürfen. Aus Loyalität seinen Klienten gegenüber weigerte sich Signore Riva, mir das zu offenbaren, was er für ein Berufsgeheimnis hielt. Erst als ich ihm Papiere vorlegte, auf denen sich seine Unterschrift befand, darunter auch Bankdokumente der Familie Levy, war er zufriedengestellt und zur Kooperation bereit.

Nicht weniger erstaunt über mein Erscheinen waren die Besitzer des Hotels Windsor in Nizza, wo Siegfried und Lisbeth die letzten Tage vor ihrer Schiffspassage an die sichere Küste der Vereinigten Staaten verbracht hatten.

Auch in Florenz drückte ich energisch auf einen Klingelknopf. Vom Eingang der Pension Bandini auf der Piazza Santo Spirito führte eine düstere Treppe zu jener Tür, an die 1943 deutsche Geheimagenten geklopft hatten, um ein anderes Familienmitglied festzunehmen: den Maler Rudolf Levy. Der erfolgreiche Künstler, der zu Beginn seiner Karriere die Lehrwerkstatt von Henri Matisse geleitet hatte und wegen seiner Heirat mit einer Christin enterbt worden war, geriet auf Umwegen in die Netze seiner Verfolger, die schließlich seinem Leben ein Ende setzten.

Weitere Nachforschungen führten mich zu Archiven in Jerusalem, Berlin und Köslin (dem heutigen polnischen Koszalin), nach Bad Polzin und an andere Orte, in denen die Familie Levy gelebt hatte. Und so gelangte ich auch zu Hannah Slijper, einer Tochter des ermordeten Leo Levy, die heute in Israel lebt, und zu dem Haus von Klaus Hinrichsen in London, dessen Frau Margarethe, eine geborene Levy, 1934 aus Nazi-Deutschland hatte fliehen können. In Hannover besuchte ich Dr. Rita Scheller, die Geschäftsführerin des Konvents Evangelischer Gemeinden in Pommern, die viel Material über die Geschichte der Juden in Pommern zusammengetragen hat. Darüber hinaus führte ich in verschiedenen Städten Europas und Amerikas Gespräche mit Menschen, die mir Wichtiges über die Levys oder andere Aspekte des Buches erzählen konnten. Auch die Mitarbeiter des Siedler Verlags halfen mir, Material zusammenzutragen. Jeder fügte dem Haus, das ich baute, etwas hinzu. Ihnen allen gilt mein Dank.

Die erste Informationsquelle, der Koffer mit den Dokumenten, wurde, nachdem Lisbeth Levy im Alter von zweiundneunzig Jahren verstorben war, an einen Trödler verkauft. So landete er auf dem Flohmarkt von Jaffa.

Diese Geschichte beruht ausschließlich auf diesen Dokumenten und den Fakten, die die weitere Recherche ergab. Dennoch soll dieses Buch kein wissenschaftlich-historisches sein. Ich hatte zwar keine Detektive, die die Unterhaltungen der Familie Levy und anderer dargestellter Personen belauschten. Um den Charakter eines dokumentarischen Romans zu wahren, habe ich mir jedoch die Freiheit genommen, den Inhalt von Briefen und Tagebüchern in Dialoge umzuarbeiten. Und um den Gemütszustand der Protagonisten dieser Geschichte sowie ihrer Umgebung wiedergeben zu können, habe ich zeitgenössische Zeitungen, die Werke anderer Autoren und auch Photographien herangezogen. Ich habe nichts erfunden. Die Realität erweist sich als fesselnder, aber auch als schrecklicher als jede Phantasie.

Die lange Reise

Der Obersteward der Ersten Klasse kam an Deck und sagte: »Im Salon wird jetzt der Tee serviert, mein Herr.«

Die österreichisch-ungarische Dampfschiffahrtsgesellschaft »Lloyd« wählte ihre Angestellten mit Bedacht aus und war für die exzellente Betreuung ihrer Passagiere berühmt. So hatte der Steward auch den Reisenden am Schiffsheck nicht vergessen, der dort an der Reling stand, seit das Schiff »S/S Ungaria« ungefähr zwei Stunden zuvor aus dem Hafen von Triest ausgelaufen war. Dieser jedoch lehnte die Einladung mit einer Handbewegung ab und rührte sich nicht von seinem Platz, den Blick dem Meer zugewandt und offenbar taub gegenüber dem Kreischen der Möwen, die das Schiff begleiteten.

Wie alle erfahrenen Bediensteten hielt sich der Steward etwas darauf zugute, Menschen anhand ihres Verhaltens und Aussehens einschätzen zu können. Prüfend betrachtete er diesen Passagier: ein Mann gesetzten Alters, der Rücken war breit und stark, das Haar zurückgekämmt, der Stand fest, die nicht gerade feingliedrigen Finger ruhten schwer auf dem Holz der Reling. Sein dreiviertellanger Gehrock war hervorragend geschnitten, zweifellos von einem auserlesenen Wiener Schneider. Der Friseur, der den Bart und die Schläfenlocken des Mannes gestutzt hatte, verstand ebenfalls sein Handwerk. Das geübte Auge des Oberstewards erkannte jedoch mit Leichtigkeit, daß der tadellos gekleidete Reisende kein Mann von Welt war. Ein wohlhabender Jude aus der Provinz, vermutete er – und er irrte sich nicht.

Der Passagier auf dem Deck war Inhaber eines preußischen Reisepasses auf den Namen Ascher Levy. Mit der Ausstellung solcher Reisedokumente hatte man ein Jahr zuvor begonnen, 1871, ungefähr einen Monat nach dem ruhmreichen Sieg über Frankreich. In dem Reisepaß war vermerkt, daß der Kaufmann Ascher Levy aus der Kleinstadt Polzin zu den Bürgern des Reiches zählte. In dem Koffer mit seiner persönlichen Habe befanden sich ein Billett für eine Schiffspassage Erster Klasse sowie einige Empfehlungsschreiben für wichtige Persönlichkeiten in Ägypten und Palästina, dem Ziel seiner Reise. Eines dieser Schreiben trug die Unterschrift Gerson Bleichröders, des persönlichen Bankiers des »Eisernen Kanzlers«, ein anderes die des Malers Moritz Daniel Oppenheim. Aber in dem Moment, als er dem Schiffsdeck den Rücken zukehrte, galten seine Gedanken weder seinem Gepäck noch den Ereignissen der letzten Stunden, sondern dem langen Weg, den er bis hierher zurückgelegt hatte.

In dem mit Mahagoniholz verkleideten und mit dem Rauch vortrefflichen Tabaks erfüllten Salon in der Mitte des Oberdecks hatten sich seine beiden Reisegefährten, mit denen er diese Unternehmung seit vielen Jahren geplant hatte, zum Nachmittagstee in den Ledersesseln niedergelassen: sein Cousin Moritz Gottschalk Lewy*, ein erfolgreicher Geschäftsmann aus Berlin, und der Historiker und Exeget Professor Heinrich (Zwi Hirsch) Graetz aus dem jüdisch-theologischen Seminar von Breslau. Dem Einzelgänger an der Reling stand nicht der Sinn danach, sich zu ihnen zu gesellen. Er tauchte vielmehr in die Vergangenheit ein, die der schmalen Woge des Meeres glich, die dem Dampfschiff wich und sich von ihm entfernte, bis ihre Konturen in den Wellen verschwammen.

Die Vorväter Ascher Levys hatten sich vor vielen Jahren im Herzogtum Posen niedergelassen, einem Gebiet, das zwischen Preußen und Polen stets umstritten war. Sie hatten keine Rechte, führten keine Familiennamen, rangierten auf dem niedrigsten sozialen Status, und aufgrund ihrer andersartigen Kultur blieben sie für ihre Umgebung Fremde. Sie kleideten sich anders, aßen andere Speisen, dachten in anderen Kategorien und konnten noch nicht einmal den Status von sogenannten Schutzjuden erlangen, die aufgrund ihrer lebenswichtigen Bedeutung für den Herrscher – dank ihres Besitzes oder ihrer Berufe – in gewissem Umfang dessen Schutz genossen. Schlafende Hunde soll man nicht wecken – Pogrome waren damals keine Seltenheit –, und deshalb achteten sie darauf, sich nicht mit einer der streitenden Seiten zu identifizieren. Obwohl sie eigentlich den Preußen zugetan waren, hüteten sie sich, dies offen zu zeigen.

Sie zogen es vor, sich in ihrer spirituellen Welt abzukapseln, was

---

* Ein Teil der Familie schrieb sich Levy, ein anderer Lewy. Der biblische Stamm wird jedoch Levi geschrieben. Alle drei Schreibweisen sind verbreitet. Moritz Gottschalk Lewy hieß eigentlich Mosche Gottschalk, wurde aber allgemein mit Moritz Gottschalk angeredet.

ihnen durchaus nicht schwerfiel, da ihnen eine Teilnahme am öffentlichen Leben ohnehin weitgehend verboten war. Die Hindernisse, die ihnen in den Weg gelegt wurden, umfaßten die verschiedensten Bereiche: Sie konnten keine Immobilien erwerben, durften keine Christen beschäftigen, und das Betreiben von Schenken, Gastwirtschaften oder die Pfandleihe erforderten eine besondere und nur schwer erhältliche Genehmigung. Heiraten durften sie erst vom vierundzwanzigsten Lebensjahr am, und zeitweise war es ihnen untersagt, sich in Dörfern anzusiedeln. Niemand hatte Mitleid mit ihnen. Die polnische Bevölkerung, die Mehrheit im Herzogtum, sah in ihnen einen Feind, und das zu Recht; denn trotz ihrer Versuche, es zu verbergen, wußten alle, daß die Juden neben ihrer eigenen vor allem die deutsche Kultur schätzten. Sie lasen vorwiegend deutsche Literatur und verfolgten mit großer Aufmerksamkeit die Ereignisse westlich der Grenze. Ihnen war bewußt, daß Juden auch in den preußischen Gebieten nicht viele bürgerliche Freiheiten genossen; aus irgendeinem Grund jedoch wirkte der Judenhaß im Westen Europas in ihren Augen weniger verletzend als der im Osten.

Berisch, der am 14. Juni 1744 geboren worden war und mit einundzwanzig Jahren geheiratet hatte – natürlich im geheimen, um das bestehende Verbot zu umgehen –, packte seine wenigen Habseligkeiten zusammen und wanderte bereits gegen Ende des achtzehnten Jahrhunderts nach Pommern aus. Seine Ehefrau Gitel, aus dem Hause Horowitz, begleitete ihn. Im Grunde folgten sie der Spur jener Familienangehörigen, die vor ihnen in den Westen ausgewandert waren. Dem Stammbaum der Familie ist zu entnehmen, daß sich Rabbi Jerucham, Berischs Ururgroßvater, bereits 1650 in Belgard niedergelassen und dort zu den Gründern der jüdischen Gemeinde gehört hatte.

So lag es nahe, daß auch Berisch und Gitel den Weg nach Belgard einschlugen. Sie gründeten ein Heim und setzten elf Kinder in die Welt. Die Spuren von zehn dieser Kinder verschwanden allerdings im Nebel jener Tage, als lediglich die Herrscher Geschichte schrieben und sich niemand darum kümmerte, die Lebenswege des einfachen Volkes festzuhalten. Und dennoch findet sich in den Aufzeichnungen der Name von Ascher Jäckel, der am 25. Januar 1775 in dem Städtchen Kammin, Kreis Belgard, geboren wurde. Als er am achten Tag seines Lebens in den Bund Abrahams aufgenommen wurde, sagte ihm der *Mohel*, der Beschneider, ein Leben in Glück und Wohlstand voraus. Als Erwachsener jedoch sah Jäckel sich wie die Mehrheit der namenlosen Juden Europas mit bitterer Armut konfrontiert. Er verdiente seinen Unterhalt als Hausierer, hatte kein festes Dach über dem Kopf, ja konnte noch nicht einmal ein Bett sein eigen nennen. Er wanderte von Dorf zu Dorf und verkaufte Stoffe, Weißwäsche und Küchenutensilien inmitten einer mißtrauischen und feindseligen Umgebung. Jäckel wurde beleidigt und beschimpft – und schwieg. Demütig nahm er sein Schicksal an; er war kein Rebell, der sich gegen die Realität auflehnte. Er setzte seine Hoffnung auf die Allgegenwart Gottes und harrte des Guten. Nur an den Abenden, wenn er sein Pferd gefüttert und sich in einem Gasthaus einquartiert hatte, das auf seinem Weg lag, überkam ihn ein Moment der Behaglichkeit: Er zählte die verdienten Pfennige und träumte von dem Tag, an dem er mit der Hilfe Gottes eine Familie gründen und Söhne zeugen würde. Vor allem aber bat er Gott, ihm zu helfen, sich endlich zugehörig fühlen zu können, ihm die Kraft zu geben, eine seelische Verpflichtung gegenüber jenem Volk zu empfinden, in dessen Mitte er lebte, und ihn von dem Stigma des Fremden zu befreien.

Doch dieser Wunsch schien sich nicht zu erfüllen, jedenfalls nicht in naher Zukunft. In Deutschland herrschte eine feindselige Stimmung gegenüber Juden, angefacht noch durch die »wissenschaftlichen« Erklärungen von Philosophen und Historikern. Viele schenkten dem Gehör, und auch die Machthabenden hielten es nicht für nötig, den Angehörigen mosaischen Glaubens das Leben zu erleichtern. Jäckel sah sich gefangen in einem Labyrinth starrer Gesetze und Verordnungen, die auf Vorurteilen beruhten. Nur einmal kam in seinem Leben die Hoffnung auf, daß sich die wohlwollende Prophezeiung des *Mohels* doch noch erfüllen könnte. Der Kaiser der Franzosen, Napoleon Bonaparte, nahm die Länder Süd- und Mitteleuropas im Sturm und unterwarf sie einer neuen Gesellschaftsordnung. Es schien, als könnte keine Macht dem Rad der Geschichte Einhalt gebieten. Die geistlichen Territorien durchliefen einen Prozeß der Säkularisation, und die Reichsstädte büßten ihre Souveränität ein. Am 12. Juli 1806 gründeten sechzehn süd- und westdeutsche Fürsten den Rheinbund, der die Edikte Napoleons übernahm. Am 1. August sagten sie sich vom Reich los; fünf Tage später legte Franz II. die römisch-deutsche Kaiserwürde nieder. Als im Jahre 1808 der preußische Staatsminister Karl Freiherr vom und zum Stein die Preußische Städteordnung verkündete, die unter anderem der jüdischen Bevölkerung in beschränktem Umfang Rechte zuerkannte, war Aschers Freude groß. Wenige Jahre später, am 11. März 1812, unterzeichnete Friedrich Wilhelm III., ein durch und durch konservativer Herrscher, das Preußische Emanzipationsedikt, welches der jüdischen Bevölkerung den Erwerb der preußischen Staatsbürgerschaft ermöglichte. Geknüpft war diese allerdings an eine Reihe von Bedingungen.

Das Führen fester Familiennamen zählte dazu. Ascher Jäckel wählte den Namen Jakob Levy, in Anlehnung an den Stamm Levi, der nach jüdischer Überlieferung vor der Zerstörung des Tempels in Jerusalem zum Dienst in der Priesterschaft bestimmt gewesen war. Ascher Jäckel, von jetzt an Herr Levy, störte sich nicht an der Tatsache, daß die neuen Gesetze nur widerwillig angenommen worden waren, galten sie doch als ein Werk des Feindes. Ganz im Gegenteil. Endlich konnte er tief durchatmen und sich anderen Zielen zuwenden. Im Januar 1812 hatte er sein siebenunddreißigstes Lebensjahr vollendet, und noch immer war er unverheiratet. Es war höchste Zeit, in den Hafen der Ehe einzulaufen. Er hatte keine übertriebenen Erwartungen. Ascher Jäckel Levy war sich bewußt, daß Reich und Arm unter ihresgleichen heiraten. Als er sich an den Heiratsvermittler der jüdischen Gemeinde wandte, suchte er daher nicht nach einer Mitgift, sondern nach einer Frau, die ihm zur Seite stehen und Söhne gebären würde.

Als der Heiratsvermittler ihm schließlich die Vermählung mit Esther Löb aus Arnswalde vorschlug, sagte er »Ja«, noch bevor er sie zu Gesicht bekommen hatte. Die Braut zeichnete sich nicht durch außergewöhnliche Schönheit aus und brachte kein Vermögen mit in die Ehe, dafür aber gesunden Menschenverstand. Sie hatte ein längliches Gesicht, war recht kräftig gebaut, blickte jedoch mit dunklen, klugen Augen in die Welt, und Gott hatte ihr ein warmes Herz und großes Pflichtbewußtsein mitgegeben. Sie war zehn Jahre jünger als er und galt in damaligen Tagen als ältliches Fräulein, doch als man das Paar das erste Mal im Hause ihrer Eltern zusammenbrachte, wußte Ascher, daß dieser *Schiduch* für einen Mann in seiner Position in jeder Hinsicht ein Erfolg war. Obwohl Esthers Eltern, Jehuda und Veigelche, Hausierer waren wie er und kaum genug zum Leben verdienten, genoß Jehuda Löb wegen seiner *Thora*-Gelehrsamkeit hohes Ansehen in der Gemeinde. Je besser ein Jude die heiligen Schriften kannte, desto mehr Respekt zollten ihm die Gemeindemitglieder.

Esther und Ascher schlossen den Bund der Ehe nach den Vorschriften der mosaischen Religion. Die gleichen Umstände, die das junge Paar den Geschmack der Freiheit kosten und den Familiennamen Levy führen ließen, sollten auch zur Linderung ihrer materiellen Not beitragen.

Ein volkstümlicher jüdischer Fluch besagt: »Mögest du in interessanten Zeiten leben«, folglich in Zeiten von Umwälzungen und Entsagungen. Dieses Mal waren die »interessanten Zeiten« allerdings auch ein Segen. Jakob Levy und seine junge Ehefrau lasen keine Zeitungen und interessierten sich nicht für ferne Kriege. Ihr Leben drehte sich um den tagtäglichen Überlebenskampf. Und dennoch gab es Neuigkeiten, die sogar an die Ohren jener drangen, die sich ansonsten um die Geschehnisse in der Welt nicht kümmerten. Wie ein Lauffeuer verbreitete sich im Winter 1812 das Gerücht, daß sich die Grande Armée auf dem Rückzug befinde, die ihr angeschlossenen preußischen Regimenter versprengt und in alle Winde zerstreut seien und daß die napoleonischen Soldaten die Schätze, die sie in den Weiten Rußlands erbeutet hatten, gegen einen wärmenden Stoff und einen Becher Branntwein verkauften. Gerissene Händler witterten schnelle Geschäfte. Kurz vor Weihnachten, just als der Kaiser seine Armee zurückließ und nach Paris eilte, um einen Umsturz am Hofe abzuwenden, verlud Jakob seine Waren auf einen Schlitten und spannte zwei Kaltblüter davor, die er von seinem Nachbarn für zwanzig Prozent des zu erwartenden Gewinns erhalten hatte. So machte er sich auf den langen Weg, immer der Kolonne der Geschlagenen entgegen, um noch vor seinen Konkurrenten einige Schnäppchen zu machen. Schon bald bekam er sie zu sehen, die altgedienten Kämpfer mit den Auszeichnungen von Austerlitz, Jena und Wagram, wie sie sich auf erfrorenen Füßen mühsam nach Preußen schleppten. Ihre Waffen hatten sie in den verschneiten Steppen Rußlands zurückgelassen, statt dessen führten sie die Beute des letzten Feldzuges mit sich. Erschöpft, in Lumpen gekleidet und hungrig nach Brot und menschlicher Wärme, waren sie ihrerseits leichte Beute für die mitleidlose Armee der habgierigen Händler, die ihnen an den Fluchtwegen auflauerte. Das Diebesgut wechselte den Besitzer, beinahe ohne jedes Feilschen. Es genügten eine Handvoll Bohnen oder Erbsen, ein Verband für ihre Wunden oder der verheißungsvolle Kuß einer Frau, um ihnen Geld, kostbare Ikonen, Schmuck und andere Wertsachen abzunehmen, die aus den Schlössern des Zarenreiches stammten.

Das erste Paar Kerzenleuchter erstand Ascher Jäckel für einen Sack Kartoffeln, doch mit weiterem Handel wuchs auch seine Erfahrung, und am Abend desselben Tages reichte ein Sack Kartoffeln für den Kauf von Schmuckstücken, deren Wert alles überstieg, was er bisher gesehen hatte. Als er Kammin verließ, hatte er noch jeden Pfennig umdrehen müssen, doch nach zwei Wochen kehrte er mit vollen Händen zurück. Das heißt jedoch keineswegs, daß er zum Verschwender wurde. Ascher Jäckel kannte den Wert einer jeden Münze sehr genau: Sie war flach, damit man sie fest in der geschlossenen Hand halten, und rund, damit man sie bei erfolgreichen Transaktionen tanzen lassen konnte. Das unerwartete Vermögen investierte er in den Erwerb einer kleinen Destille in Belgard. Das Paar packte seine Habe und siedelte an den neuen Wohnort über. Zu dieser Zeit lebten in Belgard acht jüdische Familien, und man bekam ohne weiteres zehn erwachsene Männer, ein *Minjan*, für den Gottesdienst am *Schabbat* zusammen. Obwohl sie Bürger wie alle anderen sein wollten, vergaßen Ascher Jäckel und seine Frau Esther niemals die Werte ihrer jüdischen Religion.

Die Destille befand sich am nördlichen Stadtrand, an jener Straße, auf der der Verkehr aus der Kreishauptstadt Köslin in die Stadt kam. Im vorderen Teil des Hauses befand sich das Geschäft, wo an einem Tresen die Getränke verkauft wurden. Es war ein günstiger Standort, denn viele Kutscher hielten an, um sich mit etwas Hochprozentigem zu versorgen. Jakob Levy besaß keine Konzession zum Betreiben eines Wirtshauses, der Ausschank von Getränken war ihm strikt untersagt. Aber wen störte es schon, wenn ein Kutscher, ein Bauer oder ein reisender Händler ein oder zwei Flaschen kaufte, um sie anderswo zu trinken? Nur die Schenkenbesitzer in Belgard stießen sich an diesem in ihren Augen unlauteren Geschäftsgebaren, und mehr als nur einer drohte dem »Branntweinjuden Levy« mit gewalttätiger Rache. Die Drohungen beunruhigten Esther, und fortan achtete sie stets darauf, die Tür zu ihren zwei Zimmern im hinteren Teil des Hauses zu verriegeln. Das Fenster ihres Schlafzimmers ging auf den Hof hinaus, der von einer hohen Steinmauer umgeben war. Die Fensterläden waren ohnehin immer verschlossen, da der Hinterhof als Lager für Fässer und Flaschen diente. Viele Menschen kosteten Jakob Levys Branntwein, denn er verstand sein Handwerk, und sein Ruf verbreitete sich rasch. Schon bald strömten auch die Bauern der umliegenden Dörfer in das Geschäft, um ihre Sorgen mit einem gehörigen

Schluck Branntwein zu ertränken. Jakob Levy selbst rührte niemals Alkohol an.

Am 8. Dezember 1814 wurde in den Registern der Stadt Belgard verzeichnet, daß Jakob Levy das Recht erhalten habe, sich dort niederzulassen. Das Dokument bestätigte zwar lediglich die ohnehin gegebene Situation, war jedoch für den Empfänger von großem Wert. Das Geschäft blühte und expandierte, und als Jakob Esther im Wohnzimmer Babykleidung nähen sah, war er nicht überrascht. Besitz verlangt nach Erben. Es war an der Zeit, die Familie zu vergrößern. Der erste Sohn, der nach dem Vater Ascher genannt wurde, erblickte nach jüdischer Zeitrechnung am 8. Chaschwan 5576 das Licht der Welt, dem 10. Oktober 1815 des Gregorianischen Kalenders.

Esther war im fünften Monat schwanger, als Hunderte von Stadtbewohnern auf den Marktplatz strömten, um die Kunde eines königlichen Herolds zu vernehmen. Ein Herold war damals eine seltene Erscheinung, und nur bei ganz besonderen Ereignissen wählte die Regierung diesen Weg, um dem einfachen Volk Mitteilungen zu machen. Dieses Mal war der Ausrufer in Begleitung von zwei Offizieren, die in der Mitte des Platzes an einem eigens aufgestellten Tisch saßen. Der Mann verlas mit lauter Stimme, der Kriegskommissar Simon Kremser lasse die Einrichtung eines Kriegsfonds verkünden, um die zur entscheidenden Schlacht gegen Napoleon Bonaparte ausziehenden Truppen zu rüsten. Die »Vossische Zeitung« hatte bereits ausführlich über die Rückkehr des Kaisers berichtet. In Begleitung seiner Getreuen war der Imperator von der Insel Elba geflohen, wohin er auf Weisung Preußens, Englands, Österreichs und Rußlands verbannt worden war. Er war an den Stränden von Cannes gelandet, hatte seinen Siegesmarsch auf Paris begonnen, die Herrschaft wieder an sich gerissen und Belgien überfallen. Die Zeitung berichtete über den Vormarsch des französischen Kaisers, und zum ersten Mal in seinem Leben interessierte sich Jakob Levy für Nachrichten, die über seinen Wohnort hinausgingen.

Viel Geld wurde benötigt, um die Armee zu bewaffnen, die den französischen Angriff aufhalten sollte. Gebhard Leberecht Blücher, den der Volksmund »Marschall Vorwärts« nannte, stand erneut an der Spitze der preußischen Truppen. Sein Name ließ viele Herzen höher schlagen. Jäckel hatte noch nie Geld gespendet, es sei denn der jüdischen Gemeinde kleinere Beträge für wohltätige Zwecke.

Dieses Mal zögerte er nicht. Das war der richtige Augenblick, seine Liebe zum Vaterland, seine Treue gegenüber der Krone unter Beweis zu stellen. Er nahm seinen Geldbeutel, trat vor und legte ihn auf den Tisch. Einer der Offiziere zählte die Taler, rühmte seine Tat als guter Staatsbürger und schüttelte ihm herzlich die Hand. Überrascht blickte Jäckel erst den Offizier an und dann auf seine Hand. Sogar beim Abschluß von Geschäften hatten die meisten Deutschen es bisher vermieden, ihm die Hand zu reichen. Unter den Augen zahlreicher Zuschauer stellte ihm der Offizier der Adjutantur eine Quittung aus, setzte den offiziellen Stempel darunter, fügte seine unleserliche Unterschrift hinzu und überreichte ihm das Dokument. Jäckel nahm es in Empfang, als wäre es ein Geschenk des Königs höchstpersönlich, und eilte heim, um es im Schlafzimmer am Fußende seines Bettes aufzuhängen, so daß er es im Moment des Erwachens sehen konnte. Von diesem Tag an war er jedesmal, wenn er einen Blick darauf warf, von Stolz erfüllt. Diese Spende war in seinen Augen wie eine Nabelschnur, die ihn mit seiner Heimat verband.

Am späten Abend des 18. Juni 1815, als Ascher Jäckel – oder Jakob Levy – über seiner Buchführung saß, wurde er durch ein heftiges Klopfen an der Ladentür gestört. »Geschlossen!« rief er der Kundschaft zu. Aus dem Klopfen wurde ein Hämmern. Er vernahm Stimmengewirr, verließ ungeduldig seinen Platz am Tisch und öffnete die Tür. Eine jubelnde Menge von Stadtbewohnern drängte herein. »Auf Blücher wollen wir trinken!« jauchzten sie, so als wären bereits einige Flaschen Branntwein ihre Kehlen hinuntergeflossen.

»Schneller, Jude!« forderten sie laut, »schneller!«

»Kommt morgen. Ich habe schon geschlossen«, versuchte er sie abzuwimmeln – vergeblich. Die Gäste vergingen sich bereits an den mit Getränken gefüllten Regalen. »Hast du's nicht gehört?« schrie einer von ihnen, »Napoleon ist kaputt!«

Während die Branntweinflaschen über die Theke wanderten und die Münzen in der Kasse klingelten, hörte Jäckel die Botschaft, die ein berittener Kurier gerade gebracht hatte: Wellington und Blücher hatten einen Sieg davongetragen und Napoleon die entscheidende Niederlage beigebracht. Das Wunderbare hatte sich auf den Feldern des Dorfes Belle Alliance in der Nähe der belgischen Kleinstadt Waterloo zugetragen, und ausgerechnet das preußische Rekrutenheer, das die Franzosen mit einem Flankenangriff erfolgreich attackiert hatte, hatte den Kampf entschieden. Jäckels Augen füllten sich mit Freudentränen. Er goß sich selbst einen anständigen Becher ein und kippte den Inhalt in einem Zug hinunter. Er konnte nicht ahnen, daß dies das letzte »Prost« seines Lebens sein sollte.

Die Niederlage Kaiser Napoleons I. stellte die alte Ordnung wieder her. In Wien traten die Herrscher und Diplomaten der Mächte zusammen, um Europa neu aufzuteilen. Ihnen auf den Fersen folgten Journalisten, Höflinge und Honoratioren der wohlhabenden Gesellschaft, angezogen durch das prunkvolle Leben der österreichischen Hauptstadt. Viele Entscheidungen reiften in den Salons betuchter Damen – darunter auch Jüdinnen von Rang –, an mit Leckerbissen überhäuften Tischen und zu Orchesterklängen, so daß der Spruch »Der Kongreß tanzt, aber er schreitet nicht voran« zur Redensart wurde. Dies ist durchaus etwas übertrieben, denn im Wien des Frühjahrs 1815 entwarfen die Diplomaten tatsächlich eine neue Karte Europas. Preußen wurde bei diesen Verhandlungen von Karl August Freiherr von Hardenberg und dem Gesandten in Wien, Wilhelm Freiherr von Humboldt, repräsentiert. Sie waren Humanisten, die gesellschaftliche Reformen befürworteten und Juden eine gewisse Wertschätzung entgegenbrachten. Humboldt hatte zu den Stammgästen des Literatensalons der Henriette Herz gehört, einer bekannten jüdischen Gastgeberin Berlins, in deren Hause Heine, Börne, Madame de Staël und Graf Mirabeau verkehrten. Als jedoch die Verfassung des Deutschen Bundes, der sich schließlich aus neununddreißig Mitgliedstaaten ohne ein Regierungszentrum zusammensetzte, zur Verhandlung stand, behielten die konservativen Repräsentanten die Oberhand. Und als der Kongreß im Paragraph sechzehn der Kongreßakte festlegte, daß die Rechte aufzuheben seien, die den Juden in den Gebieten zugesprochen worden waren, die unter dem Einfluß Napoleons gestanden hatten, half auch die Intervention jüdischer Persönlichkeiten nichts. Selbst Ludwig Börne konnte nichts ausrichten. Das Rad der Geschichte wurde zurückgedreht, und auch Preußen entledigte sich geschwind der fortschrittlichen Gesetze, die es in einem »Moment der Schwäche« verabschiedet hatte. Friedrich Wilhelm III. sprach von einem »liberalen Virus«, der den Staat befallen habe. Über Preußen senkte sich erneut der schwere Vorhang der Autokratie. Jeder Versuch, bürgerliche Freiheiten einzuklagen, wurde unerbittlich unterdrückt. Zumindest hinsichtlich dieser Unterdrückung waren Juden und das einfache christliche Volk wirklich gleichberechtigt, auch wenn das gemeinsame Schicksal keineswegs Brüderlichkeit erzeugte. Die Unzufriedenheit des Volkes wuchs und somit auch die Bereitschaft, der Verbitterung und Frustration freien Lauf zu lassen. Und wie schon so viele Male zuvor machte man sich auf die Suche nach einem Sündenbock.

Ascher Levy war noch nicht vier Jahre alt, als in weiten Teilen Deutschlands eine schwere Dürre herrschte. Dies war der berühmte Tropfen, der das Faß zum Überlaufen brachte. Es ging das Gerücht, daß aufgrund eines Fluches der Juden kein Regen mehr falle. Unruhen brachen aus, die Historiker später nach einer Parole der Aufständischen »Hepp-Hepp-Unruhen« nennen sollten. Am 2. August entluden sich die Spannungen der Massen in Würzburg. Maximilian Joseph, König von Bayern, sah in diesen Ereignissen das Anzeichen eines Regierungsumsturzes und sandte seine Truppen aus, um Ordnung zu schaffen. Vielleicht spielte dabei aber auch noch ein anderer Grund eine Rolle: In der Stadt wohnten die Gebrüder Jakob und Salomon Hirsch, seine Privatbankiers. Dennoch vermochten die Kugeln der Soldaten die Dynamik der Entwicklung nicht aufzuhalten. Die »Hepp-Hepp-Unruhen« breiteten sich wie ein Lauffeuer aus. Am 10. August erfaßten sie Frankfurt, ergriffen die Bevölkerung Heidelbergs während des Prinz-Ludwig-Festes, erreichten Hamburg am 20. August und erregten zwei Tage später die Gemüter in Belgard. Kurz nachdem Esther ihren kleinen Sohn zu Bett gebracht hatte, hämmerten Fremde an die Tür des Geschäftes. Während Jakob Levy aufstand, um ihnen zu öffnen, schimpfte er leise über die Leute, die seine Ruhe nicht zu respektieren wüßten. Manchmal wollten Kunden, deren Kehlen ausgetrocknet waren, auch noch nach den üblichen Öffnungszeiten Branntwein kaufen, und er wagte es nicht, sich ihnen zu widersetzen. Dieses Mal jedoch hatten die Besucher eine andere Absicht. Kaum hatte er den Schlüssel im Schloß umgedreht, stürzten auch schon einige Kerle mit brennenden Fackeln ins Haus. Noch bevor er ein Wort sagen konnte, hatten die Regale bereits Feuer gefangen. Jakob Levy floh in seine Wohnung, verrammelte die Durchgangstür mit einem schweren Holzriegel hinter sich und rief Esther zu, sie solle mit dem Kind um ihr Leben rennen. Es dauerte gar nicht lange, da standen auch die Fässer mit dem Alkohol in Flammen. In weniger als einer Stunde war von der Destille nichts mehr übrig. Das Haus war zwar auf einem Steinfundament erbaut worden, aber die Wände waren aus Holz. Sogar flink zupackende Feuerwehrmänner hätten es nicht geschafft, die Feuersbrunst in den Griff zu bekommen. Doch niemand versuchte, die Flammen zu löschen, keiner kam ihnen zu Hilfe, niemand kümmerte sich um sie. Die Nacht verbrachte die Familie im nahe gelegenen Wald. Als Ascher am Morgen die verkohlten Überreste seines Hauses betrachtete, begriff er, daß sich der Kreis geschlossen hatte: Die Tage des Wohlstandes waren vorbei. Ihm war nichts geblieben, und er war wieder dort angelangt, wo er seinen Weg begonnen hatte.

Seine Frau weinte nicht. Irgendwie hatte sie immer gewußt, daß ihnen das Glück nicht ewig hold sein würde, und im Grunde hatte sie die Katastrophe kommen sehen. Auch Ascher Jäckel grämte sich nicht über sein bitteres Schicksal. Gott gibt und Gott nimmt. Auf sieben fette Jahre folgen sieben magere. Der Name Jakob Levy hatte nicht mehr die geringste Bedeutung. Er war nur noch das Überbleibsel einer großen Illusion. Ohne die Hilfe des Rabbiners der jüdischen Gemeinde hätten er, seine Frau und sein kleiner Sohn Hunger leiden müssen. Der Rabbiner besorgte ihnen eine bescheidene Unterkunft und Arbeit auf einem Bauernhof, auf dem, wie überall in dieser Gegend, vor allem Kartoffeln angebaut wurden. Bis zu seinem Tod im April 1834 diente Jakob Levy als Knecht. Seine und Esthers größte Sorge galt nunmehr der Zukunft ihres Sohnes. Sie brachten ihm Lesen und Schreiben bei; unter ihren aufmerksamen Augen lernte er Rechnen, studierte die heiligen Schriften und wurde in die Geheimnisse der Schnapsbrennerei eingeweiht. Mit sechzehn Jahren kannte er sich im Branntweingeschäft bereits ausgezeichnet aus. Dank seiner Geschicklichkeit fand er bei Louis Stärger, dem Besitzer eines gutgehenden Geschäftes in Märkisch-Friedland, eine Lehrstelle.

Louis Stärger war zwar nur ein kleiner Händler, aber äußerst habgierig. Mit seinem Spirituosenhandel hatte er es zu einem zinsbringenden Vermögen gebracht. Er hätte Karl Borromäus Sessas gleichsam als Prototyp für dessen Stück »Unser Verkehr« dienen können, in dem der sich bereichernde Jude verhöhnt und die Protagonisten als Blutegel dargestellt wurden, die die Nation aussaugten – kurz, ein Dauerbrenner seit den Tagen der »Hepp-Hepp-Unruhen«. Doch von seiner Geldgier einmal abgesehen, war Stärger ein traditionsbewußter Jude, und dies war für Jakob Levy entscheidend, denn sein Sohn sollte unbedingt und trotz aller Geschehnisse in einem frommen Haus aufwachsen. »Die Religion und der Glaube sind das einzige, was uns geblieben ist«, sagte er am Tag des Abschieds. Diesen Spruch und ein Kleiderbündel nahm Ascher Levy mit auf den Weg, als er die Postkutsche bestieg, die zwischen Belgard und Friedland verkehrte.

Die Religion und der Glaube erleichterten allerdings keineswegs die Beziehung zwischen Lehrmeister und Lehrling, und der junge Ascher hatte ein beschwerliches Leben. Er war in einer Kammer auf dem Dachboden untergebracht, und sein Arbeitstag dauerte vom Morgengebet bis zum Sonnenuntergang. Zu Anfang wurden ihm leichte Verrichtungen aufgetragen: die Ritzen tropfender Fässer stopfen, lockere Reifen befestigen und – nicht weniger wichtig – Tabak für die Pfeife des Hausherrn fein säuberlich zerkleinern. Stärger erkannte jedoch schon bald die Vernunft und Auffassungsgabe dieses jungen Mannes und erweiterte Schritt für Schritt dessen Aufgabenbereiche. Bevor das erste Jahr um war, übertrug er Ascher die Buchführung der Firma und sogar die Verhandlungen mit den Kunden. Schließlich überließ er ihm sogar, wenn er selbst sich auf Geschäftsreisen begab, die Schlüssel zur Kasse. Dies bedeutete allerdings nicht, daß auch Aschers Lohn dementsprechend stieg. Doch der Lehrling, der zum Angestellten geworden war, hielt die Zunge im Zaum. Niemals beschwerte er sich oder forderte mehr Geld. Er kannte das grausame Gesetz von Angebot und Nachfrage. Auf eine einzige freie Lehrstelle warteten Dutzende junger Männer wie er.

Aber viel schlimmer als die Arbeit war für ihn im Grunde die Einsamkeit. Er war ein Fremder in dem Städtchen, hatte keine Bekannten und Freunde, und so vergnügte er sich hauptsächlich auf langen Spaziergängen. Am *Schabbat*, wenn die Firma geschlossen war, wanderte er in der Umgebung. Die grünenden Felder, die dichtbelaubten Wälder und die rauschenden Flüsse, die Pommern durchziehen, hatten für ihn etwas Geheimnisvolles. Der Zauber der freien Natur eroberte sein Herz und berauschte seine Sinne. Beim Wandern auf den schmalen Pfaden, zwischen Sträuchern, die einen betörenden Duft verströmten, wenn er ein Blatt verfolgte, das von den Ästen einer Pappel herabfiel, oder einen Hasen entdeckte, der sich zwischen Bäumen versteckte, verspürte er eine Hochstimmung, so als weilte Gott unmittelbar in seiner Nähe. Seinen Vater hatte der Glaube niemals über die heiligen Schriften hinausgeführt. Jäckels spirituelle Welt war zwischen den Einbänden dieser Bücher geblieben, wohlgeordnet wie die geraden Zeilen des Schriftsatzes.

Nicht so bei Ascher. Der Sohn entdeckte die wunderbare Verbindung zwischen dem gedruckten Wort und dem Werk des Schöpfers. Die trockene Sprache nahm Form an, und die Worte füllten sich mit Inhalt. Dieses Erlebnis war viel zu intensiv, um es für sich zu behalten. Seine Gefühlswallungen verlangten nach Ausdruck, und Ascher füllte damit sein Tagebuch, das er seit seiner Ankunft in Friedland führte.

Es war ein Dialog mit sich selbst, ein Ersatz für das Gespräch mit einem Mitmenschen, und er schrieb mit deutscher Gründlichkeit und jüdischem Gefühl. Mit großer Genauigkeit hielt er fast alles fest, was er empfand oder tat: den Arbeitsalltag, die Gespräche mit den Kunden, die verkauften Mengen Spirituosen. Wäre er der Notenschrift kundig gewesen, hätte er mit Sicherheit auch das Zwitschern der Vögel und das Säuseln des Windes in den Eichenhainen notiert. Wenn er sich nach dem Austausch mit einer verwandten Seele sehnte, so begab er sich auf sein Zimmer, zündete trotz der bleiernen Müdigkeit eine Kerze an und schrieb im flackernden Licht seinem Vetter Moritz Gottschalk, der das Bankwesen bei einem Geldverleiher in Labes erlernte. Er liebte jene stillen Abende, wenn der Arbeitstag hinter ihm lag und er sich nur dem geistigen Kontakt mit seinem Vetter widmen konnte. Sicherlich ahnte er damals nicht, daß sie eines Tages, als erwachsene und wohlhabende Männer, gemeinsam eine Schiffsreise nach Palästina unternehmen würden. Damals, im Jahre 1834, träumte er schwerlich von einer Passage Erster Klasse auf einem Luxusdampfer. Die Wände seiner Schlafkammer neigten sich schräg zu dem sich langsam verdunkelnden Viereck des Fensters herab. Sein Bett stand an der gegenüberliegenden Wand, daneben befand sich ein Regal mit vielen Büchern. Vor kurzem hatte er die deutsche Übersetzung der Bücher der *Mischna* und zugleich das neueste Buch von Walter Scott gelesen. An der Wand über dem Regal hingen Portraits des Königs und des Maimonides. Unter dem Fenster stand ein einfacher Tisch aus Kiefernholz. Darauf lagen in vorbildlicher Ordnung Hefte und Werkzeuge zum Spitzen der Entenfedern, daneben stand ein Faß mit blauer Tinte. Auch am Abend des 12. März 1834 schrieb er nieder, was ihn bewegte:

»Mein teurer Moritz, heute wanderte ich in den Hügeln in der Nähe von Wilkensdorf. Der Himmel war wunderbar, so als hätte jemand Sternenstaub darüber gestreut. Am Rande eines gewundenen Weges warfen die Linden und eine vereinzelte Eiche lange

Schatten. Ich stand ganz still und lauschte dem Flüstern der Natur. Vielleicht für eine Minute, vielleicht aber auch für eine Stunde, ich weiß es nicht. Der Mond stieg aus den Tiefen der Erde am Firmament empor und erleuchtete die Umgebung. Meinen Körper durchfuhr ein Beben. In jenem Moment spürte ich, daß es einen all-

Aus dem Tagebuch von Ascher Levy, Eintrag vom 1. Januar 1834

mächtigen Schöpfer geben muß, der die Welt um mich geschaffen hat, denn anders kann es gar nicht sein. Ich spürte, wie ich in Hochstimmung geriet, und zugleich empfand ich Furcht. Von irgendwo drangen das Klappern des Mühlrades und Hundegebell zu mir. Ich murmelte einen Psalm. Du hast ihn sicherlich nicht vergessen: ›Wenn ich sehe die Himmel, Deiner Finger Werk, den Mond und die Stern, die Du bereitet hast: was ist der Mensch ...‹ Ich ging heim, schlug ein Buch auf, konnte jedoch nicht lesen, und so löschte ich die Kerze. Doch noch bevor ich mich zu Bett begab, legte ich ein Gelübde ab: Ich werde immer ein jüdisches Leben führen. Immer werde ich dem Ruf meines Gewissens folgen. Immer werde ich mich bemühen, meine *Mitzwoth* gegenüber Gott und meinen Mitmenschen zu erfüllen.«

In der Geschäftswelt, die ihm tagtäglich die Lektionen der Realität erteilte, war indes kein Platz für derart ehrenwerte Vorsätze. Viele Juden suchten ihren Weg in die Gesellschaft und deren Kultur, indem sie zum Christentum übertraten. Wer zu seinem Judentum stand, der konnte bestenfalls in die Finanzwelt aufsteigen, hatte aber nicht die geringste Chance, eine Eintrittskarte in den exklusiven Klub der »wahren Patrioten« zu erhalten. Nicht umsonst hatte Heinrich Heine anläßlich der Eröffnung eines jüdischen Krankenhauses in Hamburg geschrieben:

»Ein Hospital für arme kranke Juden.
Für Menschenkinder, welche dreifach elend
behaftet mit den bösen drei Gebrechen:
Mit Armut, Körperschmertz und Judentum!
Das Schlimmste von den dreien ist das letzte.«

Aber der Dichter irrte in der Hoffnung, daß ein Übertritt zum Christentum das Allheilmittel für alle Schmerzen des Judentums sei. Die Haltung jener, die die Integration der Juden in die preußische Nation nicht wünschten, würde sich auch dadurch nicht ändern, wie beispielsweise der Publizist Dr. Eduard Mayer aus Hamburg rasch deutlich machte:

»Heine ist Jude wie Börne, wie Saphir«, schrieb er. »Getauft oder nicht, das ist dasselbe. Wir hassen nicht den Glauben der Juden, sondern die vielen häßlichen Besonderheiten dieser Asiaten, die nicht mit der Taufe abgelegt werden können: die häufig auftretende Schamlosigkeit und Arroganz bei ihnen, die Unanständigkeit und Frivolität, ihr vorlautes Wesen, ihre häufig schlechte Grundeigenschaft ... Sie gehören zu keinem Volk, zu keinem Staate, zu keiner Gemeinschaft; sie fahren durch die Welt wie Abenteurer.«

Diesem Verleumdungsfeldzug schlossen sich bald zahlreiche Intellektuelle an. Ein Aufsatz des Professors Jakob Friedrich Fries von der Universität Heidelberg, in dem dieser allen Ernstes behauptete, die Juden korrumpierten den deutschen Charakter und die einzige Lösung dieses »Problems« sei die physische Vernichtung des Judentums, ging von Hand zu Hand. Der Berliner Professor für Geschichte Christian Friedrich Rühs sah die größte Gefahr ausgerechnet in jenen Juden, die sich bemühten, eine Brücke zwischen ihrer Religion und ihrer Zugehörigkeit zur deutschen Nation zu schlagen, und forderte die Einführung eindeutiger Kennzeichen, »so daß der Deutsche nicht durch Sprache und Verhalten seines jüdischen Nachbarn irrgeführt werden kann und seinen hebräischen Feind mit Leichtigkeit erkennt«. Der ehrenwerte Professor meinte, »daß ein fremdes Volk nicht die gleichen Rechte genießen dürfte wie die Deutschen, nur weil sie zu Christen werden«, und schlug vor, erneut die Judensteuer einzuführen. Ein anderer empfahl, die jüdischen Frauen in Freudenhäuser zu sperren, die Männer zu kastrieren und in Minen Zwangsarbeit leisten zu lassen oder als Sklaven an die britischen Kolonien zu verkaufen. »Vielleicht«, so schrieb er, »wäre es das Beste, unser Land von diesen Schmarotzern gänzlich zu säubern, sie, wie der Pharao von Ägypten, auszuweisen oder sie auf der Stelle zu vernichten.«

Die Regierung unterstützte diese Verhetzungen zwar nicht offiziell, unternahm allerdings auch nichts dagegen. Die Doppelzüngigkeit des preußischen Hofes hinsichtlich dieser Frage zeigte sich einige Jahre später in der Affäre um den Oberleutnant Burg. Burg war Ausbilder an einer Schulungsstätte für Kanoniere. Sein Vorgesetzter schätzte den Einsatz und die außergewöhnlichen Fähigkeiten des ihm unterstehenden Offiziers und schlug vor, ihn zum Hauptmann zu befördern. Der Generalstab forderte, Burg solle zuvor zum Christentum übertreten. Burg aber weigerte sich. Im Verlauf der endlosen Berufungen landete der Fall schließlich auf dem Schreibtisch Friedrich Wilhelms III. In einem Brief an die Befehlshaber der Artillerie schrieb der preußische Herrscher: »... ich kann den Oberleutnant Burg, der an einer Ausbildungsstätte für Kanoniere und Pioniere dient, nicht in den Rang eines Hauptmanns der Preußischen Armee erheben. Von jemandem seines Bildungsstandes und seiner geistigen Fähigkeiten muß ich erwarten können, daß er die Wahrheit und das Licht der christlichen Religion erkennt. Ich möchte dennoch seiner Leistung bei der Abfassung von Lehrbüchern gerecht werden und füge diesem Schreiben als Anerkennung für seine Bemühungen fünfzig Goldtaler bei.«

Da einerseits verlangt wurde, daß Juden zum Christentum übertraten, andererseits ein solcher Übertritt ihre gesellschaftliche Position keineswegs aufwertete, wählten viele den goldenen Mittelweg:

eine Reform des Judentums. Zunächst wurden Gebetbücher in Deutsch und nicht mehr in Hebräisch gedruckt. Einige gingen sogar noch weiter und forderten, aus den Gebet- und Lehrbüchern jede Bezugnahme auf den Berg Sinai und den Glauben an die Ankunft des Messias zu tilgen. Ihrer Meinung nach waren eine mystische Erlösung sowie ein zusätzliches Land der Väter neben dem deutschen Vaterland nicht mehr notwendig. Eine Reformbewegung in Hamburg veröffentlichte folgendes Memorandum: »Wir erwarten nicht die Ankunft des Messias, der die Israeliten nach *Erez Israel* heimführen wird. Ein solcher Messias ist hier nicht erwünscht, und wir erkennen kein anderes Vaterland an als das, in dem wir geboren wurden und dessen Bürger wir sind.« Ascher Levy lehnte einen Übertritt zum Christentum ab, aber auch die Reformisten überzeugten ihn nicht. Man müsse zwischen Alt und Neu verbinden, zwischen Gestern und Morgen, zwischen der *Thora* der Väter und der Realität der Gegenwart, behauptete er in Streitgesprächen mit seinem Arbeitgeber Stärger, doch heiße dies keineswegs, daß man die Grundsätze der *Thora*, die das Volk Israel seit Jahrtausenden begleiten, aufheben dürfe. Auf die Frage, wie dies zu bewerkstelligen sei, wußte er allerdings keine Antwort.

Anfang der dreißiger Jahre des neunzehnten Jahrhunderts war Deutschland in viele kleine Fürstentümer zersplittert, und jeder Herrscher war darauf bedacht, seine Souveränität zu wahren. Jeder Kurfürst und jeder Monarch erließ für seine Untertanen Gesetze, und jeder Zwergstaat verfolgte lediglich seine eigenen Interessen. Die an den Grenzen zu entrichtenden Schutzzölle ließen unsichtbare Mauern entstehen und verhinderten eine gemeinsame wirtschaftliche Entwicklung. Erst 1834 wurde ein Teil dieser unsinnigen Zölle aufgehoben. Juden waren die ersten, denen dies zugute kam. Aufgrund ihrer Verbindungen untereinander vermochten sie zunächst in allen Teilen Deutschlands und später in ganz Europa ein weitverzweigtes Informationsnetz aufzubauen und einen großangelegten Handel mit Waren und Finanzen aufzuziehen. Nach Pommern, eine der rückständigsten Provinzen, gelangten diese Zeichen der neuen Zeit jedoch noch nicht. In anderen Regionen bildete sich langsam eine Schicht von jüdischen Bankiers und Beratern heraus, deren Vermögen ihnen den Weg an die Spitze der Gesellschaft und sogar zu Adelstiteln ebnete, denn inzwischen galten Finanzgeschäfte und Handel keineswegs mehr als Schande.

Sogar Junkerfamilien und Gutsbesitzer mischten nunmehr bei finanziellen Transaktionen mit, die zuvor ganz und gar nicht ihrem Status entsprochen hatten. Zwar war Juden der Zugang zu öffentlichen Ämtern noch immer verwehrt, sie konnten keine hochgestellten Offiziere, weder Richter noch Gouverneure werden, doch kein Gesetz und kein Statut konnte sie mehr am Erwerb von Vermögen hindern. Man salutierte vor der Fahne, den Uniformen, den Herrschern und den Symbolen der Macht, aber im Grunde wußten alle, daß das Geld der wichtigste Wert war. Und so wie Juden darauf bedacht waren, den Namen Gottes nicht auszusprechen, achtete man darauf, das Geld nicht beim Namen zu nennen. Seine Exzellenz das Geld herrschte anonym, eine wahrhaft graue Eminenz in einer Gesellschaft, die sich am Übergang vom Feudalismus zum Kapitalismus befand.

Geld verlieh ein bisher unbekanntes Gefühl der Sicherheit. Wer jedoch kaum einen Pfennig in der Tasche hatte, befand sich in einer verzweifelten Situation. Karl Marx, Sohn eines getauften Juden aus Trier, hatte sein »Kommunistisches Manifest« noch nicht publiziert, als der neunzehnjährige Ascher Levy begriff, daß das Sein das Bewußtsein bestimmt. Im Gegensatz zu prominenten Vertretern des jüdischen Proletariats kam er jedoch zu völlig anderen Schlußfolgerungen. Er strebte nicht den Klassenkampf an, sondern einen Fortschritt, der ihm – natürlich mit Hilfe des Geldes – eine privilegierte Stellung verleihen würde.

Doch es sollte noch ein langer Weg sein. Mit einem monatlichen Lohn von sieben Talern mußte er mit seinen Ausgaben geizen. Luxus lag ihm fern. Er begnügte sich mit einfachen Speisen, unter der Bedingung, daß sie *koscher* waren. Nur sein Geist verlangte nach mehr. Ascher dürstete es nach Wissen. Sein Geld gab er größtenteils für Bücher aus, doch las er keineswegs alles, was ihm unter die Finger kam, sondern wählte mit Bedacht. Allmählich entdeckte er eine neue Welt. Er begab sich auf Phantasiereisen, auf faszinierende Ausflüge in ferne Länder und lernte ihm bisher unbekannte Lebens- und Denkweisen kennen. Die Romanhelden erschienen ihm in seinen Träumen, und am nächsten Tag fügte er ihnen aus einem neuen Buch andere Figuren hinzu. Mosche Ben Maimon, auch Maimonides genannt, begleitete seine Lektüre von seinem Portrait an der Wand aus, und manchmal schien es Ascher, als zwinkerte ihm der Rabbi fröhlich zu.

»Meine theure Mutter«, schrieb er nach Hause, »ich vertiefe

mich in die Seiten der *Gemara* und genieße die wunderbare Logik unserer Weisen. Ich lese aber auch ernsthafte säkulare Literatur und finde darin mehr als nur reines Vergnügen. Bitte erzähl Vater nichts davon, denn er wird es nicht verstehen und sich nur erzürnen ...«

In seinem Tagebuch notierte er mit aufrechten Buchstaben, die in geraden Linien wie preußische Soldaten aufgereiht dastanden, daß die letzten Werke, die er gelesen hatte, die historischen Romane Walter Scotts waren.

»Ich erfuhr«, so hielt er fest, »daß der Verfasser in finanzielle Schwierigkeiten geraten war und vor zehn Jahren sogar in Konkurs gehen mußte. Seither verfaßt er vermehrt Bücher, um einen Lebensstil führen zu können, der seinem Status angemessen ist. Daraus folgere ich, daß Not durchaus erfinderisch und schöpferisch machen kann. Vielleicht ist hierin auch ein Fingerzeig für meine eigene Zukunft zu sehen.«

Der Vater erfuhr niemals von der Leidenschaft seines Sohnes für säkulare Literatur. An einem Donnerstag, dem 17. April 1834, begann Ascher seine Arbeit wie üblich früh morgens um sechs Uhr dreißig. Louis Stärger stand im Eingang zum Geschäft und warf ihm einen prüfenden Blick zu.

»Hast du schon gebetet?« fragte er.

Ascher überlegte, was seinen Arbeitgeber wohl zu so früher Stunde hierherführen mochte, und antwortete nur kurz:

»Sicherlich, mein Herr. Ich komme direkt vom Morgengebet. Ich habe es noch niemals versäumt.«

»Gut, denn ich habe dir eine traurige Mitteilung zu machen.«

»Wie kann etwas Trauriges gut sein?«

»Du wirst frech, Bürschchen«, warnte Stärger.

»Ich bitte um Entschuldigung. Mir lag es fern, rüde zu sein. Ich nehme an, daß es sich um die Firma Hagen aus Berlin handelt, denn heute sind die Wechsel fällig. Allerdings kam mir zu Ohren, daß der alte Hagen in Schwierigkeiten steckt.«

»Nein, dieses Mal geht es nicht ums Geschäft.«

»Ist etwas passiert?«

»Ich habe einen Brief aus Belgard erhalten. Dein Vater ist am gestrigen Morgen verstorben. Gesegnet sei sein Andenken.«

Ascher stand wie versteinert da.

»Ich weiß nicht, wie es geschehen ist«, fügte Stärger hinzu. »Ich habe nicht gehört, daß er krank war.«

»Der Herr gibt, der Herr nimmt. Sein Name sei gepriesen«, murmelte Ascher.

»Ich nehme an, daß du heimfahren willst«, sagte Stärger. »Ich habe nichts gegen einen Urlaub einzuwenden. Du mußt das Gebot der *Schiwah* erfüllen.«

»Danke.«

»Nichts für ungut. Du mußt während der *Schiwah* nicht arbeiten. Für die Woche, die du abwesend sein wirst, werde ich dir den halben Lohn zahlen. Auch ich bin ein Mensch.«

»Ich weiß Ihr gutes Herz zu schätzen, Herr Stärger, aber ich fürchte, daß ich Ihre Großzügigkeit nicht in Anspruch nehmen kann. Ich habe keine Ersparnisse und besitze noch nicht einmal genug, um für diese lange Reise ein Pferd und einen Wagen zu mieten, und bis Ende der Woche gibt es keine Postkutsche«, entgegnete Ascher und warf seinem Arbeitgeber einen fragenden Blick zu.

Stärger tat so, als hätte er nicht verstanden. »Das tut mir leid«, murmelte er und zog die Schultern hoch.

»Mir auch.«

»Was wirst du tun?«

»Ich werde den Bericht für die Steuerbeamten fertigmachen. Für jede Verspätung brummen sie uns eine Strafe und Zinsen auf.«

»Kluger Junge«, sagte Stärger lächelnd, und bevor er in sein Kontor verschwand, fügte er hinzu: »Bereite auch die Dokumente für den Baron von Blanckenburg vor. Ich habe ihn für neun Uhr bestellt.«

Baron von Blanckenburg, Sprößling einer preußischen Adelsfamilie, die viele hohe Offiziere und Staatsbedienstete gestellt hatte, besaß einige Dörfer in der Umgebung. Auch das schöne Landgut Wilkensdorf gehörte zu diesem Besitz. Der Baron veranstaltete Bälle, spielte Karten und begab sich auf lange Reisen, ohne einen Gedanken an die ordnungsgemäße Verwaltung seiner Gehöfte zu verschwenden. Jetzt war er am Ende. Das beim Kartenspiel gewonnene Geld hatte er durch Abenteuer an den instabilen Börsen von Frankfurt und Berlin verloren. Fehlinvestitionen zwangen ihn, die Dienste von Geldverleihern in Anspruch zu nehmen. Als kurzfristige Anleihen fällig waren und die Gläubiger bereits an die Türen seines Schlosses klopften, mußte er sogar eine Hypothek auf den Familienbesitz aufnehmen, denn nur so konnte er erniedrigende Gerichtsverfahren, die seine und die Ehre seiner Familie befleckt hätten, abwenden. Blanckenburg wurde von jüdischen Geldverleihern abhängig. Für einen Adligen seines Ranges war dies eine unerträgliche Situation.

Zwei Jahre zuvor, ja noch nur ein Jahr zuvor hatte Louis Stärger mit demonstrativer Höflichkeit jede Bitte dieses Mannes erfüllt. Ein kleiner Hinweis, ein Fingerzeig schon hatten Stärger in das Vorzimmer des Gutshauses eilen und tiefe Verbeugungen machen lassen. Jetzt hieß es: »Bereite die Dokumente vor. Ich habe ihn für neun Uhr bestellt«, und es war selbstverständlich, daß sich der Adlige zum Geschäft des Juden begab, ganz so, als wären beide ebenbürtig. Ascher Levy sollte eine aufschlußreiche Lektion über die Macht des Geldes erhalten.

Und tatsächlich erschien der Baron Punkt neun Uhr im Geschäft. Ascher beobachtete, wie er aus seiner prachtvollen Kutsche ausstieg und seinem Diener befahl, in ungefähr hundert Metern Entfernung mit der Kutsche zu warten. Sicherlich wollte er nicht, daß jemand über seine Beziehungen zu dem Juden erfuhr. Auch Stärger sah ihn näher kommen und zog sich schleunigst in den Lagerraum zurück. Blanckenburg betrat das Geschäft, lehnte seinen Gehstock an den Tresen und fragte zornig:

»Wo sind die Papiere?«

Ascher breitete die Schuldscheine vor ihm aus. Blankenburg studierte den Inhalt und bohrte nach:

»Ist das hier dein Werk?«

Ascher senkte verlegen den Blick, damit sich der Baron von dem Mitleid in seinen Augen nicht beleidigt fühlte.

»Ja, mein Herr. Ich habe die Papiere ausgefertigt. Ich hoffe, daß mir dabei keine Fehler unterlaufen sind.«

Ascher hob die Augen, und ihre Blicke begegneten sich. Der Baron legte die Schuldscheine wieder auf den Tresen und schwieg. In der Luft hing der schwere Geruch von Branntwein.

Ascher faßte Mut und sagte: »Euer Wohlgeboren hätten nicht derart viel in spanische Wertpapiere investieren sollen.«

»Verstehst du denn etwas von Wertpapieren, mein Junge?«

»Ich lerne, Euer Wohlgeboren.«

»Mir scheint, als habe dein Lehrer ein Lob verdient«, merkte der Baron an. Der Ärger und der Spott in seiner Stimme waren schwerlich zu überhören.

Beide wußten, daß der Baron mit einer weiteren Unterschrift einen zusätzlichen Teil seines Besitzes an Stärger überschreiben würde. Der Gutsbesitzer wurde immer wütender. Ascher spürte die

Spannung. Der Baron konnte sich nicht länger beherrschen und fragte:

»Was genau hast du gelernt?«

»Ich habe die Geschäfte meines Arbeitgebers verfolgt. Auch er besaß spanische Wertpapiere. Aber er hat den Börsensturz vorhergesehen und verkaufte eines nach dem anderen.«

»Verkauft? Wann?«

»Vor ungefähr einem Jahr, gleich nachdem der Tod König Ferdinands bekannt wurde. Herr Stärger erzählte mir, daß er dies getan habe, weil Spanien aufgrund der hohen Unterhaltskosten für seine große Armee in Mexiko ohnehin enorme Schulden hatte und nun höchstwahrscheinlich ein Krieg um die Thronfolge ausbrechen würde. Ein Krieg mit Don Carlos. Die Königin Isabella ...«

»Das reicht! Ich bin nicht hierhergekommen, damit du mir Geschichtsunterricht erteilst.«

Ascher verstummte.

»Dreckiger Bastard. Stärger wußte, daß ich in spanische Wertpapiere investiert habe, und hat kein Wort gesagt. Er hat mich nicht gewarnt.«

»Es war kein Geheimnis, Euer Wohlgeboren. Die Zeitungen haben ausführlich darüber berichtet.«

»Er hat mich nicht gewarnt, Bastard. Er wollte, daß ich stürze, daß ich in Schulden versinke. Er will sich meines ganzen Besitzes bemächtigen. Dreckiges Jüdlein. Wie konnte ich derart offensichtliche Dinge nur übersehen? Warum habe ich nicht erkannt, daß er es auf Wilkensdorf abgesehen hat? Wohin soll das führen? Ein Jude auf dem Gut eines Junkers? Gütiger Gott, warum hast Du nur zugelassen, daß sich diese jüdische Plage in unserem Land vermehrt?«

»Juden, Euer Wohlgeboren, haben hier bereits vor fünfhundert Jahren gelebt. Sie waren vor den Preußen hier, Euer Wohlgeboren. Sie lebten bereits in diesem Gebiet, als hier noch die Slawen herrschten. Es war Herzog Wartislav IV., der uns die Niederlassungsrechte in der Umgebung von Belgard verlieh. Und das war im vierzehnten Jahrhundert, Euer Wohlgeboren ... und hinsichtlich Ihrer gescheiterten Transaktionen, Euer Wohlgeboren, erlaube ich mir anzumerken, daß Klugheit keine Sünde ist.«

»Hast du auf alles eine Antwort?«

»Ich bemühe mich, die Vorgänge zu verstehen und Schlußfolgerungen zu ziehen. Sehen Euer Wohlgeboren darin etwa einen Fehler?«

»Du bist einfach hinterhältig. Ja, listig. So wie eure ganze Rasse. Man hat mich vor euch gewarnt und mir geraten, euch zu meiden wie die Pest. Schade, daß ich diesen Rat nicht befolgt habe.«

»Ich bin kein Betrüger, Euer Wohlgeboren. Ich habe niemals jemanden hintergangen«, antwortete Ascher.

»In deinem jungen Alter bist du einfach noch nicht dazu gekommen!«

Der Baron nahm die Schuldscheine, warf einen kurzen Blick darauf und unterschrieb.

»Bist du jetzt zufrieden?«

»Ich bin nur ein einfacher Angestellter«, gab Ascher zur Antwort.

»Ja, dieser Stärger, dieser ... immer hat er gewimmert, daß das Schicksal den Juden grausam mitspiele. Daß wir grausam zu den Juden seien. Mir scheint, dieses Mal hat er keinen Grund, sich zu beschweren. Sag ihm, daß er deinen Lohn um einen Taler die Woche erhöhen soll. Du bist es wert!« grollte er und ließ die Tür hinter sich ins Schloß fallen. Als Stärger das Klappen der Tür vernahm, kehrte er sofort in den Laden zurück, studierte die unterschriebenen Dokumente, faltete sie zusammen und steckte sie in seine Tasche. »Es ist vollbracht!« verkündete er heiter.

Wer zuletzt lacht, lacht am besten. Louis Stärger fuhr nach Stettin und übergab die Wechsel der Bank als Sicherheit für eine große Anleihe. Auf dem Rückweg besuchte er seinen Bruder in Kammin und schlug ihm vor, bei einem weiteren Geschäft als sein Partner einzusteigen. Schon nach einigen Monaten eröffneten die Brüder ein großes Handelshaus für Wolle. Dem inzwischen zwanzigjährigen Ascher wurden die Bücher der neuen Firma anvertraut. Schafwolle war der letzte Schrei auf dem Markt. Die Erfolgsformel war simpel: Man kaufte die Ware bei den Bauern der Umgebung zu günstigen Preisen auf und veräußerte sie teuer an die Textilmanufakturen. Aber die Industrie steckte noch in den Kinderschuhen und wurde häufig von Krisen geschüttelt. Die Banken unterstützten nur die großen Korporationen, die viel Gewinn abwarfen, da sie billige Arbeitskräfte beschäftigten, zumeist Frauen und Kinder. Die Gebrüder Stärger handelten jedoch fast ausschließlich mit kleinen Fabriken, die ihren Verpflichtungen oft nicht nachzukommen vermochten und letztlich den größeren Konkurrenten zum Opfer fielen. Jede Fabrik, die schließen mußte, verschlimmerte die Krise. Als auch die Erträge aus dem Spirituosenhandel die Verluste nicht mehr auffangen konnten, mußten die Brüder Konkurs anmelden. In der Stadt gab es keine andere Arbeit, und so kehrte Ascher Levy im Sommer 1835 nach Belgard zurück. Seine Taschen waren leer, und um seine Aussichten auf eine bessere Zukunft war es schlecht bestellt. Am 14. September starb seine Mutter Esther, ohne ihm auch nur einen einzigen Pfennig zu hinterlassen.

Sein Vater Jäckel war ursprünglich Hausierer gewesen, und jetzt war die Reihe an dem Sohn. Er verlud seine Ware auf einen einfachen Wagen. »Gute Ware! Billige Ware! Eine einmalige Gelegenheit!« rief er mit kräftiger Stimme, und die Bauern kamen aus ihren Katen, um das Angebot in Augenschein zu nehmen. Es war eine schwere Arbeit, denn nicht nur die Starrköpfigkeit der Bauern, sondern auch die Winter machten dem Umherziehenden zu schaffen. Ascher Levy hatte schon bald begriffen, daß diese Tätigkeit, selbst wenn er erfolgreich war und mit leerem Wagen heimkehrte, ihn seinem Ziel nicht näher bringen würde. Er mußte einen ertragreicheren Weg finden, und er fand ihn auch.

In der kurzen Zeit zwischen Aussaat und Ernte tauchte er in den Hütten der Armen auf. Dies war sein großer Moment. Er klopfte an die Türen der Bauern und breitete seine Ware vor ihnen aus. Oftmals führte er nur mit den Frauen Verhandlungen, da die Männer ausgezogen waren, um in den Industriestädten Arbeit zu suchen. »Du hast kein Geld? Macht nichts. Laß das meine Sorge sein«, beruhigte er sie, wenn sie seine Sachen bewunderten und die Hände danach ausstreckten. »Nehmt, was euch gefällt. Ihr braucht nicht sofort in barer Münze zu bezahlen. Zahlt nach der Ernte mit Getreide.«

Den Gegenwert des Getreides berechnete er nach dem Preis des Vorjahres. Der langsame, aber stetige Preisanstieg landwirtschaftlicher Produkte sicherte ihm immer einen guten Profit. Außerdem vergaß er niemals, den gesetzlich festgelegten Zinssatz von sieben Prozent aufzuschlagen.

Binnen kurzer Zeit verfeinerte er seine Methode. Anstatt zur Erntezeit in die Dörfer zurückzukehren, um das ihm Zustehende einzufordern und danach einen Käufer zu suchen oder – nach seinem Verständnis – Unsummen für Transport und Lagerung des Getreides auszugeben, machte er an Ort und Stelle gleich den nächsten Handel: Die Bauern, die im Winter Webstoffe und Leinen kauften und diese im Sommer bezahlten, benötigten zur Zeit der Aussaat neue Samen. Was war einfacher, als ihnen ihre eigenen Getreidekörner als Saatgut anzubieten? Aber gegen welche Bezahlung? Für ein Stückchen Land zum Beispiel oder gegen Arbeitstage, die man wiederum an die Gesellschaften abtreten konnte, die gerade damit begannen, Eisenbahnschienen zu verlegen.

Natürlich machte er sich auf diese Weise nicht gerade Freunde. Nachdem er einige Jahre solche Geschäfte betrieben hatte, konnte Ascher seine materielle Lage allerdings als durchaus zufriedenstellend bezeichnen. Wenn er in den Straßen Belgards spazierenging, lüfteten sogar Ältere als erste den Hut und grüßten ihn mit respektvoller Ehrerbietung – ein wunderbares, bislang ungekanntes Gefühl. Auch einen kleinen Bauch hatte er bereits angesetzt, wie es sich für einen Bourgeois mit prallem Bankkonto gehört. Er war daher ganz und gar nicht überrascht, als die besten Heiratsvermittler, darunter einige aus so entfernten Orten wie Stolp, Köslin und Dramburg, an ihn herantraten und verlockende Angebote unterbreiteten. Er erinnerte sich gut an das Traktat der Segenssprüche des *Talmud* – drei Dinge machen das Ansehen eines Mannes aus: ein schönes Heim, eine hübsche Frau und edle Haushaltsgeräte.

Von Fanny Benjamin hörte er durch einen Heiratsvermittler namens Moses aus Dramburg. Moses pries die Eigenschaften dieses neunzehnjährigen Fräuleins und vergaß auch nicht, das Vermögen zu erwähnen, das die junge Braut als Mitgift mit in die Ehe bringen würde. Es wurde beschlossen, daß Ascher sie im Hause gemeinsamer Freunde in Dramburg treffen und erst, nachdem er sie in Augenschein genommen hatte, eine Entscheidung fällen würde. Dies wurde ohne weiteres akzeptiert.

Ascher Levy hatte niemals von einer romantischen Liebe geträumt. Für ihn war die Ehe die Vorbedingung zur Erfüllung der Gebote von Fruchtbarkeit und Vermehrung und darüber hinaus eine langfristige Investition, die vorab viel Überlegung erforderte. Seine Einstellung zur Ehe entsprang dem Judentum, dem »das ewig Weibliche« unbekannt ist und das Liebe nicht als ein eigenständiges Ziel auffaßt. Die heiligen Schriften kannte er fast auswendig und wußte daher, daß außer im Hohelied Salomos Erotik kaum eine Rolle spielt und die Fleischeslust immer negativ dargestellt wird. Auch das Traktat des *Talmud*, das besagt, daß ein wirklicher Held seine Triebe zu beherrschen weiß, hatte er nicht überlesen.

Eine Woche später machte er sich mit der Postkutsche auf den Weg. Es gab noch keine richtigen Straßen, und die Kutsche hielt in jedem Dorf, um Briefe und Päckchen abzuliefern. Obwohl er bereits im Morgengrauen aufgebrochen war, erreichte er Dramburg erst am Abend. Seine Bekannten nahmen ihn herzlich auf. Der Heiratsvermittler hatte sie bereits eingeweiht. »Du kannst bei uns nächtigen«, schlugen sie vor.

Ascher nahm ihr Angebot bereitwillig an. Er hatte den Gestank der Schenken und Herbergen satt, wo die Gäste sich zu betrinken pflegten und in berauschtem Zustand die jüdischen Händler behelligten. Auch Raub und Überfall waren an der Tagesordnung. Im Haus seiner Bekannten stand ihm ein Zimmer zur Verfügung, und die Frau des Hauses erhitzte zu seinen Ehren sogar Wasser für den Badezuber. Nachdem er sich den Straßenstaub abgewaschen und frische Kleider angelegt hatte, begab er sich gemeinsam mit dem Herrn des Hauses zum Abendgebet in die örtliche Synagoge. Bei ihrer Rückkehr fanden sie den Tisch mit süßen Köstlichkeiten gedeckt. Ascher ließ sich in einem Sessel nieder, der ihm das Gefühl gab, daheim zu sein, und genoß sichtlich die Tasse Tee, die ihm die Gastgeberin anbot. Es wurde zudem sein Lieblingsgebäck aufgetischt – warmer Apfelstrudel, dessen Rezept man ihr, so erläuterte die Hausfrau, direkt aus Wien habe zukommen lassen. »Die Österreicher verstehen es, den Gaumen zu verwöhnen«, lächelte sie. Doch die Krönung des Abends war die junge Frau in dem prächtigen Abendkleid: Das Fräulein Fanny kam – wie zufällig – vorbei, um gemeinsam mit ihrer Mutter die Nachbarn zu besuchen.

Ihre Brüste waren nicht wie Trauben am Weinstock, ihr Hals glich nicht einem Turm aus Elfenbein, kurz, sie war nicht gerade dem Hohelied entstiegen. Ihr Kleid verbarg einen üppigen Körper mit breiten Hüften. Als sie jedoch aufblickte, sah Ascher Levy ihre dunklen, vor Neugierde sprühenden Augen. Als ihr Blick auf seinen Bauch fiel, wurde ihm unbehaglich, und ohne sich dessen bewußt zu sein, versuchte er, ihn einzuziehen. Von dem Moment an, als Fanny die Schwelle des Hauses überschritten hatte, sah er in ihr die Dame seines Herzens. Ihr helles, langes Haar fiel über einen weißen Spitzenkragen, und er liebte die Art, wie sie ihn von Zeit zu Zeit mit einer nervösen Bewegung zurechtrückte.

»Du bist also jener Mann«, sagte sie ruhig. Sie tat nicht so, als wüßte sie nicht, worum es ging. Diese Offenheit, obwohl sie allen Konventionen widersprach, gefiel ihm.

»Ja, ich bin jener Mann«, gab er zur Antwort und zauberte ein Lächeln auf ihre Lippen. »Allerdings nur unter der Voraussetzung, daß du jene Frau bist.«

Dennoch mußten die Gepflogenheiten einer solchen Zeremonie eingehalten werden. Zunächst zogen sich die Frauen für eine Weile zum Gespräch zurück, während die Männer über die neuesten politischen Entwicklungen debattierten. Hier in Pommern hatte sich das Leben nicht verändert, alles ging nur schwerfällig vonstatten. In den Staaten Süd- und Mitteldeutschlands hingegen gab es liberale Bewegungen, die die Gemüter erhitzten. Viele Intellektuelle forderten eine gesetzliche Verfassung, die die Macht der Kurfürsten einschränken sollte, und sie sahen darin gleichsam ein Wundermittel zur Lösung aller staatlichen und gesellschaftlichen Probleme. Die Bourgeoisie, deren gesellschaftliche Macht stetig wuchs, verstand sich selbst als Träger des Staates und führte den Kampf an. Die Badische Kammer galt als Hochburg der Liberalen. Die örtliche Presse hatte ausführlich darüber berichtet. Ascher Levy wies auf die Zeitung und meinte: »Bei uns ist kein Platz für solchen Unsinn, und dafür danke ich Gott.« Er strebte nicht nach dramatischen Veränderungen, denn letztlich wollte er nur seinen eigenen Status verbessern. Der Hausherr nickte zustimmend. Beide hatten genug von den revolutionären Versuchen der Vergangenheit, die lediglich von kurzer Dauer gewesen waren und ohnehin nur sinnlose Hoffnungen geweckt hatten.

Der *Schiduch* war erfolgreich, allerdings erst nachdem Ascher Levy mit Fannys Vater zu einem Gespräch unter vier Augen zusammengetroffen war. Am nächsten Tag saßen sie mit ernsten Mienen beisammen, um einander abzuschätzen und den Zeitpunkt für die Übergabe der Mitgift festzulegen. Benjamin wollte wissen, wieviel sein zukünftiger Schwiegersohn wert sei. Ascher war im Besitz eines ansehnlichen Bankkontos und einiger Ländereien, die er noch während seiner Zeit als Hausierer erworben hatte. Aber auch der zukünftige Bräutigam machte seine Ansprüche im Hinblick auf die Mitgift geltend. Die Familie Benjamin sei verpflichtet, einen Großteil des Kaufpreises für ein Haus, in dem das Paar wohnen würde, zu tragen. Benjamin war sich durchaus bewußt, daß die Familie mit Ascher Levy Glück gehabt hatte. Zu dieser Zeit lebten in ganz Pommern ungefähr fünftausend Juden, und die Heiratsvermittler hatten große Mühe, zueinander passende Partner zu finden. Es war nicht leicht, einen Bräutigam wie Ascher Levy aufzutreiben, einen Mann in den besten Jahren, der zudem auch noch wohlhabend war. Als die beiden Männer sich am Ende des Gesprächs als Zeichen des Vertragsabschlusses die Hände schüttelten, klopfte sogleich der Heiratsvermittler Moses an die Tür und forderte seinen Lohn.

Ascher kannte die Region gut. Er hatte die Gegend gründlich bereist und bei seinen Wanderungen kein noch so winziges Städtchen oder Dorf ausgelassen. Nun, da es galt, einen Wohnsitz zu bestimmen, fiel seine Wahl auf Polzin, einen Ferienort, der wegen seiner Heilquellen bekannt geworden war. Er liebte die Stille dieser Kleinstadt, die inmitten dichter Wälder lag. Ihn erinnerte die Landschaft an die Umgebung Friedlands. Polzin hatte sich seit vielen Jahren, genauer gesagt, seit dem Dreißigjährigen Krieg, seit den Zeiten des Großen Kurfürsten, kaum verändert. Das Städtchen lag an einem leicht abfallenden Hügel, und in der Mitte prunkte ein Schloß, das noch immer an die polnischen Herrscher erinnerte, die es auf den Grundmauern eines alten Klosters errichtet hatten. Als Bürgermeister amtierte ein gewisser Herr Schmieden, der früher zu Levys Kunden gezählt hatte. Die Häuser waren hübsch hergerichtet, und die Einwohner verdienten ihr Geld vorwiegend mit Dienstleistungen für die umliegenden großen Gutshöfe, die alle auf den Anbau von Saatkartoffeln spezialisiert waren, oder sie vermieteten Zimmer an Kurgäste. Mehrere hundert kamen jedes Jahr, um für einen Reichstaler und zehn Groschen im Luisenbad Heilung zu finden. Das Kurhaus war der Stolz der Polziner Bürger und galt als eine der modernsten Einrichtungen dieser Art. Majorin von Roschnitzka hatte ein gutes Geschäft gemacht, als sie es im Jahre 1837 von ihrer Schwester für nur 3500 Taler erworben hatte.

Südlich von Polzin lag eine Reihe zauberhafter Gletscherseen, deren größter, der Dratzigsee, voller Fische war. Die weite Umgebung der Kleinstadt war nur dünn besiedelt. Hier gab es mehr Zitterpappeln und Linden als Menschen. Wegen ihrer außergewöhnlichen Schönheit wurde diese Gegend auch die »Pommersche Schweiz« genannt. Zu dieser Zeit lebten in Polzin ungefähr eintausendfünfhundert Menschen, darunter siebenunddreißig Juden. Die kleine jüdische Gemeinde unterhielt eine eigene Schule. Obwohl der Lehrer Itzik Hohenstein in Ascher Levys Augen ein Mann von fragwürdiger Frömmigkeit war, gefiel ihm der Gedanke, daß seine Kinder eine jüdische Erziehungsanstalt im Ort vorfinden würden. Er hatte sein viele Jahre zuvor abgelegtes Gelübde nicht vergessen. Kein einziges Mal hatte er das Morgen- oder Abendgebet versäumt und niemals die Speisegesetze mißachtet. Gleichzeitig bemühte er sich, nicht jenen osteuropäischen Juden zu gleichen, die sich weigerten, ihre Schläfenlocken zu stutzen, die breitkrempige, dunkle Hüte trugen und sich in schwarze Kaftane hüllten. Er achtete darauf, sich nicht von den ursprünglichen Einwohnern Pommerns zu unterscheiden, weder hinsichtlich seiner Kleidung noch seines Verhaltens. Sein Deutsch war akzentfrei. Er sprach Hochdeutsch wie die Oberschicht und beherrschte außerdem die Mundart dieser Region. Für das einfache Volk hätte er einer der Ihren sein können, doch hätte er auch in den Häusern der Reichen als salonfähig gelten können.

Er hätte es sein können, war es aber nicht. Als er erfuhr, daß ein zweistöckiges Haus in der Brunnenstraße 14 zum Verkauf stand, wandte er sich an ein Mitglied der Familie von Manteuffel, den Eigentümer dieses Objektes. Er wartete eine volle Stunde auf der Veranda des Adligen, bis dieser sich endlich dazu bequemte, ihn vorzulassen. Und selbst als Ascher erwähnte, daß er bereit sei, 1350 Reichstaler zu zahlen, eine Summe, die auch gutsituierte Junker nicht verachteten, wurde er nicht in den Salon gebeten. Der Kauf wurde in einem Nebenzimmer abgeschlossen, das dem Gutsverwalter als Kontor diente. Ascher Levy war nicht beleidigt. Er kannte seinen Platz in der gesellschaftlichen Hierarchie, auch wenn er fest davon überzeugt war, daß er eines Tages diese Leiter emporsteigen würde, eine Sprosse nach der anderen erklimmend. Er hatte es nicht eilig. Ihm war bewußt, daß man keine Sprosse überspringen konnte, daß man sich bemühen und geduldig sein mußte. Ascher Levy besaß beide Eigenschaften.

Die Brunnenstraße galt als eine der besten Gegenden Polzins. In nur drei Minuten gelangte man zu Fuß in das Zentrum der Kleinstadt, zum Kurpark. Später sollte diese Straße auch jene Tage erleben, in denen sie Adolf-Hitler-Straße hieß. Zu Beginn der vierziger Jahre des neunzehnten Jahrhunderts jedenfalls war sie eine gute Adresse, nicht nur als Wohnsitz, der Aschers wirtschaftlichem Status entsprach, sondern auch für die Büros jener Firma, deren Gründung er seit langem plante. Er beschloß, seine bisherige Haupteinkunftsquelle, den Getreideankauf vor Ort, Handelsreisenden zu übertragen. Im Laufe der Zeit, so glaubte er, würde sich dieses Vorgehen rentieren: Nicht er würde den Kunden nachlaufen, sondern sie würden ihn in Polzin aufsuchen. Er war noch keine dreißig Jahre alt und bei bester Gesundheit. Wenn er unter etwas litt, so war es ein Überschuß an Energie. Dennoch widerstrebten ihm die langen Reisen. Es war an der Zeit, Familienvater zu werden. Auch Fanny wagte es, ihre Meinung zu äußern: Sie habe ihn nicht geheiratet, damit er sie lange Nächte in einem kalten Bett allein zurückließ.

Fanny Levy, geb. Benjamin, und Ascher Levy

In den drei Zimmern der zweiten Etage richteten sich Ascher und Fanny eine Wohnung ein. In dem großräumigen Schlafzimmer hängten sie die Portraits von *Maimonides* und Friedrich Wilhelm IV., der seit einem Jahr König von Preußen war, auf. Die Schlafzimmermöbel, ein Teil der Mitgift, kamen aus Dramburg. Die anderen Möbel wurden bei einem örtlichen Schreiner erworben. Der Geschmack der beiden war schlicht und bescheiden. Qualität war ausschlaggebend, nicht Form und Stil. Lediglich den Samt zur Verzierung der Vorhänge und die Stoffe für die Bettwäsche kaufte Fanny in einen renommierten Stettiner Geschäft. In der ersten gemeinsamen Nacht wußte Ascher nicht, was er zuerst bestaunen sollte: die weichen Daunenkissen, die glatten Bettbezüge oder den Körper seiner Frau.

Die zwei Zimmer am anderen Ende des schmalen und dunklen Korridors machten sie zu ihrem Eßzimmer und zum Salon, der auch als privates Arbeitszimmer Aschers gedacht war. Auf dem Schreibtisch aus Eichenholz stellte Ascher in einem Rahmen aus graviertem Silber die Quittung auf, die sein Vater Jäckel für seine Spende von fünfundzwanzig Talern in den Kriegsfonds gegen Napoleon Bonaparte erhalten hatte. Dieses Schriftstück sowie das Portrait des Königs im Schlafzimmer zeugten von der Bindung Aschers an das Vaterland. Indem er sie nicht im Kontor, das Fremden zugänglich war, sondern in seinen ganz privaten Gemächern aufstellte, verlieh er dieser Bindung einen sehr persönlichen Charakter. Vaterlandsliebe und Realität waren zwei verschiedene Paar Schuhe. Ascher Levy machte sich nichts vor. Tief in seinem Innern hegte er den bedrückenden Gedanken, daß diese Verbundenheit nicht auf Gegenseitigkeit beruhte. Wie auch immer sich seine Beziehung zu Preußen gestaltete, Preußen erwiderte seine Liebe nicht.

Eine einzige Schublade hielt er unter Verschluß, auch Fanny gegenüber, damit sie erst gar nicht in Versuchung kommen konnte, sie zu öffnen, so wie Eva in Versuchung geführt worden war, einen Apfel vom Baum der Erkenntnis zu essen. In dieser Schublade bewahrte er nationalistische Pamphlete und Schriften auf, die vor der »jüdischen Gefahr« warnten, zur Vergeltung an den Kreuzigern Jesu, den Mördern von Gottes Sohn, aufriefen und die Rettung Preußens vor dem Einfluß von Personen forderten, die nicht an den Geist des Christentums glaubten. Obwohl er wußte, daß diese teuflische Propaganda nicht gegen ihn persönlich gerichtet war – in Polzin war er als schwieriger, aber aufrichtiger Mann bekannt –, so konnte er sich doch nicht taub stellen und so tun, als existierte sie nicht und als hätte sie keinen Einfluß auf die Menschen in seiner Umgebung.

Nach dem Morgengebet am *Schabbat* pflegte Ascher Levy sich mit jüdischen Geschäftsleuten zu treffen. Natürlich nicht mit allen, sondern nur mit drei oder vier, die ihm gleichgestellt waren. Bei einer Tasse Tee oder Kaffee führten sie ein freundschaftliches Gespräch und analysierten ernst die Lage. Seine Gesprächspartner unterstützten den Liberalismus, der ihrer Meinung nach zu Hoffnung auf mehr Gleichberechtigung berechtigte. Ascher war auf seiten des Königs, denn er glaubte nicht an revolutionäre Ideen. Außerdem hatte er immer nach Identifikation mit einer Autoritätsfigur gestrebt. Er verwahrte sich gegen jede Kritik am Königshaus, und im Eifer des Gefechts, wenn ihm alle logischen Argumente ausgingen, brach es leidenschaftlich aus ihm hervor: »Und was haben die Liberalen zur Verlegung der Eisenbahnschienen beigetragen?«

Die Eisenbahnen! Für ihn war dies das Zauberwort schlechthin. Sein Vetter Moritz Gottschalk, der kurz zuvor in Berlin eine Wechselstube eröffnet und an der Börse ein Vermögen verdient hatte, spornte ihn an: »Die Zukunft gehört den Eisenbahnen, sieh zu, daß Du Deinen Zug nicht verpaßt.« Seit ihrer Jugend verband beide eine innige Freundschaft, und wenn sie sich auch kaum treffen konnten, so korrespondierten sie um so eifriger. Moritz Gottschalks Briefe hob Ascher ebenfalls in einer Schublade auf, allerdings in einer, zu der Fanny Zugang hatte. Der Vetter kannte sich aus: Dem Zeitalter der Straßen und Kanäle, die die Flüsse dem Binnenverkehr erschlossen hatten, folgte die rasante Entwicklung der Eisenbahnen. Der Auftakt war zwar etwas mißglückt, denn die erste Bahnfahrt von Berlin nach Potsdam hatte ungefähr eine halbe Stunde gedauert, länger als eine Fahrt mit der Pferdekutsche, dennoch zeichnete sich der Siegeszug der Eisenbahn sehr schnell ab. Wer Lokomotiven aus England oder Eisen und Stahl importierte, wurde reich, Ingenieure erhielten gute Gehälter, und Grundbesitzer, auf deren Boden Schienen verlegt und Bahnstationen gebaut wurden, strichen Unsummen ein. Darüber hinaus ging die Regierung auf Anweisung des Königs dazu über, eine minimale Dividende von dreieinhalb Prozent auf die Aktien der Eisenbahngesellschaften auszuzahlen. Ascher sah keinen Grund, »seinen Zug zu verpassen«, und gab Anweisung, in seinem Namen Aktien der Eisenbahngesellschaft

Fürth-Nürnberg zu erwerben. Die Investition war ertragreich, was ihn ermunterte, weiter zu investieren. Sein Held war jetzt Friedrich List, der den Aufbau eines Eisenbahnnetzes nicht nur als zukunftsweisende Lösung von Transportproblemen und als enorme Einnahmequelle propagierte, sondern in erster Linie als konstruktive Grundlage für die Vereinigung Deutschlands. Das Einhergehen von Profit und Nationalbewußtsein sagte Ascher zu. Bisher hatte man ihn in Polzin »Kornjude« genannt, fortan wurde er spöttisch »Eisenbahnjude« betitelt. Die Wirklichkeit jedoch wies die Spötter zurecht. Innerhalb von nur vier Jahren wurden im Königreich mehr als tausend Kilometer Schienen verlegt, und Aschers Investitionen machten ihn nicht nur zum wohlhabendsten Juden Polzins, sondern des gesamten Belgarder Bezirks. Seine nächste Investition, ebenfalls auf Anraten seines Vetters aus Berlin, war ein Aktienpaket der Eisenbahngesellschaft Leipzig-Magdeburg. Innerhalb weniger Jahre stieg ihre Dividende von vier auf zehn Prozent, und der Preis einer Aktie verdreifachte sich. Sein Bankkonto wuchs stärker als erwartet. Jetzt allerdings, da er ein nennenswertes Vermögen besaß, kam er zu dem Schluß, daß es besser sei, nicht alles auf ein Pferd zu setzen. Er engagierte sich weiterhin im Getreidehandel und investierte einen guten Teil der eingespielten Profite in ein kleines Sägewerk im vier Kilometer entfernt gelegenen Dorf Kollatz. Die Nachfrage nach Holz war groß, und die riesigen Wälder dieser Region sicherten die Rohstoffzufuhr auf Jahre, wenn nicht Jahrzehnte hinaus. Das Sägewerk erwies sich als weise Investition, die ihm einen nicht unbedeutenden Gewinn einbringen sollte.

Aschers Wertschätzung der Art und Weise, wie Friedrich Wilhelm IV. die Staatsgeschäfte leitete, wurde nicht nur durch den eigenen materiellen Profit gesteigert. Seit der Krönung war kaum ein Jahr vergangen, da richtete der König seinen Blick auf das Heilige Land. Großbritannien, Österreich und Rußland waren ihm bereits zuvorgekommen. Die europäischen Großmächte witterten leichtes Spiel mit dem kranken Imperium des Ibrahim Pascha und sputeten sich, jede auf eigene Weise, einen angemessenen Anteil der Beute zu ergattern. Der preußische König schlug ihnen eine gemeinsame Schirmherrschaft über die heiligen Stätten des Christentums vor, stieß jedoch auf Ablehnung. Der russische Zar und der österreichische Kaiser hatten kein Interesse an einem zusätzlichen Partner bei ihren Unternehmungen mit dem Osmanischen Reich. Der Kampf um die Expansion des jeweiligen Machtbereiches innerhalb dieses untergehenden Imperiums war auf dem Höhepunkt. Die Franzosen betrachteten sich als Schutzmacht der Katholiken. Die Russen drangen als die Erben von Byzanz und als Schutzmacht der Griechisch-Orthodoxen in den Mittelmeerraum vor. Die Briten wollten den Landweg nach Indien gesichert wissen. Die Österreicher versteckten ihre Einflußnahme hinter kulturellem und religiösem Engagement für aus Zentraleuropa eingewanderte und zumeist jüdische Personen. Es sollte nicht mehr viel Wasser die Spree hinunterfließen, bis auch Friedrich Wilhelm IV. in Aktion trat. Er entsandte Ernst Gustav Schultz in der offiziellen Mission eines stellvertretenden Konsuls nach Jerusalem und erhob auf diese Weise Anspruch auf jene Stadt, die Ascher nach den Städten Preußens am meisten am Herzen lag.

Moritz Gottschalk berichtete ihm von diesen aufregenden Neuigkeiten. Der Cousin war inzwischen Partner einiger kleinerer Unternehmen Gerson Bleichröders geworden, dem Agenten des bekannten Bankiers Rothschild. In seinen Briefen schilderte er ausführlich das Berliner Leben, erzählte von den Prestige- und Machtkämpfen und betonte, wie wichtig es sei, in den richtigen Kreisen zu verkehren: »Ob Du es nun glaubst oder nicht, aber hier in der Hauptstadt reicht bereits eine einzige Einladung zum Ball einer einflußreichen Dame aus, um über Reichtum und Armut zu entscheiden.« Moritz Gottschalk zählte nicht zu den Gästen der vornehmen Salons. Doch er hatte eine schriftstellerische Ader, und das Bild, das er in seinen Briefen von der gesellschaftlichen Pyramide dieser großen Stadt entwarf, war derart plastisch, daß Ascher das Gefühl hatte, tatsächlich bei diesen faszinierenden Ereignissen zugegen gewesen zu sein. Er war froh, diese Pyramide nicht erklimmen zu müssen, da ein Fall aus solcher Höhe katastrophal hätte enden können. Im Vergleich zu Berlin glich Polzin einer ruhigen Insel inmitten eines stürmischen Ozeans. Auf dem See im Kurpark schwammen vergnüglich einige Zierschwäne. Hier in der Provinz mußte man seine Ellenbogen nicht im gleichen Maße einsetzen wie in Berlin, wo Politik und Habgier sich vermischten. Die ursprüngliche Gesellschaftsordnung blieb bestehen, Junker blieben Junker, Handwerker träumten nicht von einer parlamentarischen Repräsentanz, und die Bauern kannten ihren angestammten Platz. Was Moritz Gottschalk über die richtigen Beziehungen geschrieben hatte, traf allerdings auch auf Polzin zu. Ascher verstand es sehr wohl, Komplimente zu machen, wenn es Komplimente zu machen galt, und war er der Ansicht, daß das Klingeln von Talern an passendem Ort und zu richtiger Zeit Musik in den Ohren seines Gegenübers war, so blieb er nicht müßig. Ascher wußte, daß die Münze flach ist, damit man sie in der geschlossenen Hand halten, und rund, damit man sie mit Vernunft rollen lassen kann.

Der Morgen des 19. Oktober 1841 war zwar kühl, aber angenehm. Ein herbstlicher Duft hing in der Luft. Ascher und Fanny verließen festlich gekleidet ihr Haus. Ascher trug einen dunklen Anzug mit karierter Weste. Aus der Westentasche lugte eine Goldkette hervor, deren anderes Ende in seiner Hosentasche verschwand, außerdem hatte er einen Hut aufgesetzt. Fanny trug über ihrem Kleid einen langen Wollmantel mit schwarzem Seidenaufsatz. Langsam schritten sie zum Rathaus hinüber, erwiderten im Vorbeigehen nickend die Grüße der Passanten, wie es sich für Leute gebührt, die um ihren Status wissen. Im Amtszimmer des Bürgermeisters wurden sie von einigen Mitgliedern des Magistrats und anderen Honoratioren erwartet. Der Stadtschreiber saß an einem kleinen Tisch, vor sich einen Stapel Dokumente, ein Tintenfaß und Federn sowie das offizielle Siegel der Stadt Polzin.

»Herzlich willkommen zur Zeremonie des Bürgereids«, verkündete der Bürgermeister, reichte Ascher Levy die Hand und nickte Fanny zu. Der Schreiber wies ihr einen Sitzplatz zwischen den Zuschauern an. Ascher versuchte, seine Aufregung zu verbergen. Im Grunde bestätigte diese Zeremonie lediglich eine bereits gegebene Tatsache. Schon vor geraumer Zeit hatte er sich einen Ehrenplatz in der Kleinstadt erworben. Und dennoch symbolisierte das prächtige Dokument, welches der Beamte ihm vorlegte, den Schritt von der Vergangenheit in die Gegenwart, etwas, was sein Vater sich so sehr gewünscht, doch nie erhalten hatte. Jäckel hatte mit aller Kraft in diesem Land Wurzeln schlagen wollen, und doch war es ihm verwehrt worden. Ascher erinnerte sich an den Tag, als er sein Elternhaus hatte verlassen müssen, um seinen eigenen Lebensunterhalt zu verdienen. Sein Vater hatte ihn zu dem Gasthaus, von dem die Postkutsche abgefahren war, begleitet und gesagt: »Wisse dich zu benehmen. Die Menschen beurteilen dich nicht nach deinem wirklichen Wert, sondern nach dem Bild, das sie sich von dir machen. Es gibt einen Kern und eine Schale. Der Kern, das bist du – dein Wesen, deine Gedanken, dein Glaube. Die Leute beurteilen dich jedoch einzig und allein nach deiner Schale. Sie ist es, die dir eine Gestalt verleiht. Sie wird nicht Teil deiner selbst sein, und du hast

Der Magiſtrat der Königlichen Preußiſchen in der Provinz Pommern belegenen ——— Stadt *Poltzin* thut kund und bekennt hiedurch, daß der *[handwritten]*

Meier Levy

nachdem er die nöthigen Erforderniſſe nachgewieſen, ſeinem Anſuchen gemäß, zum Bürger hieſiger Stadt angenommen worden iſt. Und da derſelbe durch nachfolgenden, heute vor uns abgeleiſteten Eid:

Ich, *Meier Levy* *[handwritten]*

~~[struck through text]~~,

daß Seiner Königlichen Majeſtät von Preußen, meinem Allergnädigſten Herrn, ich unterthänig, treu und gehorſam ſein, meinen Vorgeſetzten willige Folge leiſten, meine Pflichten als Bürger gewiſſenhaft erfüllen und zum Wohl des Staats und der Gemeine, zu der ich gehöre, nach allen meinen Kräften mitwirken will, ſo wahr mir Gott helfe. ~~und ſein Sohn Jeſus Chriſtus.~~

[handwritten interlinear text]

die getreue Erfüllung aller bürgerlichen Pflichten angelobet hat, ſo erklärt der Magiſtrat gedachten *Meier Levy* aller Rechte und Wohlthaten, welche einem *[handwritten]* Bürger zuſtehen, hiedurch gleichfalls für theilhaftig und genußbar, mit dem Verſprechen, ihn bei dem erlangten Bürgerrecht, ſo lange er ſich deſſelben nicht unwürdig zeigt, gegen Jedermann kräftigſt zu ſchützen.

Urkundlich zum öffentlichen Glauben unter dem Stadt=Inſiegel ausgefertigt.

Poltzin, den *19.* October **1841.**

Der Magiſtrat.

Platzer.

Bürger-Brief

für den *[handwritten] Meier Levy*

keine Macht darüber. Sie ist wie ein Sonnenschirm, der nur von einer Seite durchsichtig ist. Du kannst nach draußen blicken, aber deine Umgebung kann nicht hineinschauen. Die Leute werden dich nur entsprechend ihrer eigenen Vorstellung wahrnehmen. Du wirst immer ein verfluchter Jude sein.« Ascher hörte die Worte seines Vaters, als würde er sie ihm just in diesem Moment erst zuflüstern.

»Unterschreiben Sie bitte, mein Herr«, sagte der Beamte. »Ich freue mich, Ihnen mitteilen zu dürfen, daß der Magistrat Ihrem Gesuch entsprochen hat. Herzlich willkommen in unserer Gemeinde.«

Dies war die allgemein übliche und gängige Formulierung, so als wäre diese Zeremonie überhaupt nichts Besonderes und lediglich eine reine Formalität.

Ascher Levy nahm das Dokument, überflog es zunächst im stillen für sich selbst und las dann laut vor:

»Der Magistrat der Königlich Preußischen in der Provinz Pommern gelegenen Stadt Polzin thut kund und bekennt hierdurch, daß der Kaufmann Herr Ascher Levy nachdem er die nöthigen Erfordernisse nachgewiesen, seinem Ansuchen gemäß, zum Bürger hiesiger Stadt angenommen worden ist. Und da derselbe durch nachfolgenden, heute vor uns abgeleisteten Eid:

Ich, Ascher Levy, schwöre zu Gott dem Allmächtigen und Allwissenden, Seiner Königlichen Majestät von Preußen, meinem Allergnädigsten Herrn, daß ich unterthänig, treu und gehorsam sein, meinen Vorgesetzten willige Folge leisten, meine Pflichten als Bürger gewissenhaft erfüllen und zum Wohl des Staates und der Gemeinde, zu der ich gehöre, nach allen meinen Kräften mitwirken will, so wahr mir Gott helfe, durch seinen Sohn Jesum Christum,

die getreue Erfüllung aller bürgerlichen Pflichten angelobt hat, so erklärt der Magistrat gedachten Ascher Levy aller Rechte und Wohlthaten, welche einem hiesigen Bürger zustehen, hierdurch gleichfalls für theilhaftig und genußbar, mit dem Versprechen, ihn bei dem erlangten Bürgerrecht, so lange er sich desselben nicht unwürdig zeigt, gegen Jedermann kräftigst zu schützen.

Urkundlich zum öffentlichen Glauben unter dem Stadt-Insiegel ausgefertigt

Polzin, den 19. Oktober 1841.

Der Magistrat«

Nachdem Ascher den ganzen Text vorgelesen hatte, schüttelte er den Kopf. »Es tut mir leid, aber ich kann nicht unterschreiben.«

Bürgermeister Schmieden hob eine Augenbraue: »Herr Levy...?«

Ascher legte das Dokument auf den Tisch, drehte sich um, wechselte einen Blick mit Fanny und sagte dann ruhig: »Ich bitte darum, eine kleine Änderung im Wortlaut des Bürgereides vornehmen zu dürfen.«

»Eine Änderung?!« stieß der Schreiber überrascht hervor.

Schmieden war bestürzt: »Wir schätzen Sie sehr, mein Herr, aber mir scheint, daß hier ein bedauerliches Mißverständnis vorliegt. Diese Formulierung wurde von der Obersten Gewalt Preußens festgelegt, und Ihnen steht nicht zu, sie zu verändern.«

»Ich hoffe, Sie stimmen mir zu, daß dieser Eid für christliche Bürger bestimmt ist. Ich jedoch bin mosaischen Glaubens und kann nicht bei dem Gott der Christen und seinem gekreuzigten Sohn schwören.«

»Andere Juden haben unterschrieben und keinen Widerspruch eingelegt«, entgegnete der Beamte.

»Das mag sein. Aber selbst wenn ich unterschreibe, welchen Wert hätte mein Eid? Überlegen Sie doch einmal: Wäre dieser Eid für mich bindend? Was würden Sie sagen, wenn man Sie auf die *Thora* schwören ließe? Wären Sie einem solchen Schwur verpflichtet?«

»Das klingt logisch.« Schmieden bedeutete dem Schreiber, Ascher das Dokument ein zweites Mal vorzulegen. Levy strich die Worte »durch seinen Sohn Jesum Christum« und schrieb einige hebräische Worte darüber. Der Schreiber überprüfte die Änderung, ohne deren Inhalt zu verstehen. Levy tunkte die Schreibfeder in das Tintenfaß und unterzeichnete.

»Dieser Bürgerbrief wird in den Registern der Stadt unter der Nummer zweihundertsiebenundachtzig aufgenommen«, verkündete der Beamte mit trockener, monotoner Stimme. Die Anwesenden begaben sich zu Levy und schüttelten ihm die Hand: »Herzlich willkommen in unserer Gemeinde.« Levy lächelte. Die meisten Gratulanten gehörten zu seiner Kundschaft und standen bei seiner Firma in Schulden. »Vielen Dank. Herzlichen Dank«, antwortete er.

»Jetzt sind Sie einer von uns«, verkündete der Bürgermeister und legte seinen Arm um Levys Schultern.

»Das war ich immer. Sie haben einfach nur lange gebraucht, um das zu verstehen.«

Am Abend fand im Hause Levy ein Festessen statt. Alle waren eingeladen, Juden und Nichtjuden, wichtige Kunden, Freunde und natürlich auch die Honoratioren der Stadt. Der Bürgermeister und die Magistratsmitglieder blieben fern. Jeder hatte eine andere Ausrede parat. Ascher Levy war zwar einer der Ihren geworden, aber nur bis zur Türschwelle seines Hauses. Er spürte die beißende Demütigung, schwieg jedoch. Warum sollte er allen die Freude verderben? Fanny hatte viele Stunden in der Küche zugebracht, um ihre besten – selbstverständlich streng *koscheren* – Gerichte auf den Tisch zu bringen. Als er ihre Enttäuschung bemerkte, legte er seinen Arm um ihre Schultern und drückte sie flüchtig. Sie nahm den stummen Trost lächelnd an. Später, als der Viehhändler Salomon zu tief ins Glas geschaut hatte und sich lautstark über das Ausbleiben Schmiedens und dessen Kollegen ausließ, wies Ascher ihn zurecht: »Laß den Unsinn. Heute abend trinken wir auf das Wohl des Königs.«

»Auf das Wohl des Königs!« fielen die Gäste im Chor ein.

»Und auf seine Mission im Heiligen Land!« rief Levy erregt. »So Gott will, wird der Tag kommen, und ich werde dorthin reisen, als stolzer Bürger Preußens und aufrechter Jude, der seine Religion nicht verleugnet.«

Das Festessen dauerte bis in die Nacht. Nachdem die letzten Gäste gegangen waren, begab sich Levy in sein Zimmer in der zweiten Etage und schrieb in sein Tagebuch: »Wenige Momente des Glücks vermögen für lange Jahre des Leidens zu entschädigen.«

Am nächsten Tag wurde über dem Eingang seines Hauses in der Brunnenstraße ein Schild angebracht, auf dem klar und deutlich zu lesen stand:

Ascher Levy

Bank-, Getreide- u. Landesprodukten-Geschäft

Dampfsägewerk und Holzhandlung engros

Ein blühendes Geschäft bedarf eines Nachfolgers. Am 13. Juni 1845 wurde der erste Sohn geboren. Der jüdischen Tradition folgend, entschieden sich Ascher und Fanny, den Neugeborenen im Gedenken an den Großvater Rabbi Berisch zu nennen. Aber angesichts des Zeitgeistes waren sie darauf bedacht, dem Namen einen deutschen Klang zu geben, und so wurde aus Berisch Bernhard. Ein Jahr später gebar Fanny ihren zweiten Sohn, Julius. Und nach zwei weiteren Jahren kam deren Schwester Vogel auf die Welt.

Jetzt, da Ascher zum Familienvater geworden war, Besitz erworben hatte und überdies zum Vorsteher der kleinen jüdischen Gemeinde ernannt worden war, richtete er all sein Augenmerk auf den Aufstieg seiner Handelsfirma. Sie hatte einen guten Ruf, denn sie kam ihren Verpflichtungen pünktlich nach, und das Wort des Eigentümers war ein Ehrenwort. Hinter seinem Rücken tratschten die Leute zwar über ihn; Erfolg bringt nun einmal Neid mit sich. Dennoch grüßten ihn die Menschen auf der Straße, wie es einem ehrenwerten Bürger gebührt. Wenn die Bauern in die Kontore der Firma kamen, um einen Vorschuß auf den Ernteertrag zu erbitten oder wegen Bediensteten oder Leihkräften nachzufragen, vergaßen sie niemals, zuvor ihre Schuhe sorgfältig auf der Fußmatte am Eingang abzutreten. Dann standen sie vor Aschers Schreibtisch, drehten ihre Hüte in den Händen und warteten geduldig, bis der »verehrte Herr« oder einer der anderen Angestellten Zeit für sie hatte. Je größer die finanzielle Not der Kundschaft, desto tiefer waren die Verbeugungen. Doch je tiefer die Verbeugungen wurden, desto mehr wuchsen auch Abscheu und Haß. Allerdings mußten sie achtgeben, was sie sagten. Der »verehrte Herr« durchquerte gemessenen Schrittes das Zimmer, die an zwei Knöpfen der Weste befestigte Goldkette blitzte auf, die Hände hatte er in den Taschen seiner schwarzen Hose vergraben. Der »verehrte Herr« grübelte: eine Anleihe gewähren oder verweigern? Einen Geschäftsabschluß tätigen oder ablehnen? Der »verehrte Herr« konnte retten, vermochte aber auch zu vernichten.

Das Sägewerk in Kollatz arbeitete bereits in zwei Schichten, was für das verschlafene Pommern durchaus ungewöhnlich war. 1847 kaufte Ascher Levy fünfzig Prozent des in Köslin angesiedelten Sägewerks Gustav Möller & Nachfolger auf. Sein Partner war die Familie Falkenheim aus Stettin, die zum ortsansässigen Adel gehörte. Als das Geschäft publik wurde, rümpften viele die Nase, denn in der Provinz Köslin war eine Partnerschaft zwischen Junker und Jude nicht an der Tagesordnung. Viele warnten Levy vor einer zu raschen Expansion; sie behaupteten, daß Ungeduld und zu hoch geschraubte Zielsetzungen Ärger mit sich brächten. Aber es gab viele Aufträge, und es kam Geld in die Kasse. Die Produkte der beiden Sägewerke wurden in den Süden transportiert, in das Zentrum des Königreiches, wo die expandierende Industrie einen beständigen Nachschub an Rohstoffen benötigte. Die Industrialisierung veränderte sehr schnell das gesellschaftliche Gefüge. Eine neue soziale Schicht entstand: das Proletariat. Die traditionellen Handwerksbetriebe traf dies nachhaltig. Kleine Hersteller unterlagen nach und nach der Konkurrenz der großen Industrien. Die Beschäftigung von Frauen und Kindern verringerte die Einkünfte der Arbeiter empfindlich. Viele Männer wurden arbeitslos, die traditionelle Struktur der Familienverbände veränderte sich. Die Unzufriedenheit wuchs ebenso wie die Entschlossenheit, sich nicht länger mit dem Schicksal einfach abzufinden. Karl Marx publizierte in London das »Kommunistische Manifest«. Die liberale Bewegung gewann an Einfluß und machte Frankfurt am Main zu ihrem Zentrum, als Gegengewicht zum konservativen Berlin.

Mitte April 1847 hielt Levy sich geschäftlich in Belgard auf, in der Stadt, in der er zweiunddreißig Jahre zuvor geboren worden war. Sein Elternhaus, das von einer aufgebrachten Menge niedergebrannt worden war, hatte man wieder aufgebaut. Zu dieser Zeit wurde es von einer Familie unterhalten, die von der Vermietung der Zimmer lebte. Die meisten Bewohner des Hauses waren jüdische Flüchtlinge aus Osteuropa, die hier auf ihrem Weg zum Stettiner Hafen Zwischenstation machten. Von dort aus wollten sie per Schiff nach Amerika auswandern. Wer im letzten Moment vor dem großen Abenteuer zurückschreckte, fand Hilfe bei den Wirtsleuten. Sie wußten, wie man mit den Behörden umgehen mußte, die eine Bitte auf Ansiedlung im Königreich Preußen erfüllen oder ablehnen konnten. Viele nutzten die Möglichkeit und blieben. Keiner von ihnen ahnte, daß dieser Schritt für ihre Nachkommen fast hundert Jahre später den Tod bedeuten sollte.

Während sich Ascher in Belgard aufhielt, brachen im Westen der Stettiner Bucht blutige Hungerrevolten aus. Die Neuigkeiten drangen auch zu ihm durch, und seine Freunde rieten ihm, früher heimzukehren für den Fall, daß die Unruhen auch auf Polzin übergriffen. Ascher schenkte ihren Warnungen kein Gehör. Er konnte sich einfach nicht vorstellen, daß die Einwohner seiner Stadt, die er alle persönlich kannte, eine Gefahr für seine Familie darstellen sollten. Die Tatsache, daß er hier seinem Elternhaus und dessen schwerem Schicksal so nahe war, änderte daran nichts. Ascher identifizierte sich nicht mit den demonstrierenden Massen. Er befand sich bereits auf der Gegenseite und hatte sich hinter seinem Wohlstand verschanzt. Sein Gefühl der Sicherheit entbehrte allerdings jeglicher Grundlage. Die Unruhen weiteten sich aus, nahmen an Heftigkeit zu und erreichten schließlich auch Polzin. Hunderte von Menschen, darunter Arbeiter, die in der Umgebung Straßen anlegten, stürmten den Markt, raubten die Händler aus und griffen danach sogar Passanten an. Der Vorsitzende des Magistrats, Jentsch, sah seine große Stunde gekommen. Aus dieser Situation ließ sich politisches Kapital schlagen, und so setzte er sich an die Spitze der Aufständischen. Bürgermeister Schmieden war krank an sein Bett gefesselt, und der einzige Gendarm Polzins, Johann Preiss, stand der aufgebrachten Menge machtlos gegenüber. Niemand weiß, wie sich die Dinge entwickelt hätten, wäre nicht der Landrat von Kleist-Retzow unverzüglich eingeschritten. Mit Hilfe einer eilig zusammengerufenen Polizeitruppe setzte er den Umtrieben ein Ende. Wenig später genehmigte der Kreistag mehrere zehntausend Reichstaler zum Ankauf russischen Roggens, um daraus Brot backen zu lassen und es an die Hungernden zu verteilen. Doch das eigentliche Problem wurde durch dieses System von Zuckerbrot und Peitsche nicht gelöst. An einem Sonntag, dem 2. April 1848, brachen erneut Unruhen aus, dieses Mal mit doppelter Wucht, und nun richteten sie sich gegen die ansässigen Juden und zuallererst gegen die wohlhabenden unter ihnen. Levys Haus wurde schwerer als alle anderen beschädigt, allerdings gerettet von der Bürgerwehr, die die Schützengilde ins Leben gerufen hatte. Und trotzdem weigerte sich Ascher Levy, die Schrift an der Wand wahrzunehmen.

In Süddeutschland erhoben sich die hungrigen Bauern gegen die Steuern, die sie an die Feudalherren zu entrichten hatten. Sie gaben auch nicht nach, als die Armee eintraf. Im März 1848 gab Friedrich Wilhelm IV. seiner Kavallerie Order, die Demonstrationen in den Straßen von Berlin aufzulösen. Moritz Gottschalk schrieb: »Du kannst Dich glücklich schätzen, diese Vorgänge nicht miterlebt zu haben. Übrigens rate ich Dir, schnellstmöglich alle Aktien der Eisenbahngesellschaften abzustoßen.« Aber nichts vermochte Ascher Levys Vertrauen in die königliche Gerechtigkeit zu erschüttern, und er antwortete dem Cousin in einem langen und ausführlichen Brief, daß ein Verkauf dieser Aktien zu dieser schweren Stunde einem Verrat am König gleichkäme. Seine Treuebekundung sollte ihm, dem ansonsten umsichtigen Geschäftsmann, schwere Verluste einbringen.

Obwohl die historischen Entwicklungen sich lautstark Bahn brachen, zeigte Ascher sich unbeeindruckt. Die Einberufung der Nationalversammlung in der Frankfurter Paulskirche hielt er weder für eine Errungenschaft noch für unterstützenswert, obwohl an deren konstituierender Sitzung fünfzehn jüdische Abgeordnete teilnahmen. Er änderte seine Meinung auch dann nicht, als Eduard Martin von Simson, ein getaufter Jude aus Königsberg, der sich jahrelang für die Entstehung eines vereinigten deutschen Staates unter dem Zepter eines starken und weisen Herrschers eingesetzt hatte, zum Parlamentspräsidenten gewählt wurde. Achtundzwanzig deutsche Staaten unterstützten Simsons Verfassungsvorschlag. Levy jedoch hielt zu seinem König, der die ihm im April 1849 von einer Delegation unter der Leitung Simsons angebotene Kaiserkrone für ein vereintes Deutschland ohne Österreich mit Abscheu abgelehnt hatte. Levy empfand volles Verständnis für Friedrich Wilhelm IV., als dieser schrieb:

»Einen solchen imaginären Reif, aus Dreck und Letten gebacken, soll ein legitimer König von Gottes Gnaden und nun gar der König von Preußen sich geben lassen, der den Segen hat, wenn auch nicht die älteste, doch die edelste Krone, die niemandem gestohlen ist, zu tragen? (...) Soll die tausendjährige Krone deutscher Nation, die zweiundvierzig Jahre geruht hat, wieder einmal vergeben werden, so bin ich es und meinesgleichen, die sie vergeben werden. Und wehe dem, der sich anmaßt, was ihm nicht zukommt!«

Die Krone, die der König im Weißen Saal des Berliner Stadtschlosses abgelehnt hatte, wurde per Eisenbahn zurück nach Frankfurt transportiert. Die Börse reagierte mit einem Aktiensturz, wovon die Wertpapiere der Eisenbahngesellschaften am schwersten betroffen waren. Trotz allem war Ascher Levy zufrieden: Der König hatte die Oberhand bewahrt, und das Frankfurter Parlament war damit gescheitert.

In der Brunnenstraße 14 gingen allmählich Veränderungen vor sich. Die alten Möbel wurden durch neue im Biedermeierstil ersetzt, die Kerzen gegen Gaslampen ausgetauscht. Die neuartige Beleuchtung erleichterte Ascher die Arbeit, denn die Augen machten ihm zu schaffen, und er mußte eine Brille tragen. Die Nachbarn bestaunten die runden Tische, die auf einem einzigen breiten, geschnitzten Fuß ruhten, sowie die Polstersessel, die mit braun- und goldgestreiftem Samt überzogen waren. Die Wände waren mit hellen Tapeten aus reiner Seide geschmückt. Zum Geburtstag des Hausherrn kaufte Fanny einen riesigen Bücherschrank mit verglasten Türen. Darin wurden fein säuberlich die heiligen Schriften eingeordnet, und zwischen den Bänden des *Talmud* fanden auch einige Bücher Walter Scotts ihren Platz. In einer Ecke des Salons stand eine Vitrine im englischen Empirestil, die mit einem hübschen Rahmen verziert war und eine Prozession von Tänzerinnen in Spitzenkleidern und deutschen Märchenfiguren enthielt. Alle Figuren bestanden aus feinstem und teuerstem Porzellan. Die Kollatzer Schreiner fertigten für die Kinder kleine Schreibtische, an denen sie später, wenn es soweit war, ihre Hausaufgaben machen sollten.

In dieser behaglich-familiären Kulisse stieg Ascher jeden Abend in das mit reiner Baumwolle gepolsterte Ehebett. Fanny wartete bereits auf ihn. Er liebte es, ihr lang und breit über geschäftliche Vorgänge zu berichten. Zumeist sank er danach in den tiefen und ruhigen Schlaf eines Menschen, der mit seinen Taten zufrieden ist. Warum hätte er es auch nicht sein sollen? Ein Mensch mißt seine Errungenschaften an denen anderer. Er wußte, daß in den Zentren des politischen Geschehens weitaus glänzendere Karrieren gemacht wurden. Aber in Polzin hatte er keine Konkurrenten. Sein Haus war das schönste in der Nachbarschaft. In der kleinen jüdischen Gemeinde galt er als Erster unter Gleichen. Trotz einiger Mißerfolge war sein Besitz beständig gewachsen. Und vor dem Einschlafen konnte er die Hand ausstrecken und den warmen Körper seiner Frau spüren. Seine Welt war klar umrissen, umgeben von einem Panzer aus Status, Geld, Gesundheit und dem tiefen Glauben an den Willen des Schöpfers. Hindernisse, die ihm in der Vergangenheit wie hohe und unüberwindbare Mauern vorgekommen waren, hatten sich verflüchtigt. Die Zukunft drohte nicht mit konkreten Gefahren. Seinen beiden kleinen Söhnen hatte er einen bequemen und sicheren Weg geebnet. Sie würden seine Erben sein. Manchmal dachte er darüber nach, wie er später einmal seine Geschäfte aufteilen würde, zum einen finanzielle Angelegenheiten und zum anderen Handel und Industrie. Bernhard würde die Finanzgeschäfte führen und Julius sich auf die Leitung der Sägewerke und den Getreidehandel spezialisieren. Und so Gott wollte, würde er für Vogelchen einen Bräutigam finden, der die *Mizwoth*, die Gesetze, achtete und ihr ein ruhiges Leben in Glück und Wohlstand würde bieten können. All dies ließ sich planen und bestimmen. Es würde keine Überraschungen mehr geben. Die Familie Levy hatte tiefe Wurzeln geschlagen, die keine Macht der Welt wieder würde ausreißen können.

Seine eigentlichen Träume drehten sich um etwas anderes. Vor dem Einschlafen lag er manchmal im Bett und grübelte, und dann hörte die Welt außerhalb seines Hauses auf zu existieren. Die Stille der Nacht senkte sich über Polzin. Die Augen geöffnet, wanderte sein Blick an der Decke umher.

»Worüber denkst du nach?« fragte Fanny.

»Über gar nichts, meine Teure.«

»Aber ...«

»Ich habe dir doch gesagt: über gar nichts.«

»Ascher ...«, seufzte sie.

»Du hast keinen Grund zur Sorge.«

»Trotzdem sorge ich mich.«

»Aber alles ist in Ordnung, glaub mir.«

»Nein. Nicht alles ist in Ordnung. Irgend etwas steht zwischen uns. Ich spüre, daß du mir etwas verschweigst.«

»Vielleicht ein anderes Mal, Fanny. Schlaf jetzt. Es ist schon spät.«

Ascher stand auf und löschte die Lampe. Er liebte es, das Licht an- und auszumachen. An die neue Gaslampe hatte er sich noch nicht gewöhnt und erfreute sich an ihr wie ein kleines Kind an einem neuen Spielzeug. Der Mond hing über dem Städtchen und tauchte es in ein bleiches Weiß. Sein schwaches Licht drang durch die Vorhänge. Fanny schwieg. Er hörte ihre Atemzüge und wußte, daß sie noch nicht eingeschlafen war. Konnte er Fanny in die Geheimnisse seines Herzens einweihen? Sie kannte ihn als einen überlegt handelnden Menschen. Wie würde sie reagieren, wenn er ihr von der Obsession erzählte, die ihn gepackt hatte und nicht mehr losließ? Er wollte nach Jerusalem pilgern und zwischen die Steine der Klagemauer einen Bittzettel stecken, daß Gott ihm helfen möge, seine Söhne großzuziehen, wollte sich am Anblick des Heiligen Landes weiden und jene Luft einatmen, die bereits die Propheten Israels eingesogen hatten. Diese Idee war nicht unvermittelt über ihn gekommen. Er erinnerte sich nicht, wann sie zum ersten Mal aufgetaucht war. Vielleicht in seiner Jugend, vielleicht während seiner Wanderungen über die Felder von Wilkensdorf in der Nähe von Friedland, die für ihn zu einem bewegenden Erlebnis geworden waren? Mit den Jahren war der Herzenswunsch, diese Idee in die Tat umzusetzen, immer stärker geworden. Als der Morgen graute, begab er sich an seinen Schreibtisch und schrieb seine Sehnsüchte in einem ausführlichen Brief an Moritz Gottschalk nieder. Zu seiner Überraschung verspottete ihn der Cousin nicht, ganz im Gegenteil. »Ich stimme Dir zu«, schrieb er, »daß dies keine weise Tat für Menschen in unserem Alter ist. Laß uns warten, bis unsere Haare ergraut sind, dann werden wir uns auf den Weg machen. Gemeinsam. Vielleicht wird diese Reise zum Höhepunkt unserer Freundschaft.« Und wie schon in seinen vorherigen Briefen legte er Ascher ans Herz, nicht nur an den Profit, sondern auch an seine öffentliche Stellung zu denken.

Diese eindringlichen Bitten fielen auf fruchtbaren Boden, denn schon seit geraumer Zeit beschäftigte sich auch Ascher damit. Im konservativen Pommern hatte er nicht die geringste Chance, als Jude in den Kreistag gewählt zu werden. Als jedoch in Polzin ein Sitz im Magistrat vakant wurde, schritt er zur Tat und reichte seine Kandidatur ein. Weshalb sollte er weniger gelten als der Kupferschmied Peter Rohn, der zwölf Jahre lang dem Magistrat angehört hatte und kürzlich verstorben war?

So dachte er. Andere nicht. Bürgermeister Schmieden, der aufgrund einer Krankheit bereits seit Monaten ans Bett gefesselt war, empfing Ascher Levy zu einer freundlichen Unterredung in seinem Haus. Er hörte seinen ausführlichen Erklärungen geduldig zu, bestätigte nickend die Liste der Spenden des »Kornjuden Levy« an die städtischen Wohltätigkeitsvereine und für den besonderen Fonds zum Ausbau des Kurparks. Als Levy jedoch zum springenden Punkt seiner Ausführungen kam, richtete der Hausherr sich in seinem Bett auf und beschied ihn, wenn auch in versöhnlichem Ton:

»Es tut mir leid, aber dies ist keine gute Zeit, einen Juden zum Mitglied des Magistrats zu ernennen.«

»Warum nicht?« fragte Levy aufbrausend. »Sitzen im Preußischen Landtag etwa keine Juden?«

»Polzin ist nicht Berlin«, gab Schmieden zurück. »Und da Sie das Parlament angesprochen haben, sollten Sie wissen, daß die Reden Bismarcks auch nach Pommern durchgedrungen sind. Er stammt aus dieser Region, und es ist nicht verwunderlich, daß seine Worte hier Gewicht haben. Er ist einer von uns.«

»Und das bin ich also nicht?« fragte Levy verwundert. »Schließlich bin auch ich in Pommern geboren und aufgewachsen. Auch ich habe auf den König und das Vaterland einen Schwur geleistet, genau wie er.«

»Sie sind doch ein kluger Mann, Herr Levy. Sie verstehen sehr wohl, daß da ein Unterschied besteht.«

»Ein Unterschied, der prinzipiell verwerflich ist.«

»Vielleicht. Aber das ändert nichts an der Realität.«

»Die Realität ist nicht wie die Mathematik, mein Herr. Die Realität unterliegt einem Prozeß der beständigen Veränderung.«

»Wenn dem so ist, dann müssen Sie warten, bis Ihre Stunde schlägt und Bismarck seine Haltung ändert.«

Ascher Levy wußte nur zu gut, worauf sein Gesprächspartner anspielte. Eine Abschrift von Bismarcks Rede vom 15. Juli 1847 vor dem Preußischen Landtag, in der er die Aufnahme von Juden in staatliche Ämter abgelehnt hatte, lag in der Schublade, die er unter Verschluß hielt. Ascher kannte den Inhalt auswendig:

»Ich bin kein Feind der Juden, und wenn sie meine Feinde sein sollten, so vergebe ich ihnen. Ich liebe sie sogar unter Umständen. Ich gönne ihnen auch alle Rechte, nur nicht das, in einem christlichen Staate ein obrigkeitliches Amt zu bekleiden. (...) In den Landesteilen, wo das Edikt von 1812 gilt, fehlen den Juden, soviel ich mich erinnere, keine anderen Rechte, als dasjenige, obrigkeitliche Ämter zu bekleiden. Dieses nehmen sie nun in Anspruch, sie verlangen, Landräte, Generäle, Minister, ja unter Umständen auch Kultusminister zu werden. Ich gestehe ein, daß ich voller Vorurteile stecke, ich habe sie (...) mit der Muttermilch eingesogen, und es will mir nicht gelingen, sie wegzudisputieren; denn wenn ich mir als Repräsentanten der geheiligten Majestät des Königs gegenüber einen Juden denke, dem ich gehorchen soll, so muß ich bekennen, daß ich mich tief niedergedrückt und gebeugt fühlen würde, daß mich die Freudigkeit und das aufrechte Ehrgefühl verlassen würden, mit welchem ich jetzt meine Pflichten gegen den Staat zu erfüllen bemüht bin. Ich teile diese Empfindung mit der Masse der niederen Schichten des Volkes und schäme mich dieser Gesellschaft nicht. (...) Ich gestehe zu, daß in Berlin und überhaupt in größeren Städten die Judenschaft fast durchweg aus achtenswerten Leuten besteht: ich gestehe zu, daß solche auf dem Lande nicht bloß zu den Ausnahmen gehören, obgleich ich sagen muß, daß der entgegengesetzte Fall vorkommt. (...) Ich kenne eine Gegend, wo die jüdische Bevölkerung auf dem Lande zahlreich ist, wo es Bauern gibt, die nichts ihr Eigentum nennen auf ihrem ganzen Grundstück; von dem Bette bis zur Ofengabel gehört alles Mobiliar dem Juden, das Vieh im Stall gehört dem Juden (...); das Korn auf dem Felde und in der Scheune ...«

Niemand behauptete, daß Ascher seinen Besitz auf unlautere Weise erworben hatte, aber auch seine Ehrlichkeit half ihm nicht gegen Bismarcks Behauptungen. Tatsache war, daß, wenn andere Verluste machten, viele Juden Profite verbuchten. Darum kam auch Ascher nicht herum.

Sowohl Ascher Levy als auch Otto von Bismarck hatten im Schicksalsjahr 1815 – damals, als die jubelnde Menge gerufen hatte: »Napoleon ist kaputt!« – das Licht der Welt in Pommern erblickt. Während die Geburt Ascher Levys ein bescheidenes Familienereignis gewesen war, wurde die des kleinen Otto der Menge freudig kundgetan. Der plärrende Säugling auf dem Gut Schönhausen war der Sprößling einer alteingesessenen und seit Jahrhunderten für ihre Halsstarrigkeit bekannten Junkerfamilie. Sie hatten bereits in Pommern gelebt, bevor die Hohenzollern hier herrschten. Der Stammbaum der Familie Levy hatte seine Wurzeln in der Fremde, im Orient, und war weder glanzvoll noch adlig. Zwei Familien und zwei Welten, zwischen denen ein tiefer Abgrund klaffte. Wenige Worte eines Junkers genügten, um einem Juden den Boden unter den Füßen wegzuziehen. Keiner von beiden hätte vermutet, daß sich ihre Wege einmal kreuzen sollten.

Ascher suchte Trost in der Arbeit. Er pflegte früh aufzustehen, manchmal noch vor dem Morgengrauen, und nur sehr selten legte er sich vor neun Uhr abends zur Ruhe. Entgegen dem Versprechen, das er einst seiner Frau gegeben hatte, war er auch jetzt noch viel auf Reisen. Er war als Händler weithin bekannt, von Stettin im Westen bis Kolberg im Osten. Für die Kinder blieb ihm keine Zeit. Fanny war es, die sich um die unterschiedlichen Neigungen von Beri und Juli kümmerte. Schon der vierjährige Beri glich in allem ihrem Ehemann. Er bewegte sich wie sein Vater, bewältigte große Distanzen mit energischen Schritten, redete ruhig und überlegt, und entsprach etwas nicht seinem Geschmack, so verzog er den Mund genau wie der Vater. Als er später die jüdische Schule am Ort besuchte, konzentrierte er sich vorwiegend auf Mathematik und Geschichte, aber auch mit dem Studium der heiligen Schriften kam er gut voran. Der Lehrer lobte unentwegt den Eifer dieses Schülers, der sich nicht damit begnügte, den Unterrichtsstoff, wie damals üblich, auswendig zu lernen, sondern fortwährend versuchte, den Dingen auf den Grund zu gehen. »Ihr Kind hat überhaupt keine Flausen im Kopf«, pflegte er zu bemerken. Fanny hingegen befürchtete, daß der Junge zu früh erwachsen werden würde. »Es gibt nichts Schlimmeres als ein Kind ohne Kindheit«, behauptete sie. Ascher reagierte auf ihre Sorgen lediglich mit einem Schulterzucken. Er für seinen Teil war zufrieden.

Juli war ganz anders. Obwohl jünger als sein Bruder, war er bald größer als dieser, schlank und gutaussehend, und lediglich seine

Ungeduld hinderte ihn daran, sich bei seinen Mitmenschen beliebt zu machen. Seine Noten boten den Eltern nicht gerade Anlaß zur Freude. Die Schule und deren strenge Disziplin widersprachen seiner Natur. Er träumte lieber vom Schwanenteich im Kurpark und den Lausbubenstreichen, die man dort mit den Nachbarskindern aushecken konnte. Ascher hoffte, daß Juli mit der Zeit ernsthafter werden würde. Doch auch als Julius herangewachsen war, interessierte er sich nur wenig für den familiären Betrieb. Geld hatte für ihn keine Bedeutung, und so war es keine Überraschung, daß Ascher, als die Stunde der Entscheidung näher rückte, lediglich seinen ältesten Sohn in die Berufsgeheimnisse einweihte.

Die fünfziger Jahre des neunzehnten Jahrhunderts waren in den großen Städten aufgrund der Arbeitslosigkeit ein schweres Jahrzehnt. Die Einwohner Polzins hingegen genossen einen gewissen Aufschwung. Als Ascher Levy sich hier niedergelassen hatte, lebten ungefähr eintausendfünfhundert Seelen am Ort; nun gab es viertausendzweihundert Einwohner, darunter ungefähr sechshundert Juden. Jeder fand Arbeit, wenn auch die Löhne niedrig waren. Allein in Levys Fabriken arbeiteten acht Angestellte und mehr als hundertzwanzig Arbeiter.

Die Regierung trieb mit aller Macht großangelegte Straßenbauvorhaben voran. Zunächst stand die Straße nach Jastrow an, und da der Kreistag eine Summe von dreiundvierzigtausend Talern für jede Meile zur Verfügung gestellt hatte, fanden sich sehr schnell Ingenieure, die die Umsetzung der Pläne in Angriff nahmen. Auch die Bierbrauerei der Familie Fuhrmann expandierte, und als sich der Eigentümer Karl Fuhrmann 1852 entschied, eine weitere Fabrik – die Seringsche Brauerei an der Bärwalder Chaussee – zu erwerben, war es nur natürlich, daß er bei Levy eine Anleihe von fünfhundert Reichstalern aufnahm, rückzahlbar innerhalb von fünf Jahren und zu einem Zinssatz, der ein ganzes Prozent über der Dividende lag, die Ascher für die Aktien der Eisenbahngesellschaften erhalten hatte. Als die Polziner Tuchmacher durch die Industrialisierung der Textilproduktion in Mitleidenschaft gezogen wurden, beschlossen sie, mit der Zeit zu gehen, um eine ernsthafte Krise zu vermeiden. Im Sommer des Jahres 1852 begann man mit dem Bau einer Spinnerei und Walkerei, und am 5. Februar 1853 wurde die Spinnerei in Betrieb genommen. Der erste Auftrag kam von der Armee und versprach der Fabrik einen erfolgreichen Start.

Ungefähr zu dieser Zeit entschied der Landrat von Kleist-Retzow, die Wasser der Heilquelle vermehrt zu nutzen und in Polzin ein von Diakonissen betriebenes Krankenhaus als Zweitniederlassung des Mutterhauses Bethanien in Berlin zu errichten. Das Grundstück wurde für zweihundert Reichstaler erworben, das Krankenhaus insgesamt, vor allem die Ausstattung, kostete dreiundzwanzigtausend Taler. Als man begann, öffentliche Spenden für diese enorme Summe aufzutreiben, gab die Familie Levy zweihundertfünfzig Taler. Für diese großzügige Spende erhielt Ascher zwar einen Dankesbrief vom Landrat, nicht aber eine Einladung zur Grundsteinlegung. Es stand ihm nicht zu, unter den Honoratioren der Kleinstadt und der Region zu weilen und Seine Majestät König Friedrich Wilhelm IV., der der Einweihungszeremonie beiwohnte, zu begrüßen. Er war gezwungen, in seinem Kontor zu bleiben und sich mit dem Zeitungsbericht zufriedenzugeben, der natürlich erst am nächsten Tag erschien:

»Se. Majestät trafen am 29. August 1852 mittags ein Uhr auf der Durchreise nach Neustettin in der festlich geschmückten Stadt ein; Glockengeläut verkündete die Ankunft von Belgard her. Bei der vor der Stadt errichteten großen Ehrenpforte wurde der König durch die Schützengilde und auf dem Marktplatze, dem Orte der Umspannung, durch die von dem Herrn Regierungspräsidenten von Senden vorgestellten Kreisstandsmitglieder, die Stadtbehörden und die aus Schivelbein, Dramburg und Falkenburg eingetroffenen städtischen Deputationen empfangen, und geruhte, Sich einige Augenblicke in das in dem Hause des Apothekers Bückling eingerichtete Zimmer, und demnächst mit Allerhöchst Ihrem Gefolge und den Vertretern der Stadtbehörde nach der Baustelle des fünfhundert Schritte von der Stadt entfernt aufzuführenden großen Krankenhauses Bethanien zu begeben, und der Grundsteinlegung in der üblichen Weise die Allerhöchste Weihe zu geben. Der Prediger Kleedehn empfing Se. Majestät an der Baustelle, die Liedertafeln aus Polzin, Schivelbein und Dramburg führten den Gesang aus, der Prediger hielt eine kurze treffliche Ansprache, und nachdem derselbe den Segen gesprochen, Se. Majestät auch einige freundliche Worte mit dem Prediger gewechselt und seitens des Kreislandraths, Freiherr v. d. Reck, im Namen des Vorstandes Bethanien gedankt worden war, daß Se. Majestät geruhet hatten, Allerhöchstselbst Hand ans Werk zu legen, dankte der Magistratsdirigent dafür, daß Se. Majestät die Stadt Polzin mit Allerhöchstihrer Gegenwart beglückt, und sprach dabei die Bitte aus, daß der Allerhöchste Se.

Majestät bis in die spätesten Zeiten in seinen gnädigen Schutz nehmen möge. Der König geruhte darauf zu erwidern: ›Ich danke Ihnen!‹, und der Zug ging nach der Stadt zurück, wo Se. Majestät in dem Bücklingschen Hause eine Ihnen dargebotene Erfrischung unter dem Gesangsvortrage der Liedertafel einnahm, Sich den vor der Stadt mit Errichtung der Ehrenpforten beauftragt gewesenen Maler Gaffrey vorstellen ließen und demnächst, gegen zwei Uhr nachmittags, Ihre Reise nach Neustettin unter donnerndem Hurrah der aus Stadt und Land Versammelten fortsetzten. Die in so wohlthuenden Worten und Mienen geäußerte Zufriedenheit Sr. Majestät mit dem Empfange in Polzin war der Stadt die höchste Genugtuung, und wird immer dieser Tag derselben denkwürdig sein.«

Levy faltete die Zeitung sorgsam zusammen und legte sie auf seinen Schreibtisch. Am Mittag des vorangegangenen Tages, als die Festlichkeiten auf dem Höhepunkt angelangt waren und er durch ein offenes Fenster die Jubelrufe der Menge hatte vernehmen können, hatte er seinen Rock vom Garderobenständer genommen, um sich zur Ehrenpforte zu begeben und wenigstens einen Blick auf seinen verehrten König zu werfen. Aber im letzten Moment hatte er den Impuls doch noch unterdrückt: Was würden die Leute sagen, wenn sie sähen, wie er sich unter das einfache Volk mischte, während weniger Ehrenwerte als er ihr Glas erhoben, um auf das Wohl des Königs anzustoßen? Er verkroch sich in sein Zimmer und öffnete noch nicht einmal Fanny die Tür, die ihn mit einer Tasse Tee und einem Schuß Rum aufmuntern wollte.

Fanny war ihm in diesen Tagen nicht nur eine treue Ehefrau, sondern auch im wahrsten Sinne des Wortes eine Stütze. Sie war mit einem gesunden Geschäftssinn gesegnet, und Ascher zog sie jedesmal bereitwillig zu Rate, wenn er Zweifel hegte, ob dieses oder jenes Geschäft lohnend sei. Trotz seines verschlossenen Wesens offenbarte er Fanny die Tiefen seines Herzens, und wenn er auf Reisen ging, und sei es nur für kurze Zeit, schrieb er ihr Briefe, in denen sich geschäftliche Angelegenheiten mit Zärtlichkeiten mischten. Der wohlkalkulierte *Schiduch* hatte zu einem innigen Verhältnis und gegenseitigem Verständnis geführt. Und ausgerechnet jetzt, da ihre Schönheit welkte, ihr Körper nach drei Geburten fülliger geworden war und der Glanz in ihren Augen allmählich erlosch, erwachte in ihm eine Leidenschaft, wie er sie bisher noch nicht gekannt hatte. Beide überlegten, ob sie noch ein weiteres Kind zur Welt bringen sollten. Fanny wünschte sich eine große Familie, und Ascher wollte einen Erben, der Julis Platz würde einnehmen können. Doch Gott segnete sie nicht mit weiteren Nachkommen, und auch der Stettiner Frauenarzt Dr. Jakob Wachsler konnte ihnen nicht helfen.

Es war Fanny, die ihrem Ehemann vorschlug, für einige Zeit Abstand von der Firmenleitung zu nehmen und die seit Jahren wiederholt ausgesprochene Einladung Moritz Gottschalks, der inzwischen zu einer bekannten Persönlichkeit an der Börse avanciert war, anzunehmen. Zu Beginn des Sommers 1858 entschied sich Ascher, ihrem Rat zu folgen, und machte sich auf den Weg nach Berlin. Es war sein erster Besuch in der preußischen Hauptstadt. Moritz Gottschalk bewirtete ihn in seinem großen Haus in der Französischen Straße 47 wie einen König. Ihm lag daran, dem Verwandten aus der Provinz seinen Reichtum und seine Stellung in der Finanzwelt vorzuführen. Jeden Abend speisten die Cousins in Gesellschaft, zumeist von Juden, die kühnste Erwartungen erfüllt hatten. Die Gespräche drehten sich ausschließlich um Personen, die gute Kontakte zur gehobenen Gesellschaft unterhielten, es zu Vermögen und Macht gebracht hatten und das Ansehen der Regierung genossen. Bereits am ersten Abend erzählte Aschers Cousin, ohne dabei seine Erregung verbergen zu können, von der glanzvollen Karriere Gerson Bleichröders, der als Finanzgenie galt und zum Privatbankier Otto von Bismarcks aufgestiegen war. Bevor Bismarck als Gesandter Preußens nach Petersburg ging, hatte er Bleichröder die Leitung seiner Finanzgeschäfte anvertraut, was natürlich kein Geheimnis geblieben war. Die politischen Gegner des späteren »Eisernen Kanzlers« sorgten dafür, daß die nationalistisch gesinnten Zeitungen von den Beziehungen zwischen dem bekannten Junker und dem »jüdischen Enkel des Totengräbers« erfuhren. Es ging das Gerücht, daß die Verbindung auf Anraten der Rothschilds zustande gekommen war, die sich ebenfalls um die Investitionen Bismarcks kümmerten. »Ich verfolge alle Schritte Bleichröders genau«, erläuterte Moritz Gottschalk stolz. »Ich habe Agenten, die mir gegen geringe Bezahlung Einzelheiten über seine Geschäfte an der Börse zukommen lassen. Wenn Bleichröder kauft, dann kaufe auch ich. Verkauft er, so verkaufe ich ebenfalls. Glaub mir, das ist ein bewährtes Erfolgsrezept. Ich habe seitdem noch keinen einzigen Pfennig verloren. Willst du nicht mit auf diesen Zug aufspringen?«

Ascher Levy schüttelte den Kopf. Nein, er gehörte nicht in diese

Welt der ganz Europa umspannenden Geschäfte. Eigentlich war er nur nach Berlin gekommen, um über das Thema zu reden, das ihm an meisten am Herzen lag: die gemeinsame Reise ins Heilige Land. Moritz Gottschalk bat erneut, die Abreise aufzuschieben. Seine komplizierten Transaktionen, so erklärte er, gestatteten ihm momentan keine längere Abwesenheit. Als er Aschers Enttäuschung bemerkte, tröstete er ihn: »Ich habe die Idee nicht aufgegeben.« Doch in Aschers Herz machte sich Mißmut breit – nicht über den Cousin, sondern über die Welt, in der dieser sich bewegte, eine Welt, die die Menschen an ihr materielles Streben fesselte. Als er selbst um seinen Platz darin gerungen hatte, waren ihm solche Überlegungen fremd gewesen. Erst jetzt wurde ihm dies bewußt, da er mit Moritz Gottschalk sprach und der Abscheu vor der Betriebsamkeit der pulsierenden Großstadt in ihm wuchs, in der einzig und allein der Profit zu zählen schien, ohne Platz für Gefühle. Im Vergleich zu den Dingen, die die Allgemeinheit bewegten, und gemessen an den Gesprächsthemen in den Salons der Reichen schrumpften Aschers geschäftliche Erfolge; sie wurden klein und nichtig. Polzin wirkte noch provinzieller, und die Firma, auf deren Gründung er so stolz war und die er eigenhändig aufgebaut hatte, erschien plötzlich winzig und unbedeutend. Er stotterte beinahe, als er Moritz Gottschalk berichtete, daß er Tausende von Talern in eine Eisenbahngesellschaft investiert hatte, die Schienen von Stargard nach Köslin verlegte und Polzin innerhalb von zwei Jahren an die wichtigen Städte Pommerns anbinden würde. Er erzählte auch von seinem Vorhaben, weitere Wälder zu erwerben, um die Rohstoffzufuhr für sein Sägewerk in Kollatz zu sichern. Nach seiner Kalkulation würde sich diese Investition, selbst wenn er die Kosten für das Fällen der Bäume hinzurechnete, bereits nach sechs Jahren rentieren. In Pommern waren sowohl Land als auch Arbeitskräfte noch immer günstig zu haben. Wenn diese Transaktion tatsächlich vonstatten gehen sollte, beabsichtige er, auch noch das Sägewerk Groß Linichen in der Nähe von Dramburg zu kaufen. Auf diese Weise würde er zum größten jüdischen Geschäftsmann der gesamten Kösliner Region. Doch er bemerkte sehr wohl, daß der Cousin nur sehr wenig Interesse für seine Pläne zeigte. »Wir sind vom gleichen Fleisch und Blut, aber unsere Herzen schlagen nicht im gleichen Takt«, sagte Ascher traurig, als er sich nach zehn Tagen von ihm verabschiedete.

Nach seiner Rückkehr fand Bernhards *Bar-Mitzwah* statt. An einem *Schabbat* kurz nach Beris dreizehntem Geburtstag wurde er in den *Minjan* der Erwachsenen aufgenommen und zum Lesen der *Thora* aufgerufen. Väterlicher Stolz erfüllte Ascher, als er seinen Sohn die Verse mit wohlklingender Stimme und in fließendem Hebräisch vortragen hörte. Beim Verlassen der Synagoge umarmte er ihn und sagte: »Erinnere dich immer daran, daß du ein stolzer und gleichberechtigter Bürger Preußens bist. Und vergiß niemals, daß du Jude bist. Vergißt du es, so wird es immer andere geben, die dich an deine Herkunft erinnern.«

Es verflossen fünf weitere gute Jahre. Eines Tages wurde Bernhard zu früher Morgenstunde, noch bevor die ersten Kunden eintrafen, ins Büro gerufen. Wie es sich gehörte, klopfte er an. Sein Vater saß hinter einem großen Schreibtisch, auf dem sich viele Papiere stapelten.

»Setz dich«, sagte er und zeigte auf den Stuhl ihm gegenüber. Bernhard ließ sich nieder und harrte schweigend der Dinge. Noch nie war er in das Kontor seines Vaters gerufen worden, und er fragte sich, was wohl der Anlaß dazu war. Es vergingen ein, zwei Minuten des Schweigens. Ascher Levy trommelte mit den Fingern auf die Tischplatte. Bernhard verschränkte die Arme und wartete.

»Du kannst dir sicherlich denken, warum ich dich habe rufen lassen«, sagte Ascher.

»Ich habe keine Ahnung, Papa.«

»Wir müssen ernsthaft über deine Zukunft nachdenken.«

Innerlich grinste Bernhard. Dieses »wir« war lediglich eine Höflichkeitsfloskel. Wer hier über seine Zukunft nachdachte, war ganz allein sein Vater. Er lehnte sich vor und antwortete gehorsam:

»Ich werde deinem Wunsch entsprechen.«

»Ich habe lange darüber nachgedacht«, fuhr Ascher fingertrommelnd fort. »Anfangs wollte ich dich nach Berlin schicken. Mein Cousin hatte sich großzügigerweise bereit erklärt zu helfen, und du hättest bei ihm wohnen und das Bankierswesen erlernen können. Aufgrund gewisser Erwägungen habe ich meine Meinung jedoch geändert. Die Geschäfte hier expandieren und verzweigen sich ...«

»... und du brauchst jemanden, der dir zur Seite steht.«

Ascher brummte zufrieden. »Richtig. Du hast es erraten.«

»Möchtest du mir eine bestimmte Aufgabe zuweisen, Papa?«

»Dein Bruder zeigt ganz und gar kein Interesse an den Geschäften, was mir großen Kummer bereitet. Jemand wird die Firma übernehmen müssen, wenn ich mich zur Ruhe setzen will.«

»Zur Ruhe setzen? In deinem Alter?«

»Ich plane meine Schritte Jahre im voraus. Es wird eine ganze Weile dauern, bis du all die komplizierten Angelegenheiten verstehst.«

»Ich habe Geduld.«

»Dann beginne, das Handwerk zu erlernen.«

»Ich werde alles tun, was du mir aufträgst.«

»Du wirst hier nicht der Sohn des Firmeninhabers sein, du wirst ganz unten anfangen wie jeder andere Lehrbursche auch.«

»Ich habe auch nichts anderes erwartet, Papa.«

»Ich beabsichtige, eine Immobilienabteilung aufzubauen. Du wirst bei dem Angestellten, der diese Abteilung leiten wird, in die Lehre gehen. Halte Augen und Ohren offen. Du wirst mit wichtigen Grundbesitzern zu tun haben. Mach uns keine Schande. Sei unnachgiebig, aber ehrlich.«

»Du wolltest sagen, daß ich einfach ich sein soll, nicht wahr?«

Ascher lächelte zufrieden. »Ja, das habe ich gemeint.«

»Und wann soll ich anfangen?«

»Heute.«

Bevor Bernhard auf Reisen gehen und im Namen der Firma Verhandlungen führen durfte, lernte er ein volles Jahr alle Einzelheiten der Buchführung. Ascher legte Wert darauf, daß sich sein Sohn ein klares Bild von allen Vorgängen machen konnte und vor allem die Bilanzen genausogut zu lesen verstand wie die heiligen Schriften. Erst als Bernhard diese Anforderungen zur Zufriedenheit des Vaters bewältigt hatte, durfte er sich auf Reisen begeben, von den Seen im Süden bis hin zu den Ostseestränden im Norden, um gut abholzbare Wälder zu finden, Holzfällverträge auszufertigen oder ausgesuchte Waldbestände zu erwerben. Bernhards Fähigkeit, sich in jeder Situation zurechtzufinden, seine Freundlichkeit und Höflichkeit machten ihn schnell zu einem geschätzten Geschäftspartner. Ascher verfolgte mit Stolz die Fortschritte seines Sohnes. Nach drei Jahren erwog er, die Firma »Ascher Levy & Sohn« zu nennen, verwarf diese Idee jedoch, da Fanny energisch widersprach: »Das kannst du Juli nicht antun, das Kind wäre schwer getroffen.« Aber Julius war längst kein Kind mehr, sondern ein junger Mann von zwanzig Jahren, der zu Aschers Leidwesen noch immer nicht seinen Lebensunterhalt verdiente. Diese Situation bereitete Fanny ebenfalls Kummer, doch auch sie wußte keinen Rat.

Ascher korrespondierte weiterhin mit Moritz Gottschalk, sie

schrieben sich mindestens einmal im Monat. Im Herbst 1869 lud
Ascher seinen Cousin zu einem freudigen Ereignis ein. Für Vogel,
die Tochter, die mit einundzwanzig Jahren noch immer nicht verheiratet war, hatte man endlich einen passenden Bräutigam gefunden: einen Witwer namens Hirsch Hirschfeld, ein wohlhabender
Verwandter aus dem Städtchen Neuwedel. Ascher und Fanny
knauserten nicht, als sie sich mit dem Heiratsvermittler zusam-
mensetzten, um über die Mitgift zu verhandeln. Vogel erhielt eine
Summe, die für den Erwerb eines neuen und geräumigen Hauses
ausreichte, denn der Witwer hatte bereits vier Kinder, und das Paar
rechnete mit weiterer Nachkommenschaft. Zudem bekam sie, wie
üblich, Kleidung und Wäsche, Küchenutensilien sowie weitere Ge-
brauchsgegenstände für den ehelichen Haushalt. Dahinter steckte
allerdings nicht nur elterliche Großzügigkeit; damals galt eine Mitgift als Teil des Erbes und zeugte besser als alles andere von Aschers
finanzieller Lage. Ascher hatte außerdem beschlossen, das Ereignis
mit der Gründung einer besonderen Stiftung für die Polziner Jugend feierlich zu begehen. Noch bevor die Braut in ihr neues Heim
in Neuwedel übersiedelte, wurde auf dem Rathaus ein Dokument
für die Verwaltung dieses Spendenfonds aufgesetzt:

»1. Verleihung eines Stipendiums an einen sich der Wissenschaft
oder dem Gewerbe widmenden fleissigen Schüler, welcher in
Polzin geboren sein muß, sowie Unterstützung von Armen von
je der Hälfte der Zinsen, sobald das Kapital die Höhe von eintausendfünfhundert Reichstalern erreicht hat.

2. Die Verwaltung erfolgt durch den Magistrat. Eine Remunera-
tion wird hierfür nicht gezahlt.

3. Das Kassenlokal befindet sich in der ersten Etage des massiv er-
bauten Rathauses am Markt.

4. Das Stiftungsvermögen ist bei der Stadtsparkasse hier eingezahlt. Das hierüber ausgestellte Guthabenbuch Nr. sechs-eins-
acht-vier wird im Depositorium der Stadthauptkasse aufbewahrt, wozu zwei Schlüssel vorhanden sind. Den Haupt-
schlüssel zum Kassenspind führt der Rendant.«

»Entschuldigen Sie die Frage, Herr Levy, aber möchten Sie nicht
einen Absatz hinzufügen, der Ihnen und Ihren Nachfahren zu bestimmen erlaubt, wer die Stipendien und die Beihilfen erhalten
soll?« fragte Bürgermeister Schmieden.

»Nein, die Stadtverwaltung wird einen öffentlichen Ausschuß
einberufen, der darüber beschließen wird«, antwortete Ascher und
wandte sich zur Tür.

IV

Vermögensberechnung der Ascher-Levy-Stiftung in Polzin, 1872

Der Bürgermeister hielt ihn am Arm fest. »Einen Moment, Herr Levy, aber ich darf es Ihnen nicht zu leicht machen: Was ist, wenn dieser Ausschuß zugunsten eines jungen Mannes entscheidet, der nicht mosaischen Glaubens ist? Oder würden Sie erkrankte Arme im christlichen Bethanien unterstützen wollen?«

»Sie unterscheiden zwischen Juden und Nichtjuden. In meinen Augen gibt es diesen Unterschied nicht, Herr Bürgermeister.«

»Erteilen Sie uns etwa eine Nachhilfestunde in Toleranz?«

»Gott behüte! Aber um die Wahrheit zu sagen, es gibt Leute, denen eine solche Lektion nicht schaden würde. Natürlich habe ich damit nicht Sie gemeint, Herr Bürgermeister.«

Der Hochzeitsbaldachin für Vogel und Hirsch wurde in der Polziner Synagoge im Großen Mühlenweg aufgestellt. An der Festlichkeit nahmen nur die Angehörigen beider Familien sowie enge Freunde teil. Als gebranntes Kind vermied Ascher es, den Bürgermeister und örtliche Honoratioren einzuladen. Eine erneute öffentliche Demütigung hätte er nicht ertragen. Als er mit Fanny die Gästeliste zusammenstellte, schüttete er ihr sein Herz aus: »Hier bin ich also, eigentlich ein gleichberechtigter Bürger unter Gleichgestellten. Mein Geld stinkt nicht, und doch flüstern sie hinter meinem Rücken, daß ich nach Knoblauch rieche. Unser Haus ist für die Gutsherren nicht gut genug, und wir sind der Ehre ihrer Anwesenheit nicht würdig. Ich habe gehört, wie sie mich hinter meinem Rücken ›Geldprotz‹ nennen ...«

Moritz Gottschalks Name stand ganz oben auf der Gästeliste, und er traf auch als erster ein, in einen Zobelpelz gehüllt und mit Geschenken beladen. Er war dick und an den Schläfen ergraut. »Die Bequemlichkeit hat mich dick werden und das Leid hat mich ergrauen lassen«, sagte er herzlich lachend, als sich die Cousins nach den Feierlichkeiten in eine ruhige Ecke zurückzogen, um ihr elf Jahre zuvor abgebrochenes Gespräch fortzusetzen. Moritz Gottschalk hatte viele aufregende Nachrichten aus der Hauptstadt mitgebracht. Jede von ihm geschilderte Begebenheit war »wunderbar«, »erstaunlich« oder »beflügelte die Seele«. Die berauschendsten Ereignisse waren natürlich die berühmten Bälle Gerson Bleichröders, seines Idols. Er verstieg sich zu der Darstellung luxuriöser Empfänge, bei denen neben anderen Leckerbissen exquisite französische Weine gereicht wurden, und er erzählte ausführlich über die Orchester, die den Tanzenden die Zeit vertrieben – selbstverständlich alles Adlige, zumeist Entscheidungsträger der Regierung. Hätte Ascher nicht gewußt, daß sein Cousin niemals die Schwelle des Bleichröderschen Hauses überschritten hatte, wäre er versucht gewesen zu glauben, Moritz Gottschalk sei dabeigewesen. Doch in Wahrheit stammten die Informationen aus den Klatschspalten der »Vossischen Zeitung« und der Berliner Groschenpresse, die unermüdlich über die Vorgänge im Hause des reichsten Mannes von ganz Brandenburg berichteten. Moritz Gottschalk hatte sogar ein Bild des großen Gebäudes in der Behrenstraße, in dem Bleichröder seine Wohnung und die Büros seiner Bank unterhielt, aus einer dieser Zeitungen ausgeschnitten und präsentierte es Ascher, als wäre es das wertvolle Gemälde eines bekannten Malers. »Hier hält er seine Bälle ab, und hier empfängt er seine Kunden«, flüsterte er, als enthüllte er ein wohlgehütetes Geheimnis. »Wußtest du, daß sogar der Judenhasser Richard Wagner den Großteil seiner finanziellen Angelegenheiten von ihm regeln läßt?«

»Das wäre mir nicht in den Sinn gekommen. Woher weißt du das?« wollte Ascher wissen.

Moritz Gottschalk verzog den Mund zu einem mysteriösen Lächeln: »Vor mir gibt es keine Geheimnisse. Ich habe dir schon einmal gesagt: ohne die richtigen Informationsquellen wirst du es niemals zu Reichtum bringen.«

»Ich will nicht reich werden. Ich für meinen Teil bin glücklich.«

»Ich habe sehr wohl bemerkt, daß es dir an nichts mangelt«, spottete Moritz Gottschalk freundschaftlich.

»Gott hat mich nicht im Stich gelassen«, gab Ascher ernsthaft zurück. »Und jetzt, da Vogelchen ihren Platz in der Welt gefunden hat, ist mein Glück vollkommen.«

»Du willst nicht reich werden, aber du willst mit Sicherheit auch nichts verlieren, richtig?«

»Warum müssen wir die ganze Zeit über Geld reden? Heute ist ein Freudentag, und ...«

Moritz Gottschalk unterbrach ihn mitten im Satz: »Vielleicht interessiert es dich zu erfahren, daß das Haus Bleichröder und die Firma Oppenheim heimlich spanische und französische Anleihepapiere verkaufen? Du erinnerst dich sicherlich, daß ich in deinem Namen französische Papiere im Wert von zweitausend Talern gekauft habe. Meine habe ich verkauft.«

»Ich verstehe etwas von Getreide, Holz und provinziellem Bankwesen, allerdings wenig von internationaler Politik. Aber vielleicht erinnerst du dich, daß ich in diesem Fach meine erste Lektion erhielt, als ich neunzehn Jahre alt und bei Louis Stärger in der Lehre war. Mir scheint, daß ich dir damals davon geschrieben habe. Spanien geriet aufgrund eines Erbkrieges um die Thronfolge in finanzielle Bedrängnis. Ein preußischer Adliger, dessen Finanzgeschäfte Stärger leitete, verlor dadurch fast seinen gesamten Besitz. Ich habe daraus gelernt, Verluste hinzunehmen. Wieviel verliere ich bei dem Verkauf?«

»Nichts. Noch kann man die Papiere zu einem annehmbaren Preis abstoßen und sogar etwas Profit herausschlagen. An die Geschichte von Stärger und dem Junker erinnere ich mich nur zu gut. 1834 gewann Isabella die Oberhand, wenn auch nicht für lange. Jetzt hat eine Gruppe von Offizieren und Politikern, die sich Progressive nennen, in Spanien die Herrschaft an sich gerissen. Dennoch wollen sie einen rechtmäßigen Eindruck machen und suchen einen passenden Kandidaten für den freigewordenen Thron: einen Strohmann, der so tut, als würde er herrschen, in Wirklichkeit jedoch ihre Anweisungen ausführt. Meiner Ansicht nach wird der Geistertanz bald beginnen, und die Börsenkurse werden fallen.«

Moritz Gottschalk sah die Entwicklungen richtig voraus. Es verging kein Jahr, und die Rebellen trugen Erbprinz Leopold aus dem Hause Hohenzollern-Sigmaringen die Krone an. Leopold hatte es angesichts der schweren Rückschläge, die sein Bruder Karl im Kampf um die rumänische Krone hatte einstecken müssen, nicht eilig, auf den verlockenden Vorschlag einzugehen. Der französischen Regierung mißfiel die Kandidatur dieses Prinzen, der mit dem preußischen Königshaus verwandt war. Sie sah dadurch unmittelbar französische Interessen berührt. Zunächst schlug sich dieses Mißfallen lediglich in den diplomatischen Beziehungen nieder. Als jedoch der Moment der Entscheidung näher rückte, entledigte sich Kaiser Napoleon III. seiner Samthandschuhe und sandte am 6. Juli 1870 eine Warnung nach Berlin und Madrid: Frankreich würde keinen feindlich gesinnten Herrscher an seiner südlichen Grenze dulden. Aber auch die Antwort Bismarcks war eindeutig: Preußen stehe rückhaltlos hinter Prinz Leopold. Der diplomatische Schriftwechsel beider Regierungen klang bereits wie der Aufeinanderprall gezückter Schwerter. Die nachfolgenden Anfeindungen flogen wie Schneebälle hin und her, bis endlich eine Lawine losgetreten war, die mit Kanonendonner die gegenseitigen Beziehungen unter sich begrub. Am 19. Juli 1870 brach Krieg aus.

Ascher Levy saß in seinem Kontor über die Zeitung gebeugt, die den Kriegsausbruch verkündete. Plötzlich war ein Klopfen an der Tür zu vernehmen. Levy liebte keine Störungen zu früher Morgenstunde und sagte kurz angebunden: »Herein.«

In der Tür stand Julius und hielt ebenfalls eine Zeitung in der Hand.

Ascher rügte ihn: »Zwei Zeitungen in einem Haushalt? Was für eine Verschwendung!«

Julius ignorierte die Bemerkung seines Vaters. »Hör mich bitte an, ohne gleich zornig zu werden«, bat er.

»Was muß ich mir unbedingt jetzt anhören?«

»Ich habe beschlossen, mich freiwillig zu melden.«

»Bist du jetzt völlig *meschugge* geworden?« erwiderte Ascher entsetzt.

»Gerade du redest immer von Vaterlandsliebe, Papa. Du sprichst immer von der Treuepflicht gegenüber Preußen.«

»Aber damit habe ich nicht gemeint ...«

»Siehst du? Dieses Mal meine ich es ernst, ich, der Lausebengel. Meine Entscheidung ist nicht überstürzt. Ich habe eine ganze Nacht darüber nachgedacht.«

»Dabei ist noch nie etwas Vernünftiges herausgekommen.«

»Solche Bemerkungen sind im Moment nicht angebracht, Vater.«

Ascher ließ die Zeitung auf die Knie sinken und warf seinem Sohn einen Blick zu. Ihm gegenüber stand ein Julius, den er bisher nicht gekannt hatte: aufrecht, selbstsicher und entschlossen. Er verkniff sich eine Bemerkung über Julis freche Redensart und nickte, als würde er ihm zustimmen. Ganz im Gegensatz zu der ihm sonst eigenen Logik verspürte er einen gewissen Stolz, jedoch zugleich Erleichterung, daß es Julius war, der vor ihm stand, und nicht Bernhard.

»Es gibt auch andere Wege, dem Vaterland zu dienen«, entgegnete er mit ruhiger Stimme.

»Ich habe meinen Weg gewählt.«

»Ich werde dir nicht im Wege stehen«, antwortete er. »Aber du mußt auch die Erlaubnis deiner Mutter einholen.«

Fannys Tränen nutzten nichts. Zwei Tage später bestieg Julius die Eisenbahn nach Belgard zur nächstgelegenen Kaserne, wo die Musterungen stattfanden. Die Offiziere der Abteilung waren erstaunt über diesen jungen Mann, der in der preußischen Armee dienen wollte. Zwar hatte man sich bereits an Ärzte, Zahl- und Proviantmeister mosaischen Glaubens gewöhnt, aber man hatte noch keinen Juden gesehen, der sich an die Front meldete, noch dazu zu einer Schützenkompanie, die an vorderster Linie kämpfte. Zwar hatten sich in Preußen, Bayern, Sachsen und Baden bereits mehr als zwölftausend Juden zur Armee gemeldet, doch davon hatte man in Belgard noch nichts vernommen. Die Ärztekommission befand ihn für wehrtauglich, und bereits einen Monat später war der Gefreite Julius Levy an der Front, an den Ufern der Maas. Von dort schrieb er seinen ersten Brief nach Hause, in dem er kurz und sachlich mitteilte, daß er gesund, glücklich und stolz sei.

Am 2. September 1870 um ein Uhr dreißig mittags erhielt der Beamte des Berliner Telegrafenamtes eine Depesche, die an Königin Augusta gerichtet war: »Die Kapitulation, wodurch die ganze Armee in Sedan kriegsgefangen, ist soeben mit dem General Wimpffen geschlossen, der an Stelle des verwundeten Marschalls Mac Mahon das Kommando führte. Der Kaiser hat nur sich selbst Mir übergeben, da er das Kommando nicht führte und alles der Regentschaft in Paris überläßt. Seinen Aufenthaltsort werde ich bestimmen, sobald ich ihn gesprochen habe in einem Rendezvous, das sofort stattfindet. Welch eine Wendung durch Gottes Führung! Wilhelm.«

»Welch eine Wendung durch Gottes Führung!« verkündete noch am selben Abend ein riesiges Spruchband am Brandenburger Tor. Die Schlußworte des Telegramms wurden schnell zu einem Schlagwort, das in Preußen von Mund zu Mund ging und wie ein Aufputschmittel wirkte. »Sieg! Sieg! Es lebe der König! Es lebe Bismarck!« rief die Menge, die sich auf dem Polziner Marktplatz eingefunden hatte. Lichter wurden entzündet, die Menschen erhoben ihr Glas und sangen Marschlieder. Für einen Moment waren alle Streitigkeiten und Auseinandersetzungen vergessen, und niemals war Deutschland vereinter als in den Tagen nach der Schlacht bei Sedan.

Obwohl in dieser ersten Schlacht der Ausgang des Krieges entschieden worden war, waren die Kampfhandlungen noch nicht vorbei. Der britische Historiker Michael Harward schrieb in jenen Tagen: »Frankreich wurde aufgrund einer tragischen Verkettung unglücklicher Zwischenfälle in den Krieg hineingezogen, ohne militärisch gerüstet zu sein und ohne Verbündete.« Julius Levy schickte eine schlichte Nachricht nach Hause: »Meine teuren Eltern, der erste Sieg ist errungen. Ich bin der glücklichste aller Menschen, denn mir war vergönnt, meinen Teil zum Sieg beizutragen. Ich habe Unfaßbares gesehen. Und dennoch ist es ein wunderbares Gefühl, am Puls des Geschehens zu weilen, es ist eine große Sache, in diesen Zeiten zu den Bürgern des preußischen Königreiches zu gehören ...«

Die preußischen Geschütze waren die besten der Welt, das galt jedoch nicht für die Dienstleistungen der Post. Jeden Morgen wartete Fanny ungeduldig vor dem Haus auf die Ankunft des Postboten. Noch bevor dieser seine mit Geschäftspost gefüllte Tasche geleert hatte, zuckte er hilflos mit den Schultern: »Nein, keine Neuigkeiten.« Der Brief des Gefreiten Julius Levy lag in irgendeiner Station der königlichen Militärpost zwischen Frankreich und Polzin. Wochenlang blieb die Familie ohne Nachricht. In dem Haus in der Brunnenstraße ging das Leben äußerlich weiter, als sei nichts geschehen. Die Geschäfte liefen wie üblich. Wenn sich die Familie abends im Speisezimmer einfand, wurde Fanny ermahnt, nicht zu schluchzen. Bernhard zog es vor, die Augen gesenkt zu halten, um den Blicken seiner Mutter nicht zu begegnen. Ascher schwieg. Niemand wagte, das auszusprechen, was ihm auf dem Herzen lag. Die Köchin servierte das Nachtmahl, und sie aßen schweigend.

Eines Abends, als sie sich bereits ins Schlafzimmer zurückgezogen hatten und Ascher das Licht löschte, nahm Fanny all ihren Mut zusammen und fragte: »Was denkst du, wird er zurückkommen?«

»Wäre ihm etwas zugestoßen, hätten wir längst Nachricht. Schlechte Neuigkeiten verbreiten sich in Windeseile.«

»Aber was sagt dir dein Gefühl?«

»Ich höre eher auf die Stimme der Logik, Fanny.«

»Du und deine Logik ...«

Ascher nahm ihren Kopf in beide Hände und zog ihn behutsam an seine Brust. »Sag so etwas nicht«, beruhigte er sie, »auch mein Herz sagt mir, daß alles in Ordnung ist.«

»Ich höre es.«

»Siehst du. Solange es schlägt, hast du keinen Grund zur Sorge.«

»Ich weiß, und trotzdem ... Warum schreibt er nicht?«

»Du kennst doch Juli. Er hatte niemals viel Familiensinn.«

»Hoffentlich hast du recht, und trotzdem ...«

»Fanny, ich bin müde.«

»Ich weiß, entschuldige. Schlaf, schlaf. Du hast morgen einen schweren Tag vor dir.«

Julius Levy

Immer hatte sie ihm zur Seite gestanden, in Freud und in Leid, doch dieses Mal fand sie nicht die Kraft dazu. Die Wochenenden brachten die schwersten Stunden, denn dann beging die Familie gemeinsam den *Schabbat*. Ein Stuhl am Tisch blieb leer. Vergeblich versuchte Fanny, ihre verweinten Augen unter ihrer Haube zu verbergen. Ihre Hände zitterten, als sie die Kerzen entzündete und den Segen sprach: »Gelobt seist Du, Ewiger, unser Gott, König der Welt, der uns geheiligt durch seine Gebote und uns geboten hat, Lichter anzuzünden für den *Schabbat*.« Die Kerzen standen in jenen antiken Silberleuchtern, die Aschers Vater Jäckel knapp sechzig Jahre zuvor einem französischen Soldaten bei dessen Rückzug aus Rußland abgekauft hatte. Seither schmückten sie an jedem *Schabbat* den Tisch. Fanny hatte niemals darüber nachgedacht, daß wegen dieser glänzenden Kerzenleuchter vielleicht jemand umgekommen oder beraubt worden war und jemand geraubt hatte. Doch jetzt war all dies zum Greifen nahe. Und als Ascher das weiße Tuch von der *Challe*, dem traditionellen Weißbrot, nahm, um es zu teilen, war sie in Gedanken ganz bei ihrem Sohn im Krieg.

Der Alptraum dauerte Wochen. Jeden Morgen betete sie zu Gott und dem Postboten, daß ihr Flehen endlich erhört werden möge. Anfang Februar war es dann soweit: Franz, der Postbote, eilte auf sie zu und winkte schon von weitem mit einem braunen Umschlag. Mit zitternden Händen riß sie ihn auf und erkannte sofort die vertraute Handschrift. Mit hohen und geraden Buchstaben berichtete Julius ausführlich über seine Erlebnisse.

Die Gefahr war gebannt. Seine Einheit war nach Versailles versetzt worden, aus dem Brennpunkt der Truppenaufzüge in das Zentrum der Regierung. Der Gefreite Julius Levy salutierte vor den Großen der Nation, die gekommen waren, um die Kapitulationsbedingungen endgültig auszuhandeln. Durch sein Zeltlager zogen Bismarck und Moltke, auch Gerson Bleichröder und Henckel von Donnersmarck rauschten in einer prächtigen Militärkutsche an ihm vorüber. Was hatte der jüdische Bankier im Hauptquartier der Sieger zu schaffen? Julius wußte es nicht. Sein Vater las den Brief und lächelte. Der Grund für Bleichröders Anwesenheit war für viele längst kein Geheimnis mehr. Bleichröder hatte sich höchstpersönlich darum gekümmert, daß seine Mission publik wurde. Er war dafür zuständig, daß zumindest ein Teil der Kriegsreparationen – zwei Milliarden Goldfranc – schnellstmöglich gezahlt wurde. Die Londoner Filiale der Rothschilds fungierte als Bürge für diese Transaktion. Die Franzosen stimmten schließlich einer Zahlung von insgesamt fünf Milliarden Goldfranc zu in der Hoffnung, dafür Strasbourg und das Elsaß behalten zu können. Letztlich sahen sie sich nicht nur mit dieser enormen Summe belastet, sondern mußten auch den Verlust dieser Gebiete hinnehmen.

Der Korrespondent der »Frankfurter Zeitung« berichtete aus Versailles über eine Unterredung, die zwischen Bismarck und Adolphe Thiers, dem künftigen Präsidenten Frankreichs, stattgefunden hatte. Diesem Bericht zufolge hatte sich der französische Staatsmann während der Zusammenkunft über die Höhe der Reparationszahlungen beschwert. Selbst wenn man zu Christi Zeiten mit dem Zählen der Geldscheine begonnen hätte, so meinte er, wäre man bei diesem Betrag damit noch immer nicht fertig. Bismarck habe darauf entgegnet: »Ich habe darüber nachgedacht. Deshalb habe ich einen Bankier mitgebracht, der die Zählung bereits in den Tagen der Schöpfung begonnen hat.« Bleichröder und die preußischen Politiker verstanden es, Gelder einzufordern. Schon am 2. Februar veröffentlichte die »Kölnische Zeitung« einen lobenden Artikel über den jüdischen Bankier und den Finanzminister. Was die Presse noch nicht aufgedeckt hatte, das war der private Krieg, den Bleichröder gegen seine Konkurrenten führte. Er wollte in Versailles keine anderen Bankiers anwesend wissen, da diese mit Sicherheit versucht hätten, sich einen Anteil an den zu erwartenden Gewinnen aus dieser märchenhaften Summe zu sichern. Schlimmer noch – sie hätten versucht, ihm den alleinigen Erfolg streitig zu machen.

Das Volk war siegestrunken, die Finanzleute und Politiker waren geldgierig. Der Krieg gegen Frankreich brachte für Deutschland das, was zahlreiche Staatsmänner über viele Jahrzehnte hinweg nicht zu erreichen vermochten: die Vereinigung der deutschen Königreiche, Fürstentümer und Hansestädte. Die Regierung Bismarck und die führende Position des preußischen Königreiches standen außer Zweifel. Der Weg zu einem vereinten Reich – ohne Österreich – war frei, und Bismarck nutzte die Gunst der Stunde. Proklamiert wurde das deutsche Kaiserreich allerdings nicht im Schloß von Sanssouci, sondern auf feindlichem und nun besiegtem Boden, eine Stunde vom Pariser Arc de Triomphe entfernt. Am 18. Januar 1871 fanden sich im prunkvollen Spiegelsaal von Versailles Fürsten und Senatoren, Politiker und Militärs in farbenprächtigen Uniformen mit reichverzierten Schwertern ein, um dem historischen Ereignis beizuwohnen und mit eigenen Augen zu verfolgen, wie Wilhelm I. zum Kaiser gekrönt wurde und jene Krone empfing, die sein Vorgänger mit Abscheu zurückgewiesen hatte. Welch eine Wendung durch Gottes Führung!

Im Hause Levy in Polzin las man die »Kreuzzeitung« nicht, auch keine andere nationalistische Zeitung. Dennoch sorgten Aschers Bekannte dafür, daß er von den Artikeln, die über die Mission des »Bismarckschen Geldjuden« berichteten, erfuhr. Oft legten sie ihm Blätter und Heftchen auf den Tisch, die die Juden aller möglichen Vergehen beschuldigten. Ascher stopfte sie in die Schublade, in der er seit Jahren ähnliche Publikationen sammelte und unter Verschluß hielt. Ihm war klar, daß der Antisemitismus dieses Mal als Instrument diente, die Politik des Kanzlers anzugreifen. Und trotzdem tat es weh, verdammt weh, verkörperte doch für Ascher der Kanzler die Liebe zum Vaterland schlechthin. Es schmerzte, die Schimpfkanonaden gegen Bismarck zu lesen, wobei die Bezeichnung »Judenknecht« noch zu den gemäßigten Ausdrücken zählte.

Fanny fragte erbost: »Weshalb liest du bloß diesen Schund?«

»Die Kunden bringen die Zeitung mit.«

»Bist du deshalb etwa verpflichtet, sie zu lesen? Wirf sie in den Papierkorb!«

»Glaubst du wirklich, meine Liebe, daß wir so der Realität entkommen können?«

»Diese Dinge sind nicht gegen Leute wie dich gerichtet«, beharrte sie. »Was haben wir mit diesen Machtkämpfen schon zu schaffen? Nur weil Juden wie Bleichröder auch uns mit in den Schmutz ziehen? Du bist Preußen treu, und dein Sohn trägt eine Uniform.«

»Bleichröder ist nicht weniger treu als ich«, antwortete er und gab ihr zu verstehen, daß das Gespräch beendet war.

Immer häufiger trafen Briefe aus Frankreich ein. Sowohl für Fanny als auch für Ascher waren sie ein Lichtblick in ihrem Alltag. Julius hatte das Fahnenmeer gesehen, die Gala-Uniformen und den Siegesmarsch auf Paris. Er hatte wichtige Gespräche aufgeschnappt und atmete die gleiche Luft wie die Fürsten und der zum Kaiser gekrönte König. In seinen Briefen beschrieb er die Feuerwerke. Den Dreck, den die Raketen hinterließen, nahm er nicht wahr. »Meine teuren Eltern, ich bin der glücklichste aller Menschen: Gestern wurde ich zum Dienst in der Nähe des Spiegelsaales eingeteilt und habe einen Teil der pompösen Zeremonie verfolgen können. Eine große Stunde meines Lebens.«

Es war auch eine große Stunde für Preußen. Deutschland wurde mit der Vereinigung, fünf Milliarden Goldfranc Kriegsreparationen, einem Kaiser und den Gebieten Elsaß und Lothringen, die dem besiegten Frankreich ebenfalls abgerungen worden waren, gesegnet. Bismarck erhielt den Titel eines Großfürsten. Bleichröder kehrte in die Büros seiner Bank in Berlin mit dem Eisernen Kreuz Zweiter Klasse zurück, das an einem weißen Band mit schwarzem Saum baumelte – eine hohe Ehrenauszeichnung für die Architekten jenes Sieges, der nicht auf dem Feld errungen worden war.

Ende März, an einem Tag, als der Schnee zu schmelzen begann, klopfte der Soldat Julius Levy an die Tür seines Elternhauses, geschmückt mit dem Eisernen Kreuz Zweiter Klasse an einem schwarzen Band mit weißem Saum, das nur tapferen Soldaten verliehen wurde. Seine Mutter bemerkte die Auszeichnung nicht. Sie fiel Julius um den Hals und brach in Tränen aus; jetzt gab es keinen Grund mehr, sie zu verbergen. Die Angestellten sprangen auf und klatschten Beifall. Auch Ascher umarmte Julius und sagte knapp mit Blick auf das Eiserne Kreuz: »Ich bin stolz auf dich, mein Sohn.«

Der Krieg brachte auch einen Sieg für die Industrie. Preußen stand vor der Erfüllung eines Traumes: England bei der Industrialisierung zu überflügeln. Die Reparationszahlungen ermöglichten der Regierung, die gesamten internen Schulden zu tilgen, und dennoch verblieb ein stattlicher Betrag in den Kassen der Reichsbank. Es war die Zeit der Investitionen und des industriellen Fortschritts. Geschickten wie rücksichtslosen Unternehmern eröffneten sich neue Möglichkeiten, und sogar Pommern erwachte aus seinem Dornröschenschlaf. Gewiefte Geschäftsleute sicherten sich die Lieferaufträge an die Kasernen. Auf vielen Gebieten war die Nachfrage größer als das Angebot. Ascher Levys Getreidespeicher leerten sich im Handumdrehen, und die Belegschaften der beiden Sägewerke vermochten nicht, obwohl sie in mehreren Schichten arbeiteten, mit den Bestellungen Schritt zu halten. Seine größten Kunden waren nunmehr die jüdischen Gebrüder Georg und Moritz Behrend. Diese hatten zwei Jahre zuvor in Köslin eine Zellulosefabrik gegründet und benötigten gewaltige Mengen an Rohstoff. Moritz Behrend stellte sich als geschickter und umsichtiger Geschäftsmann heraus, doch sein Bruder Georg gab das Geld der Firma mit vollen Händen aus, unternahm riskante Investitionen und vergeudete ein gut Teil des Gewinns bei Vergnügungen und Wetten. Manchmal mußte Ascher Levy monatelang auf die Bezahlung des gelieferten Holzes warten, denn das Firmenkonto der Behrends bei der Ritterschaftlichen Privatbank in Stettin war nicht immer gedeckt.

Als deren Schulden wieder einmal unverhältnismäßig hoch waren, erwog Ascher ernsthaft den Abbruch der Beziehungen zu der Fabrik in Köslin. Doch sein Sohn Bernhard bedrängte ihn, es nicht zu tun. Die Familie Behrend besaß nämlich auch Aktien einer anderen Firma, die ebenfalls Zellulose und Papier erzeugte, und die Gebrüder Behrend hätten sich schnell zu den einzigen Holzaufkäufern entwickeln und folglich sogar die Preise diktieren können. Bei jeder Gelegenheit betonte Bernhard, daß der Hauptlieferant der Behrends noch immer das Gut Varzin war, das seit April 1867 Otto von Bismarck gehörte. »Wenn Bismarck ihnen Vertrauen schenkt, warum dann nicht auch wir?« beharrte er. Ascher fragte Moritz Gottschalk um Rat. Der Cousin pflichtete Bernhard bei, und wie üblich fügte er seiner Antwort etwas pikanten Klatsch hinzu: »In

Berlin erzählt man sich, daß der Ankauf von Varzin durch die vierhunderttausend Taler möglich wurde, die Bismarck vom Parlament als Anerkennung für seine Erfolge zugesprochen wurden. Es ist so gut wie sicher, daß der Kanzler das Gut auf Anraten von König Wilhelm erworben und dafür eine Summe von einer halben Million Talern gezahlt hat; in guter und barer Münze. Es ist das Geld wert. Zu dem Gut gehören sieben Dörfer und zweiundzwanzigtausendfünfhundert Morgen Wald.«

Bernhard wurde erneut in den Norden der Region geschickt, um alles zu erwerben, was ihm unter die Finger kam. Der Stettiner Agent Aschers wurde beauftragt, ein Aktienpaket zu erwerben, das eine neue Gesellschaft in Umlauf gebracht hatte. Ihr Gründer war Charles Strousberg, ein Bankier, der die Verlegung von Eisenbahnschienen in Rumänien initiiert hatte. Strousbergs Konsortium versprach den Inhabern der Aktien eine Dividende von sieben Prozent, drei Prozent mehr als jede andere Eisenbahngesellschaft. Früher hatte Ascher nennenswerte Beträge durch seine Investitionen in den Eisenbahnbau in Ostpreußen erwirtschaftet, der ebenfalls auf Initiative dieses Mannes vorangetrieben worden war. Doch je mehr er seine Position als Geschäftsmann ausbaute und je größer die Erträge wurden, desto stärker hatte er das Gefühl, daß dies kein Zufall war – die Hand des Schöpfers lenkte sein Geschick. Er wurde immer frommer, und die Auswirkungen davon ließen nicht lange auf sich warten. Da er der größte Geldgeber der jüdischen Schule Polzins war, forderte er die Entlassung des Lehrers Hohenstein, der seiner Meinung nach die säkularen Unterrichtsfächer zu stark betonte und den Religionsunterricht vernachlässigte. Die wohlwollende Einstellung anderer Eltern nutzte Hohenstein nicht viel. Er mußte seine Kündigung einreichen. In den Briefen an Moritz Gottschalk schrieb Ascher immer wieder von seiner Sehnsucht nach *Erez Israel*, »der spirituellen Heimat aller Juden«, und drängte, »die Angelegenheit mit Professor Graetz voranzutreiben«.

Im September 1871 trafen sich die drei in Bad Kissingen. Moritz Gottschalk hatte diesen Ort nicht zufällig gewählt. Die Heilquellen Bad Kissingens waren in Mode gekommen und zogen namhafte Persönlichkeiten der Gesellschaft an. Im Kurpark traf man auf Angehörige der kaiserlichen Familie und Bismarck, ja sogar auf Hans Bleichröder, den widerspenstigen Sohn Gersons.

Heinrich Graetz, Professor am jüdisch-theologischen Seminar zu Berlin und einer von dessen führenden Gelehrten, mußte bei dieser ersten Zusammenkunft eingestehen, daß er nicht das notwendige Geld für die kostspielige Reise nach Palästina aufbringen konnte. Moritz Gottschalk und Ascher beruhigten ihn rasch, sie beide würden zu gleichen Teilen für seine Reisekosten aufkommen. Sie wollten ihn unbedingt als Reisebegleiter gewinnen, da sie fürchteten, ohne ihn das gesetzte Ziel dieser Reise nicht zu erreichen: eine Studie über die Lage der jüdischen Ansiedlung in *Erez Israel*, über den *Jischuw*. In weiten Teilen Deutschlands wurde damals intensiv über den erstrebenswerten Charakter des *Jischuw* diskutiert. Den Reformbewegungen war an einer »Produktivisierung« des *Jischuw* in Palästina gelegen, die Orthodoxen hingegen sahen in jedem Versuch, die Lebensumstände in Jerusalem zu verändern, eine unmittelbare Gefährdung der Prinzipien von Religion und Tradition. Sie behaupteten, daß ein Kampf zwischen Neu und Alt für den kleinen *Jischuw* eine Katastrophe bedeuten würde und *Erez Israel* ungeeignet sei für »gebildete Personen mit ein bißchen Judentum«, kurz, für Abtrünnige. Professor Graetz war an diesem Disput, der in den Zeitungen »Der Israelit« – dem Organ der Ultra-Orthodoxen – und »Orient« – einer literarisch-wissenschaftlichen Wochenschrift – ausgetragen wurde, aktiv beteiligt. Seine Meinung hatte viel Gewicht. Graetz war gleichermaßen als Historiker und als Philosoph bekannt.

Als sich die drei auf einem Spaziergang durch den Kurpark befanden, sagte Ascher unvermittelt: »Spotten Sie bitte nicht über diesen Vergleich, aber ich fühle mich wie Moses mit den Gesetzestafeln.«

»Ich verstehe Sie nicht recht, mein teurer Freund«, entgegnete Graetz.

»Ich lebe in der Wüste – und *Erez Israel* ist weit entfernt.«

»Wo sind deine Gesetzestafeln?« witzelte Moritz Gottschalk.

»Man kann dies wohl kaum als Wüste bezeichnen«, fügte Graetz hinzu und machte eine ausholende Handbewegung. »Schauen Sie sich um, wir befinden uns in einer der schönsten Parkanlagen Deutschlands.«

»Ich wollte sagen ... Ich wollte auf eine schlichte und einfache Tatsache hinweisen: Unsere Beziehung zum Heiligen Land ist so tief, so echt, so greifbar und doch zugleich sehr abstrakt. Ich habe es noch niemals mit eigenen Augen gesehen.«

»Sicherlich, deshalb haben wir uns schließlich hier zusammengefunden. Es ist an der Zeit. Wir fahren!« entschied Moritz Gottschalk. »Wir brauchen nur Willenskraft, Zeit und Geld. Gott sei Dank, an alldem fehlt es uns nicht.«

»In unseren Briefen haben wir über Jahre hinweg darüber korrespondiert und davon geträumt, nach *Erez Israel* zu pilgern. Jetzt fällt es mir schwer zu glauben, daß dieser Zeitpunkt wirklich näher rückt. Es könnte sein, daß diese Reise nur dazu dient, Ihre Neugierde zu befriedigen. Für mich ist sie notwendig, damit ich mein Lebenswerk vollenden kann.«

»Nun denn, wann reisen wir ab?« fragte der Professor.

Moritz Gottschalk schlug den kommenden Februar vor.

Professor Graetz nickte: »Ich bin gerade mit dem elften Band meiner ›Geschichte der Juden von den ältesten Zeiten bis auf die Gegenwart‹ fertig geworden. Ich bin bereit.«

»Mir ist jeder Reisetermin recht, je eher, desto besser«, faßte Ascher zusammen. »Denn beten wir schließlich nicht ›BeSchanah HaBa'a BeJeruschalajim* – Nächstes Jahr in Jerusalem‹?«

Für die Vorbereitungen blieben ihnen nur einige Monate. Moritz Gottschalk nutzte seine Berliner Beziehungen und erwirkte von hochgestellten Persönlichkeiten Empfehlungsschreiben für die europäischen Konsulate in Jerusalem. Besonders stolz war er auf ein Schreiben mit der Unterschrift Gerson Bleichröders, das an Ismail Pascha, den *Kadi* von Ägypten, gerichtet war und in dem Bleichröder darum nachsuchte, »seinen erlauchten Bekannten jede erdenkliche Hilfe zukommen zu lassen«. Zum Leidwesen Bismarcks unterstützte Bleichröder die Initiative einer französischen Gesellschaft, die den Bau des Suezkanals in Angriff genommen hatte. Der Bankier hatte in großem Stil Aktien der Gesellschaft erworben und sich auf diese Weise am Hofe des ägyptischen Vizekönigs einen Namen gemacht. Ascher Levy rüstete sich mit Landkarten des Mittelmeerraumes aus und zeichnete die Reiseroute ein. Fanny beobachtete die wachsende Begeisterung ihres Ehemannes mit Besorgnis. Ihr war nicht wohl beim Gedanken an diese Reise, und sie fürchtete die Gefahren, die in dem fernen und wilden Land auf ihn lauerten.

Julius hatte seine Uniform abgelegt und war in das Geschäft eingestiegen. Auf Anweisung seines Vaters begleitete er seinen Bruder auf Geschäftsreisen, nahm an den Verhandlungen mit den Kunden teil und widmete sich der Buchführung. Die Brüder bemühten sich sehr, keine günstige Gelegenheit zu verpassen. Aber diese Welt, die sich nur um die Aufrechnung von Gewinn und Verlust drehte, war nichts für Julius. Als sich ein anmutiges jüdisches Fräulein namens Therese Riess in den tapferen Kämpfer verliebte, fühlte er sich geschmeichelt und hielt um ihre Hand an. Ascher war verärgert. Die Beziehung war hinter seinem Rücken geknüpft worden, ohne die Hilfe eines Heiratsvermittlers und ohne daß die Eltern des Bräutigams und der Braut die finanziellen Bedingungen ausgehandelt hatten.

»Wo werdet ihr wohnen?« fragte er seinen Sohn, so als sei Polzin nicht der passende Wohnort.

»Thereses Eltern besitzen eine Fabrik in Danzig.«

»Was für eine Fabrik ist das?«

»Eine Gerberei.«

»Ein stinkendes Gewerbe«, sagte Ascher und rümpfte die Nase.

»Aber ertragreich«, grinste Julius. »Sie sind bereit, uns ein Haus zu bauen.«

»In meinem Testament habe ich deiner Mutter mein halbes Vermögen überschrieben, dir und Bernhard jeweils ein Viertel. Nimm jetzt deinen Anteil an dem Barvermögen und den Wertpapieren. Gott möge mit dir sein. Die Firma werde ich mit Bernhard weiterführen.«

»Möchtest du deine zukünftige Schwiegertochter nicht kennenlernen, Papa?«

»Ja, sicherlich. Lad sie zum *Schabbat* ein«, antwortete er widerwillig und wandte sich wieder seinen Angelegenheiten zu.

Vor Jahresende forcierte er den Briefwechsel mit Moritz Gottschalk und Heinrich Graetz. Im Januar traf ein großes Paket in Polzin ein: elf in Leder gebundene Bände der »Geschichte der Juden von den ältesten Zeiten bis auf die Gegenwart«. Die herzliche Widmung auf der ersten Seite schloß mit den Worten: »Es ist an der Zeit aufzubrechen.« Ascher lud seine Verwandten und Freunde ein. Auch die hochschwangere Tochter Vogel reiste aus Neuwedel an. Julius und Therese Riess kamen aus Danzig, Moritz Gottschalk aus Berlin. Ascher ließ sich in seinem Sessel nieder, legte einen Band des Graetzschen Werkes auf die Knie und eröffnete das Treffen mit einem Segensspruch:

»Gelobt seist Du, Ewiger, unser Gott, König der Welt, der uns am Leben und bei Wohlsein erhalten und uns diese Zeit hat erreichen lassen.«

»Amen«, antworteten die Anwesenden im Chor.

»Ich habe euch eingeladen, damit ihr mit mir auf zwei wichtige

Entwicklungen anstößt, die sich in meinem Leben ereignet haben. In diesen Tagen wurde mir eine große Ehre zuteil: Ich wurde zum Mitglied des Magistrats der Stadt ernannt. Ich beabsichtige, mein Amt nach bestem Wissen und Gewissen im Interesse der Allgemeinheit auszuüben. Doch bevor ich dieses Amt aufnehme, werde ich einen Traum in die Tat umsetzen, der mich seit mehr als zehn Jahren nicht mehr losläßt: In naher Zukunft werde ich in die Heilige Stadt Jerusalem pilgern, zusammen mit meinem Cousin Moritz Gottschalk und Professor Graetz. So Gott will, werden wir der jüdischen Ansiedlung in Palästina die Botschaft der Brüderlichkeit unseres Volkes überbringen und betonen, daß kein Widerspruch zwischen unserer Liebe zu dem Land unserer Vorväter und der Liebe zu unserem Vaterland besteht. Doch bevor wir die Gläser erheben, möchte ich euch ein Dokument in Erinnerung rufen, das für uns alle von enormer Bedeutung ist. Es heißt da:

›Gesetz, betreffend die Gleichberechtigung der Konfessionen in bürgerlicher und staatsbürgerlicher Beziehung. (...) Wir Wilhelm, von Gottes Gnaden König von Preußen, verordnen im Namen des Norddeutschen Bundes, nach erfolgter Zustimmung des Bundesrathes und des Reichstages, wie folgt: Einziger Artikel.

Alle noch bestehenden, aus der Verschiedenheit des religiösen Bekenntnisses hergeleiteten Beschränkungen der bürgerlichen und staatsbürgerlichen Rechte werden hierdurch aufgehoben. Insbesondere soll die Befähigung zur Theilnahme an der Gemeinde- und Landesvertretung und zur Bekleidung öffentlicher Ämter vom religiösen Bekenntnis unabhängig sein.

Urkundlich unter Unserer Höchsteigenhändigen Unterschrift und beigedrucktem Bundes-Insiegel.

Gegeben Schloß Babelsberg, am 3. Juli 1869.‹«

Ascher hielt das Blatt hoch, von dem er diesen Text abgelesen hatte, und fügte hinzu: »Auch was die Zusammensetzung des Stadtrates betrifft, sind dies keine leeren Buchstaben, sondern die Bürgschaft für eine umfassende Umsetzung.«

Die Anwesenden klatschten Beifall. Ascher nickte dankend. »Und zum Abschluß hört bitte einige Zeilen von Professor Graetz aus seinem Vorwort zum elften Band seines Werkes:

›Glücklicher als meine Vorgänger, kann ich [die Geschichte der Juden] mit einem freudigen Gefühl abschließen, daß der jüdische Stamm endlich in den civilisierten Ländern nicht bloß Gerechtigkeit und Freiheit, sondern auch eine gewisse Anerkennung gefunden hat, daß ihm unbeschränkter Spielraum gegönnt ist, seine Kräfte zu entfalten, nicht als Gnadengeschenk, sondern als wohlerworbenes Recht für tausendfache Leiden, wie sie kaum ein Volk auf Erden in diesem Maße und dieser Dauer erduldet hat, und für überraschende Leistungen weltgeschichtlicher Natur, wie sie wiederum kaum eine Race in dieser Art hervorgerufen hat.‹«

Traum und Wirklichkeit

Der Traum wurde wahr. Ascher stand am Heck eines Schiffes, das sich auf hoher See befand. Es war der 20. Februar 1872. Zu dieser Jahreszeit wurde es bereits sehr früh dunkel. Ein grauer Schleier senkte sich über das Meer, und schließlich war alles in völlige Dunkelheit gehüllt. Es wehte eine frische Brise. Ascher erschauerte, nicht vor Kälte, sondern vor Aufregung. Unter seinen Füßen spürte er das Vibrieren der Schiffsplanken. Er lauschte dem undeutlichen Geräusch der Schiffsschrauben, die rhythmisch durch das Meer pflügten. Die »S/S Ungaria« lief mit acht Knoten gen Süden. Der Reiseagent in Triest hatte ihnen hoch und heilig versichert, daß sie in spätestens vier Tagen in Ägypten eintreffen würden. Wenn alles planmäßig verlief, würden sie zunächst einige Tage in Alexandrien Station machen, dann an Bord eines kleinen russischen Küstendampfers gehen und zuerst nach Port Said und von dort aus nach Jaffa übersetzen.

Niemals hatte Ascher die Nähe Gottes so unmittelbar empfunden wie in diesen Momenten, als sein Blick über den Horizont glitt, dorthin, wo Himmel und Meer zusammentrafen und zu einem schwarzen Vorhang verschmolzen. Irgendwo hinter diesem schwarzen Vorhang lag das Heilige Land, der Ursprung seiner jüdischen Existenz und das Ziel seiner Gebete. Und doch war er noch nie so stolz gewesen, Bürger des größten und mächtigsten Reiches in Europa zu sein, jenes Staates, der die Grundlage seiner menschlichen Existenz war und dem sein ganzes Streben und Handeln galt. An diesem Abend, Tausende Kilometer von dem betriebsamen Berlin und dem beschaulichen Polzin entfernt, verwischten sich für Ascher die Widersprüche zwischen dem Reich und Palästina, und die Vorstellung, daß es möglich sein müßte, eine solide Brücke zwischen beiden zu schlagen, daß sich Religiosität und Vaterlandsliebe doch miteinander vereinen ließen, gewann die Oberhand. In seinem Reisegepäck befand sich die Mitteilung über seine Aufnahme in den Magistrat der Stadt, die offizielle Bestätigung seiner Gleichberechtigung als Bürger des Deutschen Reiches.

»Mein Herr, das Nachtmahl wird jetzt serviert.« Der Steward holte ihn in die Wirklichkeit zurück. Ascher murmelte einige Worte des Dankes. Dann stieg er langsam die schmale Eisentreppe zum Salon der Ersten Klasse hinunter. Ungefähr zwanzig Personen hatten sich in dem rauchgeschwängerten Raum eingefunden. Sie tranken Ceylon-Tee aus hauchdünnen Teetassen und unterhielten sich angeregt. Professor Graetz und Moritz Gottschalk waren in eine Partie Schach vertieft, so daß sie Aschers Ankunft nicht bemerkten. Zwischen den Tischen bauten die Kinder der Passagiere auf dem Teppich aus bunten Holzklötzchen Burgen.

Die Männer dieser Reisegesellschaft, zumeist Engländer und Italiener, sollten das Team verstärken, welches den neuen Suezkanal betrieb. Einige Jahre zuvor hatten jüdische Bankiers in Berlin versucht, ihre Kunden für dieses Projekt zu interessieren. Levy hatte es nicht gereizt. In seinen Augen war Ferdinand Vicomte de Lesseps' Unternehmen ein riskantes Abenteuer. Er zog es weiterhin vor, in den Bau von Eisenbahnen zu investieren. Im Spätherbst des Jahres 1869, als der Kanal mit einer glanzvollen Zeremonie eingeweiht wurde, stieg der Wert der Aktien um das Siebenfache, und Fanny wollte wissen, ob er sich nicht grämte.

»Nein und nochmals nein«, antwortete Ascher. »Ein preußischer Bürger sollte den Franzosen nicht dabei helfen, sich in der Levante auszubreiten. Dafür haben wir Julius nicht an die Front geschickt.«

»Geschickt?« entfuhr es seiner Frau verwundert.

»Schon gut«, murmelte er. »Er ist von selbst gegangen. Das ändert aber nichts an den Tatsachen.« Dann las er ihr vor, was die »Vossische Zeitung« über die Eröffnungszeremonie geschrieben hatte, über die fünfzehnjährigen Mädchen eines Pariser Ballettensembles, die zwar sehr hübsch waren, aber nicht tanzen konnten, und über eine Sängerin, die das Kairoer Publikum begeistert hatte – allerdings nicht mit ihrer eher mittelmäßigen Stimme, sondern vor allem wegen ihres üppigen Busens, der dazu tendierte, aus dem Dekolleté ihres Kleides zu quellen. »Widerwärtig«, kommentierte er und fügte hinzu: »Schade, daß der Kronprinz an dieser peinlichen Aufführung teilnehmen mußte.«

Ballettänzerinnen hin oder her, der Suezkanal brachte Veränderungen für die Handelsabkommen und die Schiffahrt in diesem Teil der Welt, und mit seiner Eröffnung war der östliche Teil des Mittelmeerraumes zu neuem Leben erwacht. Levy stand im Eingang zum Salon und betrachtete die Anwesenden. Sie waren makellos gekleidet, und ihr Benehmen war ebenso tadellos. In einer Ecke spielte ein Pianist Melodien aus »Aida«, um damit die Beziehung der Passagiere zum Kanal zu betonen. Man verstand den Wink und belohnte ihn mit Beifall. Levy nutzte die Pause und arbeitete sich zwischen den Tischen hindurch.

»Wir dachten schon, dir sei die Gesellschaft von Möwen lieber«, sagte Moritz Gottschalk. Er schob das Schachbrett von sich und gab dem Kellner ein Zeichen, noch eine Tasse Tee zu bringen.

»O nein, das sind mir viel zu große Schreihälse.«

»Ich ziehe auch Verdi vor«, lächelte Graetz und schlug vor, eine Runde Skat zu spielen.

Der Kellner brachte eine Kanne Tee und räumte das Schachspiel beiseite. Moritz Gottschalk nahm einen Satz Karten, mischte ihn und gab die Karten mit geübter Hand aus. Der Pianist hatte sich wieder an den Flügel gesetzt, und der Salon füllte sich mit beschwingten Klängen von Franz von Suppé.

»Wie in Wien«, seufzte Graetz.

»Ich vermisse es nicht«, meinte Ascher trocken. »Ich glaube nicht, daß ich in Wien leben könnte.«

»Ich schon«, merkte Moritz Gottschalk an.

»Du, Moritz?« wunderte sich Ascher. »Ich dachte, du könntest außerhalb von Berlin nicht existieren.«

»Wir haben uns doch gut amüsiert, oder etwa nicht?«

»Es gibt einen Unterschied zwischen Amüsement und Existenz. Man amüsiert sich auch im Zirkus, aber leben würde man dort wohl kaum wollen.«

Professor Graetz blickte sie über die Karten hinweg an. »Wie können Sie das nur miteinander vergleichen?« fragte er beinahe verärgert.

»Beide zeichnen sich in gleichem Maße durch einen Mangel an Ernsthaftigkeit aus. Was halten Sie denn von der Liberalität, Professor?«

»Ich wußte gar nicht, daß Sie so puritanisch sind, mein Freund.«

»Mein Cousin liebt die Ordnung. In seiner Welt hat jeder Mensch seinen festen Platz«, mischte sich Moritz Gottschalk mit spöttischem Unterton ein.

»Und du? Hast du etwa nichts für eine solide Ordnung übrig? Bist du zum Revolutionär geworden?«

»Nein, aber Wien ist eine weltoffene Stadt. Ich habe mich dort nicht fremd gefühlt. In Berlin ... ja, ich gebe es zu, ohne mich zu schämen, manchmal fühle ich mich in meiner eigenen Stadt fremd. Selbst wenn ich der reichste Mann der Stadt wäre, könnte ich mir mit all meinem Geld doch nicht das Wohlwollen der Leute erkaufen. Als wir arm waren, haben sie uns als Ärgernis empfunden. Jetzt behaupten sie, wir hätten uns auf ihre Kosten bereichert, wir besäßen zuviel Macht und würden ihre ›reine‹ Gesellschaft infizieren. Was wir auch tun, sie werden uns immer als eine minderwertige und schädliche Rasse betrachten. Auch die, die einen Bückling vor uns machen und mit uns Geschäfte abschließen, hassen uns. Wir machen kaum mehr als ein Prozent der Berliner Bevölkerung aus. Würde man jedoch eine Liste aller Unternehmer, Bankiers und Industriellen der Stadt zusammenstellen, käme dabei heraus, daß die Hälfte von ihnen Juden sind. Für viele ist dies eine unerträgliche Situation. Und du, Ascher? Bist du nicht der reichste Mann in Polzin? Und? Bist du dir sicher, daß sie dich nicht hinter deinem Rücken verfluchen? In Wien würde dir das nicht passieren. Aber warum sollen wir uns streiten? Du bist einfach nur verlegen. Ich kann dich gut verstehen. Von Polzin nach Wien ... ja, das war bestimmt ein Schock.«

Ascher schwieg. Er mußte sich selbst eingestehen, daß seine Aggression auf Selbstverteidigung beruhte. Wien hatte sich ihm als ein Ort verführerischen Zaubers präsentiert und war gerade deshalb gefährlich. Er war und blieb ein Mann der Provinz. Der prächtige Gehrock, den ihm ein Wiener Modeschneider maßgefertigt hatte, änderte nichts an seiner Weltanschauung. Im Mittelpunkt dieser Welt aber stand unverrückbar Berlin, die Hauptstadt des Deutschen Reiches. Auch wenn er sich dort nicht heimisch fühlte und die Aussagen seines Vetters unwidersprochen akzeptieren mußte, so symbolisierte diese Stadt in seinen Augen dennoch die Macht des Reiches und aller damit verbundenen Werte.

Berlin hatte sich im letzten Jahrzehnt mit atemberaubender Geschwindigkeit entwickelt. Inzwischen lebten dort achthundertfünfundzwanzigtausend Menschen, und nach dem Sieg über Frankreich glaubten die meisten von ihnen, sie befänden sich am Nabel einer neuen Welt, dort, wo Geschichte geschrieben wird. Die Schönheit der Stadt maß Ascher nicht an ihrer äußeren Erscheinung. Liebte er Fanny weniger, nur weil ihr Gesicht faltig geworden war? Es stimmte: Berlin war häßlich geworden. Ein Ring von Arbeitervierteln hatte sich wie ein verrosteter Reif um die Stadt gelegt. Die Neureichen, die ihre Häuser in den vornehmen Stadtvierteln bauten, zeichneten sich auch nicht immer durch guten Geschmack aus. Die Schlote der Fabriken tauchten den Himmel in Rauch. Aber muß eine Stadt denn wie ein Kunstwerk aussehen? In den Berliner Kabaretts wurde mit großem Erfolg das Stück »Berlin, eine Weltstadt« aufgeführt. Die Kritiker machten daraus sarkastisch: »Berlin, eine Geldstadt«. Ascher Levy konnte darin weder Kritik noch Spott erkennen. Im Gegenteil: Für ihn war die enge Verbindung zwischen Herrschaft und Reichtum eine erstrebenswerte Tugend; ohne die Verknüpfung von Finanzkraft und festen Wertmaßstäben konnte es keinen Fortschritt geben. Daher rührte auch seine Verachtung für Österreich, dessen Armee 1866 besiegt worden war: ein liberaler, toleranter und oberflächlicher Staat, der seinen Feinden nichts entgegenzusetzen wußte. Von dem Moment seiner Ankunft auf dem überfüllten Bahnsteig an erschien ihm Wien wie das barocke Bühnenbild einer leichten Operette. Das Völkergemisch – Österreicher, Juden, Ungarn, Serben, Kroaten, Tschechen und Polen – mochte vielleicht der Schmelztiegel der europäischen Intelligenz sein, eignete sich in seinen Augen aber kaum zur Konsolidierung einer Nation.

Dr. Leopold Kompert, ein Freund von Professor Heinrich Graetz, hatte sie durch Wien geführt, durch den »Dschungel aus Spitze«, wie er seine Stadt selbst zu umschreiben pflegte. Am Vormittag hatten sie Museen besucht, den berühmten Kaffee mit Schlagobers in einem der Kaffeehäuser in der Kärntnerstraße genossen und sich in dem Kaufhaus des Jakob Ruthberger für die Reise ausgestattet. Am Nachmittag hatten sie mit ihrem Gastgeber zusammengesessen und über den Charakter des modernen Judentums diskutiert; ein Thema, das ihnen allen sehr am Herzen lag. Kompert hatte für seine Erzählungen aus dem Ghetto von der jüdischen Orthodoxie schwere Kritik geerntet. Das Gespräch hatte sich um Komperts provokante Geschichten sowie um die grundsätzliche Frage gedreht: Religion oder Nationalität? Die Polemik der unterschiedlichen Strömungen des Judentums beschäftigte Ascher bereits seit vielen Jahren. Dennoch hatte er mit Erstaunen vernommen, wie groß die Distanz zwischen Konservativen und Reformern wirklich war und welch unerbittlicher Kampf zwischen ihnen tobte. Er war, wie Graetz und Moritz Gottschalk, von den Schriften des orthodoxen Rabbiners Ezriel Hildesheimer der Berliner jüdischen Gemeinde Adass Jisroel ebenso beeinflußt wie durch die Reformbewegung. Glücklicherweise besaß Ascher die Fähigkeit, eine Brücke zwischen Alt und Neu zu schlagen. »Wie können Sie ein preußischer Patriot und zugleich ein gesetzestreuer Jude sein?« erkundigten sich Bekannte, zumeist Christen, immer wieder. »Wie kannst du mit dem Widerspruch zwischen deiner Liebe zu Deutschland und deiner Liebe zu *Erez Israel* leben?« hatte ihn sogar einmal seine Ehefrau Fanny gefragt. Diesen Zweiflern entgegnete er schlicht: »Den versteckten Vorwurf höre ich sehr wohl. Aber diese doppelte Treue ist wirklich kein Dilemma für mich. Der preußische Nationalismus schützt meinen Leib, der jüdische Nationalismus ist Teil meiner Seele, er ist mein spiritueller Kompaß. Das ist alles.«

Nach einer Woche in Wien hatten sich Ascher, Moritz Gottschalk und Heinrich Graetz per Eisenbahn nach Triest aufgemacht. Kompert hatte sie zum Bahnhof begleitet. Er war bereits in Palästina gewesen und kannte sich mit den dortigen Gepflogenheiten aus. Kurz bevor der Schaffner das Signal zur Abfahrt der Dampflok gegeben hatte, hatte er ihnen noch zugerufen: »Und vergessen Sie nicht das Zauberwort, das Ihnen alle Pforten des Osmanischen Reiches öffnen wird: *Bakschisch*!«

In Triest hatten sich die Reisenden lediglich zwei Tage aufgehalten und die geschäftige Hafenstadt erkundet. Im Atelier des örtlichen Portraitphotographen Signore Boccalino hatte Levy sich in seinem neuen Gehrock ablichten lassen und das Bild seinen Lieben in Polzin gesandt. Fanny war nicht wenig erstaunt, als sie ihren Ehemann auf einem Sessel sitzen sah, in einen langen Rock gekleidet, der nur am obersten Knopf geschlossen war. Er trug Flanellhosen, die der Länge nach mit einem schwarzen Samtstreifen verziert waren, und hielt ein Paar Handschuhe aus Hirschkuhleder in der linken Hand. Sie legte das Photo in einen kleinen Koffer, in dem sie Familienandenken aufbewahrte, und hätte sich nicht träumen lassen, daß dieses Bild hundert Jahre später auf dem Flohmarkt von Jaffa landen würde.

Die erste Station nach der Überfahrt war Alexandrien. Die »S/S Ungaria« ging fahrplanmäßig, wie man es von »Lloyd« erwartete, im Hafen vor Anker. Das persönliche Reisegepäck und die Kisten mit der Ausrüstung wurden auf den Kai gehievt. Lastenträger umschwärmten die Passagiere. Ihre Rufe auf Arabisch, Italienisch und Französisch vermischten sich zu einem ohrenbetäubenden orientalischen Stimmengewirr. Außerhalb des Hafens erwartete die Rei-

senden jedoch eine ganz andere Welt. In den Alleen der Stadt über-
holten prachtvolle Kutschen apathische Kamele. Nach der neuesten Pariser Mode gekleidete Damen schützten sich mit bunten Sei-
denschirmen vor der Sonne. Neben ihnen gingen, ganz in Schwarz
gehüllt, einheimische Frauen, deren Gesichter verschleiert waren.
Erfüllt von diesen Eindrücken, zog Ascher sich auf sein Hotelzim-
mer zurück und schrieb an Fanny:

»Alexandrien, den 29. Februar 1872

Theure und liebe Frau!

Kaum hatte ich mein Schreiben in Corfu befördert, als sich die darin ausgesprochene Befürchtung verwirklichte. Wir warfen auf der Reede Anker, wo ein solch buntes Treiben von Kähnen ums Schiff und von Griechen auf dasselbe entstand, daß einem die Kleider vom Leibe gerissen wurden. Ich flüchtete mich deshalb auf das oberste Deck, von wo aus ich diesem Schauspiel zusah. Hierbei (bis abends elf Uhr) muß ich mich erkältet haben, so daß ich schon in der Nacht Reißen in Kopf und Zähnen bekam, welches aber bei dem eingetretenen hohen Wellenschlag zur Seekrankheit überging, an welcher auch die folgenden zwei Tage fast sämtliche Schiffsgäste bis auf Dr. Graetz und die meisten Engländer laborierten. Gestern war es etwas besser, so daß ich mich aufs Vorderdeck schleppen konnte, wo der schönste Sonnenschein, wie bei uns im Juni, seine wohltätige Wirkung ausübte, so daß wir schon zu Mittag eine Tasse Bouillon und eine halbe Orange dazu verspeisen konnten. Nachmittags um vier Uhr bekamen wir Alexandrien in Sicht, wo wir gegen sechs ankamen und eine Stunde später landeten. Wer diesen Trubel, dieses Stoßen, Schreien, Zurufen, Raufen, dieses Gemisch von Sprachen nicht gesehen hat, kann sich kaum einen Begriff davon machen. Zu Wasser, zu Fuß, zu Esel und Wagen langten wir mit unseren Sachen endlich im Hotel de Trieste an, nachdem wir verschiedene Plackereien, trotz *Bakschisch*, auf der Duana durchgemacht hatten.

Heute war unser Gang zum Consul, den wir persönlich nicht anwesend trafen, von dessen Sekretär wir aber sehr freundlich empfangen wurden. Wir haben vormittags einige geschäftliche Gänge besorgt und nachmittags eine Fahrt durch die Stadt gemacht, die Pompejus-Säule, die Nadeln der Cleopatra, den Mahmudije-Kanal und einige Gärten besichtigt. Die Vegetation ist so weit wie bei uns im Juli/August, das Laub der Bäume hat nicht mehr den Saft des Frühjahrs, der Mais fängt an zu reifen, die Rosen haben schon einmal geblüht und treiben neue Knospen. Wir konnten keine *koschere* Restauration finden und sind zum Abend bei einem Herrn Schalom Aboth eingeladen. Unsere Weiterreise steht noch nicht fest, wir möchten gern Cairo und die Pyramiden sehen, doch müssen wir dann acht Tage von unserer knapp zugemessenen Zeit opfern. Wir werden heute Abend nach dem Essen im Deutschen Verein eingeführt, dort werden wir Genaues über den Abgang der

Schiffe hören und uns entschließen, ob wir übermorgen mit dem russischen Dampfer nach Jaffa fahren oder Cairo besuchen ...«

Am nächsten Tag speisten die drei Reisegefährten am Tisch des Herrn Menasce, eines jüdischen Geschäftsmannes, den man auch den »Rothschild Ägyptens« nannte. Ascher notierte in seinem Tagebuch:

»Das ist ein Mann ganz nach meinem Herzen. Sein gewaltiger Reichtum ließ ihn seinen Glauben nicht vergessen. Seine prächtigen Bälle sind im ganzen Land der Pyramiden berühmt. Prominente Gäste besuchen sein prächtiges Haus, laben sich an den Köstlichkeiten seiner Cuisine, und alles ist streng *koscher*. Sogar Seine Exzellenz Khediv Ismail nahm höchstselbst die Fahrt in einem Sonderzug von Cairo auf sich, um an einem der Bälle teilzunehmen. Die hiesigen Sitten sind ganz anders als die unseren. Herr Menasce hieß uns, in einem großen Zimmer auf persischen Teppichen und verstreut umherliegenden Kissen Platz zu nehmen. Wahrscheinlich sieht so ein türkischer Harem aus, oder geht meine Phantasie mit mir durch? Wie auch immer, die exotischen Speisen (die streng *koscher* waren) wurden von arabischen Dienstboten, die Turbane trugen, serviert; jeder Gang separat, auf silbernen Tabletts; und das Besteck, ob man es glaubt oder nicht, aus purem Gold! Unser Freund Professor Graetz meinte: ›Das ist das europäische Asien und das asiatische Europa.‹ Mir scheint, daß es keinen trefflicheren Ausdruck dafür gibt. Natürlich haben wir auch die Synagogen und die Einrichtungen der Gemeinde, zu der fünftausend Seelen zählen, aufgesucht. Die Juden europäischer Abstammung wahren in ihren Häusern mehr oder weniger die ihnen vertraute Lebensweise. Aber die *Sepharden*, ja sie sind bereits ein Teil des wahrhaften Morgenlandes. Abschließend muß auch folgendes noch festgehalten werden: In dieser Stadt, in der Maimonides speiste, findet sich keine einzige *koschere* Restauration ...«

Während die Sonne Alexandriens Aschers Körper und Seele wärmte, gefror den Bewohnern Pommerns vor lauter Kälte der Atem. Die Menschen behaupteten, sogar ihre Vorväter hätten sich nicht an einen derart strengen Winter erinnern können. Als Aschers Brief eintraf, bereitete sich Bernhard gerade auf eine Geschäftsreise vor. Fannys Drängen, davon abzulassen, war nutzlos gewesen, und auch das Flehen des Kutschers, der die verschneiten Wege fürchtete, war auf taube Ohren gestoßen. Da durch die starken Schneefälle auch der Eisenbahnverkehr zum Erliegen gekommen war, ließ

Bernhard die Kutsche kurzerhand gegen einen Schlitten eintauschen und die kleinen Pferde durch vier große ersetzen, kräftige Kaltblüter. Sie waren zwar behäbig, dafür aber stark.

Während der Abwesenheit des Vaters führte Bernhard den Familienbetrieb wie ein moderner Feldherr eine Schlacht. Er gab seine Anweisungen nicht vom Sitz der Firma in Polzin aus, sondern war ständig in Bewegung: eine wahre Revolutionierung der Firmenverwaltung. Bernhard besaß große Überzeugungskraft und war der Auffassung, daß direkte Verhandlungen mit Kunden und Behörden einem Schriftverkehr selbst dann vorzuziehen seien, wenn seine fähigsten Angestellten die Briefe verfaßten.

Dieses Mal sollte ihn die Reise sogar bis nach Glogau führen. Das von seinem Vater aufgebaute Informationsnetz funktionierte vorzüglich, und er hatte erfahren, daß Bauern im Glogauer Bezirk ihr Vieh verkauften. Wegen der klirrenden Kälte waren die Viehfutterpreise in die Höhe geschnellt, so daß die Bauern nicht mehr in der Lage waren, die Tiere ausreichend zu versorgen. Als der Kutscher nun die Pferde vor den Schlitten gespannt hatte, mummelte er sich in Wolldecken ein, zog seine Mütze tief ins Gesicht, richtete den Blick gen Himmel – die Wolken waren bleiern grau – und bekreuzigte sich. Bernhard war in Schaffelle gehüllt. »Ihr habt keinen Grund zur Sorge«, beruhigte er Fanny und die Angestellten, die vor das Haus getreten waren, um sich von ihm zu verabschieden. »In einer Woche bin ich wieder da – und nicht mit leeren Händen.«

»Hüh«, trieb der Kutscher die Kaltblüter an und ließ die Peitsche knallen. Fanny verharrte bewegungslos, bis der Schlitten am Ende der Straße verschwunden war. Erst als sie wieder ins Haus zurückgekehrt war, spürte sie, daß ihr die Kälte bis in die Knochen gedrungen war.

Bernhard hielt Wort und kehrte nicht mit leeren Händen zurück. Doch noch bevor er die Mittelsmänner traf, die ihn zu den Viehverkäufern führen sollten, wurde ihm ein ganz anderes Angebot unterbreitet. An die Tür seines Hotelzimmers hatte der Heiratsvermittler des Ortes geklopft, der einen Vorschlag zu unterbreiten hatte: die Tochter der Familie Cohen, Henriette. Offensichtlich war auch er mit der Zeit gegangen, denn statt lange Reden zu schwingen, zog er eine Photographie der Braut aus der Tasche und legte sie Bernhard vor. Eine junge und hübsche Frau blickte ihn von dem Bild an. Sie hatte sehr semitische Gesichtszüge, die Milde und Ernsthaftigkeit ausstrahlten. Ihr schwarzes Haar war wie eine Krone hochgesteckt, sie hatte dichte Brauen, und die dunklen Augen und breiten Nasenflügel kündeten von Lebensfreude. Der Heiratsvermittler verstand sein Gewerbe und erkannte mit einem einzigen Blick, daß die junge Frau Bernhards Herz erobert hatte. Er nahm die Photographie und steckte sie in seine Tasche zurück. Erst jetzt bot Bernhard ihm einen Stuhl an, auf dem sich der betagte Mann schwerfällig niederließ. Gemächlich zählte er auf, was für Henriette sprach: Sie sei gesund, stamme aus guter Familie, ihre Vorväter gehörten zu bekannten Rabbinern des Fürstentums Posen, und, nicht weniger wichtig, ihre Eltern seien wohlhabend. Hätte Bernhard nicht schnellstmöglich zu den Dörfern vordringen müssen, wäre er versucht gewesen, dem Hause Cohen noch in derselben Woche einen Besuch abzustatten. Aber die Geschäfte gingen vor, und so vereinbarten sie, daß er Henriette in naher Zukunft besuchen werde.

Die heftigen Schneestürme, die das Leben im Norden des Landes lahmgelegt hatten, unterbrachen auch die Postverbindungen. Bernhard und Fanny unterrichteten Ascher über den Verlauf der Dinge, aber ihre Briefe blieben auf dem Polziner Postamt liegen, und so reiste das Dreigespann aus Alexandrien ab, ohne eine Nachricht von daheim erhalten zu haben. Dies beunruhigte die drei allerdings nicht weiter, denn ihre eigentliche Sorge galt der Überfahrt mit der »Oleg«, einem kleinen russischen Dampfer, der regelmäßig zwischen den Häfen des östlichen Mittelmeers pendelte. Die Bemühungen des Professors, ein Schiff des ägyptischen Königshauses zu erhalten, waren erfolglos geblieben. Und nun teilte der Kapitän der »Oleg« ihnen auch noch mit, daß bereits alle Kabinen von russisch-orthodoxen Pilgern belegt seien, die zum Osterfest in das Heilige Land reisten. Die russische Regierung sei sehr darauf bedacht, den Strom der Pilger nicht abreißen zu lassen. Sie wollte ihre Präsenz in Jerusalem ausbauen, weswegen der Zar Besitz erwarb, Kirchen bauen und Klöster gründen ließ. Dr. Komperts Ratschlag wurde ausprobiert und erwies sich als durchaus wirkungsvoll: Das *Bakschisch* öffnete ihnen die Türen zu zwei der besten Schiffskabinen der »Oleg«, direkt neben der Kajüte des Kapitäns.

Am 2. März lichtete das Schiff die Anker. Es legte zunächst in Port Said an und erreichte nach zwei weiteren Tagen Fahrt auf ruhiger See die Strände von Jaffa. Am Nachmittag des 4. März 1872 erblickten sie die Pforten des Gelobten Landes, die allerdings eher erbärmlich wirkten. *Erez Israel* hatte keinen ihm angemessenen Hafen. Große Felsen schützten die Einfahrt von Jaffa, und lediglich kleinere Fischerboote konnten an den Pfählen am Strand antauen. Schiffe von der Größe der »Oleg« mußten in einem Abstand von mehreren hundert Metern vor der Mole ankern und trieben dort auf den Wellen, während sie auf die Hafenarbeiter warteten. Diese booteten die Reisenden in kleine Segeljollen aus, die die Felsen ohne Probleme umschiffen und das seichte Wasser des Anlegeplatzes passieren konnten. Am Anlegesteg warteten Beamte der osmanischen Behörden auf die Passagiere, und die Bürokratie des Osmanischen Reiches nahm ihren Lauf. Die Überprüfung der Reisedokumente und die Zollkontrolle dauerten schier endlos. Das Zauberwort war auch dieses Mal *Bakschisch*. Während die Pilger noch immer mit den Zöllnern stritten und feilschten, bezogen Ascher Levy und seine beiden Reisegefährten bereits ihr Hotel in Jaffa, das einzige, dessen Besitzer Jude war.

Es war eine herbe Enttäuschung. In Ascher Levys Vorstellung war Jaffa von grünen Feldern umgeben, über denen der Duft goldener Orangen lag. Für ihn war die Hafenstadt jener Ort, über den König Salomo das aus dem Libanon stammende Zedernholz für den Bau des Tempels hatte einführen lassen; die Stadt, in der einst Schimon der Gerber gelebt und den heiligen Petrus empfangen hatte. Auf dem Dach eines der Häuser dieser Stadt hatte Petrus eine Vision gehabt, die ihn fortan *treife* essen und Missionsarbeit unter Juden treiben ließ. Was Ascher jedoch vom Dach seines Hotels sah, entsprach ganz und gar nicht seiner Vorstellung: eine häßliche, orientalische und verdreckte Stadt. Bereits auf dem Weg vom Hafen zum Hotel waren ihm jegliche Illusionen genommen worden. Sie hatten sich durch schmale Gassen ohne Gehsteig gequält, vorbei an baufälligen Häusern und Ständen von Straßenhändlern. Aus grauen Löchern waren plötzlich Bettler aufgetaucht und hatten sie belästigt. Barfüßige Kinder hatten in unverständlichen Worten um Almosen gebeten. Auf dem zentralen Platz befand sich ein farbenfroher, lärmender Markt. Männer in langen, weiten Kaftanen, die einmal weiß gewesen sein mußten, saßen dort auf niedrigen Hockern vor erbärmlichen Kaffeehäusern und schlürften aus kleinen Tassen dickflüssigen Kaffee oder süßen Tee, spielten Backgammon oder starrten regungslos in den Himmel. An den Eseln und Maultieren, die in unmittelbarer Nähe brüllten und Wasser ließen, schien sich niemand zu stören. Ascher konnte sich nur schwer vorstellen, wie sich in dieses Szenario zweihundertfünfzig jüdische Familien einfügen sollten.

Am nächsten Tag besuchten Ascher, Moritz Gottschalk und Graetz die kleine Siedlung der deutschen Templer, die sich ungefähr zwei Jahre zuvor in Jaffa niedergelassen hatten. Dort lernten sie einige Franzosen kennen, die ebenfalls nach Jerusalem weiterreisen wollten. Man beschloß, gemeinsam eine Karawane zu bilden. Das würde die Kosten senken und zugleich ihrer aller Sicherheit erhöhen. In den Bergen von Jerusalem, so ging das Gerücht, lauerten räuberische Beduinenbanden. Der Inhaber ihres Hotels bot ihnen die Dienste seines arabischen Dieners an, eines *Dragoman*.

»Was ist ein *Dragoman*?« fragte Ascher Levy.

»Ohne einen *Dragoman* können Sie in *Erez Israel* nicht umherreisen«, erläuterte der Hotelbesitzer. »Offiziell ist dies die Bezeichnung für Übersetzer ausländischer Konsulate. Ein *Dragoman* kann perfekt Türkisch sowie ein oder zwei europäische Sprachen, er kennt sich in den Gebräuchen des Landes aus, findet sich im Dickicht der osmanischen Gesetze zurecht und wird Ihnen als Verbindungsmann zu den Regierungsbeamten dienen, auf die Sie in jedem Städtchen und Dorf treffen werden. Ohne deren Zustimmung können Sie nicht weiterreisen. Nur ein *Dragoman*, der mit diesen Leuten persönlich bekannt ist, kennt den angemessenen Preis für solche Genehmigungen. Der Lohn eines *Dragoman* richtet sich nach seiner Geschicklichkeit, diese Dinge zu regeln. Mein Diener ist nicht gerade billig, aber er ist jeden Piaster wert.«

»In Ordnung, lassen Sie ihn rufen«, stimmte Ascher zu. Als der Araber erschien, erkundigte er sich nach dessen Namen.

»Man kennt mich unter dem Namen Gamad.«

»Zwerg?« staunte Ascher, dem der hebräische Ausdruck durchaus geläufig war.

»Ja, wegen meiner Größe«, antwortete der Diener, ohne eine Miene zu verziehen. Gamad maß einen Meter neunzig und würde auch heute noch als groß gelten, doch zu damaliger Zeit wirkte er riesig. Im März des Jahres 1872 stellte Gamad seine Geschicklichkeit bereits bei den Reisevorbereitungen unter Beweis. Sogar einen Koch, der sich mit der *koscheren* Küche auskannte, trieb er auf. Auf sein Anraten hin wurden zudem zwei *Kawassen* eingestellt, mit Gewehren und Schwertern bewaffnete Bewacher.

Die Gruppe wollte die fünfundsechzig Kilometer lange Strecke von Jaffa nach Jerusalem in zwei Tagen zurücklegen. Die Straße, die beide Städte miteinander verband, hatte der Sultan anlegen lassen, als er erfuhr, daß der österreichische Kaiser Franz-Joseph an der Eröffnungszeremonie des Suezkanals teilnehmen und von dort zu den heiligen Stätten Jerusalems pilgern würde. Der Kaiser war gekommen und wieder abgereist, die Straße war geblieben. Die Reisenden machten sich um zehn Uhr morgens auf den Weg und erreichten bei Sonnenuntergang Ramlah. In dem katholischen Kloster fanden sie große und saubere Zimmer und sogar eine Küche vor, in der ihnen der Koch eine Mahlzeit zubereitete. Der *Dragoman* drängte sie, früh schlafen zu gehen, da sich die Karawane bereits am nächsten Morgen um fünf Uhr wieder in Bewegung setzen wollte. Der beschwerliche Aufstieg in den Bergen vor Jerusalem würde viel Zeit in Anspruch nehmen, und eine Reise nach Anbruch der Dunkelheit galt als gefährlich. Sie verbrachten eine geruhsame Nacht. Am Morgen brachen sie mit einiger Verspätung auf und erblickten erst am Nachmittag die Mauern der Heiligen Stadt. Ascher Levy zügelte sein Pferd und stieg ab. Er stellte sich an den Rand des Weges, verbeugte sich tief in Richtung der Stadt und betrachtete sie schweigend.

»Betest du?« fragte Moritz Gottschalk.

»Ich versuche es, aber ich finde einfach nicht die richtigen Worte.«

Am Abend im Hotel schrieb er an Fanny:

»Wir brachen heute eine halbe Stunde später als beabsichtigt von Ramlah auf. Es war eine stattliche Karawane von siebzehn Pferden, Mauleseln und Eseln, dazu zehn Reiter, darunter einige Franzosen und ein Württemberger. Der Weg führte uns nach einigen Stunden durch die Ebene Saron, dann durch ein flaches Hochland und endlich das Gebirge Juda, an dessen Fuße um ein halb zehn wir in einem arabischen Zelt halt machten, ein Frühstück, aus einer Tasse schwarzem Caffee und einem gebratenen Hühnchen bestehend, einnahmen. Nach einer Stunde Rast ging es weitere zwei Stunden zu Fuß vorwärts, es ging immer bergauf zwischen kahlen hohen Bergen, weithin von dürftig aufwachsendem Gestrüpp mit seinen frischen Blättern belaubt, Spuren früherer Kultur zeigend. Hin und wieder ein elendes Dörfchen zwischen Olivenplantagen und einigen Kornfeldern liegend, so ging es immer weiter bergab, bis wir im Thale angekommen waren und in Kalancier halt machten und unser Mittag, aus Caffee, Brot mit Schafsbutter und Eiern bestehend, einnahmen. Von hier brachen wir nach drei Uhr auf, kamen nach einem scharfen Ritt, von der Sehnsucht getrieben, *Jeruschalajim* zu sehen, um ein halb fünf Uhr am Jaffa Thor hierher, früh genug, um nach kurzer Rast noch einen Gang durchs nah gelegene Areal zu machen. Wir wohnen auf dem Berge Zion, vor uns die Feste Davids, werden aber morgen auf meine Veranlassung umquartiert. Morgen werde ich sehen, ob ich einen Brief von Euch meinen Lieben habe. Bis auf weiteres ...«

Ascher erzählte seinen Lieben nicht alles; gewisse Gedanken und Eindrücke hielt er einzig und allein in seinem Tagebuch fest. Der Aufenthalt in Jerusalem war für ihn ein gewaltiges spirituelles Erlebnis. Doch hatte er sich so die Hauptstadt seiner geistigen Heimat vorgestellt? Obwohl die Stadt für ihn ein abstrakter und immaterieller Begriff und einzig eine historische Stätte von religiöser Bedeutung war, konnte er sich den Tatsachen dennoch nicht entziehen. Sollte dies wirklich die in den heiligen Schriften vielgepriesene und verheißene Stadt sein? Er hatte nicht den Mut, diesen Gedanken mit Moritz Gottschalk oder Professor Graetz zu teilen. Seine beiden Gefährten hielten an ihrer Zielsetzung der Reise fest: Sie wollten insbesondere das Alltagsleben erkunden und besuchten deshalb wiederholt das innerhalb der Stadtmauern gelegene Jüdische Viertel, wo eine unbedeutende jüdische Minderheit auf engstem Raum lebte. Die Menschen dort waren Mißhandlungen durch die muslimische Bevölkerung und die osmanischen Beamten ausgesetzt, lebten in immerwährender Armut, studierten die *Thora* und führten darüber endlose Dispute. Die Lebensumstände der Juden außerhalb der Stadtmauern waren zwar besser, nach europäischen Maßstäben hätte man sie dennoch nicht einmal als zufriedenstellend bezeichnen können. *Erez Israel* war eine der rückständigsten Provinzen des untergehenden Osmanischen Reiches. Der Vergleich zwischen dem vor Leben sprühenden Preußen und dem verschlafenen Palästina hatte etwas Deprimierendes. Ascher hatte zwar viel über das Leben in den vier heiligen Städten – Jerusalem, Sefad, Tiberias und Hebron – gehört und gelesen, aber die Realität übertraf alle Schilderungen. In der Synagoge von Stettin im Gedenken an den »Wunderrabbi« Meir Ba'al HaNes Geld in die Sammelbüchse zu stecken, das traditionellerweise an die jüdische Gemeinschaft in *Erez Israel* weitergeleitet wurde, oder direkt für den *Jischuw* zu spenden, bedeutete für ihn die Erfüllung eines wichtigen religiösen Gebots, einer *Mitzwah*. Jetzt jedoch überkam ihn die Befürchtung, damit im Grunde etwas Sinnloses unterstützt zu haben.

Ungefähr neuntausend Juden, fast die Hälfte der Jerusalemer

Bevölkerung, gingen keiner produktiven Beschäftigung nach. Außer wenigen Personen, die in freischaffenden Berufen tätig waren, und einigen Dutzend Kleinhändlern waren alle eifrig darauf bedacht, die heiligen Schriften zu studieren und ihr Leben in den Dienst Gottes zu stellen. Für ihren Unterhalt kamen ihre großzügigen Brüder in der Diaspora auf – die Gelder flossen hauptsächlich aus England, Frankreich und Preußen. Mit dem Entstehen der Reformbewegung in Hamburg, Berlin und Dresden hatten Versuche eingesetzt, auch für moderne Erziehungsanstalten zu sammeln, was zumeist an dem vehementen Widerstand der Orthodoxen gescheitert war. Einige Jahre zuvor hatte Ascher Levy für den Aufbau eines deutschen Krankenhauses für Leprakranke gespendet, und jetzt konnte er sich davon überzeugen, daß es auch wirklich existierte. Die Mittel, die er dagegen an jüdische Wohltätigkeitsfonds überwiesen hatte, waren seiner Meinung nach hinausgeworfenes Geld. Noch zu Beginn des Jahrhunderts, im Jahre 1809, hatten die Rabbiner von Jerusalem ein Komitee gegründet, das die Spendensammlungen und deren Verteilung organisieren und den partisanenartigen Sammelaktionen einzelner und den konkurrierenden Spendenaufrufen der verschiedenen *Kolelim* ein Ende setzen sollte. Ein internes, ausführlich begründetes und kompliziertes Abkommen legte einen Schlüssel zur Verteilung der Gelder fest: wer wieviel auf welche Weise und zu welchem Zeitpunkt erhalten sollte. Wer über diese Gelder verfügte, herrschte praktisch über den *Jischuw*. Geleitet vom Gefühl der eigenen Wichtigkeit, regierten die Angehörigen des Komitees mit eiserner Hand, und wehe dem, der aufzubegehren wagte und sich ihnen widersetzte!

Die Ankunft der kleinen Reisegruppe aus dem Reich sahen diese Leute gar nicht gern. Graetz, Levy und Moritz Gottschalk waren dafür bekannt, daß sie progressive Erziehungsanstalten befürworteten und die Ansiedlung osteuropäischer Juden in *Erez Israel* unterstützten, sich somit für Neueinwanderer einsetzten, die das produktive Leben genauso ernst nahmen wie die religiösen Gebote. Dennoch wurden die Reisenden bereits am ersten Abend ihres Aufenthaltes in Jerusalem aufgefordert, Oberrabbiner Avraham Ashkenazi, dem *Chacham Baschi*, einen Höflichkeitsbesuch abzustatten. Ein *Chacham Baschi* hatte viele Funktionen: Er war der anerkannte Vorsteher der jüdischen Gemeinschaft und erfreute sich der Unterstützung des *Kaimakam*, des osmanischen Statthalters von Jerusalem. Trotz seiner hochgestellten Position kam der

Chacham Baschi seinen Gästen entgegen und empfing sie am Tor. Ascher Levy war überrascht über die prächtige, knöchellange Amtstracht aus glänzendem schwarzem Stoff, der mit Silberfäden gesäumt war. Der Kragen war aus goldener Spitze gearbeitet. Auf dem kleinen Kopf des Weisen saß ein Fes. Die Arme, die er zur Begrüßung vor der Brust verschränkte, ragten aus weiten Ärmeln hervor.

»*Bruchim HaBaim* – Herzlich willkommen in der Heiligen Stadt Jerusalem«, sagte er und forderte sie auf, einzutreten. Es wurden Wein und ein leichter Imbiß serviert. Während sie davon kosteten, legte ihnen der *Chacham Baschi* die Not der ihm anvertrauten Gemeinde dar. Die Ursache für ihre Armut beruhte seiner Meinung nach auf dem Geiz der in der Diaspora lebenden Juden. »Die Reichen und Mächtigen des europäischen Judentums müssen großzügiger sein. Haben Sie vergessen, daß Ihre Spenden keine Almosen sind?«

»Sondern?« fragte Ascher.

»Die *Thora* gebietet, nach *Erez Israel* einzuwandern. Wenn ein Jude diese *Mitzwah* nicht erfüllen kann, so ist es nur angemessen, daß er für diejenigen spendet, die dies an seiner Statt tun. Ist das etwa nicht logisch?«

Über die orthodoxen Gebräuche und ihre sonderbare Logik hatten die Reisenden bereits von verschiedenen Einwohnern Jerusalems vernommen. Den ersten Abend hatten sie bei einem alten Bekannten verbracht, Dr. Benjamin London. Da sich bereits die Kunde von ihrer Ankunft verbreitet hatte, waren ungeladene Gäste in das Haus des Arztes geströmt und hatten ihrem Ärger Luft gemacht: »Die Mitglieder des Komitees messen mit zweierlei Maß.« – »Oft sind sie leider schlimmer als die Beamten der osmanischen Regierung.« – »Es gibt keine angemessene öffentliche Kontrolle über die Verteilung der Gelder.« – »Sie sind im Mittelalter steckengeblieben.«

Der Arzt hatte versucht, sie zu beschwichtigen, und gebeten: »Gewährt meinen Gäste etwas Ruhe.« Als sie dennoch nicht von Graetz und seinen beiden Reisebegleitern abließen, hatte er versöhnlich hinzugefügt: »Man kann durchaus festhalten, daß sich die hiesige Leitung der Judenschaft weigert, mit dem Geist der Zeit zu gehen, doch dies ist kein Grund für scharfe Worte und Übertreibungen.«

Diese Form des Understatements hatte Dr. London von der englischen Gemeinde in Jerusalem übernommen, zu der er enge Kontakte unterhielt. Die Vorsteher des *Jischuw* in *Erez Israel* weigerten sich nicht nur, selber mit dem Geist der Zeit zu gehen, sondern griffen auch zu extremen Maßnahmen, um alle anderen Mitglieder des *Jischuw* ebenfalls davon abzuhalten. In ihren Augen stellte jede Art produktiver Tätigkeit eine Abkehr vom eigentlichen Weg dar: dem Dienst im Namen Gottes. Das Erlernen eines Berufes oder fremder Sprachen, ganz zu schweigen von einer säkularen Erziehung, waren allerstrengstens verboten.

Die Gäste hatten von bitteren Erfahrungen erzählt: »Wer sich ihnen nicht anpaßt, wird völlig ausgegrenzt.« – »Wer die Ansichten der Vorsteher der Gemeinde ablehnt, bleibt im wahrsten Sinne des Wortes ohne jeglichen Lebensunterhalt. Aber zitieren Sie mich nicht, denn fällt auch nur der leiseste Verdacht auf mich, können mir nicht einmal die Konsuln mehr helfen.«

Die Konsuln genossen in Jerusalem einen Sonderstatus und besondere Privilegien. Unter ihrer Schirmherrschaft standen auch die religiösen Gemeinschaften, und sie beschützten die aus Europa Stammenden vor den Übergriffen des osmanischen Regimes. Den deutschen Konsul Baron von Alten hatte Ascher Levy bereits einige Jahre zuvor kennengelernt, als der Diplomat auf Heimaturlaub gewesen war. Er hatte ihn im Hause seines Cousins anläßlich eines Abendessens zu Ehren von Rabbiner Hildesheimer getroffen. Ezriel Hildesheimer hatte die »Jüdische Presse« gegründet, die einzige jüdische Zeitung, die zu damaliger Zeit die Ansiedlung deutscher Juden in *Erez Israel* unterstützte. Ascher Levy hielt nichts von dieser Idee, denn seiner Meinung nach sollten sich eher die Juden Osteuropas, die ihre Herkunftsländer ohnehin nicht als ihre Heimat anerkannten, in Palästina niederlassen. Mit dem Konsul jedoch fand er schnell einen gemeinsamen Nenner. Von Alten hatte seinen Urlaub genutzt, um die Organisationen, die den *Jischuw* in *Erez Israel* unterstützten, und deren Tätigkeiten eingehender kennenzulernen. Levy, der sich geweigert hatte, auch nur einen Taler für die Gründung dieser Zeitung zu geben, hatte sofort, als der Konsul ihm davon erzählte, großzügig für ein jüdisches Krankenhaus gespendet, das in absehbarer Zeit in der Nähe der Waisenhäuser von Jerusalem eingerichtet werden sollte. »Wenn Sie nach Jerusalem kommen, dann werden Sie sich mit eigenen Augen davon überzeugen können, was wir mit Ihrem Geld gemacht haben«, hatte ihm von Alten gesagt. »So Gott will«, hatte Ascher erwidert.

Das Wohlwollen des Konsuls gegenüber Juden beruhte nicht einzig und allein auf seiner Liebe zum Land Israel. Die Großmächte konkurrierten um die Expansion ihrer Einflußbereiche im Heiligen Land. Ihre Institutionen, insbesondere die Konsulate, spielten beim beständigen politischen Vordringen in den türkischen Mittelmeerraum eine wichtige Rolle. Und in diesem Kampf um Einfluß und Macht stellten auch die Untertanen einen wichtigen Faktor dar. Das Osmanische Reich bestand nur noch, weil die Großmächte sich gegenseitig keine Vorherrschaft einräumten.

Daß ausgerechnet die Engländer den Preußen bei der Verlegung von Eisenbahnschienen zuvorgekommen waren und vor allen anderen europäischen Staaten in Palästina Fuß gefaßt hatten, war Ascher Levy ein Dorn im Auge. Delegationen von britischen Missionaren, die in Palästina und Syrien aktiv waren, übten enormen Druck auf das Außenministerium in London aus und forderten Schutz vor den Übergriffen der osmanischen Beamten. 1839 war in Jerusalem ein britisches Konsulat eingerichtet worden. Der preußische König Friedrich Wilhelm IV. hatte daraufhin ungefähr ein Jahr nach seinem Amtsantritt 1840 seinen Konsul in Jerusalem ernannt. Am 20. Mai 1842 hatte der Orientalist Ernst Gustav Schultz seinen Dienst angetreten. Die Franzosen, die hundertdreißig Jahre zuvor vergeblich versucht hatten, in dieser Region Fuß zu fassen, kehrten 1843 zurück, die Amerikaner im Jahre 1844 und die Österreicher 1849. Die Russen agierten hauptsächlich über die Niederlassung einer Schiffahrtsgesellschaft in Jaffa, die unter anderem Militärspionage betrieb, offiziell jedoch für die Betreuung Tausender russischorthodoxer Pilger zuständig war. Franzosen und Österreicher präsentierten sich als Schutzmacht der Katholiken. Das britische und das preußische Konsulat waren für die Protestanten zuständig.

Zwei Jahre bevor Konsul Schultz sein Amt angetreten hatte, hatten der König von Preußen und Queen Victoria ein Abkommen zur Eröffnung eines anglikanischen Episkopats in Jerusalem unterzeichnet. Dieses bilaterale Abkommen legte fest, daß die Bischöfe gemeinsam ernannt und die Ausgaben zu gleichen Teilen auf beide Staaten verteilt würden. Als konsequente Fortsetzung dieser expansiven Politik war das preußische Konsulat sehr bemüht, sich in jeglicher Hinsicht auch um das Wohlergehen der aus Europa stammenden Juden zu kümmern. Bereits Schultz, der als Orientalist des Hebräischen und Arabischen mächtig war, hatte sich durch seine praktische Hilfe für die in der Stadt bestehenden *Talmud*-Schulen ausgezeichnet. Sein Nachfolger Dr. Georg Rosen, ebenfalls Orientalist, zählte zu den wenigen Preußen, die sich mit den Vorstehern der jüdischen Gemeinde in Stettin angefreundet hatten. Er hatte sogar eine aus Pommern stammende Jüdin geheiratet. Aufgrund seiner Affinität zu Palästina förderte er die missionarischen Institutionen und half einer Gruppe deutscher Templer – eine protestantische Sekte, die in den sechziger Jahren des neunzehnten Jahrhunderts in Württemberg gegründet worden war –, sich dort niederzulassen. Sie siedelten sich zunächst in verlassenen Häusern in Jaffa an, nahezu unbemerkt, da sich die Aufmerksamkeit Europas zu diesem Zeitpunkt auf die Öffnung des Suezkanals konzentrierte. Dr. Rosen hatte diese Leute richtig eingeschätzt: Sie waren geeignet, die Expansion der deutschen Kultur in der Levante in Schwung zu bringen. Die Templer wurden im Laufe der Zeit zu den Pionieren der deutschen Ansiedlung im Heiligen Land. Erst zu Beginn des Zweiten Weltkrieges, als die britische Mandatsregierung in ihnen die fünfte Kolonne des Nazi-Regimes sah, wurden sie aus ihren Siedlungen vertrieben. Die Männer wurden in Gefangenenlagern interniert, zumeist in Australien, und die Frauen und Kinder gegen britische Staatsbürger ausgetauscht, die aus unterschiedlichen Gründen im besetzten Europa festsaßen.

Zum Nachfolger Rosens wurde Baron von Alten. Der neue Konsul übernahm ein gut eingeführtes preußisches Konsulat, das 1871 zum Konsulat des Deutschen Reiches wurde, sowie ungefähr tausendzweihundert Schutzbefohlene, von denen lediglich zweihundert tatsächlich deutsche Untertanen waren. Für die anderen war der Konsul eine Art Vormund. Je mehr Schützlinge eine ausländische Vertretung betreute, desto größer war ihr Einfluß, und zu dieser Zeit konkurrierten das deutsche und das österreichische Konsulat, die sich gleichermaßen für den *Jischuw* zuständig fühlten, um Einfluß bei der Bevölkerung. Mit einem feierlichen Gottesdienst in der Synagoge Ahavat Zion anläßlich des preußischen Sieges über Frankreich hatte von Alten demonstriert, wie gefestigt seine Position im Kreis der Jerusalemer Juden war.

Und nun schüttelten sich von Alten und Ascher Levy wie zwei gute Bekannte die Hände.

»Es tut mir leid, daß wir es nicht geschafft haben, das geplante Krankenhaus zu bauen«, eröffnete der Konsul das Gespräch und fügte hinzu: »Ihre Spende von hundert Talern habe ich an eine besondere Stiftung überstellt, die sich für die Errichtung deutsch-jüdischer Schulen einsetzt. Ich hoffe, daß dies Ihren Absichten nicht widerspricht?«

»Nein, ganz im Gegenteil«, antwortete Levy. »Ich habe gerade erst von den Schwierigkeiten derjenigen erfahren, die hier vor Ort die Erziehung der jüdischen Jugend vorantreiben wollen. Jede Unterstützung ihrer Bemühungen erscheint mir angebracht.«

»Es ist kein leichtes Unterfangen. Die Ablehnung aus den orthodoxen Kreisen ...«

»Ich kenne diese Probleme, Herr Baron, aber sie schrecken mich nicht. Heute habe ich erfahren, daß minderjährige Jüdinnen gezwungen werden, im Alter von vierzehn oder fünfzehn Jahren zu heiraten. Was für eine Rückständigkeit! Und das auf Anordnung der orthodoxen Rabbiner und Synagogenvorsteher. Das kann so nicht weitergehen.«

»Was wollen Sie dagegen tun, Herr Levy?«

»Wir verfolgen ein gemeinsames Interesse. Sie als deutscher Konsul und ich als jüdischer Bürger des Reiches.«

»Was meinen Sie damit?«

»Sowohl ich als auch meine Reisegefährten haben beschlossen, zur Änderung der Lebensumstände in der Stadt beizutragen.«

»Diesbezüglich sind wir uns also einig. Aber Sie sollten wissen, Herr Levy, daß wir bereits seit dreißig Jahren in Jerusalem tätig sind, bis heute aber innerhalb der orthodoxen Bevölkerung noch keinen Partner für einen Dialog gefunden haben.«

»Die Orthodoxen sind den Interessen des Reiches in der Levante nicht dienlich. Die meisten von ihnen haben keinerlei Verbindung zu uns, denn sie stammen aus muslimischen Ländern oder aus Osteuropa.«

»Das ist mir bekannt. Aber was ist Ihrer Meinung nach die Lösung?«

»Eine progressive Schulerziehung. Kein Fortschritt ohne Erziehung. Keine Gesellschaft kann ohne produktive Arbeit bestehen. Ich ehre Gott nicht weniger als Oberrabbiner Ashkenazi. Aber man kann sich nicht im Elfenbeinturm der *Thora* verschanzen. Man muß der Realität, man muß dem Leben ins Auge sehen.«

»Für die Jerusalemer Rabbiner sind Ihre Äußerungen geradezu Blasphemie.«

»Ich weiß. Diese Auseinandersetzung wird auch in Deutschland geführt. Und dennoch: Sollen wir deshalb aufgeben?«

»Was schlagen Sie vor?«

»Ich beabsichtige, ein modernes Waisenhaus zu gründen. Rabbiner Hildesheimer aus Berlin hat uns grundsätzlich seine Unterstützung zugesagt.«

»Ich habe ihn kennengelernt. Ein liebenswürdiger und weiser Mann.«

»Wir werden darauf achten, daß die Jugendlichen im Sinne der jüdischen Tradition erzogen werden. Aber neben dem Studium der *Thora* sollen sie auch in Deutsch und Hebräisch unterrichtet werden. Wir werden ihnen die europäische Kultur zugänglich machen und irgendeine Berufsausbildung zuteil werden lassen, so daß sie nicht von dem Regime der *Chaluka* abhängig sind.«

»Sie kommen direkt zum Kern des Problems«, bemerkte von Alten anerkennend.

»Werden Sie uns dabei unterstützen?«

»Das werde ich.«

»Danke. Ich wußte, Sie würden uns nicht enttäuschen. Ich werde umgehend Professor Graetz und Moritz Gottschalk von Ihrer Zusage unterrichten.«

»Glauben Sie ja nicht, daß meine Unterstützung alle Hindernisse zu beseitigen vermag.«

»Ich gebe mich keinen Illusionen hin, Herr Baron.«

»Die Erfahrung verheißt nichts Gutes.«

»Ich weiß.«

»Mein österreichischer Kollege ist da ein gebranntes Kind. Sie erinnern sich bestimmt an die Affäre um die Lämel-Schule? Diese Frau hat ein Vermögen in den Aufbau einer modernen Schule nach Wiener Vorbild investiert, und zum Dank wurde sie zumeist verflucht und gemieden.«

»Eines nach dem anderen. Wir werden uns bemühen, aus den Fehlern anderer zu lernen. Und außerdem ist Rabbi Hildesheimer nicht Frankl.«

In den fünfziger Jahren hatte Elisa Herz, geborene Lämel, eine gutsituierte österreichische Jüdin, eine revolutionäre Idee: die Gründung eines Heimes für mittellose Kinder in Jerusalem, wo ihnen säkularer Unterricht erteilt werden sollte. Sie entsandte ihren Bekannten, den Schriftsteller Ludwig August Frankl, nach *Erez Israel*, stellte die finanziellen Mittel zur Verfügung und gab ihm einen detaillierten Plan mit auf den Weg. Zugleich wurde mit Diplomatenpost ein geheimes Schreiben des Wiener Außenministeriums an das österreichische Konsulat in Palästina geschickt, in dem dieses ausdrücklich angewiesen wurde, Herrn Frankl bei der Umsetzung seiner Aufgabe behilflich zu sein. In Wien sah man darin einen Bestandteil der politischen Bemühungen, die Position Österreichs im Osmanischen Reich auszubauen. Aber nicht die osmanischen Behörden, sondern die Vorsteher der orthodoxen Juden ließen diesen Plan scheitern. Frankl, der kein frommer Jude war, wurde zur Persona non grata erklärt, geschnitten und gemieden. Da die Jerusalemer Rabbiner damit gedroht hatten, jeden Juden, der das Erziehungsprojekt der Frau Lämel unterstützte, mit einem Bann zu belegen, konnte der ursprüngliche Plan nicht in die Praxis umgesetzt werden.

Ascher Levy, Moritz Gottschalk Lewy und Heinrich Graetz wußten von diesem Mißerfolg, noch bevor sie aus Berlin aufgebrochen waren. Sie waren sich einig, daß ihre Pläne ohne die moralische Unterstützung und tatkräftige Hilfe einer bekannten religiösen Autorität erfolglos bleiben würden. Deshalb hatten sie sich an den Rabbiner Ezriel Hildesheimer gewandt, der auch in orthodoxen Kreisen geschätzt wurde.

Am dritten Abend ihres Aufenthaltes in Jerusalem lud Professor Graetz Jacob Valero zu einer Unterredung ein. Valero war der Vorsteher der Armen Jerusalems und für die Verteilung der Spendengelder zuständig. Ungefähr fünfzigtausend Franken wanderten jedes Jahr durch seine Hände, und die Kontrolle über die Finanzen verlieh ihm Macht. Graetz und die beiden Cousins unterbreiteten ihm ihre Idee eines Waisenhauses unter der ausdrücklichen Zusicherung, daß die religiöse und traditionelle Erziehung im Vordergrund stehen würde. Der Vorsteher ließ sich jedoch nicht überzeugen. Ebenso wie der *Chacham Baschi* lehnte auch er den Plan schlichtweg ab: »Sie beabsichtigen zu zerstören, was wir im Laufe von Generationen aufgebaut haben. Aber das wird Ihnen nicht gelingen.«

»Wir werden sehen«, antwortete Ascher.

Ascher Levy vermied es nach wie vor, in den Briefen an seine Frau und seinen Sohn von diesen Schwierigkeiten und Auseinandersetzungen zu berichten. Er schilderte ausschließlich fesselnde Erlebnisse, geschmückt mit Darstellungen all des Exotischen, das ihm begegnete. Aber daheim in Polzin kam man der Wahrheit dennoch bald auf die Spur. Anfangs waren es nur versteckte Hinweise in den Berichten der jüdischen Presse in Deutschland und Holland, später erschienen ausführlichere Artikel, in denen der Nutzen der Initiative von Graetz und den beiden Cousins bezweifelt wurde. Fannys weibliche Intuition ließ sie schnell erkennen, daß diese Wolken die ersten Vorboten eines Sturmes waren, und ihr ward bange. Sie fürchtete, ihr Mann könne in den Strudel der von ihm so sehr verabscheuten öffentlichen Polemik hineingezogen werden. Aber auch sie schwieg davon in ihren Briefen, die zumeist Berichte aus dem Alltagsleben sowie Lobeshymnen auf Bernhards hingebungsvolle Arbeit enthielten.

Nach fünf Tagen Aufenthalt in Jerusalem verabschiedeten sich die Reisenden von Baron von Alten und versprachen, nach ihrer Reise in den Süden und nach Galiläa zurückzukommen. Sie bestiegen ihre Pferde und machten sich auf den Weg nach Hebron. Wie üblich war Gamad ihr Reiseführer und ritt der Karawane voran, Ascher war der zweite, ihm folgten Moritz Gottschalk und Graetz. Die Schlußlichter bildeten die Maultierführer und die beiden *Kawassen*. Obwohl die Reise bislang friedlich verlaufen war, hatte Gamad auch weiterhin auf den beiden Wächtern bestanden; man könne nie wissen, wann man auf Räuber trifft. Graetz hegte Zweifel am Vermögen, ja sogar an der Bereitschaft ihrer Begleiter, sie in der Stunde der Not zu schützen. Sie waren lediglich mit zwei Gewehren bewaffnet, die darüber hinaus offenbar bereits in den Tagen der Napoleonischen Kriege ihren Dienst versehen hatten. Trotzdem hatte man aufgrund der Befürchtungen Gamads beschlossen, sie bis zum Ende der Reise anzustellen. Und als sich bei ihrem Besuch der Machpela-Höhle in Hebron unzählige arabische Bettler auf die kleine Gruppe stürzten, stellten die *Kawassen* ihre Tüchtigkeit doch noch unter Beweis. In dieser Höhle sollen die Urväter und Urmütter des Judentums begraben sein: Abraham, Sarah, Rivka und Jakob. Ascher Levy ergriff, ganz entgegen seinen Erwartungen, an diesem Ort allerdings kein ehrfürchtiges Gefühl wie sonst beim Besuch von Heiligtümern. Hinterher schrieb er lakonisch in sein Tagebuch: »Wir haben nichts anderes gesehen als ein Loch in der Wand.« Am Abend des darauffolgenden Tages ließ er sich wie gewohnt zur Stunde der Dämmerung nieder, um einen Brief nach Polzin zu schreiben:

»Dienstag, den 12. März

Heute große Freude in Israel und im Lande Jehuda, denn wir empfingen soeben Eure langersehnten Briefe durch einen Express aus *Jeruschalajim*. Wie herzlich ich mich gefreut, daß Du, liebe

Fanny, so wohlauf und auch ruhig schlafest, kann ich Dir gar nicht sagen. Mir war dieser Tage sehr bange nach Nachrichten von Zuhause, und wär es gewiß noch mehr gewesen, wenn nicht jeder Fuß Erde hier classisch wäre, an den tausende von Erinnerungen sich knüpfen, die die Gedanken in Anspruch nehmen ... Wir werden unsere Reiseroute abkürzen müssen, da Professor Graetz und Moritz sich durchgeritten haben und wir nur täglich fünf bis sechs Stunden reiten können, ich könnte gut zwei bis drei Stunden länger aushalten. Wir werden also nicht nach Damaskus kommen.

Heute brachen wir früh von Hebron zu Fuß auf nach der Abrahams Eiche, bestiegen um acht Uhr unsere Pferde (meine Stute heißt Rosi) und langten nach einer kurzen Rast um ein Uhr hier an, wo wir abermals an den Teichen Salomos lagern. Kaum aber hatten wir uns eine Stunde ausgeruht und Caffee getrunken, als das Geläut von Glöcklein über die Berge erklang und eine Karawane von Pferden und Mauleseln über diese gezogen kam. Sie halten und beginnen abzuladen und allmählich ihre Zelte aufzuschlagen, die mit unseren beiden auf zwanzig angewachsen waren, worunter sogar zwei Salonzelte, auf denen die englischen Fahnen wehen. Liebes Kind, wir haben auch zwei Zelte, auf deren Spitzen die deutschen Fahnen wehen, wovon das eine mit allem Komfort ausgerüstet, drei Bettstellen mit weichen Kissen und Matratzen, für jeden ein Waschgeschirr, sechs Stühle, in der Mitte einen Tisch, mit einer Decke belegt. Das Zelt selbst vierzehn Meter im Durchmesser, ist aus doppeltem Drillich, inwendig bunt. Denke Dir diese Stadt von Zelten, dazwischen lange Papierlaternen und bei Seite etwa einhundert bis einhundertfünfzig Pferde und Maulesel, weidend und mit ihrem Geläute musizierend ...«

Das Wochenende verbrachten die Reisenden wieder in Jerusalem. Sie besuchten zahlreiche religiöse und soziale Einrichtungen, und mit jedem Besuch verstärkte sich das Gefühl, »daß es so nicht weitergehen kann«. Ascher Levy und seine Reisegefährten konnten einfach nicht verstehen, warum sich die meisten der sephardischen Juden, die vorwiegend aus Nordafrika stammten, durch ihrer Hände Arbeit ernährten, während ausgerechnet die größtenteils aus Osteuropa stammenden Aschkenasim in jeder Tätigkeit, die nicht dem Studium der heiligen Schriften gewidmet war, eine unverzeihliche Sünde sahen. In beiden Gemeinden herrschte große Armut, doch in der aschkenasischen Gemeinde kam noch der gesellschaftliche Verfall hinzu. Von Alten wußte zu berichten, daß der britische Konsul James Finn achtzehn Jahre zuvor versucht hatte, Juden für die Planierung von Straßen, für Arbeiten im Steinbruch und Steinmetztätigkeiten zu gewinnen. Nach anfänglichem Erfolg – einige hundert hatten die Herausforderung angenommen – waren die Rabbiner mit Verboten eingeschritten. Aus Furcht vor einem Bann hatten schließlich auch die letzten jüdischen Arbeiter aufgegeben. Andere Versuche, die Produktivität des *Jischuw* zu steigern, waren der sozialen Stellung derjenigen, »die sich von der *Thora* abwandten«, ebenfalls abträglich gewesen. Doch die Mißerfolge der Vergangenheit, einschließlich des Scheiterns von Karl Neter, der nach seiner Palästina-Reise im Jahre 1868 vier Jahre lang versucht hatte, die jüdischen Gemeinschaften in Deutschland und Frankreich wachzurütteln, schreckten die drei Reisegefährten nicht ab. Sie hielten jedes Detail fest und holten alle nur erdenklichen Zeugenaussagen ein, die ihnen in der Zukunft hilfreich sein konnten.

Das *Purim*-Fest begingen sie in Tiberias an den Ufern des See Genezareth. Von dort schrieb Ascher an Fanny:

»Gute und theure Frau,

Du mußt es mir nicht übelnehmen, wenn ich meine Vornahme, täglich an Dich zu schreiben, seit drei Tagen nicht erfüllt habe. Bei unserem Abgang am Mittwoch regnete es so stark, daß wir bis auf die Haut durchnäßt waren und es auch geblieben wären, wenn nicht bald darauf Sonnenschein eingetreten wäre, doch war auch am Abend in unserem Zelt alles naß, und gestern, wo wir prächtiges Wetter hatten, hatte ich bei unserer Ankunft Leibschmerzen, bin aber heute ganz wohl. Unsere Reise war dieser Tage weiter interessant. Gleich hinter Samaria kamen wir in das Thal Dothan, dasselbe wo Joseph von seinen Brüdern verkauft wurde und welches ein prächtiges Weideland ist. Am Ende desselben nahmen wir unser Mittag in einer Ruine unterhalb des Dorfes ein, übernachteten in Dschenin, von wo wir gestern früh aufbrachen. Wir kamen sogleich in das Thal Jizreel, das wir den Tag über durchritten. Vor uns lag in weiter Ferne der Hermon, zur rechten des Thales die Gebirge Gilboa. Hier war es, wo die Prophetin Debora durch *Barak* [hebr.: Blitzschlag] den Sisra schlug, hier fielen Saul und seine Söhne im Kampf mit den Philistern und sang David die unsterblichen Verse. Hier fiel König Josephat im Kampf, hier wurde König Joschijahu im Kriege gegen die Assyrer verwundet, hier schlug Napoleon I. mit sechzehntausend Mann das ganze türkische Heer, und was haben Sarazenen und Kreuzritter erst Blutströme vergossen? Sollte davon der Boden nicht so roth oder die Fruchtbarkeit so groß sein, daß trotz der größten Vernachlässigung das Gras hoch wächst, und man bedauert, daß ein solcher schöner Boden bei diesem herrlichen Klima unbenutzt liegen muß. Denn die wenigen mit Gerste, Weizen und Hirse besäten Felder zeugen von der Fruchtbarkeit des Bodens.

Um vier Uhr langten wir am Fuße des Tabor an, und da ich, wie schon erwähnt, nicht ganz wohl war, bestiegen ihn nur Professor Graetz und Moritz, die beim Mondenschein erst retournierten. Heute brachen wir früh auf, durchritten die erste Waldung (wenn man die verkrüppelten Eichen so nennen kann) um den Tabor, wo solcher uns ein neues Panorama eröffnete. Sobald wir den Wald verlassen, lag zu unseren Füßen wie im Traum ein tiefes liebliches Thal, im Norden der galiläischen Berge eingeschlossen, hinter denen die schneebedeckten Gipfel des Hermons hervorschauten. Mittagsrast in tiefem Grase machend, zwischen Dornbüschen, die schlechten Schatten gegen die glühende Sonnenhitze gewähren, brachen wir bald auf und langten nach einstündigem Reiten und einer Stunde Marschieren hier an, wo wir unterhalb der vom letzten Erdbeben zerrütteten Mauer, vor uns der See Genezareth, zur Rechten die Stadt Tiberias mit ihren Kuppeln und Minaretten, im übrigen ein elendes Loch, lagern. Wir logieren in den Zelten, werden aber in der Stadt speisen. Heute baden wir noch im See.«

»Sonntag, *Purim*, den 24. März. Wir waren darauf vorbereitet, etwas Ungewöhnliches hier zu erleben. Das Städtchen, ein Haufen Häuser ohne regelmäßige Straßen, eng aneinander gebaut, voller Schmutz und Unrath birgt unter seinen ca. dreitausend Einwohnern, von denen zweitausend Juden, die drei Europäer, die ihre Synagogen, Studierhäuser und Rabbinen besuchen und viel Stoff zur Neuigkeit bieten. Wir empfingen gestern die Besuche der Noblesse, machten uns in unserer Locanda *Minjan*, wo ich die *Megille* las, hörten das Trommeln, Pfeifen, Schießen und den Spektakel dort an, erfrischten uns mit Kuchen und Caffee, traten dann unsere Wasserreise auf den See, nach den heißen Quellen, den Gräbern und verschiedenen merkwürdigen Orten an und kehrten gegen fünf Uhr, von größter Hitze, die hier herrscht, gequält, zurück. Am Abend wurde uns ein *Purim*spiel vorgeführt. Von Tiberias werden wir zwei Tage weiterreiten Richtung Haifa, wo wir eine Übernachtung in der deutschen Colonie, die von den Württembergern gegründet und bewohnt ist, bestellt haben. Nachmittag den 29. März gehen wir zum Schiff und verlassen Palästina. Adieu, Du Land meiner Schmerzen, adieu, Du Land meiner Sehnsucht, aber auch adieu, Du Land meiner Hoffnung. Auch Du, gute Fanny, Du mein gelobtes Land, für heute adieu. Noch drei Wochen, und ich hoffe Dich gesund und wohl zu umarmen. Grüße an alle Freunde und Bekannten von Deinem Ascher.«

Die Überfahrt von Haifa nach Triest, die sie wieder über Alexandrien führte, verlief ohne Zwischenfälle. Die drei nutzten diese Zeit, um über den Inhalt der Denkschrift zu beraten, die sie nach ihrer Rückkehr zu publizieren beabsichtigten. Sie beschlossen, daß Moritz Gottschalk eine Art Aufruf verfaßte, der zunächst im Kreise interessierter Personen verbreitet und erst anschließend in der jüdischen Presse des ganzen Reiches veröffentlicht werden sollte. Des weiteren vereinbarten die Freunde, daß sie vor der Publikation in Berlin zusammentreffen würden, um den endgültigen Wortlaut auszuarbeiten. In Triest trennten sich ihre Wege. Heinrich Graetz reiste nach Breslau, Moritz Gottschalk nach Berlin, und Ascher hatte beschlossen, eine Woche in Venedig Station zu machen. Nach diesem kurzen Urlaub durchquerte er ganz Österreich und Deutschland auf seiner Rückkehr nach Posen. Dort wollte er dringend die Verlobte seines Sohnes kennenlernen oder, genauer gesagt, seine zukünftige Verwandtschaft und deren Status eingehender erkunden. Zwischen den großen Städten verkehrten Schnellzüge, die Ascher ein doppeltes Vergnügen bereiteten: Zum einen genoß er die bequeme Reise, und zum anderen erfreute er sich an seinen Investitionen.

Ende April begab Ascher sich wieder auf eine Reise, diesmal nach Berlin, um dort mit seinen beiden Reisegefährten zusammenzutreffen. Moritz Gottschalk lud den Professor und seinen Cousin in sein neues Haus in der Lennéstraße 4 ein. Auf dem Tisch im Salon des Hauses stand eine Flasche Rakoczy, den der Professor besonders liebte, und er dankte dem Gastgeber für diese kleine Aufmerksamkeit. »In Kleinigkeiten bin ich großzügig«, gab Moritz Gottschalk schmunzelnd zurück und schenkte den Wein ein. Sie stießen an und lehnten sich in den tiefen Ledersesseln zurück. Für eine kurze Weile herrschte Stille. Graetz brach schließlich das Schweigen:

»Sie beide kennen den Spruch: Das Land zeigt sein wahrhaftes Antlitz. Und dieser Wahrheit kann man nicht entrinnen.«

Therese Levy, geb. Riess

»Sicherlich«, entgegnete Moritz Gottschalk. »Ich hoffe, daß man sie in der Denkschrift, die ich verfaßt habe, wiederfinden kann.«

»Sie ist schon fertig?« staunte Graetz. »Wann haben Sie das zuwege gebracht?«

»Wäre sie nicht fertig, hätte ich Sie nicht eingeladen. Aber bevor ich Ihnen das Geschriebene überreiche, möchte ich die Befürchtung äußern, daß dieser Text die Vorstellung vieler vom Heiligen Land zerstören könnte. Freunde werden weinen, Feinde frohlocken.«

»Schweigen ist zerstörerischer als die Wahrheit«, sagte Ascher mit Bestimmtheit. »Es ist unsere Pflicht, uns für eine Veränderung der Lage einzusetzen.«

»Trotzdem sollten wir erwägen, diesen Bericht, den ich in unser aller Namen verfaßt habe, vielleicht lieber zu den Akten zu legen. Ich wäre nicht gekränkt. Wir könnten uns an einige einflußreiche Freunde und Bekannte wenden. Uns mit ihnen treffen, mit jedem separat, ihnen ins Gewissen reden und versuchen, sie zu überzeugen, für die Einrichtung eines säkularen Waisenhauses zu spenden.«

»Nein, Moritz Gottschalk«, widersprach Graetz. »Ein verdecktes und stillschweigendes Vorgehen nützt uns nichts. Man kann Jericho nicht einnehmen, ohne zuvor seine Mauern niederzureißen.«

»Also veröffentlichen wir die Denkschrift, was auch immer da kommen mag«, faßte Ascher zusammen.

»Ohne Wenn und Aber«, fügte Graetz hinzu.

»Sind Sie sich sicher, Professor, daß Rabbi Hildesheimer unsere Pläne auch weiterhin gutheißen wird?«

»Ich habe mit ihm gesprochen. Er unterstützt den wohltätigen Zweck, aber ...«

»Aber er zögert, richtig?« unterbrach ihn Moritz Gottschalk.

»Richtig. Aber warum darüber streiten, bevor wir den Text überhaupt gelesen haben«, wandte Graetz ein und bat darum, die Denkschrift zu sehen.

Anfang Mai ging die Denkschrift in Druck. Mitte des Monats wurden einige Dutzend Exemplare an ausgesuchte Persönlichkeiten versandt. Im Vorwort hatten die drei das Ziel der Reise dargelegt:

»Die Endesunterzeichneten haben im Monat März d. J. eine Reise durch einen großen Teil von Palästina gemacht. Es war nicht eigentlich Zweck derselben, die Zustände unserer Glaubensgenossen kennen zu lernen, da wir lediglich dem Zuge unseres Herzens folgten, das Land unserer Väter zu sehen. Aber die Zustände haben sich uns aufgedrängt, wir konnten weder unsere Augen, noch unser Inneres vor dem materiellen und geistigen Elend verschließen. Wir ließen es uns in Folge dessen angelegen sein, mit Personen aus den verschiedensten Kreisen über die tiefer liegenden Ursachen desselben Rücksprache zu nehmen, ob nicht durch Beseitigung der Ursachen eine Besserung der Übelstände zu ermöglichen sei. Der *Chacham Baschi*, officieller Oberrabbiner von Jerusalem, sowie der deutsche und österreichische General-Consul und noch mehrere andere Personen waren von einer merkwürdigen Übereinstimmung bei ihren vertraulichen Mitteilungen. Die Beobachtungen und Erfahrungen legen wir in dieser Denkschrift nieder und knüpfen daran Vorschläge zur Heilung der Übelstände.«

Im Anschluß führten sie statistische Daten über die jüdische Bevölkerung und das System der Spendenverteilung sowie dessen Folgen an. Der Darstellung der schlechten gesundheitlichen Verfassung der Stadtbewohner widmeten sie ein ganzes Kapitel und schilderten dabei die Wurzeln der Not in bisher ungekannter Schärfe:

»Diese Schwäche, verbunden mit Pauperismus, stammt von einem Übel, welches tief eingewurzelt ist, nämlich von der Verheiratung junger Kinder mit einander. In der Regel werden noch immer Knaben zwischen 13 und 15 Jahren und Mädchen zwischen zwölf und vierzehn mit einander ehelich verbunden. Es ist geradezu ein Kindermord. Denn wenn die junge Mutter und ihre Frucht die Geburt überleben, so bleiben die Kinder aus einer solchen Ehe lebenslänglich mit körperlicher Schwäche und geistiger Stumpfheit behaftet. Eine solche Generation ist von der Wiege an auf Almosen angewiesen. Es darf nicht verschwiegen werden, daß diese empörende Sitte nur bei der jüdischen Bevölkerung vorkommt. (...)

Die Verarmung hat aber noch eine andere Quelle, die Art der Verteilung der eingehenden Spenden. In Jerusalem gibt es nicht eine einzige und nicht zwei, sondern 14 Gemeinden, welche gegeneinander abgeschlossen sind und von denen die eine sich um die andere garnicht kümmert.(...)

Jede Gemeindegruppe hat einen eigenen Vorsteher (...). Diesem werden die Almosengaben für dieselbe aus einem bestimmten Lande oder von der betreffenden Landmannschaft zugeschickt mit der ausdrücklichen oder stillschweigenden Bedingung, sie nur unter die Seelenzahl dieser Gruppen zu verteilen. Der Vorsteher ist berechtigt, eine Prämie (...) von der Summe der Spende für sich zu behalten. Auch die Rabbinen erhalten eine Prämie. So werden z. B. Gelder, welche von den russischen und galizischen Chassidim eingesendet werden, nur unter die Mitglieder der *Chabad*-Gruppe, die aus Ungarn einlaufenden Almosenspenden nur an die der Gruppe Ungarn verteilt, die übrigen Gruppen erhalten nicht ein *Para* davon. (...) Die Mitglieder der Gruppe Hod, weil für sie in Holland und Deutschland gesammelt wird und sie nur vierundsiebzig Seelen zählt, sind auskömmlich bedacht. Ebenso gut stehen sich die Ungarn. Dagegen ist der Anteil der Spaniolen auf je eine Seele sehr gering, weil sie eine große Zahl, größtenteils auf die Türken angewiesen sind und ein Teil davon noch für die *Chachamim* und Vorsteher abgeht; sie zählen sehr viele Arme. Noch schlimmer daran sind die Moghrebim, welche, aus Tunis und Marokko eingewandert, nur geringe Almosen aus ihrer Urheimat erhalten; sie bilden die Parias in der jerusalemischen Bevölkerung. (...) So wohnen viele von ihnen noch in förmlichen Hundelöchern, mehrere Personen zusammengepfercht, ein Mitleid erregender Anblick! (...) Augenfällig ist es, wenn die aus Europa, Amerika und Asien in Palästina einlaufenden Gelder in gleichmäßiger Weise, ohne Rücksicht auf die Gruppe, verteilt würden, so würde der Anteil auf eine jede Seele größer, und die Armut in den hintenangesetzten Gruppen wäre gemildert.

Eine verkehrte Anschauung kommt noch hinzu, die Verteilung noch ungerechter zu machen. In den civilisierten Ländern gilt im Allgemeinen Almosen empfangen, und noch dazu öffentlich, als eine Schande, wozu nur die äußerste Not zwingen kann. Bei der jüdischen Bevölkerung Palästinas dagegen gilt es als eine Ehre, von den Spenden bedacht zu werden, oder an der *Chaluka* Teil zu nehmen. (...) Die jüdische Bevölkerung sieht die Spenden überhaupt gar nicht als Almosen, sondern als Belohnung des Verdienstes jedes Einzelnen an, der im heiligen Lande wohnt und dort *Talmud* oder *Kabbala* studiert. Die Spenden seien auch gar nicht für die Armen, sondern zunächst für die *Talmud*beflissenen daselbst bestimmt. Die meisten Männer, mögen sie noch so wenig *Talmud* verstehen, betrachten sich als Rabbinen oder *Chachamim* (...) und nehmen einen Anteil an den Spenden als ein wohlerworbenes Recht an. (...) Daß auch den Witwen und Waisen ein Anteil davon gewährt wird, wird als eine Hochherzigkeit und ein Verzichtleisten auf ein Recht betrachtet. Daher die uns so auffallende Erscheinung, daß Capitalisten und Häuserbesitzer einen Teil von den Spenden beanspruchen und geradezu Almosen nehmen. Aus Rücksicht wollen wir ihre Namen nicht nennen. (...) Bei diesem Stande der Dinge ist es einleuchtend, daß gerade die Hilflosesten, die Witwen und Waisen, bei der Verteilung sehr zu kurz kommen.

Die Folgen dieser verkehrten Anschauung und ungerechten Verteilung sind betrübend. Jüdische Waisenkinder, welche Not leiden oder geradezu hungern, lassen sich in den englischen und deutschen Missionshäusern, deren Fangarme stets nach solchen Seelen ausgestreckt sind, aufnehmen, um ihren Hunger zu stillen. Vierzig jüdische Knaben sind gegenwärtig in der Missionsschule in Jerusalem, welche für die Taufe vorbereitet werden. Wie groß die Anzahl der Mädchen in den christlichen Erziehungshäusern ist, konnten wir nicht ermitteln. Es kommt auch vor, daß arme Väter oder Mütter ihre Kinder an die Missionare verkaufen. (...)

Endlich darf ein Übelstand nicht verschwiegen werden, welcher ganz besonders zur Demoralisierung anreizt, der Müßiggang. Da ein großer Teil der männlichen Bevölkerung von Almosen lebt und keinerlei Beschäftigung hat, so weiß sie nicht, was sie mit der Zeit anfangen soll. Die meisten gerieren sich zwar als *Talmud*-Gelehrte, beschäftigen sich aber nur wenig mit dem *Talmud*, sondern schlendern sich in den Straßen umher, auf jede Neuigkeit lauschend. Klatscherei, Angeberei, Verläumdung gegen einander und noch andere grobe Laster sind die Folgen des Müßigganges.«

Nachfolgend zählen die Verfasser Vorschläge auf, die zur Verbesserung der desolaten Zustände geeignet seien:

»Die Spenden sollen tatsächlich verwendet werden

1. zunächst für die Hilflosen, Witwen und Waisen, Greise und ganz Mittellosen;
2. für die wirklich fungierenden Rabbinen, Talmudlehrer und Schüler überhaupt; und endlich
3. für Handwerker und fleißige Personen, welche sich trotz ihrer Anstrengung nicht ernähren können.
4. Die Zersplitterung in Gemeindegruppen muß aufhören, wenigstens bezüglich der Spenden. Jeder, der Anspruch auf Unterstützung hat, soll sie erhalten ohne Rücksicht, welcher Gemeindegruppe er angehört. (...)
5. All diejenigen jungen Männer, welche unter dem achtzehnten, und Jungfrauen, welche unter dem sechzehnten Jahre heiraten, sind für immer von der Unterstützung ausgeschlossen. (...) Ebenso sind diejenigen davon ausgeschlossen, welche ihre Kinder bis zu einem gewissen Alter vom Schulbesuche fern halten und endlich solche, welche ihre Kinder den Missionsanstalten übergeben.«

Außerdem forderten Graetz, Ascher und Moritz Gottschalk – so als wäre es der Beschuldigungen, aber auch der Änderungsvorschläge nicht genug – eine allgemeine Stimmabgabe zur Wahl des Vorstehers. Bevor sie sich als Kandidaten aufstellen ließen, müsse man von ihnen verlangen, daß sie auf ihren Anteil an den Almosen verzichteten. Zum Abschluß betonten sie die Notwendigkeit, Waisenhäuser zu errichten, in denen die Kinder neben dem *Tanach*, der hebräischen Sprache und dem *Talmud* auch Lesen, Schreiben, Rechnen und Geographie lernten. Dieses Dokument, nach jüdischer Zeitrechnung im Ijar des Jahres 5632, nach Gregorianischem Kalender im Mai 1872 verfaßt, unterzeichneten sie: »Dr. Heinrich

Graetz, Professor, Breslau; Ascher Levy, Kaufmann, Polzin i. Pommern; und M. Gottschalk Lewy, Kaufmann, Berlin.« Zwei Monate später wurde ein öffentlicher Verein zur Errichtung eines progressiven Waisenhauses in Jerusalem ins Leben gerufen.

Die Denkschrift war nur für einen ausgewählten Kreis bestimmt und wurde an Gelehrte und potentielle Geldgeber mit der Bitte versandt, für den Kampf zur Verbesserung der Zustände zu spenden. Rasch wurde sie über diesen Personenkreis hinaus bekannt; jemand hatte der Presse Ausschnitte zugespielt, und der Text wurde ins Hebräische und ins Jiddische übersetzt. Harsche Kritik flammte auf, ging von Stadt zu Stadt und von Staat zu Staat. Das Judentum Europas war erregt, aufgebracht und erbost, und die alten Gegensätze zwischen Orthodoxen und Reformern brachen erneut auf. Beide Seiten schwenkten die Denkschrift wie eine Fahne. Vorwürfe und Verleumdungen prallten wie Schwerter bei einem Duell aufeinander – man hörte es förmlich klirren. Die schärfsten Reaktionen kamen aus Jerusalem und aus den Zentren des osteuropäischen Judentums. Viele der Anschuldigungen richteten sich gegen die drei Verfasser der Denkschrift, aber auch gegen Rabbiner Ezriel Hildesheimer, der anfänglich die Gründung des »Vereins zur Erziehung jüdischer Waisen in Palästina« begrüßt hatte.

Hildesheimer, der im stillen noch immer auf seiten des Projektes stand, entschloß sich daraufhin, sich aus dem öffentlichen Streit, der einen wahren Sturm der Entrüstung entfesselt hatte, herauszuhalten. Den neugegründeten Verein brachte das in eine schwierige Lage. Die Orthodoxen belegten die drei mit einem Bann, von der Presse wurden sie angegriffen und von der schweigenden Mehrheit als Nestbeschmutzer betrachtet. Lediglich bei jüdischen Intellektuellen in Deutschland und England fanden sie Unterstützung. In dieser aufgeheizten Atmosphäre die für das Projekt notwendigen finanziellen Mittel aufzutreiben war nahezu unmöglich. Mehr als zehn Jahre sollten bis zur Umsetzung ihrer Pläne vergehen. Acht lange Jahre standen die drei im Kreuzfeuer der öffentlichen Kritik, für Ascher und Moritz Gottschalk eine völlig fremde Situation. Nur Heinrich Graetz, der schon einmal die orthodoxen Kreise gegen sich aufgebracht hatte, wußte damit umzugehen. Moritz Gottschalk mußte erfahren, daß er aufgrund seiner Einstellung zum *Jischuw* in *Erez Israel* viele alteingesessene Kunden verlor, nicht nur Juden, sondern auch Nichtjuden. Ascher Levy zog sich zwar in seine pommersche Kleinstadt zurück, doch selbst die verschlafene

Provinz bot keinen sicheren Schutz vor übler Nachrede. Neben den üblichen Geschäftspapieren stapelten sich nunmehr Zeitungsausschnitte, Abschriften von Artikeln und Leserbriefen, verleumderische Flugschriften und bitterböse Briefe auf seinem Schreibtisch.

Das Haus Levy stand plötzlich im Mittelpunkt der Auseinandersetzung. Nach jedem Gottesdienst stritten die Mitglieder der kleinen Polziner Synagogengemeinde mit wachsender Vehemenz über die Bedeutung von Aschers Taten. Je negativer die Berichterstattung in der Presse wurde, desto deutlicher äußerten sich Aschers jüdische Nachbarn. Sie beschuldigten ihn des Verrats all jener Prinzipien, nach denen sie sich seit Generationen richteten. Aber Ascher war wie ein Fels in der Brandung. So, wie er niemals einen Widerspruch zwischen seinem mosaischen Glauben und seiner Treue und Loyalität erst gegenüber Preußen, dann gegenüber dem Reich gesehen hatte, so bestand für ihn auch kein Gegensatz zwischen seiner Liebe zu Jerusalem – seiner spirituellen Hauptstadt – und seinem Kampf für eine Verbesserung der Lebensbedingungen in Palästina. Anfangs reagierte er noch auf seine Kritiker, manchmal ruhig, zeitweise ungehalten, doch jede seiner Antworten rief neue Reaktionen hervor, und er mußte sehr schnell einsehen, daß dies kein Ende nehmen würde; er würde seine Feinde niemals überzeugen können. Die Auseinandersetzungen brachten die Stimme der Logik zum Schweigen, und letztlich gewannen die Emotionen die Oberhand. Befürworter und Gegner des progressiven Waisenhauses trieb derselbe innere Drang und dieselbe Liebe zum Land Zion an, und so heiligte in diesem Kampf schließlich der Zweck die Mittel.

Eines Tages erreichte die wütende Debatte buchstäblich Aschers Türschwelle. Es war Herbst geworden, eine Jahreszeit, die Ascher sehr liebte. Als er von einem ausgedehnten Spaziergang durch die nahe gelegenen Wälder heimkehrte, wartete Bernhard vor dem Haus auf ihn. Er lehnte an der Eingangstür und wirkte verlegen, so als wollte er etwas verbergen.

»Ist etwas geschehen?«

»Nein, Papa, nichts«, antwortete Bernhard und drückte sich noch mehr an die Tür.

»Vielleicht läßt du mich eintreten?«

Widerwillig wich Bernhard von seinem Platz, und Aschers Blick fiel auf drei Worte, die ein Unbekannter in schwarzer Farbe quer über das Türblatt gepinselt hatte. »Verderber Israels, stirb!« las er

Der Firmen- und Familiensitz in der Brunnenstraße in Bad Polzin

laut und langsam, wie ein Schüler der ersten Klasse. Bernhard wollte etwas sagen, doch sein Vater gebot ihm mit einer wütenden Handbewegung Einhalt. Wieder und wieder las er die Worte, als hätte er Schwierigkeiten, sie zu verstehen. Schließlich sagte er ruhig: »Rufe Viktoria, damit sie den Schmutz beseitigt.«

Bernhard wollte tun, wie ihm geheißen, doch bevor er dazu kam, legte ihm der Vater die Hand auf die Schulter. Er stand regungslos da. Es verging wohl eine Minute, bis Ascher die Hand zurückzog und sich, ohne etwas zu sagen, ins Haus begab. Bernhard hörte, wie ihn seine Schritte in den zweiten Stock hinaufführten. Fanny war gerade damit beschäftigt, die Bettwäsche zu wechseln. Das Ehebett, in dem sie seit ihrer Hochzeit schliefen, war ein sehr intimer Bereich, und es war Viktoria nicht erlaubt, es auch nur anzufassen. Als Ascher in der Tür erschien, blickte Fanny ihn verwundert an. Er war kreidebleich.

»Fühlst du dich nicht wohl?« fragte sie besorgt.

»Mit scheint, daß ich mein Heim in einen Bruderkrieg hineingezogen habe«, sagte er. »Es tut mir leid.«

Fanny ließ von der Bettwäsche ab. Ihre Blicke trafen sich. Zum ersten Mal in seinem Leben senkte Ascher vor seiner Ehefrau die Augen.

»Vielleicht habe ich einen Fehler gemacht«, seufzte er. »Jemand hat eine Schmähung an unsere Tür geschmiert.«

»Ich liebe deine Stärken und deine Schwächen, mein Teurer«, sagte sie schlicht und reichte ihm die Hand. Ascher ergriff und drückte sie. Fanny streichelte ihm über die Wange. »Außerdem, sagst du nicht immer, daß wir nur Werkzeuge in der Hand des Schöpfers sind?«

Ascher blickte sie an, als hätte er plötzlich eine ganz neue Seite an ihr entdeckt. »Gut, daß ich dich habe«, sagte er mit brüchiger Stimme und verließ das Zimmer.

In den Büros der Firma gingen die Geschäfte wie üblich vonstatten. Angesichts der Ereignisse in Europa erschienen die Auseinandersetzungen um die Errichtung eines Waisenhauses in Jerusalem klein und nichtig. Die Welt wirkte so schön wie niemals zuvor, Deutschland war zu einer der führenden Großmächte aufgestiegen, die Schornsteine der wachsenden Industrien spuckten Rauch, und viele neue Eisenbahntrassen wurden verlegt. Und trotzdem sahen Ascher und Moritz Gottschalk die ersten Wolken am Horizont aufziehen. Gegen sein Prinzip, nur in deutsche Unternehmen zu investieren, hatte Ascher sich zum ersten Mal in seinem Leben dazu durchgerungen, einige seiner Anteile an deutschen Eisenbahngesellschaften zu verkaufen und das Geld in russische Obligationen der neuen Linie von Kursk nach Charkow zu investieren. Die Transaktion war erfolgreich; innerhalb von fünf Jahren stieg der Wert der Obligationen um acht Prozent, und während dieser Zeit warfen sie eine hübsche Dividende von drei bis vier Prozent jährlich ab. Als sogar deutsche Großindustrien wie die Laurahütte und der Kohlekonzern Hibernia, eine Schöpfung Bleichröders, in finanzielle Schwierigkeiten gerieten, konnte niemand mehr bestreiten, daß Ascher richtig gehandelt hatte.

Doch auch wenn diese internationalen Geschäfte Ascher Levy große Profite einbrachten, gehörte sein Herz weiterhin seinem pommerschen Handelshaus. Hier war er am Puls des Geschehens, das Territorium war ihm vertraut, und außerdem konnte er die Früchte seiner Arbeit mit eigenen Augen begutachten. Die Dampfsägewerke arbeiteten rund um die Uhr. Bernhard wurde immer wieder ausgesandt, um Waldbesitzer ausfindig zu machen, die aufgrund finanzieller Schwierigkeiten einen Teil ihres Waldbestandes zu niedrigen Preisen verkaufen mußten. Von dem Traum der industriellen Revolution hatten sich vor allem die Gutsbesitzer der Region mitreißen lassen. Sie hatten sich mit dem Erwerb von Aktien übernommen und taten sich nun schwer, ihren Verpflichtungen nachzukommen. Die Unterhaltung der Gutshöfe erforderte laufende Ausgaben in enormer Höhe, aber auch der neue Lebensstil des Adels – eine nie zuvor gekannte Protzerei – hatte seinen Preis. In weniger als zwei Jahren wurde die Familie Levy zu einem der größten, wenn nicht sogar zu dem größten Pächter von Wäldern der gesamten Belgarder Region, und mit der Zeit konnte sie die Rohstoffzufuhr für ihre Sägewerke fast ausschließlich aus eigenen Quellen bestreiten.

Ascher wunderte sich nicht darüber, daß Bernhard immer öfter in das Fürstentum Posen reiste. Bereits vor geraumer Zeit hatte sein Sohn den Eltern von seiner erfolgreichsten »Errungenschaft« erzählt: von Henriette Cohen. Es war an der Zeit, die Verlobungszeit zu beenden, die Dame seines Herzens nach Polzin zu holen und einen neuen Lebensabschnitt zu beginnen. Ascher, der auf seiner Rückreise von Venedig in Glogau Station gemacht und sich mit den Eltern der Braut angefreundet hatte, gab dem Paar freudig seinen Segen. Die Brauteltern wünschten, daß der Hochzeitsbaldachin in ihrem Haus aufgestellt werde. Und so feierte man die Hochzeit in Glogau. Mehrere hundert Gäste beehrten das junge Paar mit ihrer Anwesenheit. Professor Graetz hatte sich aus Breslau bemüht. Moritz Gottschalk hatte im Namen der Familie Gerson Bleichröder eingeladen, doch der Bankier hatte es bei einem Glückwunschtelegramm bewenden lassen. Auch der Bürgermeister von Polzin schickte lediglich ein Telegramm. Nach der Trauung packte Henriette ihre Sachen. Ihre Eltern begleiteten sie bis zur Bahnstation in Posen. Dann der Abschied: Winken, Tränen der Mutter, brüderliche Ratschläge, ein Seufzen der Schwestern und schließlich das durchdringende Pfeifen der Dampflok ...

Bernhard Levy

In Polzin stand für das Paar eine schöne Wohnung bereit. Julius hatte die Miete für ein ganzes Jahr übernommen. »Statt eines traditionellen Geschenkes, wenn es Dir nichts ausmacht, großer Bruder«, schrieb Juli aus Danzig und entschuldigte sich, daß er wegen Krankheit nicht nach Glogau hatte kommen können. »Im Gegenteil, kleiner Bruder«, schrieb Bernhard zurück. »Und wenn uns nach einem Jahr, so Gott will, ein Kind geboren wird, haben wir nichts dagegen, wenn Du ihm ein ähnliches Geschenk bereiten möchtest, denn es wird sicherlich bei uns wohnen ...!«

Wie sagt man doch so schön: Der Apfel fällt nicht weit vom Stamm. Aber als Bernhard geboren wurde, muß ein starker Wind geblasen haben, so daß der Apfel in einiger Entfernung herunterfiel. Ascher Levy hatte es immer verstanden, zwischen seinen romantischen Gefühlen und seinen geschäftlichen Überlegungen eine

Henriette Levy, geb. Cohen

Verbindung zu schaffen. Obwohl die Gefühlswallungen seiner Jugend im Laufe der Jahre abgeflaut waren, war er immer für Emotionen zugänglich geblieben. Kühle und Gleichgültigkeit stellten für ihn lediglich eine Fassade dar. Bernhard jedoch war aus ganz anderem Holz geschnitzt. Sein wohlüberlegtes Verhalten gegenüber seiner Umgebung und seiner Familie war kein Schutzschild für einen weichen Kern. Er war von Natur aus ein nüchterner und in sich gekehrter Mensch. Sein Gefühlsleben blieb ein Rätsel, und sogar Henriette mußte in den Briefen an ihre Eltern gestehen, »diese Nuß niemals geknackt« zu haben. Allerdings war auch sie keine übermäßig gefühlvolle Frau. Hinter ihrer Anmut und Offenherzigkeit, die Bernhard bei ihrem ersten Zusammentreffen beeindruckt hatten, verbargen sich Eigenschaften, die denen ihres Ehemannes glichen, und zumindest diesbezüglich waren sie ein vollkommenes

127

Paar. Beide sahen in dem »Knacken der Nuß« eher eine intellektuelle Herausforderung als eine Herzensangelegenheit. Er bezog sie in die Geschäfte ein und hörte auf ihre Ratschläge, aber im Grunde lebten beide – ganz anders als Fanny und Ascher – ohne tiefe seelische Bindung nebeneinander her.

Die Nüchternheit im täglichen Umgang sollte allerdings keineswegs der physischen Nähe abträglich sein. Innerhalb kürzester Zeit brachte Henriette drei Jungen und zwei Mädchen zur Welt. Für die Kinder wurde eine Erzieherin aus dem Ort angestellt. Bernhard und Henriette sorgten dafür, daß die Kinder nicht im ganzen Haus herumtollten und ihre Ruhe störten. Für jedes Kind wurde, entsprechend seinem Alter, ein genau geregelter Tagesablauf festgelegt. Ascher Levy hatte sich der preußischen Ordnung angepaßt, Bernhard hingegen war in diese Ordnung hineingewachsen. Seine Welt war in übersichtliche Kästchen unterteilt: Rechte und Pflichten. Arbeit und Ruhe. Gut und Schlecht. Tag und Nacht. Alles hatte seinen festen Platz, und für Gefühle, die von diesem Schema abwichen, war kein Raum.

Ascher Levy hatte sich die Erfolgsleiter von ganz unten kommend hochkämpfen müssen und sich seine soziale Position nur durch Hartnäckigkeit zu erobern vermocht. Zunächst hatte er um den bloßen Broterwerb gerungen, später war es das Haus gewesen, anschließend die Verankerung in der Polziner Gesellschaft, und darauf waren der Ausbau der Firma sowie der Sitz im Magistrat der Stadt gefolgt. Auch noch Jahre nach seiner Ernennung verkündete er bei seiner Ankunft auf den Ratssitzungen mit kräftiger Stimme: »Hier bin ich.« Es hatte den Anschein, als wollte er nicht nur seine physische Anwesenheit, sondern eine andere, offensichtlich weitaus wichtigere Tatsache betonen: Er hatte eine gewaltige Entfernung überwunden – er kam sozusagen von einem anderen Planeten, der durch Armut, Fremdheit und Demütigung gekennzeichnet gewesen war. Der moralische Erfolg war für ihn eine zusätzliche Quelle des Stolzes: Er hatte dies alles erreicht, ohne seine Grundsätze zu verraten. Er hatte im Alter von neunzehn Jahren gelobt, ein jüdisches Leben zu führen, und dieses Gelübde hatte er nicht gebrochen. Seine Reise nach *Erez Israel* hatte seine Verpflichtung gegenüber dem Judentum noch vertieft. Es handelte sich nicht mehr nur um eine spirituelle Bindung an das Heilige Land, sondern um eine sehr konkrete Beziehung zu konkreten Menschen an einem konkreten geographischen Ort. Aber auch über seine Beziehung zu Zion hinaus war diese Verpflichtung sein Leben lang auf die Probe gestellt worden, und er hatte sich fortwährend mit den moralischen Problemen jüdischen Gewissens und den vorgegebenen Spielregeln der Gesellschaft auseinandersetzen müssen.

Bernhard hatte die Mühsal dieses Weges nicht erfahren. Für ihn war sein Platz in der Gesellschaft selbstverständlich. Er verspürte kein Gefühl der Befriedigung, wenn die Bauern und Arbeiter des Städtchens ihre Mützen lüfteten oder wenn die preußischen Herrschaften ihn grüßten. Diese Dinge waren für ihn so natürlich wie die Luft, das Wasser und das Geld. Ascher hatte immer höhere Ziele angestrebt. Bernhard hingegen führte sein Leben, als hätte er bereits den Höhepunkt erreicht. Ihm genügte es, das Bestehende zu wahren. Ascher hatte versucht, die Schwerkraft der Erde zu überwinden. Bernhard jedoch schritt mit solch einer Sicherheit voran, daß er noch nicht einmal bemerkte, überhaupt nicht abheben zu können. Auf Aschers Schultern lastete das Erbe der vorherigen Generationen. Seine enge Verbindung zur Vergangenheit ermöglichte es ihm, das Leben eines Menschen mit Wurzeln zu führen, auch wenn dadurch seine Bewegungsfreiheit erheblich eingeschränkt wurde. Der Sprung in die große Geschäftswelt war ein sehr realer Sprung gewesen. »Den nächsten Schritt werden dann meine Söhne machen«, pflegte er zu sagen, als Beri und Juli noch die Volksschule besuchten. Aber Bernhard besaß nicht die Ausdauer eines Langstreckenläufers. Er zog es vor, sich an Ort und Stelle festzusetzen. Auf diese Weise blieben ihm die schwierigen Spannungen erspart, denen seine Glaubensbrüder ausgesetzt waren, die sich um »einen guten Platz in der Mitte« der gehobenen Gesellschaft des Reiches bemühten. Polzin hielt weitaus weniger Herausforderungen bereit. Der Erfolg lag in greifbarer Nähe, und da man seine Feinde sehr gut kannte, blieben die Mittel des Kampfes konventionell. Alles war vertraut und klar, bekannt und offensichtlich. Bernhard liebte diese Heimat.

Während das Reich die Wirren der industriellen Revolution erlebte, blieb in Polzin gleichsam die Zeit stehen. Nur die Menschen wurden älter, und die Häuser der Honoratioren setzten Efeu an. Auch die wenigen Veränderungen, die es gab, rissen die Kleinstadt nicht aus ihrem Dornröschenschlaf. Im Stadtpark wurde ein großes Kurhaus eingeweiht, und in den Sommermonaten fanden sich viele Kurgäste ein. Zumindest sie brachten einen Hauch der großen weiten Welt mit sich. Im Winter glich Polzin einer ruhigen Insel inmitten eines Ozeans von Schnee. Die Großstädte, sowohl im Osten als auch im Westen, lagen in weiter Ferne. Sie entwickelten sich in rasantem Tempo und mit einer Dynamik, die die Menschen oftmals nicht mehr zu kontrollieren vermochten. Im Großstadtdschungel herrschten neue Gesetze, geschriebene und ungeschriebene. Moritz Gottschalk schrieb an seinen Cousin: »Wer auf der Stelle tritt, hat verloren; wer keinen Erfolg hat, verwirkt sein Recht zu existieren; und wer in Armut alt wird, altert würdelos. Eine grausame Welt. Doch wir haben nun einmal keine andere.«

In dieser neuen Welt galten vor allem Schnelligkeit, Klugheit, Verschlagenheit und Anpassungsvermögen. Bismarcks Bankier Gerson Bleichröder wurde mit einem Adelstitel geehrt, und Adel verpflichtet bekanntlich. Die führende Gesellschaft war nur allzugern in seiner Residenz in der Behrenstraße zu Gast. Das demonstrative Zurschaustellen von Reichtum und Macht einflußreicher Juden blieb nicht ohne Reaktion. Berlin wurde zu einem gesellschaftlichen und politischen Dampfkessel.

Das Deutsche Reich hatte eine enorme Machtposition erreicht, doch die inneren Spaltungen wurden immer tiefer, vielfältiger und schwerwiegender. Die Emanzipation wirkte wie ein geöffnetes Schleusentor. Juden wurden aktiv und entdeckten ihr Können, einer Feststellung von Heinrich Graetz zufolge »nicht aufgrund der Gunst der *Gojim*, sondern wegen der zahlreichen Qualen«. Gleichzeitig tobte ein Kulturkampf zwischen Katholiken und Protestanten. Jede Seite fürchtete ihre spirituelle Vormachtstellung und ihren materiellen Einfluß einzubüßen. Die Junker, die zwar ihre Besitztümer, nicht aber ihren Stolz aufgaben, erhoben sich gegen die Plutokratie. Die Handwerker wurden von der Industrialisierung abgedrängt. Wer finanziell auf der Seite der Gewinner stand, war durch die »rote Gefahr«, den Sozialismus, in Alarmbereitschaft versetzt. Die Arbeiter wiederum organisierten sich gegen die kapitalistische Ausbeutung, blieben aber dennoch der Arbeitslosigkeit schutzlos ausgeliefert. In dieser Welt, die fortwährend in Bewegung und von Kampf und Haß, von Hoffnung und Verzweiflung erfüllt war, mußte dringend ein Sündenbock her, ein leicht erkennbarer, auf den man ohne weiteres mit einem anklagenden Finger zeigen konnte. Ein solcher war rasch gefunden.

Judenfeindschaft hatte es in Deutschland immer gegeben. In der Vergangenheit waren Juden wegen ihres Verrats an dem Gekreuzigten verfolgt worden. An ihren Händen klebte angeblich das Blut

Jesu, und für diese Sünde aus grauer Vorzeit hatte jede Generation erneut büßen müssen. Nunmehr war die rechtliche Gleichstellung der deutschen Juden nahezu vollzogen; dank ihrer Geschicklichkeit bahnten sie sich ihren Weg in die Oberschicht, und es dauerte nicht lange, da sahen ihre christlichen Mitbürger darin eine Gefahr für Nation und Reich, eine Bedrohung der Werte der deutschen Kultur und eine Vereinnahmung von Positionen, die bisher allein den Christen vorbehalten gewesen waren. Die Nachfahren alteingesessener Adelsfamilien oder die Anhänger der preußischen und jetzt auch der neuen deutschen Nation konnten sich nicht mit der Tatsache abfinden, daß die gestern noch als Gauner verrufenen Juden zu Wirtschaftskapitänen von morgen, ja sogar zu politischen Beratern aufstiegen. Der Jude, der mit Geld handelt, unaufhörlich Intrigen spinnt, hinter den Kulissen die Fäden zieht, wurde zum Prototyp all dessen, was die traditionelle, ja die natürliche Gesellschaftsordnung zerstörte, und es war nur recht und billig, daß sein Platz außerhalb dieser Gesellschaft war. Diese Angriffe richteten sich nicht nur gegen die Juden selbst. Jeder, der Verbindungen zu ihnen unterhielt, galt – ungeachtet seines Status – als »infiziert«. Es genügte, daß die politischen Gegner des Kanzlers dessen finanzielle Beziehungen zu den Rothschilds und Bleichröders in Erinnerung riefen, und schon wurde er öffentlich beschuldigt, »der jüdischen Beschlagnahme des Vaterlandes« Hilfestellung zu leisten. Der Ausdruck »jüdisches Geld« wurde zu einem Schimpfwort, beinahe zu einem Fluch.

Aber in dem sich formierenden Industriestaat ging es nun einmal nicht ohne. Die Judenhasser wußten keinen Ausweg aus diesem Teufelskreis, und die Hilflosigkeit befeuerte den Haß. Im Februar 1879 erschien Wilhelm Marrs »Der Sieg des Judenthums über das Germanenthum«. In weniger als einem Jahr wurden zwölf Auflagen dieser Schrift verlegt. Der Verfasser warnte seine Leser: »Ihr wählt die Fremdherrschaften in Eure Parlamente, Ihr macht sie zu Gesetzgebern und Richtern, Ihr macht sie zu Diktatoren der Staatsfinanzsysteme, Ihr habt ihnen die Presse überantwortet (...). Das jüdische Volk wuchert mit seinen Talenten und Ihr seid geschlagen, wie das ganz in der Ordnung ist und wie Ihr es tausendfach verdient habt.« In weniger als einem Jahr fand Marr reiche Wohltäter, die seine Zeitung »Deutsche Wache« finanzierten, in der er zur Gründung einer Organisation aufrief, die sich »Antijüdischer Verein« nennen sollte. Nebenbei sei angemerkt, daß es Marr war, der den Ausdruck Antisemitismus erstmals als politisches Schlagwort verwendete. Moritz Gottschalk brachten diese Ereignisse derart in Rage, daß er an seinen Cousin in Polzin schrieb: »Sie können mich nicht ausstehen, aber sie können auch nicht ohne mich leben. Die Geschäfte blühen und somit auch die Feindseligkeit. Mit jedem zusätzlichen Tausender Verdienst gewinne ich auch tausend neue Feinde. Ich wünschte, mich von allen zurückziehen, in eine stille Ecke verkriechen und ausruhen zu können. Ist im Erholungsheim von Polzin vielleicht ein Platz für mich frei?«

Polzin glich allerdings weder einem Erholungsheim, noch war es ein Paradies für Juden. Dennoch war die Hetze an Pommern weitgehend vorübergegangen, da diese Region in der industriellen Entwicklung zurückgeblieben war und keine Bankiers und Industriellen mosaischen Glaubens hervorgebracht hatte. Die Gesellschaft des nördlichen Preußens war konservativ. Sozialdemokraten und Nationalliberale, die als treibende fortschrittliche Kräfte galten, genossen hier keinen nennenswerten Rückhalt. Und auch der Haß gegen die Juden hatte seinen herkömmlichen Charakter beibehalten. Ascher Levy stellte seinen Reichtum nicht zur Schau, fuhr nicht in einer prächtigen Kutsche und gab keine rauschenden Bälle nach Bleichröderschem Vorbild. Er strebte nicht nach einem Adelstitel, hielt sich aus der Politik – von seiner Magistratstätigkeit einmal abgesehen – weitgehend heraus und bemühte sich längst nicht mehr um privaten Umgang mit seinen christlichen Nachbarn. Er unterhielt zu seiner Umgebung ein Minimum an gesellschaftlichen Kontakten und verhinderte auf diese Weise zwecklosen seelischen Verschleiß. Lediglich in geschäftlichen Angelegenheiten war er unnachgiebig und beharrlich. Die Auseinandersetzungen auf diesem Gebiet sah er als einen selbstverständlichen Bestandteil des Überlebenskampfes an, der sowohl Juden als auch ihren Feinden gemeinsam war.

Als Ascher zweiundsechzig wurde, spürte er, daß sein Sehvermögen immer mehr nachließ. Das Lesen fiel ihm schwer, zunächst nur im Licht der Gaslampe und später sogar bei Tageslicht. Moritz Gottschalk vermittelte ihn an einen bekannten Berliner Augenarzt. Obwohl die Diagnose eindeutig war, konnte ihm dieser Facharzt nicht helfen: Ascher war an grünem Star erkrankt, und dagegen gab es kein Heilmittel. Zunächst litt er an Brennen und Druck auf beiden Augen, später an heftigen Kopfschmerzen und schließlich an undefinierbaren Schmerzen im ganzen Leib. Beruhigungstabletten und Schmerzmittel blieben wirkungslos. Er hörte auf, die Rechnungsbücher zu studieren, und es fiel ihm zunehmend schwerer, sich ohne fremde Hilfe räumlich zu orientieren. Seine verminderte Sehkraft schlug sich auf sein Gemüt nieder, denn eine Einschränkung seiner Bewegungsfreiheit hatte er bis dahin nicht gekannt. Es kam vor, daß er sein Zimmer tagelang noch nicht einmal verließ, um in das Erdgeschoß herunterzugehen. Fanny saß an seiner Seite. Wenn er sie darum bat, las sie ihm aus den heiligen Schriften oder aus der Zeitung vor. Zumeist aber wünschte er, daß sie einfach nur in seiner Nähe war. Schweigend saßen sie beisammen, und ihr Schweigen vermittelte mehr Nähe als ein langes Gespräch. Offiziell war Ascher immer noch Inhaber der Firma, aber angesichts der gegebenen Umstände war die Leitung praktisch in Bernhards Hände übergegangen.

Im Oktober 1877 starb unter mysteriösen Umständen der Generaldirektor der Ritterschaftlichen Privatbank in Stettin, die die meisten Gelder der Firma verwaltete. Hartnäckig hielt sich das Gerücht, daß die Bücher der Bank nicht in Ordnung seien. Ascher vermied es, den langen Weg nach Stettin anzutreten, zumal er die Unterlagen, die seine Transaktionen bei dieser Bank betrafen, ohnehin nicht hätte lesen können. Bernhard mußte allein fahren. Es war eine komplizierte und überaus delikate Angelegenheit. Eine Beschwerde seitens der Firma hätte den Umfang ihrer Geschäfte publik gemacht, was beide vermeiden wollten. Ascher warnte seinen Sohn: »Du mußt sehr umsichtig vorgehen. Angesichts der allgemeinen Stimmung wäre eine Offenlegung fatal. Die vertriebenen Junker nennen uns auch jetzt schon Blutegel. Du kennst dieses Vokabular.«

»Keine Sorge, Papa. Du kannst dich auf mich verlassen.«

Tatsächlich erwirkte Bernhard bei den Direktoren der Bank ein zufriedenstellendes Arrangement. Für die Firmengelder wurde eine glaubwürdige Bürgschaft gefunden und zudem die Geheimhaltung der Geschäfte gewahrt. Ascher war mit seinem Sohn zufrieden. Von nun an zog er sich noch mehr auf sein Zimmer zurück und überließ im Grunde seinem Sohn das Kommando.

Im Jahre 1877 war die Firma »Ascher Levy, Bank-, Getreide- und Landesprodukten-Geschäft, Dampfsägewerke und Holzhandlung engros« laut den Berichten der Steuerbehörden das größte und wohlhabendste Unternehmen im Bezirk Belgard. Ascher behielt sich die Entscheidungen im Investitionsbereich vor, die anderen Angelegenheiten hatte Bernhard übernommen. Doch es war nicht immer leicht, zwischen beiden Bereichen zu trennen. Bernhard hatte das Gefühl, als säße er auf einem rassigen Pferd, dessen Zügel jedoch jemand anders in den Händen hielt. Manchmal war es schwer, von seinem Vater eine endgültige Entscheidung zu erhalten. Ascher war in seinen Bewegungen und Gedanken behäbig geworden und neigte dazu, die Dinge aufzuschieben.

»So kann man kein Geschäft leiten«, sagte Bernhard zu seiner Mutter. »Kannst du nicht vielleicht mit ihm reden?«

»Das muß jemand tun, der herzloser ist als ich.«

»Meinst du damit etwa mich, Mama?«

Fanny zuckte mit den Schultern. »Leg es aus, wie du willst, Beri.«

»Im Grunde leite ich alle Angelegenheiten, außer den Bankgeschäften.«

»Und das genügt dir nicht?«

»Verstehe mich bitte nicht falsch. Ich habe nicht die Absicht, die Firma an mich zu reißen, und mir käme es auch nicht in den Sinn, Papas Rechte einzuschränken. Aber man kann eine Firma nicht voranbringen, wenn Entscheidungen nicht rechtzeitig getroffen werden. Wir besitzen ein gutgehendes, sehr dynamisches Unternehmen, das schnelle Entschlüsse erfordert.«

»Wenn dem so ist, was gedenkst du dann zu tun?«

»Wir brauchen Ordnung, Mama. Ordnung. Auch die Angestellten im Büro brauchen eine leitende Hand. Sie müssen wissen, wer hier ...«

»Wer hier der Herr im Hause ist?«

»Nicht nur das. Auch die Kunden müssen wissen, wer ihr Geschäftspartner ist.«

»Die Kunden sind es gewohnt, mit Papa zu verhandeln.«

»Sie sind alt geworden, genau wie Vater. Sie haben Söhne, und auch er hat einen Sohn. Eine Generation tritt ab, die andere rückt nach.«

»Geduld, Beri. Noch ist Vater am Leben.«

»Du verstehst mich nicht.«

»Ich verstehe dich sehr gut. Vielleicht besser, als du denkst. Du hast es zu eilig, Beri. Du hast es zu eilig, aber ich habe nichts dagegen, daß du selbst mit ihm redest. Er wird es verstehen.«

Bernhard schüttelte den Kopf: »Er wird es nicht verstehen, sondern böse werden. Aber ich habe keine andere Wahl.«

Am Abend prüfte er die Geschäftsbilanzen der Firma. Bis um Mitternacht saß er über die Bücher gebeugt, entzifferte die langen Spalten von Soll und Haben und faßte sie auf einem Blatt zusammen. Der Zustand des Unternehmens war solide. Dieses Geschäftsjahr hatte nach Steuern einen Profit von ungefähr sieben Prozent erbracht, und auf der Bank hatten sie ein Guthaben von zirka einer halben Million Mark, größtenteils in Obligationen und Aktien angelegt. Die Immobilien der Firma Levy beliefen sich auf einen Wert von achthundertdreißigtausend Reichsmark, dazu kamen noch die Erträge aus den Pachtverträgen. Als die Familie am nächsten Morgen beim Frühstück saß, legte Bernhard seinem Vater die schriftliche Zusammenfassung vor.

»Was ist das?« fragte Ascher und kniff die Augen zusammen.

Bernhard las ihm die Daten vor. Ascher lächelte: »Du erzählst mir nichts Neues. Du hast vergessen, die Investitionen hinzuzurechnen, die ich durch Moritz' Vermittlung getätigt habe. Für deren Verwaltung sind die Börsenagenten der Bleichröderschen Bank zuständig.«

»Ich habe ein verlockendes Angebot erhalten – ein Stückchen Wald in der Gegend von Köslin. Eichen, etwas Kiefern und viel Feldahorn von bester Qualität, hart wie Stein. Alles reif zum Abholzen.«

»Und der Preis?«

»Eine *Metzije*, ein wahres Schnäppchen. Die Gutsbesitzer stecken in finanziellen Schwierigkeiten.«

»Müssen wir in bar bezahlen?«

»Natürlich. Du weißt, wie es jetzt gehandhabt wird. Wer bar zahlt, erhält einen Nachlaß.«

»Ich weiß, aber ich glaube, soviel Geld haben wir nicht flüssig.«

»Kein Problem, Papa. Wir werden eine Finanzierung arrangieren.«

»Dies ist keine gute Zeit, um einen Kredit aufzunehmen«, entgegnete Ascher.

»Ich würde mich nicht an die Banken wenden.«

»Sondern? Sollen wir die Scheine vielleicht selber drucken?«

»Es gibt einen viel einfacheren Weg, Papa.«

»Was meinst du damit?«

»Die Aktien der Eisenbahngesellschaften. Ihr Kurs an der Börse ist stabil, aber die Dividende ist gefallen. Kaum mehr als drei Prozent. Meiner Meinung nach ist es an der Zeit, sie abzustoßen.«

»Ich habe sie nicht gekauft, um damit zu spekulieren. Es ist eine langfristige Investition. Und die Vergangenheit hat bewiesen, daß sie sich lohnt.«

»Ich blicke in die Zukunft, Papa. Und außerdem hast du selbst auch schon mit diesen Aktien spekuliert.«

»Ich habe Aktien von russischen Eisenbahngesellschaften erworben«, meinte Ascher pikiert.

»Richtig. Derzeit munkelt man, daß zwischen Rußland und England eventuell Krieg ausbrechen wird. Du hast darüber in den Zeitungen gelesen.«

»Du hast vergessen, daß ich keine Zeitungen mehr lesen kann.«

»Es tut mir leid, Papa. Ich wollte dich nicht kränken. Aber selbst wenn es keinen Krieg gibt, bewirken allein schon die Gerüchte den Verfall der Aktien. Und überhaupt, was ist mit den Aktien bei Moritz? Sind es ebenfalls russische?«

»Nein.«

»Also, was meinst du?«

Ascher erlebte wohl zum ersten Mal, daß sein Sohn nicht nur seine Anweisungen ausführte, sondern eigenständige Überlegungen gegen ihn verteidigte. Und obwohl die Idee als solche ganz und gar nicht nach seinem Geschmack war, genoß er es, Bernhard von einer neuen Seite kennenzulernen. Er ging zur allerletzten Verteidigung über.

»Ausgerechnet jetzt deutsche Aktien zu verkaufen ist kein guter Dienst am Vaterland«, sagte er.

Bernhard hob verwundert die Augenbrauen: »Du redest dich raus, Papa«, stöhnte er. »Seit wann vermischst du Geschäftliches mit Gefühlen?«

»Ich habe niemals vergessen, daß ich deutscher Untertan bin.«

»Weiß du Papa, mir fällt da etwas ein. Als ich wegen des Bankskandals in Stettin war, habe ich mich mit den Generaldirektoren unterhalten. Einer von ihnen brachte alle möglichen Anschuldigungen gegen Juden vor. Um ihre eigenen Schandtaten zu vertuschen, versuchten sie, mich an die Wand zu drängen und mir zu unterstellen, ich hegte keine patriotischen Gefühle. Ich entgegnete: ›Mein Herr, obwohl ich mosaischen Glaubens bin, bin ich doch zuallererst Deutscher.‹ Und weißt du, was er erwiderte?«

»Ist das wichtig?«

»Er antwortete giftig: ›Hier im Reich sind wir Preußen, Bayern, Sachsen, Württemberger oder was immer Sie wollen. Ihr Juden, ihr behauptet immer, daß ihr Deutsche seid. Das ist für mich der beste Beweis, daß ihr zu keinem anderen Volk gehört als zum jüdischen ...‹ Das waren seine Worte.«

»Das hat mit einem Gespräch über Aktien nichts zu tun.«

»Sicherlich nicht. Aber die Sache mit den Aktien haben wir ja längst beschlossen.«

»Beschlossen? Wer hat hier etwas beschlossen?«

»Du und ich. Schließlich zweifelst du nicht an der Logik meiner Ausführungen, Papa. Zunächst verkaufen wir unsere Anteile an der Eisenbahnlinie von Charkow. Sie werden einen guten Preis erzielen. Ich würde nur allzugern auch das Aktienpaket der Textilindustrie abstoßen. Es liegt wie ein unbeweglicher Klotz auf der Bank herum; wir verkaufen es besser heute als morgen. Diese Aktien fallen ständig. Ich bin mir allerdings nicht sicher, ob sich ein Käufer findet.«

»Wieviel Geld benötigst du?«

»Ich brauche fünfzigtausend sofort und zum Jahresende nochmals fünfzigtausend. Zehntausend für das Sägewerk in Kollatz, denn es ist bereits voll ausgelastet, und wir müssen es dringend ausbauen. Es könnte auch nicht schaden, die Ausstattung in Groß Linichen zu erneuern, aber das kann bis zum nächsten Jahr warten, wenn wir noch mehr Aufträge haben. Der Rest ist zur Anpachtung von Wäldern in der Nähe von Köslin notwendig. Wenn wir uns nicht beeilen, dann schnappen die Gebrüder Behrend sie uns weg. Sie sind wie Hunde, haben die Nasen immer am Boden, um ertragreiche Geschäfte aufzuspüren. Darin sind sie gut, Papa, sehr gut sogar. Besonders Moritz. Georg ist ein Abenteurer, keinen Pfifferling wert. Es wundert mich, daß Bismarck ausgerechnet mit ihm zusammen die Fuchsmühle erworben hat. Man sagt, die Fabrik sei bei der Berliner Handelsgesellschaft verschuldet und die Zellulose, die er herstellt, sei von derart minderwertiger Qualität, daß er sie unter dem Herstellungspreis verkaufen muß. Wenn wir noch in diesem Monat den Pachtvertrag unterschreiben, können wir mit der großangelegten Herstellung von Holzbalken einen guten Gewinn erzielen.«

»Für die Verlegung von Eisenbahnschienen?«

»Papa, du denkst immer nur an Eisenbahnen. Nein. Ich hoffe auf einen Liefervertrag mit Kohlezechen. Kohle ist heutzutage ein gefragtes Produkt. Holzbalken zum Abstützen der Stollen. Das wäre unser absoluter Renner.«

Das Gespräch hatte Ascher ermüdet. Der Druck auf den Augen beeinträchtigte seine Konzentration. »In Ordnung. Mach, was du für richtig hältst«, sagte er und bedeutete ihm, daß er das Gespräch zu beenden wünschte. Bernhard ging zu ihm hinüber und drückte ihm einen Kuß auf die Wange. »Danke, Papa. Ich wußte, daß wir uns nicht streiten werden.«

Als sie am Abend in ihrem Schlafzimmer waren, nahm Ascher Fannys Hand. Er tastete sie ab, als wäre sie ihm völlig unbekannt, und seufzte: »Wenn die Söhne erwachsen werden, dann werden die Väter alt.«

Fanny blickte ihn verwundert an.

Der Holzhandel wurde seit Jahrhunderten auf althergebrachte Weise abgewickelt und lag ausschließlich in den Händen der preußischen Junker. Die Holzfäller kamen für gewöhnlich aus dem Fürstentum Posen, einem der größten Fürstentümer im nördlichen Polen. Die polnischen Bauern waren gute und billige Arbeitskräfte. Sie sprachen kein Deutsch, genossen keine Bürgerrechte und hatten überhaupt keine Möglichkeit, sich zu organisieren. Auch von den deutschen Berufsgenossenschaften konnten sie keine Hilfe erwarten. Die kümmerten sich nicht um sie und ihre Arbeitskonditionen. Die Junker glaubten, man dürfe sie uneingeschränkt ausbeuten. Diese billigen Arbeitskräfte, zusammen mit dem Waldreichtum Ostpreußens und Pommerns, brachten den Gutsbesitzern so hohe Profite, daß sie über eine Bewaldungsstrategie gar nicht erst nachdachten.

Mitte des neunzehnten Jahrhunderts, im Zuge der fortschreitenden Industrialisierung Zentraleuropas, war die Nachfrage nach Holz gestiegen. Vor allem in den Kohle- und Stahlwerken benötigte man Holz, aber auch für die Verlegung von Eisenbahnschienen, für Brückenbau und Bohrtürme. In den siebziger Jahren erreichte die Nachfrage ihren Höhepunkt. Die polnischen Arbeiter, tüchtig und billig wie eh und je, holzten weiter ab, aber dennoch traten in der Belieferung Engpässe auf. Die wenigen Sägewerke kamen ihren Aufträgen nicht mehr nach. Das Rohholz türmte sich stapelweise. Die Kunden mußten wochenlang, manchmal sogar monatelang auf die Ware warten. Bernhard hatte schnell begriffen, daß derjenige, der diesen Engpaß kontrollierte, auch den Markt beherrschte. Wenn die Sägewerke weniger Holz kauften, sank der Preis für diesen Rohstoff. Fielen die Sägewerke mit den Lieferungen zurück, stieg der Preis für die Holzprodukte.

Die Zeit drängte, denn am Horizont zeichneten sich verlockende Verträge mit der Hibernia ab. Moritz Gottschalk war derzeit als Agent für Bleichröder tätig und fungierte bei diesem Geschäft als Mittelsmann. Die Minen der Hibernia hatten einen großen Bedarf an Stützbalken und kauften jeden Bestand auf. Der Zuschlag an die Firma Levy konnte jede Minute eintreffen. Um so größer war Bernhards Verwunderung, als Moritz Gottschalk ihm mitteilte, daß er nach Polzin kommen werde, um die Angelegenheit zu besprechen.

»Ich habe unerfreuliche Nachrichten«, verkündete der Gast, kaum daß er das Zugabteil verlassen hatte. »Ich fürchte, wir müssen auf die Hibernia verzichten.«

»Man könnte den Preis senken«, beeilte sich Bernhard einzuwerfen.

»Es ist keine Frage des Preises«, erklärte Moritz Gottschalk. »Die Sache ist viel komplizierter, denn hier ist Politik im Spiel.«

»Was hat das eine mit dem anderen zu tun?«

Moritz Gottschalk runzelte die Stirn. »In seiner Rede im Parlament hat Bismarck diese Woche einen neuen Tarif für die Holzindustrie gefordert.«

»Ich habe die Rede gelesen. Er hat im Parlament behauptet, daß nur Holznarren fortfahren würden, Bäume zu fällen, ohne dabei den tatsächlichen Nutzen in Betracht zu ziehen. Und daß angesichts der gegenwärtigen Situation die Wälder bald einer Wüste gleichen werden. Er sorgt sich nur um seine eigene Haut, aber aus meiner Sicht ist das schon in Ordnung. Wir sitzen im gleichen Boot.«

»Du und Bismarck? Übertreib bloß nicht.«

»Wir streiten uns ja nicht um das Amt des Kanzlers. Alles in allem sind wir beide nur Holzhändler.«

»Und genau da liegt der Hund begraben.«

»Das verstehe ich nicht.«

»Du wirst es gleich verstehen. Die Familie Bismarck besitzt in Pommern riesige Waldbestände. Und zudem etliche Sägewerke. Unseren ehrenwerten Kanzler dürstet es zwar nach der Regierungsmacht, aber auch nach Geld. Wird ein Tarif festgelegt, steigt der Holzpreis, und die Sägewerke werden die Teuerung auffangen müssen. Wer jedoch an der Quelle sitzt und zudem die Verarbeitung dominiert, kann die Kostenschwankungen auffangen, ohne dabei Schaden zu nehmen.«

»Ich habe mich bereits darum gekümmert, mein teurer Onkel, und mich in die Konkurrenz begeben«, sagte Bernhard selbstsicher.

Sie betraten das Büro. Die Angestellten erhoben sich und machten eine Verbeugung. Moritz Gottschalk öffnete die Tür zu Aschers Zimmer.

»Wo ist dein Vater?« fragte er.

»Er ist nicht ganz auf der Höhe.«

»Vielleicht sollte auch er zuhören«, schlug Moritz Gottschalk vor.

»Was gibt es da noch zu hören?«

»Ich bin noch nicht fertig, Beri, da gibt es noch ein Hindernis.«

»Du siehst die Dinge zu schwarz.«

»Ich habe dir die Hauptsache noch nicht mitgeteilt: Bismarck konkurriert mit uns um die Aufträge der Hibernia.«

»Na und? Dann konkurrieren wir eben«, platzte Bernhard heraus. »Konkurrieren wir mit ihm, wie es sich für anständige Geschäftsleute gehört. Es gibt keinen Grund, davor zurückzuschrecken. In dieser Hinsicht sind wir gleichberechtigt, oder etwa nicht?«

»Nein«, sagte Moritz Gottschalk.

Bernhard blickte ihn erstaunt an. Dann sagte er mit leiser Stimme, wobei er jedes Wort gleichmäßig und langsam betonte: »Meinst du damit etwa, daß die Hibernia unser Angebot auch dann ablehnen wird, wenn es günstiger ist?«

»Weißt du, wer im Direktorium der Hibernia sitzt?«

»Ja, Bleichröder. Inzwischen Herr von Bleichröder.«

»Verstehst du noch immer nicht?«

»Otto von Bismarck und Gerson Bleichröder gegen Ascher und Bernhard Levy ... Ich fürchte, du hast recht, Moritz. Die Chancen stehen schlecht.«

»Sie stehen nicht nur schlecht, Beri, sie bestehen überhaupt nicht.«

»Worüber redet ihr da? Man hat mich nicht unterrichtet, daß du bereits eingetroffen bist.« Ascher Levy kam die Treppe herunter. Bernhard stand auf, um seinem Vater den Platz freizumachen. Die Cousins umarmten und küßten sich. »Wie war die Reise?«

»Ganz in Ordnung. Jetzt, da es eine direkte Verbindung von Berlin nach Belgard gibt, ist es das reinste Vergnügen. Nicht wie der Pferderitt von Jerusalem nach Tiberias«, scherzte Moritz Gottschalk.

Ascher ließ sich schwerfällig nieder. Moritz Gottschalk wiederholte seine Ausführungen. Ascher runzelte die Stirn. Bernhard beeilte sich, ihn zu beruhigen: »Kein Grund zur Sorge, Vater. Wir haben genug Aufträge. Hibernia? Ja, Hibernia wäre die Krönung gewesen. Aber die Betreiber der Minen von Liège sowie zwei Firmen aus Nordfrankreich betteln förmlich darum, daß wir sie beliefern. Der Transport ist zwar kostspielig, aber uns bleibt dennoch ein hübscher Gewinn. Absolut kein Grund zur Sorge.«

»Juli hat gegen die Franzosen gekämpft, und du willst mit ihnen Geschäfte machen? Nein, das Haus Levy will mit diesen Froschessern nichts zu tun haben.«

»Du vermischst schon wieder Geschäft mit Politik, Vater.«

»Nein, nicht mit Politik, aber mit meinem Gewissen. Alles hat seine Grenzen.«

»In Ordnung, ich bestehe nicht darauf«, lenkte Bernhard schnell ein und fügte mit einer Spur Spott hinzu: »Allerdings würden sich die Herren Bismarck und Bleichröder sicherlich nicht so zieren wie du.«

Letztlich waren es nicht die Levys, sondern die Sägewerke von Varzin, die den Auftrag der Hibernia erhielten. Daß der Vertrag nicht zustande kam, war kein schwerer Verlust, denn es gab genug andere Aufträge, unter anderem von englischen und walisischen Firmen. Bald konnten die beiden Sägewerke nicht mehr mit den Aufträgen Schritt halten. Bernhard investierte hundertfünfzigtausend Mark in die Teilhaberschaft an einem weiteren Sägewerk, das in der Umgebung von Köslin angesiedelt war, in der unmittelbaren Nähe von Wäldern, die sie zuvor gepachtet hatten.

Seit dem ruhmreichen Sieg über Frankreich plante Bismarck die Verstaatlichung der Eisenbahnen. Die Aufteilung der Eigentümerschaft unter den einzelnen Ländern des Deutschen Reiches und privaten Gesellschaften war ihm ein Dorn im Auge, denn nicht alle Firmen hatten ihre Geschäfte gewinnbringend geführt, so daß Investitionen in die Weiterentwicklung der Linien gefährdet waren. Auf seinen Druck hin stimmte das Parlament der Einrichtung eines besonderen Ministeriums zu. Dieses 1873 eingerichtete Reichseisenbahnamt sollte zunächst für die Vereinheitlichung der Beförderungstarife und die Abstimmung von Fahrplänen zuständig sein und später die Verstaatlichung vorantreiben. Bismarck wollte ein einheitliches Eisenbahnnetz, das sich von Berlin aus steuern ließ, dem Reich in Friedenszeiten wirtschaftlichen Fortschritt bringen und im Falle eines Krieges einen schnellen Truppentransport gewährleisten würde. Seine Erfahrungen von 1866 und 1871 hatten ihm und dem Generalstab die Bedeutung der Eisenbahnen bei der strategischen Planung vor Augen geführt.

Zum Leidwesen Bismarcks kamen die Dinge jedoch nur schleppend voran, sowohl wegen gegensätzlicher wirtschaftlicher Interessen als auch aufgrund politischer Rivalitäten. Dennoch reichte schließlich das bloße Gerücht von der Verstaatlichung aus, um das Projekt zu beschleunigen. An der Börse kam es zu Spekulationen. Eine Verstaatlichung der privaten Eisenbahnen war nur über den Aufkauf dieser Aktien möglich, und wer sie zur rechten Zeit abstieß, machte Gewinn. Auf Anraten Moritz Gottschalks, der aufgrund seiner Verbindung zum Hause Bleichröder anderen Spekulanten gegenüber einen Vorsprung hatte, kaufte und verkaufte Bernhard binnen weniger Monate ein großes Aktienpaket der Bahnlinie Berlin-Stettin sowie der Rechte-Oderufer-Eisenbahn. Diese beiden Transaktionen brachten innerhalb von einem Jahr einen Reinerlös von zwanzigtausend Mark. Nachdem Ascher nunmehr endgültig davon überzeugt war, sich auf seinen Sohn verlassen zu können, widmete er sich ganz dem Anliegen des Waisenhauses. Obwohl er dafür mehr als zehntausend Mark gespendet und Moritz Gottschalk feierlich gelobt hatte, zu jedem von Ascher gespendeten Tausender aus eigener Tasche ebensoviel dazuzulegen, hatten sie die erforderliche Summe noch längst nicht aufgebracht.

Anfang Juli 1882 fuhr Ascher Levy nach Berlin, um sich von einem namhaften Augenarzt untersuchen zu lassen. Er nutzte diese Gelegenheit, um den Bau des Waisenhauses voranzutreiben. Während der Bahnfahrt erinnerte er sich daran, wie er auf dem Weg nach *Erez Israel* eine Woche in Wien Zwischenstation gemacht hatte. An einem der Abende hatten sie in Dr. Komperts Begleitung in einem Etablissement, halb Kabarett und halb Kneipe, vorbeigeschaut, wo die Darsteller zur Belustigung des Publikums gesungen hatten: »Es gibt nur eine Räuberhöhle, und die heißt Berlin ...« Er war in Rage geraten: Wie konnten sich die ruhigen und toleranten Österreicher derart taktlos über die preußische Hauptstadt, ihre Kasernen und ihre Armenviertel lustig machen? Das Berlin der achtziger Jahre hatte sich gewandelt und präsentierte sich, zumindest nach außen, als kosmopolitische Großstadt. In dem Vorort Lichterfelde fuhr die erste Elektrische von Siemens und Halske. Es gab inzwischen viele Kaffeehäuser nach Pariser Vorbild, in denen sich die Intellektuellen trafen. Die riesigen Regierungsgebäude kündeten von Macht, und luxuriöse Wohnhäuser schossen wie Pilze aus dem Boden. Auch Moritz Gottschalks Residenz war neu und ganz im Stil der Zeit möbliert worden.

Einschließlich ihrer eigenen Spenden hatten die Cousins bisher dreißigtausend Mark beisammen, doch sie benötigten annähernd doppelt soviel. Sie hatten ein passendes Haus in Jerusalem zur Miete angeboten bekommen. Dennoch sah die Lage recht trostlos aus: Es fehlten die erforderlichen Gelder für die Renovierung, die Ausstattung und für Lehrer, von denen wenigstens einige aus Deutschland kommen sollten. Moritz Gottschalk schlug vor, zwei der großen jüdischen Bankiers für die Sammelaktion einzuspannen: Gerson Bleichröder und Abraham Oppenheim. Die beiden Millionäre konkurrierten darum, wer von ihnen der größere Wohltäter sei. Ihnen lag nichts an diskreten Almosengaben, wie sie die jüdische Tradition vorschrieb. Die Spender wollten gebührend in der Presse erwähnt werden, damit die Menschen von ihrer Großherzigkeit erfuhren. Oppenheim unterstützte die Einrichtung von Museen und die Unterhaltung von Theaterbühnen. Bleichröder half beim Bau von Krankenhäusern, machte eine großzügige Spende für eine Synagoge in Ostende und bedachte einen rührigen Pastor, der Gelder für den Bau einer protestantischen Kirche in Berlin sammelte. Die Spenden gingen in die Hunderttausende. Würden die beiden Mäzene bereit sein, zwanzigtausend Mark für ein jüdisches Waisenhaus in der Heiligen Stadt springen zu lassen?

Abraham Oppenheim lehnte es ab, da er sich bereits für ein ähnliches Projekt engagiert hatte. Die Initiative von Professor Graetz und den beiden Cousins hatte auch ihre Gegner zu einem ehrgeizigen Projekt angestachelt. Diese orthodoxen Fanatiker hatten beschlossen, in Jerusalem ein eigenes Waisenhaus zu errichten: eine streng religiöse Institution ohne säkulare Unterrichtsfächer. Potentielle Geldgeber wie Moses Joshua Judah Leib Diskin, die die Schirmherrschaft für dieses konkurrierende Projekt übernommen hatten, waren Ascher und Moritz Gottschalk zuvorgekommen. Nach eigener Aussage hatte Oppenheim sich zur Unterstützung dieser Initiative verpflichtet, und deshalb war es ihm nicht möglich, der Bitte der Cousins zu entsprechen. Alles kam nun auf Bleichröder an.

Der öffentliche Streit um die Wesenszüge der Erziehung in Palästina und die Tatsache, daß Moritz Gottschalk zu den Initiatoren und Investoren des progressiven Waisenhauses gehörte, hatten seinen Namen auch außerhalb der Finanzwelt bekannt gemacht. Dennoch trennten ihn Welten von dem reichen und hochgestellten Berliner Juden Bleichröder. Trotz seines Besitzes und seiner gesellschaftlichen Stellung wirkte Moritz Gottschalk im Vergleich zu dem politisch einflußreichen Geldmagnaten wie ein Zwerg. Moritz Gottschalk empfing im seinem Haus Professor Graetz sowie den Parlamentarier Ludwig Bamberger und war auf seine enge Bekanntschaft mit Rabbiner Ezriel Hildesheimer stolz. Bleichröder hingegen gehörte zu den Hausfreunden des Kanzlers, der Kaiser empfing ihn am Hofe, er korrespondierte mit Disraeli in London und König Leopold II. von Belgien. In seinem Heim floß der Champagner für Botschafter und Fürsten, Politiker und Generäle. Viele flehten vergebens um eine einzige Einladung zu einem der exquisiten Gesellschaftsabende, die Bleichröder mindestens einmal im Monat gab. Offizieren und Angehörigen des niederen Adels blieb sein Haus verschlossen. Große Anstrengungen waren erforderlich, bis er sich bereit erklärte, die Cousins zu einer privaten Unterredung zu empfangen – zu einer kurzen und sachlichen Zusammenkunft, wie sie der Privatsekretär vorab wissen ließ.

Ein livrierter Diener führte sie in die Büros der Bank, ein anderer ließ sie an einem Tisch Platz nehmen. Daneben befand sich ein Kristallspiegel, der den nur spärlich möblierten Saal noch größer erscheinen ließ. Durch das verglaste Dach strömte das Licht wie in einem riesigen Gewächshaus. Von der Wand blickte sie das Portrait des Hausherrn aus einem reichverzierten Goldrahmen an. Auf dem Fußboden gaben braune und graue Marmorquadrate klare Linien vor. Sie warteten schweigend bei einer Tasse Tee, die ein dritter Angestellter in hauchdünnem Porzellan servierte, bis in der Tür ein junger Lakai erschien und laut verkündete:

»Der Baron von Bleichröder!«

Gerson Bleichröder liebte Zeremonien. Gemessenen Schrittes kam er ihnen entgegen. Auf seiner Nase saß ein Zwicker mit sehr dicken Gläsern. Aus dem gepflegten, allerdings recht dünnen Wangenbart stach sein rasiertes Kinn merkwürdig hervor. Er reichte Moritz Gottschalk eine beringte Hand und sagte lächelnd: »Herzlich willkommen. Ich habe viel über Ihren Kampf gegen die Windmühlen vernommen.«

Moritz Gottschalk erhob sich und machte eine tiefe Verbeugung. »Mein Herr, ich möchte Ihnen Herrn Ascher Levy aus Polzin vorstellen.«

Bleichröder nickte. »Sehr angenehm. Setzen Sie sich, meine Herren, setzen Sie sich. Mir scheint, ich habe auch von Ihnen gehört. Unterhält Ihre Firma nicht geschäftliche Kontakte zu den Gebrüdern Behrend?«

»Ja, so ist es, mein Herr.«

Der Bankier murmelte einige undeutliche Worte. Der Diener, der sich hinter ihm postiert hatte, legte sofort Hand an, um ihm den gepolsterten Stuhl zurechtzurücken. Bleichröder ließ sich schwerfällig nieder. Er hatte genau unter dem Portrait Platz genommen. Auf dem Gemälde sah er energischer und weniger bleich aus als in Wirklichkeit. In Berlin ging das Gerücht, daß ihn das Bild, ein Werk des bekannten Malers Franz von Lenbach, dreißigtausend Mark gekostet habe. Von Otto von Bismarck habe Lenbach dagegen nur fünfzehntausend verlangt. Darauf angesprochen, soll der Maler behauptet haben, es sei ihm ein größeres Vergnügen gewesen, den deutschen Kanzler zu porträtieren als einen jüdischen Bankier.

Ascher hatte ein kühles und distanziertes Gespräch erwartet. Aber Bleichröder ließ alle Förmlichkeiten beiseite, und plötzlich erschien er Ascher als ein herzlicher und verständnisvoller Mensch. Zu seinem Erstaunen stellte er fest, daß der Gastgeber, der im allgemeinen eine gewisse Reserviertheit gegenüber jüdischen Angelegenheiten wahrte, gut informiert war. Er kannte den Streit um die Situation in Jerusalem, den ihre Denkschrift ausgelöst hatte, ebenso wie die Beweggründe der Befürworter und Gegner.

»Ich spende großzügig für die ›Alliance Israélite‹ und halte dies nicht geheim«, sagte er. »Aber die Aufmerksamkeit, die mir wegen meiner Involvierung in die Angelegenheiten des Reiches zuteil wird, ist mehr als genug. Ich habe kein Interesse, in die von Ihnen hervorgerufenen Streitigkeiten verwickelt zu werden. Den Karikaturisten noch mehr Ideen liefern? Nein danke ... Ich möchte nicht in fruchtlose Diskussionen hineingezogen werden. Aber wenn ich richtig verstehe, sind Sie nicht an meinem guten Namen interessiert, sondern an meinem Geld, nicht wahr?«

»Ihr Name hat mehr Gewicht als Geld«, beeilte sich Moritz Gottschalk höflich zu bemerken.

»Lediglich wenn ich für Anleihen bürge«, schmunzelte der Bankier. »Aber warum verschwenden wir Zeit mit Wortspielereien. Ich schätze das Lebenswerk von Professor Graetz sehr und natürlich auch Ihre Bemühungen. Wieviel fehlt Ihnen?«

»Zwanzigtausend«, sagte Moritz Gottschalk.

»Sie werden sie erhalten, aber nur unter einer Bedingung: Die Angelegenheit muß geheimgehalten werden. Noch heute werde ich die entsprechenden Anweisungen geben. Das Geld wird auf ein Konto der Rothschildschen Bank in Frankfurt überwiesen und von dort an den öffentlichen Verein weitergeleitet, den Sie ins Leben gerufen haben. Ich bin nicht daran interessiert, Spuren zu hinterlassen. Die Spende erfolgt anonym.«

»Ich danke Ihnen von ganzem Herzen, Herr Baron«, sagte Ascher bewegt. Bleichröder nickte und erhob sich. Die drei reichten sich die Hand. Der Glanz des Sonnenlichtes drang stechend in Bleichröders Pupillen. Der Bankier zog eine Brille mit dunklen Gläsern aus der Tasche seines Gehrocks und setzte sie statt des Zwickers auf. Ascher wagte zu sagen:

»Mir scheint, wir sind Leidensgenossen.«

»Was? Auch Sie?« fragte Bleichröder erstaunt und gab dem Diener ein Zeichen, sich zu entfernen. Vor einigen Jahren war der Bankier an grünem Star erkrankt. Die Ärzte hatten ihm nicht vorenthalten, daß er im Laufe der Zeit völlig erblinden würde.

»Sie sehen, meine Herrschaften, es gibt Dinge, die man nicht mit Geld kaufen kann«, sagte er ohne Bitterkeit und fragte Ascher: »Haben Sie in Berlin Ärzte konsultiert?«

»Ich habe mich von Doktor Evers untersuchen lassen.«

»Ich kenne ihn. Ein ausgezeichneter Arzt. Zuvor habe ich mich nur für zwei Dinge interessiert: Finanzen und Politik. Jetzt hat sich ein drittes Thema hinzugesellt – die Medizin. Ich kenne die besten Ärzte in Preußen und Wien. Soll ich Ihnen ein Geheimnis verraten, Herr Levy? Sie können mir nicht helfen.«

»Das tut mir leid.«

»Bemitleiden Sie mich nicht. Sorgen Sie sich um sich selbst. Einzig und allein um sich selbst. Manchmal frage ich mich, was besser ist: gesund und arm zu sein oder reich und krank. Ich weiß es nicht. Aber wenn wir schon krank sein müssen, ist es wohl besser, daß wir uns auch die entsprechenden Ärzte leisten können, nicht wahr?« Bleichröder klopfte Ascher auf die Schulter, als wären sie alte Freunde. »Womit beschäftigen Sie sich, Herr Levy, außer dem Holzhandel, meine ich.«

»Derzeit nur mit dem Waisenhaus, Herr Baron. Mein Sohn Bernhard hat die Zügel übernommen, und ich bin mit seiner Leitung der Firma sehr zufrieden. Wenn mir noch ein kleines Vergnügen nebenbei geblieben ist, so ist dies der An- und Verkauf von Aktien. Aktien von Eisenbahngesellschaften.«

»Ich glaube an die Zukunft der Eisenbahnen«, sagte Bleichröder. »Insbesondere jetzt, da die Verstaatlichung bevorsteht. Der Staat wird für die Eisenbahnen Obligationen ausstellen, und wer an die Zukunft Preußens glaubt, sollte auch Preußens Schuldbriefen Vertrauen schenken. Dies ist nicht der Rat eines Bankiers, schließlich gehören Sie nicht zu meiner Kundschaft; betrachten Sie es lediglich als Anmerkung eines treuen preußischen Bürgers. Als Bankier würde ich sagen, daß es überhaupt keinen Grund gibt, sich auf heimische Gefilde zu beschränken. Finanzwesen und Handel sind international, und auch im Orient geht es nicht nur um wohltätige Angelegenheiten. Baron Hirsch hat Millionen für die osteuropäischen Juden gespendet. Was meinen Sie, wie er sie verdient hat? Ich werde es Ihnen sagen: mit den Eisenbahnen, die er im Orient gebaut hat und betreibt. Ja, ja, der Orient ist für umsichtige Investoren noch immer ein fruchtbarer Boden. Ich habe erfahren, daß Baron Hirsch derzeit eine Eisenbahnlinie von Wien bis in das Osmanische Reich plant, bis nach Bagdad. Glauben Sie mir, Herr Levy, bei diesem Geschäft wird die Bleichrödersche Bank nicht außen vor bleiben. Meine Intuition hat mich noch nie im Stich gelassen. Und die Befriedigung. Die Befriedigung! Schließlich ist es nicht nur eine Frage des Profits, sondern auch der Teilnahme an politischen Ränkespielen enormen Umfangs. Man spürt, daß man Einfluß hat. Kennen Sie dieses Gefühl? Nein? Sie wissen gar nicht, was Ihnen entgeht. Ich verfolge die Vorgänge und sehe mit Sorge, wie England sich Ägypten einverleibt. Zuerst bemächtigte sich Disraeli des Kanals. Jetzt entsenden Gladstone und die Franzosen Truppen nach Alexandrien. Die Österreicher richten ihre Aufmerksamkeit auf die Balkanhalbinsel. Die Löwen streiten sich um die Beute. Und wo bleiben wir? Wo ist Deutschland? Die Eisenbahnen führen uns direkt in das Osmanische Reich. Zuerst kommen die Eisenbahnschienen, dann die deutschen Waren und später der politische Einfluß. Eine Herausforderung, die man sich nicht entgehen lassen darf. Was meinen Sie, Herr Levy?«

Ascher war über Bleichröders begeisterten Ausbruch einigermaßen erstaunt.

»Ich bin ganz Ihrer Meinung, mein Herr«, sagte er.

»Wenn Sie interessiert sind, dann setzen Sie sich mit uns in Verbindung. Wir werden Ihnen einen Platz in diesem Zug sichern.«

»Danke. Aber ich bin mir nicht sicher, ob ich von Ihrem großzügigen Angebot tatsächlich Gebrauch machen werde.«

»Warum nicht?« fragte Bleichröder verwundert. »Viel Größere als Sie kommen in den Genuß, mit meiner Bank Geschäfte zu machen.«

»Das ist es ja gerade, Herr Baron. Wir sind eine kleine Firma, wir sind nicht für die große weite Welt geschaffen. Ich käme mir immer wie ein Anhängsel am letzten Eisenbahnwaggon vor, wie ein blinder Passagier, den man jederzeit an einer entlegenen Station zurücklassen kann.«

»Das ist eine Sache des Prinzips.« Bleichröder klopfte ihm erneut auf die Schulter. »Aber überlegen Sie sich, was vorzuziehen ist: Anführer eines Rudels von Füchsen oder der Schwächste in einer Sippe von Löwen zu sein.«

Das Gespräch war beendet. Bleichröder verwirklichte seine Pläne im Orient nicht. Statt dessen sollte sich ausgerechnet der Enkel Ascher Levys aktiv an der Verlegung der Hedschas-Bahn von Bagdad nach Mekka beteiligen. Zum Zeitpunkt der Unterredung allerdings war dieser Enkel erst sechs Jahre alt.

Die »anonyme« Spende aus Frankfurt ermöglichte die Eröffnung des Waisenhauses. Ein Jahr später wurden die ersten zwölf Schüler aufgenommen, was Ascher Levy mit Befriedigung vernahm.

»Ich spüre, daß ich meinem Leben einen Sinn gegeben habe«, sagte er zu seinem Sohn.

»Auch ich vergeude mein Leben nicht«, erwiderte Bernhard.

Ein Platz unter der Sonne

Auf dem Polziner Marktplatz versammelten sich zweimal wöchentlich Händler und Marktfrauen, um Gemüse, Obst und Fleisch anzubieten, und an diesen Tagen erwachte das Städtchen zum Leben. Der kleine Platz hatte ein Kopfsteinpflaster und war ringsherum von zweistöckigen Häusern umgeben. Das größte war der »Preußische Hof«, ein Hotel hauptsächlich für Besucher, die nicht der Heilquellen wegen kamen und deshalb auch nicht im Luisenbad oder einem der anderen für den Kurbetrieb entstandenen Gebäude abstiegen. An der nördlichen Seite des Marktplatzes befand sich das Rathaus, gegenüber dem Hotel wohnte der Mittelstand. Die Wohlhabenden und Honoratioren hatten sich bereits vor geraumer Zeit in der Bismarckpromenade und den anderen Straßen nahe dem Kurpark angesiedelt. Die Häuser am Marktplatz hatten orangerote, spitze Ziegeldächer, ganz wie es die preußischen Bauverordnungen vorschrieben, und in den Blumenkästen vor den Fenstern blühten fast ausschließlich rosa und rote Geranien.

Im Zentrum des Marktplatzes hatte man vor langer Zeit einen tiefen Brunnen angelegt, doch hatte inzwischen jeder Haushalt fließendes Wasser. Der Brunnenzug war verrostet und von Patina überzogen, so daß er wie ein gußeisernes Denkmal wirkte.

In anderen pommerschen Kleinstädten hatten sich die Bürger dafür eingesetzt, eindrucksvolle Monumente zu errichten. Könige, Prinzen und Ritter thronten stolz erhobenen Hauptes auf steinernen und bronzenen Rössern. Doch der Polziner Magistrat hatte sich bisher nicht darum gerissen, für ein vergleichbares Projekt Geld aus dem städtischen Etat zu opfern. Ausgerechnet Ascher Levy hatte vorgeschlagen, zum dreißigsten Jahrestag des Besuches von Friedrich Wilhelm IV. eine Bronzestatue an der Stelle des überflüssig gewordenen Brunnens aufzustellen. »Ich bin bereit«, hatte er den anderen Ratsmitgliedern auf einer Sitzung mitgeteilt, »die Hälfte der Kosten zu übernehmen.« Der großzügige Vorschlag wurde zurückgewiesen. Herr Bauch, der neue Bürgermeister, hatte im Namen des Plenums geantwortet, man wolle es bei dem kleinen

Denkmal bewenden lassen, das 1872 zum Gedenken an die im Krieg gegen Frankreich gefallenen Söhne der Stadt aufgestellt worden war. Ein Denkmal für den König müsse imposant und prächtig sein, wie es einem großen Herrscher nun einmal gebührt, die leere Stadtkasse jedoch erlaube derart hohe Ausgaben nicht. Ascher gab sich mit dieser Antwort zufrieden. Bernhard hingegen behauptete steif und fest, der wahre Grund für die Ablehnung liege darin, daß die Spende aus dem Portemonnaie eines jüdischen Einwohners gekommen wäre.

Es blieb also alles beim alten, mit der Ausnahme vielleicht, daß auf dem Marktplatz ein Bierkeller aufmachte, der schnell zum Stammtreff der Angestellten und Arbeiter wurde. Hier diskutierten nun die Einwohner Polzins lautstark über einem Krug schäumenden Bieres die historischen Ereignisse. Die Mitglieder der Familie Levy hielten sich fern. Während die örtlichen Händler, Angestellten und Geschäftsleute für eine Stunde aus ihren Häusern flüchteten, um in der Schenke ihre alltäglichen Sorgen gemeinsam zu ertränken, suchte Bernhard, wenn ihn etwas bedrückte, niemals ihre Gesellschaft, im Gegenteil. Dieser unnachgiebige, verschlossene Mann zog sich dann ganz in sein Schneckenhaus zurück, »die Stunde der Enthaltung«, wie Henriette mit gewissem Humor zu bemerken pflegte.

Im Herbst 1888 feierte Ascher Levy seinen dreiundsiebzigsten Geburtstag. Als er siebzig geworden war, hatte er sich offiziell und endgültig aus der Leitung der Firma zurückgezogen. Lediglich komplizierte Finanzprobleme wurden ihm auch weiterhin unterbreitet. Sein Sehvermögen war immer schwächer geworden, und ganz wie Bleichröder vorhergesagt hatte, vermochte ihm kein Arzt, und sei er noch so gut, zu helfen. Einhergehend mit dem schwindenden Augenlicht hatte sich auch seine körperliche Konstitution verschlechtert. Dennoch hatte er sich, anders als zu Beginn seiner Krankheit, mit der neuen Situation arrangiert und nahm wieder stärker am Leben um ihn herum teil. Im Sägewerk von Kollatz hatte man ihm eine dreistufige Leiter gebaut, die er zum Aufsitzen auf sein Pferd zu Hilfe nahm. Fannys Bitten, doch lieber eine Kutsche zu benutzen, waren auf taube Ohren gestoßen. »Du hast vielleicht vergessen, daß ich von Jerusalem nach Tiberias zu Pferde geritten bin und nichts passiert ist«, erwiderte Ascher stets. »Und davon einmal ganz abgesehen, sieht die Welt von einem Pferderücken viel schöner aus.«

An seinem Geburtstag war die Landschaft in braune, orange und rote Farbtöne getaucht. Es hatte noch nicht geregnet, und die Luft war klar und trocken. Ascher lehnte sich zurück und überblickte seine Ernte: Sobald die Gäste gegangen waren, setzte ihn sein Sohn über einige neue profitverheißende Geschäfte in Kenntnis. Die Enkel wuchsen heran, entwickelten sich und lernten fleißig. Zudem vermittelte die politische Lage ein Gefühl der Sicherheit und Stärke. Das Reich war zu einer Großmacht aufgestiegen. Die politischen Gewichte hatten sich von der Peripherie Europas ins Zentrum verlagert. Der weitblickende Kanzler Otto von Bismarck hatte Großbritannien, Frankreich, Österreich und sogar Rußland in eine Situation manövriert, in der es ihnen schwerfiel, sich gegen das neue Deutschland zu verbünden. Zur Landkarte des Vaterlandes gehörten nun auch Kolonien in Übersee. An Namen wie Togo, Kamerun und Ost-Afrika hatten sich die Bürger des Reiches längst gewöhnt. Es war wohltuend, Teil dieser neuen Wirklichkeit zu sein. Ascher Levy sammelte pedantisch alle Zeitungsausschnitte, die über den Prozeß der Konsolidierung des Reiches berichteten. Wollte man Ascher allerdings auch mit Artikeln aus der »Reichsglocke« und der »Kreuzzeitung« konfrontieren, den zwei nationalistischen und antisemitischen Zeitschriften, die Deutschland den Untergang aufgrund der angeblich unheiligen Allianz zwischen Plutokraten, Politikern und Juden prophezeiten, lehnte er einfach ab. »Es tut mir leid, aber meine Augen sind zu schwach, und meine Frau hat jetzt keine Zeit.«

Sein Tagesablauf verlief in geordneten Bahnen. Unter der Woche unternahm er gewöhnlich morgens einen einstündigen Ausritt, auf ausdrücklichen Wunsch Fannys in Begleitung eines Angestellten, der schweigend neben ihm her ritt. Nach seiner Rückkehr frühstückte er in Gesellschaft seiner Frau: drei gekochte Eier, in Pflanzenfett geröstetes Brot mit *koscherer* Gänseleberpastete und Kaffee. Zumeist gesellte sich Bernhard zu diesem deftigen Frühstück hinzu und bewunderte staunend den Appetit seines Vaters. Er selbst begnügte sich mit einer Tasse Tee und Zwieback, den er mit hausgemachter Erdbeermarmelade bestrich.

Diese Mahlzeiten waren sehr ausgedehnt und zogen sich manchmal bis in die Mittagsstunden hinein. Die Tischgespräche drehten sich zumeist um Familienangelegenheiten, und nur gelegentlich diskutierten Vater und Sohn in dieser ruhigen Atmosphäre auch über Politik. Wenn Bernhard sich schließlich den Geschäften zuwandte, pflegte Ascher ein Glas Mineralwasser, vermischt mit Milch, zu trinken – zur leichteren Verdauung, wie er behauptete. Anschließend durchschritt er einige Male das Zimmer, ließ sich in seinem Sessel nieder und wartete darauf, daß Fanny das Bündel Zeitungen aus dem Büro holte und ihm die wichtigsten Nachrichten vorlas. Er wollte immer auf dem laufenden sein und hatte nicht nur die »Zeitung für Polzin und Kreis Belgard« abonniert, sondern auch die wichtigsten Blätter aus Berlin und Frankfurt. Versuchte Fanny, Meldungen oder Artikel, die ihn aufgeregt hätten, zu überspringen, merkte er es sofort an der Veränderung in ihrem Tonfall.

Nachmittags legte er sich für gewöhnlich aufs Sofa, um ein Nickerchen zu machen, und Punkt vier Uhr dreißig, eine halbe Stunde vor Büroschluß, begab er sich zu einem kurzen Gespräch mit den Angestellten ins Erdgeschoß. »Damit sie auch ja nicht vergessen, wer die Firma gegründet hat.« Wenn er das Büro betrat, sprangen sie auf und grüßten im Chor, als sei er ein ranghoher Offizier, der seine Soldaten inspiziert. Natürlich wußten alle, daß Bernhard die Firma leitete und allein seine Unterschrift verbindlich war. Er führte die Verhandlungen mit der Kundschaft, empfing wichtige Besucher und hatte bereits seit einigen Jahren in allen finanziellen Angelegenheiten das letzte Wort. Dennoch hatte er Ascher niemals das Gefühl vermittelt, von den Geschäften ausgeschlossen zu sein. Bernhard verehrte seinen Vater sehr und schätzte dessen Erfahrung und Ratschläge, auch wenn er dessen Meinung nicht immer teilte.

An jedem Sonntagabend fand sich Bernhard im Salon seiner Eltern ein. Schon viele Male hatte er ihnen vorgeschlagen, ihren seiner Meinung nach veralteten und unangemessenen Wohnsitz aufzugeben und in die moderne und geräumige Parterrewohnung des Hauses umzuziehen, in dem er und Henriette mit den fünf Kindern wohnten. Ascher und Fanny jedoch wollten nichts davon wissen.

»Guten Abend«, sagte er. »Ich hoffe, ich störe nicht.«

Fanny hatte es sich in einer Ecke des Sofas bequem gemacht und klöppelte Spitze. Ascher saß über ein Buch mit schwarzem Einband gebeugt. In der linken Hand hielt er ein Vergrößerungsglas. Auf dem runden Tisch stand eine Gaslampe, die ein bläuliches Licht ausstrahlte.

»Guten Abend, Beri«, antwortete Ascher. »Weißt du, was an dem Gebet zum *Rosch-Chodesch* wundersam ist? Das Wundersame ist, daß wir unseren Gott darum bitten, den neuen Monat für uns ›zu Glück und Segen, zu Wonne und Lust, zu Heil und Trost, zu reicher Nahrung und Verpflegung, zu Leben und Frieden‹ werden zu lassen. Alle Bitten haben einen positiven Inhalt, lediglich zwei beziehen sich auf Negatives. Schau dir an, was hier geschrieben steht.« Ascher rückte die Brille mit den dicken Gläsern zurecht und las laut vor: »›Ein Leben ohne Scham und Schande‹. So steht es geschrieben. Weißt du, warum?«

Fanny erhob sich, küßte ihren Sohn auf die Wange, drehte das Licht der Lampe höher und kehrte in ihre Ecke zurück.

»Nun, Beri, weißt du die Antwort?« beharrte Ascher.

Bernhard nickte. Genau wie sein Vater liebte er es, die Bedeutungen der Verse zu ergründen.

»Also, mein Sohn?«

»Ich denke, daß der Text eine klare Trennung zwischen Gut und Böse vornehmen will. Auf diese Weise sollen die Werte konkretisiert werden.«

»Richtig. Das ist absolut richtig. Aber deine Auslegung ist zu simpel.«

»Warum kompliziert, wenn es auch einfach geht, Papa.«

»Ich habe viel über die Formulierung dieses Gebetes nachgedacht«, spann Ascher seinen Gedanken weiter. »Mir scheint, daß es um mehr als nur die übliche Abgrenzung zwischen Gut und Böse geht. Ich glaube, daß der Ursprung auf einem anderen Sachverhalt beruht: Es ist vielleicht möglich, ohne Frieden und reiche Nahrung zu leben. Doch wer danach strebt, ein freier Bürger seines Landes zu sein, kann kein Leben in Scham und Schande führen. Ich habe dieses Gebet wieder und wieder gelesen und mich an vergangene Tage erinnert, an meinen Vater und meinen Großvater, selig sei ihr Andenken. Wie schwer hatten sie es doch! Sie mußten in einer feindlichen Umwelt leben, die sie aus ihrer Mitte ausschließen wollte. Es war nicht leicht, ein Leben als Jude zu führen, in dem es keine Scham und Schande, keine Erniedrigung und Unterwerfung gab. Wie wunderbar waren doch diese Leute, auch wenn ihre äußere Erbärmlichkeit allzu offensichtlich war. Welch enorme Kraft barg Rabbi Berischs geneigter Rücken; welch ein Feuer loderte in seinem Herzen...« Ascher seufzte. »Schade, daß er uns nicht mehr sehen kann, hier und jetzt, als Gleichgestellte unter Gleichgestellten.«

»Du regst dich auf, Papa.«

»Ich schäme mich dessen nicht. In meinen Augen ist dies eines jener Gebete, die das Rückgrat stärken.«

Bernhard lächelte: »Emotionen, Emotionen. Nicht daß ich sie geringschätze. O nein, aber...«

»Kein Aber, mein Sohn.«

»Nicht alles ist schwarz oder weiß, dazwischen gibt es auch Grautöne, oder etwa nicht?«

»Ich war niemals ein Mensch von Kompromissen.«

»Ich auch nicht«, beeilte sich Bernhard zu betonen. »Es besteht aber ein Unterschied zwischen einem Kompromiß und Flexibilität.«

»Das sind Begriffe, die deinem kommerziellen Denken entliehen sind, Beri. Sie sind im spirituellen Bereich nicht anwendbar. Im Grunde bin ich froh, einige Male Schuld empfunden zu haben, denn gerade dann spürte ich, daß mich dies der Moral näher bringt. Wäre ich ohne dieses Gefühl der Unvollständigkeit ausgezogen, eine größere Vollkommenheit zu suchen? Man sammelt langsam, sein ganzes Leben lang. Inzwischen habe ich gelernt, auch solchen Dingen meine Neugierde zu widmen, die nicht von unmittelbarem Nutzen sind. Ich habe begriffen, daß man nur auf diesem Weg entdecken kann, was einem ansonsten verborgen bleibt und erst in der Zukunft zugute kommt.«

»Ich nehme deine Worte an wie die Offenbarung am Berge Sinai.« Bernhard ließ sich in dem Sessel, der dem seines Vaters gegenüber stand, nieder, streckte die Beine aus und legte sie auf einen mit dunkelgrünem Samt überzogenen Fußschemel.

Fanny legte die unfertige Spitze in eine Ecke des Sofas und stand auf: »Ich nehme an, daß ihr jetzt von philosophischen Überlegungen zu handfesteren Angelegenheiten übergeht«, sagte sie. »Sicherlich habt ihr nichts dagegen, wenn ich euch Tee und Apfelstrudel bringe.« Noch bevor die beiden antworten konnten, war sie auch schon in die Küche entschwunden. Apfelstrudel aus Blätterteig war das Lieblingsgebäck der ganzen Familie.

»Deine Mutter ist eine weise Frau«, sagte Ascher.

»Und ich bin ein weises Kind, das sich die richtigen Eltern auszuwählen wußte«, scherzte Bernhard und fügte hinzu, »die zudem auch Geschäftspartner nach seinem Geschmack sind.«

»Was meinst du damit?« fragte Ascher mißtrauisch.

»Ist dir der Name von Blanckenburg ein Begriff?«

»Natürlich. Eine Junkerfamilie aus dem Bezirk Stargard. Ich glaube, der Älteste der Familie, Karl Julius, ist vor einigen Jahren verstorben. Er war nach Erfurt übergesiedelt, wenn mich mein Gedächtnis nicht täuscht. In meiner Jugend habe ich bei einem jüdischen Händler gearbeitet, der mit den Blanckenburgs geschäftliche Beziehungen unterhielt. Für deine Verhältnisse war das sozusagen noch in prähistorischen Zeiten.«

»Ja, in den dreißiger Jahren, bei Stärger.«

»Ich kann mich nicht entsinnen, daß ich dir jemals erzählt habe...«

»Du hast es nicht erzählt, Papa. Herr von Blanckenburg hat es mir erzählt.«

»Aber er ist tot.«

»Ich meine seinen Sohn Eugen. Die Familie wohnt zwar in Dresden, aber er lebt die meiste Zeit in Ostpreußen.«

»Ich verstehe nicht...«

»Du wirst es gleich verstehen, Papa. Eugen hat in Heidelberg Chemie studiert. Er wohnt jetzt in Königsberg und betreibt dort eine Fabrik zur Produktion von rotem Phosphor und anderen Chemikalien. Wir haben uns zufällig kennengelernt, in der Bank in Stettin. Anschließend haben wir einige Male korrespondiert. Derzeit denken wir über die Umsetzung einer Idee nach. Wir beabsichtigen, ein gemeinsames Unternehmen zu gründen.«

»Die Blanckenburgs und wir?«

»Nein, wir und die Blanckenburgs.«

»Ein gemeinsames Geschäft?«

»Ja. Was ist schlecht daran?«

»Ich habe ja nur nachgefragt.« Ascher wandte den Blick nicht von seinem Sohn.

Bernhard zog einige Papiere aus seiner Tasche, studierte sie eingehend und sagte: »Ich glaube, einen Weg gefunden zu haben, wie wir unsere Sägewerke profitabler betreiben können. Du erinnerst dich an die Pappel- und Birkenwälder, die wir vor zwei Jahren gekauft haben?«

»Natürlich erinnere ich mich. Meiner Ansicht nach war das eine zweifelhafte Erwerbung. Wir haben teuer dafür bezahlt, und das Holz ist für die Herstellung von Schwellen zum Schienenbau ungeeignet. Auch für Minen...«

»Das stimmt alles, Papa. Aber das Holz eignet sich zur Herstellung von Zündhölzern.«

»Zündhölzer?« Ascher staunte. »Was haben wir mit Zündhölzern zu schaffen?«

»Blanckenburg stellt Phosphor und andere Zündstoffe her. Wir können große Mengen Hölzchen produzieren. Zwei und zwei macht vier, nicht wahr?«

»Du hast deine guten Kenntnisse der Mathematik unter Beweis gestellt, Beri. Aber was hat es mit der Produktion von Zündhölzern auf sich?«

»Die Vorgehensweise ist sehr einfach. Die preußische Regierung wahrt ihr Monopol und unterwirft auch die Verbraucherpreise für Zündhölzer dem Kosten-Plus-Prinzip. Unser Freund Bismarck hat dem Parlament einen festen Tarif für Holz abgerungen. Chemische Produkte hingegen unterliegen keiner Preiskontrolle. Laß uns einmal annehmen, daß wir eine Aktiengesellschaft für die Herstellung von Zündhölzern gründen. Die Gesellschaft würde nicht auf unseren Namen eingetragen werden. Sie würde von Herrn Blanckenburg in Ostpreußen die Chemikalien beziehen und dafür etwas mehr als den üblichen Marktpreis zahlen. Das wäre weder unlauter noch ein Vergehen. Auf diese Weise würden wir den Produktionspreis künstlich hochtreiben. Folglich würde uns zustehen, einen höheren Preis für die Verbraucher festzulegen, immer nach dem Kosten-Plus-Prinzip. Ein entsprechender Vertrag mit der Regierung würde uns in das königliche Monopol einreihen. Hörst du zu, Papa?«

»Ich bin ganz Ohr.«

»Klingt gut, nicht wahr? Ich habe mich erkundigt, welche Ausrüstung wir dazu brauchen. Die Schweden bieten eine exzellente Maschine zur Zündholzherstellung an. Eine sehr lukrative Investition.«

»Aber wer garantiert uns, daß wir einen Vertrag mit dem Monopol erhalten?«

»Die Blanckenburgs verfügen über Beziehungen nach Berlin.«

Ascher wirkte unzufrieden. »Bei der Herstellung von Hölzchen hätten wir einen enormen Ausschuß. Der größte Profit würde dem Partner zufallen.«

»Auch daran habe ich gedacht, Papa. Du hast zwar hinsichtlich der Sägespäne recht. Wir hätten bis zu fünfzig Prozent Abfall. Aber wir würden diesen nicht wie bisher zu einem relativ niedrigen Preis an Zellulosehersteller verkaufen. Die Gebrüder Behrend müßten sich andere Lieferanten suchen. Wir würden den Abfall für die Feuerung der Dampfkessel nutzen, so daß wir einen kostengünstigen Brennstoff zum Betreiben der Sägewerke hätten. Ich habe mich darüber mit Ingenieur Kutschke aus Kollatz unterhalten. Er hält es für eine hervorragende Idee.«

»Wenn du so weitermachst, dann erfindest du noch ein Perpetuum mobile.«

Bernhard lachte, wurde aber sehr schnell wieder ernst: »Zugegeben, wir hätten eine geheime Absprache, die uns unseren Anteil am Profit sichert. Aber um die Wahrheit zu sagen, Papa, blicke ich bereits viel weiter in die Zukunft. Warum sollten wir uns der Abhängigkeit von den Blanckenburgs nicht entledigen? Mit der Zeit würden wir Erfahrung sammeln, wir könnten eine konkurrierende Firma für Chemikalien aufbauen. Nicht in Ostpreußen, sondern hier, in der Nähe des Sägewerks. Wir würden die Transportkosten einsparen und zudem alle Produktionsabschnitte dominieren. Dem Herrn Blanckenburg würden wir dann sagen: ›Es tut uns leid, aber...‹«

»Die Sache gefällt mir nicht, Beri. Hast du schon wieder vergessen, was ich gerade erst über Scham und Schande gesagt habe?«

»Papa«, Bernhard richtete sich auf und hob leicht die Stimme. »Es ist keineswegs so, als würde ich meinen Partner beim Kartenspiel übers Ohr hauen. Ich schummle nicht und habe keinen Trumpf im Ärmel versteckt. Dies ist ein offenes Spiel, bei dem der Bessere gewinnt. Das hat nichts mit Scham und Schande zu tun.«

Die Tür öffnete sich, und Fanny kam mit einem Tablett herein. »Ich hoffe, daß ihr fertig seid«, sagte sie und schnitt den Strudel an.

Die beiden Männer schwiegen. Ascher starrte in seine Teetasse. Dann blickte er auf und betrachtete mit gerunzelter Stirn seinen Sohn. Schon merkwürdig, wie sich die Dinge entwickeln, grübelte er. Da saß Beri, sein Nachkomme, sein ältester und geliebter Sohn, und trotzdem war er ihm irgendwie fremd. Sein Fleisch und Blut, und dennoch aus ganz anderem Holz geschnitzt. Plötzlich verspürte er einen starken Drang, Bernhards Hand in die seine zu nehmen, um auf diese Weise eine unmittelbare Nähe herzustellen. Doch er ließ es sein. Fanny, ja, Fanny hätte das vielleicht verstanden, aber Beri? Er war kein Kind mehr. Ihm saß ein erwachsener Mann von dreiundvierzig Jahren gegenüber, dessen Oberlippe und Kinn ein voller blonder und gepflegter Bart umschloß. Die meisten Mitglieder der Familie Levy waren blond und blauäugig, gerade so, als wollten sie die antisemitischen Rassenforscher ärgern, die den Juden völlig andere Gesichtszüge zuschrieben. Seit Beris Geburt hatte Ascher eine tiefe Vaterliebe für ihn empfunden und trotzdem die Zügel niemals schleifen lassen, er hatte dem Kind nie nachgegeben. Nie hatte er seine Liebe offen gezeigt, nie Beri umarmt oder seinen Gefühlen freien Lauf gelassen. Als er die Wesenszüge seines Sohnes Julius erkannt hatte, war für ihn klar gewesen, daß es Bernhard war, der seinen Weg fortführen würde. Und nun war Bernhards Vorschlag nicht mit seiner Weltanschauung in Einklang zu bringen. Vielleicht handelte es sich tatsächlich nicht um Betrug, vielleicht wickelte man heutzutage Geschäfte auf diese Art und Weise ab, und dennoch – nein, er konnte diese Vorgehensweise einfach nicht billigen. Er murmelte etwas vor sich hin. Fanny fragte besorgt:

»Hast du etwas gesagt? Geht es dir gut?«

»O ja, meine Teure, es geht mir gut.«

Am 16. August 1889 wurde in der Kanzlei des Stettiner Notars Rengler, der überwiegend für die großen Gutsbesitzer tätig war, der Vertrag mit Eugen von Blanckenburg unterschrieben. Der Partner kam seinen Verpflichtungen nach, und keine zwei Monate später erhielt die »Neue Preußische Holzgesellschaft« von dem königlichen Monopol alle notwendigen Bescheinigungen. Sie konnten mit der Produktion beginnen. Die Ausrüstung aus Schweden traf Anfang Dezember ein und wurde sofort im Kösliner Sägewerk installiert. »Die Kerzen am Tannenbaum werden wir mit Zündhölzern aus eigener Produktion anzünden«, verkündete von Blanckenburg freudig. Bernhard stimmte zu und vergaß auch nicht, dem Partner zum Fest einen Tannenbaum zu schicken, den er in den eigenen Wäldern hatte schlagen lassen.

Die neue Zusammenarbeit mußte sich zwar erst einspielen, aber alle anderen Geschäfte der Familie liefen weiter wie üblich. Die finanzielle Grundlage der Firma war solide, und während sich andere Unternehmen in Schwierigkeiten befanden, blieben den Levys Erschütterungen erspart. »Wir sind wie die Arche Noah, die vor der Sintflut nicht zurückschreckt«, hatte Bernhard einmal gesagt. Ascher hatte auf die ihm eigene Art angemerkt: »Es war nicht die Weisheit Noahs, die die Menschen und Tiere gerettet hat, sondern der Wunsch Gottes.«

Je schwächer Aschers Augenlicht wurde, desto mehr neigte er schließlich dazu, sich in seine eigene Welt zurückzuziehen, ohne allerdings alle Verbindungen nach außen zu kappen. Vor allem wenn es um *Erez Israel* ging, war er unbeirrbar. Jetzt, da er nicht mehr in der Firma tätig war, verbrachte er mindestens einen Monat im Jahr in Bad Kissingen, wo er mit Heinrich Graetz und Moritz Gott-

Moritz Gottschalk und Ascher führten eine lebenslange Korrespondenz.
Seit Aschers Erblindung schrieb Moritz Gottschalk seine Briefe an Fanny,
die sie ihrem Mann dann vorlas.

schalk zusammenkam. Manchmal trafen sie sich auch mit Gerson
Bleichröder. Bleichröder, der einst so sehr auf seinen Ruf und seine
gesellschaftliche Stellung bedacht gewesen war, hatte sich ausgerechnet Ascher gegenüber offenbart. Ihre Krankheit hatte sie einander näher gebracht, und zwischen dem großen Bankier und dem
Kaufmann aus der Provinz entstand eine sonderbare Beziehung, die

man jedoch schwerlich als wahre Freundschaft bezeichnen konnte. Bleichröder erzählte Ascher von seinem Witwerdasein – seine Frau Emma war 1881 verstorben – und von seiner Enttäuschung über den Lebenswandel seiner Kinder. Seine Bemühungen, wenigstens dem jüngeren Sohn James die Position eines Offiziers zu sichern, waren erfolgreich gewesen. Dank der Fürsprache bei Freunden am königlichen Hofe war auch der ältere Sohn Hans zum Offizier des Kavallerie-Regiments in Bonn ernannt worden. Da er sich jedoch mit Frauen von zweifelhaftem Ruf abgegeben hatte, war er unehrenhaft entlassen worden. Else, seine einzige und geliebte Tochter, hatte zunächst den Baron Bernhard von Uechtritz geheiratet, doch trotz einer Mitgift von zweieinhalb Millionen Mark war die Ehe bald geschieden worden. Zwei Jahre später hatte Else erneut geheiratet, dieses Mal in der Dreifaltigkeitskirche zu Berlin. Für einen traditionsbewußten Juden wie Bleichröder war das eine schwierige Erfahrung.

Doch Ascher bewegten die Sorgen des Bankiers weniger als die Tatsache, daß das Waisenhaus in Jerusalem noch immer am seidenen Faden hing. Zwei nach Palästina entsandte Lehrer waren, nachdem die Vorsteher der orthodoxen Gemeinde sie mit einem Bann belegt hatten, nach Deutschland zurückgekehrt, und es erwies sich als schier unmöglich, Ersatz für sie zu finden. Der Verleumdungsfeldzug gegen Graetz und seine Freunde wurde weiter geführt. Beide Lager, Orthodoxe wie Befürworter der Produktivisierung, hatten sich in ihren Positionen verschanzt, und diese peinliche Auseinandersetzung schien kein Ende nehmen zu wollen. Die Hoffnung der drei, mit ihrer Denkschrift eine Änderung der Spendenverteilung zu erwirken, wurde schwer enttäuscht. Das von der Alliance Israélite in den letzten Jahren im Heiligen Land aufgebaute Netz von Schulen bedeutete zwar einen gewissen Hoffnungsschimmer, allerdings hatte die Sache auch einen Haken. Da in diesen Schulen auf Französisch unterrichtet und die französische Kultur vermittelt wurde, hatte das französische Konsulat seine Schutzherrschaft auf diese Schulen ausgedehnt. Ascher Levy wollte eine Schule mit Schwerpunkt auf der deutschen Sprache und der preußischen Kultur. Die offizielle Politik Frankreichs in muslimischen Ländern beruhte durchgängig auf einer offen anti-jüdischen Haltung, doch ausgerechnet in Palästina verbanden diese beiden Seiten gemeinsame Interessen. Die Expansion des französischen Einflusses ärgerte Ascher Levy nicht weniger als die Verbohrtheit seiner Gegner.

Die sogenannte Judenfrage beschäftigte Europa und das Reich auch weiterhin. Das verflossene Jahrzehnt hatte deutlich gemacht, daß durch die gesetzliche Gleichstellung der Juden eine Schleuse geöffnet worden war. Wenn auch nur einer schmalen Oberschicht unter den Juden ein wirtschaftlicher und kultureller Aufstieg wirklich gelang, so spielten sich diese Karrieren doch gerade auf den Feldern ab, denen die öffentliche Aufmerksamkeit in besonderem Maße galt – im Bank- und Finanzwesen, in der Presse und in Akademikerkreisen. Vor dem Hintergrund der Wirtschaftskrise, die auf die Reichsgründung folgte, stellte die erboste Öffentlichkeit daher gerade die jüdischen Bankiers an den Pranger. Doch die Antisemiten richteten ihre Pfeile nicht nur auf die Wohlhabenden unter den Juden, sondern im gleichen Maße auch auf jüdische Sozialisten, die sich für die Rechte der Arbeiter einsetzten.

Auf der Kurpromenade Bad Kissingens lüfteten die Geschichtsprofessoren Heinrich Graetz, der Jude, und Heinrich von Treitschke, der Antisemit, höflich den Zylinder zum Gruß, wenn sie sich begegneten. In der politischen Arena hingegen herrschten andere Sitten. Bismarck geriet ins Kreuzfeuer der Kritik, denn viele verbanden die Politik des Kanzlers mit dem gesellschaftlichen Aufstieg bestimmter jüdischer Kreise. Unter dem Eindruck der gesellschaftlichen Umwälzungen, die mit der Reichsgründung und der fortschreitenden Industrialisierung verbunden waren, bildete sich eine gefährliche Allianz aus konservativen Kräften und verbitterten Verlierern. Zu Beginn der achtziger Jahre kam es in Neustettin, nur wenige Kilometer vom Sitz der Bismarckschen Familie entfernt, zu antisemitischen Ausschreitungen. Einige behaupteten, diese geographische Nähe käme nicht von ungefähr. Brandstifter verwüsteten die örtliche Synagoge. Anschließend ging das Gerücht um, die Juden hätten das Feuer selbst gelegt, um eine hübsche Versicherungssumme einzustreichen. Wäre Bismarck nicht energisch eingeschritten, hätten derartige Gewalttätigkeiten durchaus im ganzen Reich aufflammen können. Bismarck sah in den Unruhen einen Angriff dunkler Mächte gegen den in seinen Augen heiligsten aller Werte: Besitz und Eigentum. Als Reaktion auf die Ereignisse von Neustettin erließ seine Regierung ein Verbot antisemitischer Zusammenkünfte und Reden in Pommern und Westpreußen.

Während auf dem Land schwelende Konflikte mit Messern, Heugabeln und Keulen angeheizt wurden, tauchten in den politischen Arenen der Städte gediegene Gestalten auf, die diesem Radau-Antisemitismus eine patriotische Färbung verliehen. Zu ihnen zählte ein Stammgast von Bad Kissingen: Professor Heinrich von Treitschke, erst nationalliberaler, dann parteiloser Abgeordneter des Reichstages und einer der führenden Historiker der Berliner Universität. Er prägte den Ausdruck: »Die Juden sind unser Unglück.« Sein publizistischer Einsatz machte den Antisemitismus im Kreise der Intelligenz ebenso salonfähig, wie die Veröffentlichungen Richard Wagners es taten, der bis zu seinem Tode im Jahre 1883 gefordert hatte, »die deutsche Gesellschaft von der jüdischen Plage zu reinigen«. Als sich 1887 der Hotelier Konrad Hilton in der Stadt Saratoga in den Vereinigten Staaten weigerte, einen jüdischen Bankier namens Josef Seligmann in seinem Hotel Grand Union als Gast aufzunehmen, jubelten die Gleichgesinnten auf deutscher Seite:»Seht ihr? Nicht nur wir…«

Doch angesichts der Pogrome in Osteuropa wirkte der reichsdeutsche Antisemitismus eher harmlos. Tausende von Flüchtlingen aus dem Zarenreich und den von Rußland besetzten Gebieten strömten auf der Suche nach einem sicheren Zufluchtsort in den Westen. 1881 organisierten sich die *Chovevei Zion*-Vereine in Rußland. Diese Bewegung verfolgte die Idee, das in der Diaspora versprengte Volk Israel wieder in seiner biblischen Heimat anzusiedeln. Die *Chovevei Zion*-Vereine waren hauptsächlich in Rußland aktiv, verbreiteten sich aber auch in Zentral- und Westeuropa, in den Vereinigten Staaten und Australien. Sie setzten sich für die Konsolidierung bestehender sowie die Gründung neuer Siedlungen in *Erez Israel* ein, kämpften für die nationale Anerkennung und für die Wiederbelebung der hebräischen Sprache.

Die Flüchtlinge aus dem Zarenreich, von deutschen Juden geringschätzig »Ostjuden« genannt, versetzten die etablierte jüdische Bourgeoisie des Deutschen Reiches in Angst und Schrecken. Sowohl Alteingesessene als auch die, die es noch werden wollten, blickten diesen Armen, deren Fremdheit ins Auge stach, mit Sorge entgegen. Sie wußten, daß die Ablehnung der deutschen Gesellschaft gegenüber diesen Flüchtlingen auf sie selbst würde zurückfallen können, denn schließlich sind für Antisemiten alle Juden gleich – auf diese fremd aussehenden Osteuropäer ließen sich allerdings die gängigen Vorurteile noch besser projizieren. Die Angst vor den Einwanderern veranlaßte Heinrich Graetz und seine beiden Freunde Moritz Gottschalk Lewy und Ascher Levy zur Unterstützung der *Chovevei Zion*-Bewegung. Deren Bestrebungen waren ihrer Ansicht nach zwei wichtigen Zielsetzungen zuträglich: Einerseits würde sich niemand im Reich mit den gärenden Problemen dieser unerwünschten Bevölkerungsgruppe auseinandersetzen müssen, und andererseits würden diese Einwanderer das produktive Element der jüdischen Gemeinschaft im Heiligen Land stärken.

Doch nach wenigen Monaten distanzierte sich Heinrich Graetz vom Programm der *Chovevei Zion*. Ascher und Moritz Gottschalk schlossen sich sofort an. Ascher Levy entzog dieser Bewegung letztlich seine Unterstützung, weil die Idee der nationalen Wiedergeburt seiner Weltanschauung widersprach. Dieser jüdische Nationalismus gefährdete die Brücke, die er zwischen seinem Judentum und seiner preußischen Staatsbürgerschaft geschlagen hatte. Sein von der nationalistischen Idee losgelöstes Judentum ersparte ihm das Dilemma doppelter Loyalität und die sich ansonsten aufdrängende Frage: Ascher Levy, Sohn des Jäckel, wer bist du überhaupt? Bist du zuerst Deutscher und dann Jude? Oder bist du zunächst Jude und dann erst Deutscher? Dies hätte, da sei Gott vor, unweigerlich dazu geführt, eine klare und vollständige Trennung zwischen beiden Optionen vollziehen zu müssen. »Wir müssen festhalten, woran wir wirklich glauben«, schrieb Ascher Levy an Graetz. »Wir können einfach keine selbstmörderische Aktion unterstützen. Mein Gewissen ist rein, und das ist die Hauptsache. Diese neuen Bewegungen sind für die Flüchtlinge der Schreckensherrschaft im Osten gut, stehen jedoch im Widerspruch zu jenen Grundsätzen, die das deutsche Judentum leiten. Wir brauchen in unserem Vaterland keine nationale Erlösung, sondern volle Gleichberechtigung.«

Daß Ascher Levy auf Distanz ging, änderte selbstverständlich nichts an den neuen Realitäten, und das Gespenst des nationalen Zionismus mit dem konkreten Ziel, einen jüdischen Staat zu schaffen, ließ sich nicht mehr verbannen. Bald wurde in Berlin der »Jung Israel Verein« gegründet, an dessen Spitze nicht etwa ein Aktivist aus Rußland stand, sondern ein deutsch-jüdischer Student namens Heinrich Loewe. Doch die eigentliche Ohrfeige ereilte Ascher an einem grauen Wintertag Ende Januar 1896, weniger als ein Jahr vor seinem Tod. Ascher verließ auf Fannys Drängen hin kaum noch das gut beheizte Haus. Seine Ärzte hatten gewarnt, daß auch schon die geringste Verkühlung seine angegriffene Gesundheit ernsthaft gefährden könne. »Vergiß nicht, daß du einundachtzig bist«, rief ihm Bernhard stets in Erinnerung. Als der Frost die Flüsse und den See im Park von Polzin hatte zufrieren lassen und die Kälte Ascher in

Knochen und Glieder fuhr, brauchte seine Familie nicht mehr lange zu bitten. Er zog es vor, es sich mit einer Wolldecke über den Beinen in seinem Sessel bequem zu machen, wo er häufig einnickte. Unvermittelt riß ihn ein lautstarkes Wortgefecht aus dem Schlummer. Er erkannte die Stimmen seiner Frau und seines Sohnes. Die Tür flog auf, und Bernhard stürmte herein. Seine Wangen waren vor Aufregung und Frost gerötet.

»Ich habe ihn gebeten, dich nicht ausgerechnet jetzt zu stören«, entschuldigte sich Fanny.

»Ich konnte einfach nicht warten, Papa. Ich bin so schnell wie möglich hergerannt ...«

»Wer es eilig hat, kommt ebenso schnell zu Fall«, tadelte Ascher und fragte: »Was ist geschehen?«

»Sagt dir der Name Theodor Herzl etwas, Papa?«

»Sicherlich. Das ist dieser verrückte Journalist aus Wien. Kompert hat mir in seinen Briefen über ihn berichtet. In Wien meidet man ihn wie die Pest.«

»Und zu Recht, Papa. Der Mann wird uns ins Unglück stürzen.«

»Hat er schon wieder etwas angerichtet?«

»Angerichtet ist noch gelinde ausgedrückt. Er hat ... aber warum soll ich es dir erzählen? Wir haben einen Eilbrief von Moritz erhalten. Lies selbst.« Bernhard reichte seinem Vater einen dicken Briefumschlag.

»Wo ist meine Lupe?«

Fanny reichte sie ihm. Bernhard wollte noch etwas anmerken, doch Ascher unterbrach ihn mit einer ungehaltenen Handbewegung. Er vertiefte sich in den Brief. Sein Cousin setzte ihn darin über den Inhalt einer Broschüre in Kenntnis, die Theodor Herzl verfaßt hatte: »Der Judenstaat – Versuch einer modernen Lösung der Judenfrage«. Moritz Gottschalk schrieb:

»Der Mann hat schlechte Stücke geschrieben, aber was er nunmehr allen Ernstes vorschlägt, scheint mir miserabler als jedes seiner vorherigen Werke. Zu meinem Leidwesen ist es kein erheiterndes Stück. Sein Vorschlag, einen Judenstaat zu gründen, ist bei uns hier wie ein Blitz aus heiterem Himmel eingeschlagen. Du wirst die Idee wahrscheinlich mit einem Schulterzucken abtun – ich kenne dieses Schulterzucken an Dir. Doch die Sache ist viel zu ernst, es dabei bewenden zu lassen. Herzl hat einen Plan für die Übersiedlung unserer Glaubensbrüder nach *Erez Israel* aufgestellt und zu diesem Zweck mit unterschiedlichen Persönlichkeiten in ganz Europa

Kontakt aufgenommen. Es scheint, daß er das Ausmaß dieser Verrücktheit und die fast unweigerlichen Konsequenzen dessen nicht begreift. Ein Judenstaat! Kannst Du Dir die Reaktionen in Wien und Berlin vorstellen? Es ist, als gösse man Öl in das Feuer der Antisemiten und der Feinde der Emanzipation. Einhundert Jahre fortwährender Bemühungen drohen verlorenzugehen!

Wir haben die Angelegenheit untersucht und mußten feststellen, daß Herr Herzl diesbezüglich ein ausführliches Werk verfaßt hat, das er mehreren großen Verlagshäusern zur Veröffentlichung angeboten hat. Zu unserem Glück haben es alle mit Abscheu abgelehnt, und solange er keinen Verlag im Kreise unserer Feinde findet, hat er keine Chance, seine Lehre der Erlösung zu verbreiten. Deshalb hat er anscheinend beschlossen, zumindest einen Auszug seiner Weisheiten zu veröffentlichen, und der ›Jewish Chronicle‹ in London hat aus unerfindlichem Grund zugestimmt, ihm als Bühne zu dienen. Aber wer kann dafür bürgen, daß auf diesen Aperitif nicht doch noch der Hauptgang folgen wird? Wie auch immer, ich hielt es für richtig, Dir umgehend die Übersetzung des Artikels zukommen zu lassen, damit Du Dich mit der Angelegenheit vertraut machen und, wenn Du es wünschst, reagieren kannst. Auf meine Nachfrage hat sich herausgestellt, daß die ›Allgemeine Zeitung‹ bereit ist, Leserbriefe zu veröffentlichen. Dennoch sind einige unserer Freunde der Ansicht, daß man diesen Zwischenfall besser totschweigen sollte. Was meinst Du? ...«

Ascher ließ den Brief sinken. Sein Gesichtsausdruck verriet größte Besorgnis. Bernhard wartete auf eine Reaktion, doch als sein Vater längere Zeit schwieg, hielt er es nicht mehr aus und platzte schließlich heraus:

»Hältst du das nicht auch für unfaßbar, Papa?«

»Das ist der Beginn eines Geistertanzes.«

Ascher seufzte. »Theodor Herzl... Kompert schrieb, daß er Schweinefleisch ißt, am *Schabbat* fährt und zu Weihnachten sogar einen Tannenbaum für seine Kinder herrichtet. Und ausgerechnet dieser Mann schlägt die Gründung eines Judenstaates vor!«

»Eine törichte Idee.«

»Die Idee als solche ist überhaupt nicht wichtig. Mag sein, daß sie so töricht gar nicht ist. Unterstützen wir etwa nicht die Einwanderung osteuropäischer Juden nach Palästina? Doch von jetzt an wird man auch uns sagen, daß unser Vaterland Palästina sei. Wagner wird sich aus dem Grab erheben und eine Oper über die Juden des Reiches komponieren, die endlich ihren Platz gefunden haben.«

Moritz Gottschalk hatte gehofft, man könne den Vorschlag Herzls einfach totschweigen. Die deutschen Bürger mosaischen Glaubens, ihre Organisationen und Presseorgane machten ihren ganzen Einfluß geltend, um den nationalen Zionismus von der Tagesordnung zu streichen. Doch alle Anstrengungen waren umsonst. Der Vorschlag Theodor Herzls wurde vom Schneeball zur Lawine, und nichts konnte sie aufhalten. Am 29. August 1897, einem schönen, sommerlichen Sonntag, trat im schweizerischen Basel der Erste Zionistenkongreß zusammen. Zweihundertacht Delegierte aus sechzehn Ländern füllten den Saal des städtischen Kasinos, um sich mit der »törichten Idee« zu identifizieren und sie in die Tat umzusetzen. Als sich im November 1898 Kaiser Wilhelm II. im Heiligen Land aufhielt, empfing er die Gründer und Wortführer des nationalen Zionismus zu einem Gespräch in seinem Zeltlager gleich außerhalb der Stadtmauern von Jerusalem. Bereits im Vorfeld der Reise hatte er zugesichert, dem türkischen Sultan Abdul Hamid II. die Zionistische Bewegung schmackhaft zu machen, und Hoffnungen auf ein Protektorat des Deutschen Reiches geweckt. Unter dem Einfluß seines Außenministers Bernhard von Bülow, der sich der vehementen Ablehnung eines Judenstaates durch jüdische Bankiers, Intellektuelle und Journalisten anschloß, kam er seinem Versprechen jedoch nicht nach und setzte sich nicht weiter für die Angelegenheit ein. Doch die Geschichte nahm ohnehin ihren Lauf. Ein halbes Jahrhundert später entschied die Vollversammlung der Vereinten Nationen über die Entstehung des Staates Israel. Theodor Herzl erhielt den inoffiziellen Titel »Visionär des Staates«, und heute weiß jedes jüdische Kind über ihn Bescheid. Ascher Levy blieben alle diese schwierigen Erfahrungen erspart. Am 3. März 1897, einem Mittwoch, verschied er gegen sieben Uhr abends.

Fanny bereitete gerade das Abendessen vor. Die Angestellten waren bereits gegangen, Bernhard schloß die Büroräume im Erdgeschoß ab und ging ebenfalls. Über das Haus in der Brunnenstraße senkte sich abendliche Stille. Ascher war in seinem Sessel eingenickt. Als die alte Wanduhr sieben schlug, betrat Fanny mit einem Tablett den Salon.

»Ich habe dir einen Braten mit eingelegtem Kraut zubereitet, wie du es dir gewünscht hast«, sagte sie und stellte das Geschirr auf dem Tisch ab. Ascher antwortete nicht. Sie ging zu ihm hinüber, um ihn zu wecken. In letzter Zeit schlief er, wann immer er sich zum Ausruhen hinsetzte, sofort ein. Doch dieses Mal pendelte sein Arm unkontrolliert über der Sessellehne, als sie ihn sachte anstieß. Ein schrecklicher Verdacht überkam Fanny. Sie berührte seine Stirn, fiel neben ihm auf die Knie und tastete die herabhängende Hand mit ihren Lippen ab. Die Hand war kalt. Fanny begriff sofort, was geschehen war. Eine sonderbare Stille senkte sich über ihre Gedanken. Schließlich stand sie auf und sagte ganz leise zu sich selbst: »Ich wußte, daß ich dem nicht entrinnen kann ...«

Dr. Willi Stutz war der einzige Internist Polzins. Der eingefleischte Junggeselle von fünfzig Jahren war lange Zeit auf großen Passagierschiffen Schiffsarzt gewesen und hatte erst in vorgerücktem Alter beschlossen, sich irgendwo niederzulassen. Seine Familie besaß einen kleinen Gutshof in der Umgebung von Polzin, so daß seine Wahl wohl deshalb ausgerechnet auf dieses verschlafene Städtchen in Pommern fiel. Die Klatschbasen ließen ihren Zungen freien Lauf und erzählten sich halbseidene Geschichten über ihn, hauptsächlich über die vielen Frauen, die er angeblich in der ganzen Welt erobert und sitzengelassen hatte. Aber im Grunde wußte niemand wirklich etwas über seine Vergangenheit. Er selbst äußerte sich nicht, weder um die Gerüchte, die ihn reichlich amüsierten, zu bestätigen, noch um sie zu dementieren. Er war ein umgänglicher Mann, der sich schnell mit den Leuten anfreundete, und seine Tätigkeit als Arzt sicherte ihm ein gutes Auskommen.

Wie gewöhnlich saß Dr. Stutz auch an diesem Abend in dem Bierkeller am Marktplatz. Als man ihn zu den Levys rief, fragte er den Angestellten, der ihn holen kam: »Warum denn bloß die Eile? Ich kenne den alten Levy. Er ist wie eine Maschine, die manchmal quietscht, aber nie ganz kaputtgeht.« Doch als er in der Brunnenstraße eintraf, war ihm rasch klar, daß die Dinge diesmal anders standen: »Es tut mir leid, Frau Levy. Keine Arznei der Welt kann ihm mehr helfen.«

Fanny, Bernhard und Henriette standen wie erstarrt. Das Ticken der Wanduhr war das einzige Geräusch im Raum. Bernhard brach schließlich das Schweigen und fragte in dem ihm eigenen abwägenden und sachlichen Tonfall:

»Kennen Sie die Todesursache, Herr Doktor?«

»Die ist einfach«, antwortete Dr. Stutz. »Der barmherzige Gott hat ihn zu sich gerufen.«

Der Druck, der Fanny die Kehle zugeschnürt hatte, löste sich erst jetzt. Die innere Sperre, die ihr eine Reaktion unmöglich gemacht hatte, öffnete sich abrupt, und sie brach in lautes Weinen aus. Henriette versuchte, sie zu beruhigen. Dr. Stutz schloß seine Tasche, nahm seinen Hut und sagte zu Bernhard: »Da ich hier nicht weiter von Nutzen bin, werde ich gehen. Kommen Sie bitte morgen früh in meine Praxis, ich werde dann den Totenschein ausstellen. Die Rechnung beträgt zwei Mark und fünfzig Pfennige.«

Nach der *Schiwah* rief man alle Familienangehörigen zur Testamentsverlesung zusammen. Es kamen auch entfernte Cousins, die mit dem Verstorbenen niemals familiäre Beziehungen gepflegt hatten, und Tanten, deren Existenz Fanny bereits vergessen hatte. Natürlich erschien auch Julius, der seine Eltern fünf Jahre zuvor das letzte Mal gesehen hatte. Damals hatte er anläßlich ihrer Goldenen Hochzeit ein Festspiel in Danzig arrangiert. Nun reiste er mit dem Zug über Kolberg und brachte seine achtzehnjährige Tochter und seine beiden herangewachsenen Söhne mit, den zweiundzwanzigjährigen Rudolf und den ein Jahr jüngeren Paul.

Bernhard ließ sich am Kopfende des Tisches nieder. Fanny saß zu seiner Rechten. Zu seiner Linken hatte ein Mann Platz genommen, den keiner der Gäste jemals zuvor gesehen hatte. »Mein Vater hat ein Testament verfaßt und mir befohlen, es zu diesem Zeitpunkt zu verlesen«, sagte Bernhard und legte einen großen versiegelten Umschlag vor sich hin. »Mir scheint erwähnenswert, daß wir uns am siebten des Monats *Adar*, am Geburts- und Todestag unseres Lehrers Moses, hier versammelt haben. Dieses Datum verleiht unserer Zusammenkunft eine Bedeutung, die weit über die einer regulären Testamentsverkündung hinausgeht. Ich habe zudem den ehrenwerten Notar Stolpe aus Stettin hergebeten, der seit vielen Jahren für das Unternehmen unserer Familie tätig ist. Seine Anwesenheit verleiht dieser familiären Zusammenkunft einen offiziellen Charakter.«

Der greise Notar nickte, und Bernhard brach den versiegelten Briefumschlag auf. Mit trockener und monotoner Stimme, die den ganzen Raum erfüllte, trug er das Testament seines Vaters vor:

»Wir dürfen niemals vergessen, woher wir kommen und wohin wir unseren Blick richten. Unser Leben stellt lediglich ein Glied in der ewigen Kette des Judentums dar, und auch wenn unser Leben endet, existieren wir dennoch weiter, als sei nichts geschehen.

Darin liegt das Geheimnis des Judentums verborgen, vielleicht sogar das Geheimnis der gesamten Menschheit. Aus diesem Grund
wünsche ich, daß meine Lieben nicht um meinen Tod trauern. Ich
hoffe, vor den Hohen Richter zu treten und über meine Taten Rechenschaft abzulegen, während meine Seele rein von vielen Sünden
ist, die in unserer Gesellschaft häufig auftreten. Zudem ist es mir
wichtig zu wissen, daß die Firma auch noch nach meinem Tode auf
die gleiche Weise geleitet wird wie seit ihrer Gründung und mein
Erbe stets die Ehrlichkeit dem Wohlstand vorziehen wird, genauso
wie der Profit der Ausgabe vorgezogen werden muß.«

Ascher Levy vererbte die Firma samt allen unterschiedlichen
Geldanlagen und Immobilienobjekten an Bernhard. Das Haus in
der Brunnenstraße überschrieb er seiner Frau. Bernhard war verpflichtet, Fanny bis zum Tag ihres Todes aus den Firmengeldern ein
gutes Auskommen zu sichern. »Der Verein zur Erziehung jüdischer
Waisen in Palästina« erhielt zehntausend Mark, allerdings nur unter der Bedingung, daß das Geld nicht für zionistische Zwecke, sondern ausschließlich für die Erziehung verwendet wurde. Seinem
Sohn Julius vererbte er fünfundsiebzigtausend Mark, die ihm über
drei Jahre hin in drei gleich hohen Raten auszuzahlen waren.
Ascher hatte außerdem festgelegt, woher dieses Geld stammen
sollte. »Bevor die Firma auf meinen ältesten Sohn Bernhard überschrieben wird, muß die Partnerschaft mit Eugen Baron von
Blanckenburg gelöst werden, wobei eine gerechte, rechtmäßige
und gleichmäßige Aufteilung der Eigentümerschaft an der Zündholzfabrik gewährleistet werden muß.« Jedem seiner fünf Enkelkinder aus Bernhard und Henriettes Ehe vermachte er fünftausend
Mark. Tausend Mark gingen an den städtischen Stipendienfonds,
weitere kleinere Summen an entfernte Verwandte.

In den Abendstunden brachen die Gäste auf. Bernhard begleitete
sie zur Bahnstation. Erst seit einigen Jahren war Polzin mit den anderen Städten Pommerns verbunden. Wer nach Stettin, Danzig
oder Berlin reisen wollte, mußte zwar umsteigen, aber dennoch erleichterte der Anschluß an das nationale Eisenbahnnetz den Einwohnern das Leben und hatte Ascher einst sehr gefreut.

Bis zum Schluß war er in Eisenbahnen vernarrt gewesen, auch
wenn er nicht mehr selbst investiert hatte. Als Fanny nach seinem
Tod seine Papiere durchging, stieß sie dabei zu ihrer Verwunderung
auf ein altes Aktienpaket der Gesellschaft Strousberg.

Strousberg, ein getaufter Jude aus Ostpreußen, hatte mit Eisenbahnen ein Vermögen gemacht, und lediglich ein einziges seiner großangelegten Projekte hatte sich als kompletter Fehlschlag entpuppt. In den sechziger Jahren hatte er eine Aktiengesellschaft gegründet, um die Konzession für die Inbetriebnahme neuer Bahnlinien in Rumänien zu erhalten. Strousberg brachte das Grundkapital ein. Im Gegenzug dafür hatte sich die rumänische Regierung verpflichtet, regelmäßig eine Dividende von sieben Prozent auszuschütten. Technische und bürokratische Hürden führten zu unendlichen Verzögerungen bei der Inbetriebnahme der Linie, so daß der Kurs der Aktie gegenüber ihrem Ausgangswert um die Hälfte fiel. Die Aktionäre, zumeist kleine Investoren aus Schlesien, Berlin und München, fühlten sich betrogen. Als die Rumänen schließlich bekanntgaben, daß sie den Bürgschaftsbedingungen der Dividendenausschüttung nicht nachkommen konnten, stürzte der Kurs der Aktien ins Bodenlose. Auch Ascher Levy hatte sich auf Anraten Gerson Bleichröders engagiert. »Dies ist keine Investition, sondern eine *Mitzwah*«, hatte der Bankier ihn damals überredet. Die rumänischen Juden litten unter einer diskriminierenden Regierungspolitik. Bleichröder hatte geglaubt, daß die verantwortlichen Politiker als Gegenleistung für die Hilfestellung bei der Inbetriebnahme der Bahnlinie ihre Judenfeindschaft mäßigen würden. Doch diese Hoffnung zerschlug sich schnell. Wie bereits erwähnt, verweigerten die Rumänen den Investoren die ihnen zustehenden Zahlungen, und auch als Deutschland im Mai 1878 das bestehende Handelsabkommen aufkündigte, um von staatlicher Seite Druck auszuüben – von den Diskriminierungen waren auch deutsche Juden betroffen, die in Rumänien lebten –, lenkten die Rumänen nicht ein. Als Ascher Levy starb, waren die Strousberg-Aktien noch nicht einmal mehr das Papier wert, auf dem sie gedruckt waren. Ascher hatte damals ungefähr fünftausend Mark verloren. Niemals hatte er auch nur einem einzigen Menschen davon erzählt, nicht einmal Bernhard wußte davon.

Als Fanny die Zertifikate fand, erschien ein nachsichtiges Lächeln auf ihren Lippen: »Es sieht ihm so gar nicht ähnlich«, sann sie nach, »diese wertlosen Aktien zuunterst in die Schublade zu stopfen, als wollte er seinen Mißerfolg verbergen.« Sie zerriß die Aktien in kleine Schnipsel und warf sie in den Papierkorb.

Die Brüder Bernhard und Julius standen auf dem Bahnsteig. Der Zug in südliche Richtung hatte Verspätung. Bisher hatte sich die Beziehung der Brüder auf eine eher spärliche Korrespondenz beschränkt. Sie trafen sich lediglich alle paar Jahre anläßlich diverser Familienfeiern, und selbst dann fanden sie immer nur mit Mühe ein gemeinsames Gesprächsthema. Jetzt brachte der Tod ihres Vaters sie einander näher. Julius legte einen Arm um Bernhards Schulter und seufzte: »Als ich heute an seinem Grab stand, hatte ich ein sonderbares Gefühl. Es ist, als würde ein Kapitel abgeschlossen, eine Ära zu Ende gehen und als würden wir von einer Welt in eine andere wechseln.«

»Die Levys werden sich niemals ändern«, erwiderte Bernhard.

»Ich weiß. Und trotzdem... Die guten alten Zeiten liegen immer hinter einem.«

»Vor uns liegen auch gute Zeiten.«

»Weißt du, worum ich dich beneide?«

Bernhard warf seinem Bruder einen fragenden Blick zu. »Ich beneide dich um deine Selbstsicherheit, Beri, um diese Seelenruhe. Ich bin ständig in Sorge. Es kommt mir immer so vor, als würde der morgige Tag unangenehme Überraschungen bereithalten. Ich sorge mich um die Zukunft meiner Kinder und um die meiner Handelsfirma. Woher nimmst du diese Sicherheit, daß alles, was du tust, richtig und gut ist, angemessen und gerecht und ...«

»Ein Angeklagter gilt so lange als unschuldig, bis seine Schuld bewiesen ist, nicht wahr?«

Julius wechselte das Thema: »Du wirst dich um Mama kümmern, ja?«

»Zweifelst du etwa daran?«

»Nein, nein, ich wollte es doch nur anschneiden.«

»Verschwende niemals deine Worte«, riet ihm Bernhard. Julius hörte den leicht überheblichen Tonfall, hielt sich jedoch zurück. Bernhards Blick wanderte den Bahnsteig entlang. Neben einem eisernen Stützpfeiler stand seine Tochter Ida mit seinem Neffen Paul zusammen, der von untersetzter Statur war und dazu neigte, dick zu werden. Er trug einen breitkrempigen Hut. Ida war hochaufgeschossen, schlank und feingliedrig. Obwohl sie gerade erst vierzehn Jahre alt wurde, versprühte sie doch schon weiblichen Charme. Julius folgte dem Blick seines Bruders.

»Paul wird in einem Jahr das Ingenieurstudium abschließen«, sagte er leichthin.

»Ida wird in einem Pensionat in Berlin erzogen. Sie ist noch sehr jung«, merkte Bernhard ebenso beiläufig an und fragte sofort weiter: »Auf welches Gebiet wird sich Paul spezialisieren?«

Ida Levy, Danzig 1902

»Auf den Bau von Eisenbahnlinien.«

»Unser Vater, selig sei sein Andenken, hätte seine Freude daran gehabt.«

»Er wußte es. Um die Wahrheit zu sagen, es war sogar sein ausdrücklicher Wunsch. Als ich von daheim wegging, hat er mir meinen Anteil an der Firma in bar ausgezahlt. Als Paul das Gymnasium abschloß, versprach er, mir eine stattliche Summe zu hinterlassen, wenn ich Paul in diese berufliche Richtung lenkte.«

Bernhard schwieg. Er hatte immer gewußt, daß sein Vater in allen familiären Angelegenheiten die Finger im Spiel hatte. Doch er war überrascht zu erfahren, daß sein Vater Geheimnisse gehabt und ihn nicht in alles eingeweiht hatte. Für einen Moment war er beleidigt. Ihm lag bereits eine Bemerkung auf der Zunge, doch im allerletzten Moment hielt er sich zurück. Sein Neffe Rudolf kam mit kurzen, wenngleich energischen Schritten auf sie zu, setzte die beiden Koffer auf dem Bahnsteig ab und rang nach Atem.

»Wir wären ohne dich abgefahren, wenn der Zug nicht Verspätung hätte.«

»Ich bitte um Entschuldigung.«

Julius wandte sich an seinen Bruder: »Er verspätet sich immer und ist permanent ungeduldig – als wäre er kein Mitglied der Familie Levy.«

»Ich glaube, daß zwei Faktoren eine Rolle spielen«, entgegnete Bernhard anzüglich. »Meiner Meinung nach machen die Veranlagung und die Erziehung einen Menschen aus.«

Rudolf verschränkte die Hände auf dem Rücken und ging langsam zum nahe gelegenen Stationshäuschen. Er stellte sich vor den Zugfahrplan und wanderte mit den Fingern über die Zeilen. Im Gegensatz zu Paul war er groß und schlank, sehr gut aussehend.

»Wie alt ist er?«

»Zweiundzwanzig.«

»Ich habe gehört, daß er der Malerei zugetan ist.«

»Zugetan?« grinste Julius. »Er nimmt nichts anderes als Farben, Landschaften und Formen wahr. Ich wollte, daß er an der Universität studiert, so wie Paul, aber ich habe gegen eine Wand geredet. Er ist vom Gymnasium abgegangen, ohne die letzten Prüfungen abzulegen. Er macht zwar einen zarten und zerbrechlichen Eindruck, aber er ist ein starrköpfiger Junge, der sich schon immer durchzusetzen wußte. Inzwischen haben wir einen Kompromiß geschlossen. Er geht bei einem Möbelschreiner in die Lehre. Dieser Beruf

Käthe, Rudolf und Paul Levy, Danzig 1882

hat mit Kreativität zu tun, und trotzdem kann er damit seinen Lebensunterhalt verdienen.«

»Alles hängt von den Eltern ab, Juli.«

»Wir glauben aber an das Recht des Kindes, seinen eigenen Weg zu wählen.«

»Selbst wenn dieser Weg krumm ist?«

»Das ist ein relativer Begriff, Beri. Letztlich ist das Ziel ausschlaggebend, nicht der Weg.«

»Ich hoffe, daß du für eine jüdische Eheschließung sorgst, so wie es in der Familie Tradition ist.«

Julius schwieg. Rudolf, der noch immer vor dem Fahrplan stand, hatte seinem Vater den Rücken zugekehrt. Mit gedämpfter Stimme sagte Julius: »Er interessiert sich nicht für eine Ehe, Beri.«

»Ja, ja, ich verstehe: diese Künstler. Das Leben der Boheme. Aber er wird es schon noch begreifen. Das kommt mit dem Alter.«

»Du hast mich nicht verstanden, Beri.« Julius' Gesicht wurde ernst. »Er ... wie soll ich sagen ... er fühlt sich nicht zu Frauen hingezogen.«

»Sorge dich nicht. Einige Jugendliche sind Spätzünder.«

»Ich fürchte, das trifft in diesem Fall nicht zu.«

Erst jetzt begriff Bernhard, was sein Bruder ihm sagen wollte. »Du willst doch nicht etwa andeuten ...«

Julius nickte. »Ja, Beri. Es gibt Dinge, die noch nicht einmal in der Macht der allerbesten Eltern stehen. Die Natur ist stärker als wir.«

»Der Zug kommt!« rief Paul und griff nach den Koffern.

In weniger als einer Minute war der Zug in die Bahnstation eingefahren. Es blieb keine Zeit, das Gespräch fortzusetzen. Die Brüder reichten sich die Hand.

»Wir werden ab jetzt darauf achten, in Verbindung zu bleiben«, versprach Bernhard. »Mit Sicherheit«, antwortete Julius und bestieg einen Wagen der zweiten Klasse. Die Familie Levy reiste niemals erster Klasse. Paul fand ein leeres Abteil. Er öffnete das Fenster und streckte den Kopf hinaus. Der Stationsvorsteher schwenkte ein rotes Fähnchen. Der diensthabende Schaffner ließ seine Pfeife trällern, und der Zug rollte an. Paul nahm den Hut ab und schwenkte ihn. Ida hob eine weiß behandschuhte Hand, um zu winken. Plötzlich entglitt Paul der Hut, fiel herunter und kullerte auf den Bahnsteig. Pauls verdutztes Gesicht ließ Ida in ein kindliches und unbeschwertes Lachen ausbrechen, das sich in das Schnauben der Dampflok mischte. Die Bahnstation füllte sich mit einer dicken Rauchwolke, in der die Rücklichter des letzten Waggons wie zwei rote Augen wirkten, die langsam in einer schwarzen Wolke verschwanden.

»Laß uns nach Hause gehen«, sagte Bernhard und nahm seine Tochter an die Hand. Der Stationsvorsteher bückte sich, um den Hut aufzuheben. Er winkte ihnen damit zu. Aber Bernhard ignorierte den Beamten und schritt zügig aus. Tröstend rief der Stationsvorsteher ihnen nach: »Keine Sorge, Fräulein Ida! Ohne Abschiede gibt es kein Wiedersehen.«

Ida war das jüngste der fünf Kinder, und Bernhard behandelte sie auch wie ein Nesthäkchen. Ein Jahr nach ihrer Geburt hatte sich herausgestellt, daß Henriette keine Kinder mehr bekommen konnte. Bernhard schickte sie zu den besten Frauenärzten in Stettin und Berlin. Sie empfahlen Behandlungen in verschiedenen Kurorten, doch alle Anstrengungen waren umsonst.

Lina war die älteste Tochter. Nach ihr waren die drei Söhne geboren worden: Ernst, Siegfried und Leo. Ernst stand für Ernsthaftigkeit, Siegfried für Sieger, und Leo für Löwe. Bernhard plante seine Schritte im geschäftlichen wie im familiären Leben äußerst pedantisch. Er konnte sich glücklich schätzen, eine Frau wie Henriette an seiner Seite zu haben, denn auch sie war der Ansicht, daß das Leben viel zu wichtig sei, um es dem Zufall zu überlassen. Die Eltern hatten die Zukunft der Kinder festgelegt, als diese noch mit Puppen und Zinnsoldaten spielten. Der eigene Wille der Kinder und deren persönliche Neigungen hatten dabei keine Rolle gespielt.

Ernst wurde nach Berlin geschickt, um an der Universität Jura zu studieren. Bernhard sah in ihm den ersten Repräsentanten des Hauses Levy, der in einer preußischen Institution tätig sein würde. Vielleicht würde er Geheimrat in einem Ministerium werden, eventuell sogar Richter, und so die Möglichkeiten ausschöpfen, die Juden in dem neuen Reich auch ohne Übertritt zum Christentum offenstanden. Bernhard war bestrebt, endlich das öffentliche Ansehen der Familie ihrem materiellen Status anzugleichen. Doch als umsichtiger und rationaler Mensch hatte er auch einen eventuellen Rückzug eingeplant. »Selbst wenn er aus irgendeinem Grund nicht in die richtige Position aufsteigen sollte, so wird er als Rechtsanwalt immer seinen Lebensunterhalt verdienen können«, erläuterte er Henriette.

Siegfried war am 10. Juni 1875 geboren worden. Er wuchs zu einem Jugendlichen heran, der das Leben zu genießen wußte. Für seinen Vater aber war er der prädestinierte Nachfolger. Auch Leo, der ernsthafter als Siegfried und eigentlich eher einem Studium zugeneigt war, sollte in die Leitung der Firma einsteigen. Schon von klein auf wurden die Jungen auf diese Aufgabe vorbereitet. Während andere Kinder die Märchen der Gebrüder Grimm lasen, saßen sie ihrem Vater auf ungepolsterten Stühlen mit schmalen, hohen Lehnen gegenüber und lauschten seinen Ausführungen über den Zauber der Geschäftswelt.

Siegfried mochte diese »Informationsabende« nicht und gab

sich seinen Träumen hin. Leo hingegen sog jedes Wort seines Vaters auf wie ein Schwamm. Die Fachausdrücke der Finanzwelt wurden schnell zum festen Bestandteil seines kindlichen Wortschatzes, und neben dem Einmaleins lernte er Buchführung. Als Erwachsener konnte er nicht nur zwischen Säkularem und Heiligem, sondern auch zwischen Profit und Verlust sehr wohl unterscheiden.

Henriette distanzierte sich manchmal von den Methoden ihres Ehemannes, obwohl auch sie im Grunde eine strenge Erziehung befürwortete. »Du nimmst ihnen ihre Kindheit«, sagte sie dann. Bernhard nahm ihr den Wind aus den Segeln, indem er ihr beipflichtete: »Du hast ja recht, du hast absolut recht«, doch zugleich strahlte er vor Freude, weil Leo ein Geschöpf nach seinem Herzen und dazu bestimmt war, seinen Weg weiterzuführen.

Als Leo sich zum ersten Mal in seinem Leben rasieren mußte, hielt Bernhard den Jugendlichen für reif genug, in den familiären Betrieb einzusteigen. Siegfried hingegen kannte sich auch mit vierundzwanzig Jahren noch immer nicht im Geschäft aus. Deshalb entschloß sich Bernhard, ihn zur Weiterbildung nach England zu schicken, zur Firma Linck Moeller & Co, die in der Leadenhall Street 144 in London ihre Niederlassung hatte. Die Firma Linck Moeller & Co war auf Holzhandel spezialisiert und glich in ihrer Betriebsstruktur weitestgehend der Firma Levy in Polzin. Die Geschäftsverbindung zwischen beiden datierte noch aus den Tagen, als Ascher Levy sich einst geweigert hatte, mit Frankreich Geschäfte zu machen. Damals hatten die Levys sich nach England orientiert. Linck Moeller hatte nichts dagegen einzuwenden, Siegfried für einige Zeit bei sich aufzunehmen und seinen Horizont als Geschäftsmann zu erweitern. Doch Bernhard verließ sich offenbar nicht auf die englischen Partner und schrieb Siegfried jeden Tag einen ausführlichen Brief, gespickt mit Ratschlägen und Anweisungen. Das ging so weit, daß er ihm anriet, ein auf »Inch« geeichtes Lineal zu kaufen. Siegfried sollte den Markt erkunden, da sein Vater in einer Zeitung gelesen hatte, daß es in England an Grubenholz mangele, welches das Familienunternehmen uneingeschränkt liefern konnte. »Und vergiß bloß nicht, Dich zu erkundigen, wieviel Zollgebühren man für einen solchen Handel zahlen muß«, rief er Siegfried in Erinnerung. Bernhard trichterte seinem Sohn zudem ein, auch nicht für einen einzigen Moment zu vergessen, daß er deutscher Untertan sei und seine Umgebung in ihm ein Symbol und Beispiel sehen müsse, »denn nach Deinem Verhalten werden die

ASCHER LEVY
Polzin.
Gegründet 1841
Adresse für Telegramme: „LEVY POLZIN."

Bank-, Getreide- und Landesproducten-Geschäft
Dampfsägewerke und Holzhandlung en gros.

Polzin, den
Erfüllungsort Polzin.

Polzin, 3. Sept. 93.

Liebe [illegible]!

Kaum sind die Festesklänge verhallt,
so schicke ich mich an, dir über Alles
Bericht zu erstatten, den du doch gewiß er-
hofft. Ich sage dir, es war ein wunderschönes
Familienfest, verschlungen in jeder Weise! Schade,
daß du nicht dabei sein konntest, aber, wir haben dein
gleich beim ersten Glase gedacht! Zunächst will ich dir
für dein freundlich [illegible] empfundenen Dank u. Glückw.,
die du auch in schöner Form zum Ausdruck
gebracht, bestens danken, [illegible] und [illegible]
erfreut. – Wir waren also in animiertester Stimmung, wozu die verschiedenen Verse u. Reden
(auch Leo hatte eine schöne Tischrede verfaßt)
erheblich beitrugen. Onkel Julius [illegible]
nicht minder u. Alles [illegible]
besonders, kurz, es war Polziner
Feststimmung, wie unser Dichter Rudolph
es heute in seinem Briefe nennt.
Die Bublitzer Kaffee hat ihre Sache [illegible]
gut gemacht. – Auch trugen noch einige Verse, die [illegible]
Ida u. Leo als Dialog [illegible], viel zum Amu-
sement bei u. da sie dich [illegible] gefallen
[illegible] u. [illegible] vielleicht der Schöpfer des
[illegible] werden. – Wir erhielten von allen Seiten die
verschiedensten Aufmerksamkeiten bewiesen, von Carl
u. Lina einen prachtvollen [illegible], Papa bekam

Engländer uns alle beurteilen«. Und selbstverständlich forderte er von seinem lebenslustigen Sohn die strikte Einhaltung einer jüdischen Lebensweise. Er sollte in der Synagoge beten, Kraft aus den Werten seiner heiligen Religion ziehen, sich vor Essen hüten, das nicht *koscher* war, und den *Schabbat* einhalten. »Ich weiß, daß dies unter *Gojim* nicht einfach ist, aber wer sich von der *Thora* und der Tradition abwendet, entfernt sich von sich selbst, so daß er schließlich in ein Nichts schreitet.«

Doch der vierundzwanzigjährige Siegfried wußte nur allzugut, wohin er schritt. Die englische Hauptstadt faszinierte den jungen Mann aus der pommerschen Provinz. Schnell fand er seinen Weg aus den düsteren Kontoren in der Leadenhall Street in die spannenderen Stadtviertel Londons, was sich selbstverständlich auf seine Arbeit auswirkte. Die Firmeninhaber verzichteten darauf, sich bei Bernhard zu beschweren. Als es für Siegfried nach einem halben Jahr, im Oktober 1899, an der Zeit war heimzukehren, bescheinigte Linck Moeller in einem kurzen Zeugnis:

»Herr Siegfried Levy war seit Ende April 1899 in unserer Firma angestellt und verläßt uns, um nach Hause zurückzukehren. Er hat sich vorwiegend mit der Korrespondenz beschäftigt und kam seinen Verpflichtungen zufriedenstellend nach.«

Das war kein begeistertes Empfehlungsschreiben, und Bernhard wußte nur allzu genau, was die spärlichen Zeilen des Engländers bedeuteten.

»Man kann schwerlich sagen, daß du dich bei deiner Arbeit ausgezeichnet hast«, bemerkte er trocken, nachdem er das Zeugnis gelesen hatte.

»Aber ich habe dir auch keine Schande bereitet«, platzte Siegfried heraus. »Ich habe den *Schabbat* eingehalten und *koscher* gegessen, ich habe mich benommen, wie es sich für einen Bürger des Reiches ziemt, und sogar ein Lineal mit ›Inch‹-Einheiten habe ich gekauft.«

»Und du bist genauso frech wie eh und je.«

»Ich bin ein konsequenter Mensch, Papa. Ist das in deinen Augen nichts wert?«

»Sicherlich möchtest du dich ein oder zwei Tage ausruhen.«

»Nein, Papa. Ich bin bereit, an meine Arbeit zurückzukehren – wann immer du es wünschst.«

»In Ordnung. Geh zunächst zu deiner Mutter und begrüße sie. Sie hat dich vermißt. Danach kommst du ins Büro. Leo wird dir sagen, was zu tun ist.«

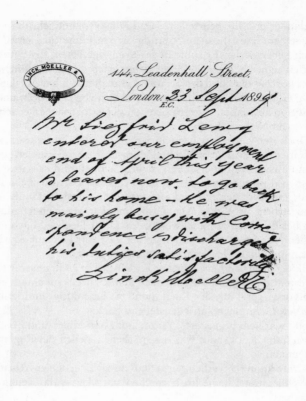

144, Leadenhall Street.
London, 23 Sept 1899
E.C.

Mr. Siegfried Lemy
entered our employment
end of April this year
to leaves now to go back
to his home – He was
mainly busy with corre-
spondence & discharged
his duties satisfactorily
Linck Moeller & Co.

»Wie du wünschst, Papa«, sagte Siegfried mit einem plötzlichen Anflug von Gehorsamkeit. Er nahm seine Sachen und verließ das Büro. Bernhards prüfender Blick folgte ihm bis zur Tür. Siegfried spürte diesen Blick wie einen schmerzenden Stich im Rücken.

Abgesehen von diesem kühlen Empfang, erwartete ihn in Polzin eine angenehme Überraschung. Während seiner Abwesenheit hatte sein Vater einige Räume in einem großen Gebäude in der Bismarckpromenade erworben. Das Haus hatte einst als Erholungsheim gedient und war entsprechend angelegt. Auf jedem Stockwerk gab es lange Korridore, von denen die Zimmer abgingen, so daß jeder Raum einen separaten Zugang hatte. Bernhard hatte Bauarbeiter, Klempner und Maler bestellt, die die Zimmer nun als Wohnräume für die Familie herrichteten. Die Büros der Firma blieben in dem alten Haus in der Brunnenstraße, allerdings hatte man ihnen nun auch noch das obere Stockwerk hinzugefügt, denn mittlerweile beschäftigte die Firma dreizehn Angestellte und Lehrlinge. Im Dachgeschoß war eine bescheidene Wohnung für den leitenden Buchhalter und dessen Frau eingerichtet worden.

Die neue Wohnung der Familie Levy wurde schlicht möbliert, der Reichtum nicht zur Schau gestellt. Der wichtigste Schmuck waren zwei silberne Kerzenleuchter, die Erinnerungsstücke aus dem Napoleonischen Krieg, die Jäckel einst erstanden hatte. Die Familie Levy interessierte sich kaum für die schönen Künste, in ihrer neuen Wohnung gab es keine Gemälde. Nur hier und da wurden gerahmte Stickereien aufgehängt, die Fanny in sehr feinen Kreuzstichen nach vorgedruckten Mustern angefertigt hatte. Im Salon, über einer Kommode mit vielen Schubladen, in denen das Besteck, Servietten und Tischtücher aufbewahrt wurden, hingen zwei Radierungen: das Portrait des Maimonides und ein Bildnis Wilhelms II.

Die alltägliche Haushaltsführung war ebenso nüchtern. Bernhard führte akribisch Buch über alle Ausgaben. Wenn Henriettes Freundinnen leise flüsternd oder auch offen über seinen Geiz spotteten, entgegnete diese kühl, sie habe nicht die Absicht, die Henriette Herz von Polzin abzugeben. Bernhard investierte in andere Bereiche. Da er sich nicht mehr so oft auf Geschäftsreisen begeben wollte, hatte er in der Firma einen Telefonanschluß installieren lassen. Es war der zweite Anschluß in Polzin. Den ersten hatte sich der Bürgermeister zugelegt. Allerdings ließ die Verbindung manchmal zu wünschen übrig. Es kam vor, daß einer der Angestellten mehrere Minuten an der Kurbel drehte, ohne daß die Stimme des Fräuleins vom Amt zu vernehmen war. Dennoch bedeutete dieser schwarze Kasten einen enormen Fortschritt. Vor allem die telefonischen Verbindungen zur Bank in Stettin und in die Zündholzfabrik waren wichtig. Ja, die Fabrik war noch immer nicht geschlossen worden, wie Ascher es verfügt hatte. Bernhard wußte, daß er dieser testamentarischen Anordnung irgendwann Folge leisten mußte, und seine Mutter erinnerte ihn von Zeit zu Zeit daran. Doch solange sie keinen massiven Druck auf ihn ausübte, schob er diesen Schritt auf. Warum ein Huhn schlachten, das noch Eier legt? Selbstverständlich war die Lage der Firma auch ohne die Zündholzproduktion solide. Der Getreidehandel brachte gute Profite, und auch die Sägewerke arbeiteten ohne Verlust. Bernhards besondere Leidenschaft galt jedoch den Finanzgeschäften. Er hatte, im Gegensatz zu seinem Vater, keine Aktien der Eisenbahngesellschaften oder der Industrie erworben; ihm fehlte einfach die Geduld, jahrelang zu warten, bis die Investitionen Gewinn abwarfen. Statt dessen nutzte er die Möglichkeit, Bankkredite zu günstigen Konditionen aufzunehmen, die privilegierten Kunden wie seiner Firma vorbehalten waren, und arbeitete mit diesen Geldern: Er gewährte anderen Händlern, die immer liquide sein mußten, Darlehen und profitierte vom Zinsunterschied. Es waren delikate Geschäfte, die nicht nur ein großes Maß an Diskretion, sondern auch ein Abwägen aller nur erdenklichen Risiken erforderten. Bernhard verstand sein Handwerk, und alles ging gut. Seine Angestellten nannten ihn in einer Mischung aus Scherz und Respekt »Chef des Einmaleins«. Er las Bilanzen, wie andere Kriminalromane verschlingen. Auch die komplizierteste Kalkulation konnte ihn nicht schrecken. Selbst in der Silvesternacht saß er in seinem Zimmer über Zahlenkolonnen. Siegfried kam herein und staunte: »Heute nacht beginnt das zwanzigste Jahrhundert, Papa. Und du sitzt hier, beinahe im Dunkeln, als sei es ein ganz gewöhnlicher Abend.«

Bernhard blickte noch nicht einmal auf. Er zuckte lediglich mit den Achseln und sagte: »Danke, ich habe auch einen Kalender.«

Das zwanzigste Jahrhundert schien Gutes zu verheißen. In Polzin begrüßte man es mit einem Fest im Bierkeller am Marktplatz; eine Blaskapelle gab ihr Können zum besten, Wein und Spirituosen beflügelten die Stimmung, und um Mitternacht stießen die Feiernden auf das Wohl des Kaisers an, der dem Reich eine strahlende Zukunft versprach, »einen Platz an der Sonne«, wie sein blumiges Motto kundtat. Zehn Jahre zuvor hatte er Bismarck aus dem Kanzleramt entlassen und sein »persönliches Regiment« verkündet. Der alte Kanzler, der Wilhelms Vorgängern eine unentbehrliche Stütze gewesen war, hatte sich auf sein Gut Friedrichsruh im Sachsenwald zurückgezogen und war dort, verbittert und von den politischen Geschehnissen in der Hauptstadt abgeschnitten, 1898 gestorben. Bleichröder war bereits fünf Jahre vorher aus dem Leben geschieden. Die Generation von Ascher und Moritz Gottschalk war abgetreten.

Deutschland wirkte nach außen stark wie nie: Wilhelm II. wollte das Reich als Großmacht sehen und hatte den Staatssekretär des

Reichsmarineamtes, Alfred von Tirpitz, damit beauftragt, eine gewaltige Kriegsflotte aufzustellen. Das berüchtigte Flottenprogramm nahm seinen Lauf. In den Werften von Hamburg und Stettin wurde auf Hochdruck gearbeitet, und die Menschen sonnten sich in dem Gefühl militärischer Überlegenheit. Die Massen jubelten, als der Kaiser öffentlich verkündete: »Der Soldat und die Armee, nicht die Parlamentsmajoritäten und -beschlüsse haben das Deutsche Reich zusammengeschmiedet.«

In England wurde die deutsche Rüstungspolitik mit großer Sorge beobachtet. Ohne Bismarck, den Jongleur der europäischen Gleichgewichtspolitik, konnte der Kaiser die Befürchtungen der britischen Admiralität nicht zerstreuen. Admiral John Arbuthnot, Lord Fisher of Kilverstone, prägte den berühmt gewordenen Ausspruch: »We have to Copenhagen the German fleet«, eine vielsagende Anspielung auf die erfolgreiche Zerstörung der dänischen Flotte durch den Überraschungsangriff von Admiral Nelson 1801. Großbritannien war nicht bereit, eine zweite europäische Seemacht neben sich zu dulden. Doch die Deutschen fürchteten die Engländer nicht. Auch die »französische Gefahr« schien sich aufgelöst zu haben. Das zaristische Rußland sollte bald im Krieg gegen Japan entscheidend geschlagen werden und anschließend nur mit Schwierigkeiten die innenpolitischen Probleme bewältigen. Österreich schritt einer neuen Krise auf dem Balkan entgegen, dieses Mal in Serbien. Das Reich fühlte sich sicher und verstieg sich in Selbstüberschätzung – »Deutschland, Deutschland über alles«.

Die unheilverkündenden Vorzeichen für die kommenden Greuel des zwanzigsten Jahrhunderts wollte niemand wahrnehmen. Die blutige Unterdrückung des »Boxer-Aufstandes« durch die europäischen Mächte sollte sich durch bis dahin ungekannte Grausamkeiten auszeichnen. In Südafrika, wo der Burenkrieg tobte, wurde das erste Konzentrationslager der Welt eingerichtet. In Europa setzte, ausgelöst durch die deutsche Flottenpolitik, eine Dynamik der Aufrüstung ein, die letztlich zum Ersten Weltkrieg führen sollte. Auch im Deutschen Reich kündigten sich gesellschaftliche Spannungen an. Schon während der Gründerkrise war deutlich geworden, daß die Nation keineswegs so einig war, wie sie nach außen schien. Die einzelnen gesellschaftlichen Gruppen drifteten immer weiter auseinander, und während der Kaiser sich noch immer auf die traditionelle Adelsschicht stützte, entstand eine zunehmend industrialisierte Gesellschaft mit gegenläufiger Dynamik.

Noch wurde dieses Konfliktpotential überdeckt von den Erfolgen. Die deutsche Nation hatte sich gerade erst zusammengeschlossen, sie fühlte sich unbesiegbar und konnte auch beachtliche wirtschaftliche Glanzleistungen vorweisen. Auf der Weltausstellung in Paris bestaunten die Besuchermassen die gigantischen Maschinen von Siemens, Mannesmann und Krupp. Ungefähr zur selben Zeit eröffnete ein deutscher Jude namens Hermann Tietz großes Warenhaus in Berlin und stellte schließlich ganz neue Spielregeln für den Einzelhandel auf. Ein anderer deutscher Jude, Albert Ballin, einer der führenden Hamburger Reeder, wurde zum Vertrauensmann und Geheimrat des Kaisers. Es ging das Gerücht, daß Ballin zum Minister ernannt werden sollte, doch änderte der Kaiser im allerletzten Moment seine Meinung: Seine Hoheit konnte sich einfach nicht mit dem Gedanken anfreunden, daß ein Angehöriger mosaischen Glaubens zu den Mitgliedern seines Kabinetts gehören sollte.

Ballin hatte sein Glück zunächst im Stoffärbergewerbe und im Kohlehandel versucht, doch ohne Erfolg. Er wäre wohl unbekannt und einflußlos geblieben, hätte er nicht eine ganz einfache Idee gehabt: die Gründung einer Reiseagentur für die Zehntausende von jüdischen Flüchtlingen, die den Pogromen in Osteuropa zu entkommen suchten und auf dem Weg nach Amerika waren. Diese mittellosen Menschen aus Rußland, Rumänien, Litauen und Polen verhalfen ihm zu sagenhaftem Reichtum und öffentlichem Ansehen. Seine Schiffe warteten in den Häfen von Hamburg und Stettin auf die Exilanten, um sie über den Ozean zu bringen. Ein Teil dieses Flüchtlingsstromes zog durch Pommern, und wie schon zuvor gab es unter ihnen einige, die es vorzogen, in Europa zu bleiben.

Bernhard Levy sah das gar nicht gern. Wenn einer dieser Gestrandeten auf der Suche nach Arbeit an seine Tür klopfte, verscheuchte er ihn. Er wies seine Angestellten schriftlich an, unter keinen Umständen osteuropäische Flüchtlinge oder andere Personen, die nicht Untertanen des Reiches waren, einzustellen. Er weigerte sich, für die entsprechenden Hilfsorganisationen zu spenden oder einen Aufruf liberaler Juden zu unterstützen, die für die Germanisierung der Flüchtlinge eintraten. Wie sein Vater, so empfand auch er die osteuropäischen Juden als störend und fremd, geeignet, dem ohnehin virulenten Antisemitismus Vorschub zu leisten, die zionistische Bewegung Theodor Herzls voranzutreiben und ihm letztlich »die Freude an der Vaterlandsliebe« gründlich zu verderben.

»Ich verspüre keine Schicksalsgemeinschaft mit den Flüchtlingen aus Polen oder Rußland«, sagte er einmal zu seinem Sohn Leo. »Sie sprechen nicht unsere Sprache und denken nicht wie wir. In ihren Herkunftsländern waren sie niemals, so wie wir, Bürger mit Rechten und Pflichten. Aus diesem Grund sind sie überhaupt nicht imstande, unsere enge Beziehung zum Reich und unsere Loyalität zum Kaiser zu verstehen.« Und seinem Sohn Siegfried setzte er nachdrücklich auseinander, warum man Fonds für Flüchtlinge, die nicht nach Amerika weiterziehen wollten, keinesfalls unterstützen dürfe:

»Wir haben unsere eigenen Probleme. Wir müssen uns zuallererst um diejenigen kümmern, die in Deutschland geboren wurden, die die deutsche Luft atmen und mit der Kultur, die uns am Herzen liegt, aufwuchsen. Auch sie sind in Not. Nein, nicht in materieller Hinsicht. Ich denke vielmehr an deine Altersgenossen, an unsere Söhne, die um ihren Platz in der Gesellschaft kämpfen und bereit sind, dafür mit dem Judentum zu brechen. In dieser Hinsicht setze ich den Weg fort, den mein Vater, dein Großvater, beschritten hat. Für ihre jüdische Erziehung bin ich bereit, großzügig zu spenden.«

»Ich glaube, Papa, daß du manchmal zu großzügig spendest.«

Bernhard antwortete nicht. Er ging zu einem seiner Bücherregale, nahm einen Band des *Talmud* zur Hand und fragte: »Hast du jemals in diesem Werk gelesen?«

Siegfried schwieg.

»Natürlich nicht. Eine überflüssige Frage. Die Liebe zu den heiligen Schriften ist von meinem Vater auf mich übergegangen. Mir scheint jedoch, daß ich das letzte Glied dieser Kette bin. Du interessierst dich nicht für das eigentlich Wesentliche. Und auch Leo hat sich von unserem geistigen Erbe entfernt.«

Bernhard blätterte in dem Buch, fand den gesuchten Text und vertiefte sich darin. Dann schlug er das Buch zu, so daß nur noch sein Zeigefinger zwischen den Seiten steckte, und begann zu rezitieren: »Zehn starke Dinge sind in der Welt erschaffen worden: ein Berg ist stark, das Eisen aber zerschneidet ihn; das Eisen ist stark, das Feuer aber weicht es auf; das Feuer ist stark, das Wasser aber löscht es; das Wasser ist stark, die Wolken aber tragen es; die Wolken sind stark, der Wind aber zerstreut sie; der Wind ist stark, der Körper aber trägt ihn; der Körper ist stark, die Angst aber bricht ihn; die Angst ist stark, der Wein aber verscheucht sie; der Wein ist stark, der Schlaf aber vertreibt ihn; der Tod aber ist stärker als sie alle, und dennoch heißt es: *Wohltätigkeit errettet vom Tod.*«

185

Als er geendet hatte, schaute Bernhard seinen Sohn an. Auf Siegfrieds Lippen spielte ein leichtes Lächeln. »Sehr beeindruckend«, sagte er und beeilte sich hinzuzufügen: »Und trotzdem – etwas altbacken.« Bernhard kniff die Lippen zusammen. Siegfried war sein Nachfahre, aber wieder war der Apfel weit vom Stamm gefallen. Manchmal fragte er sich, wo er versagt hatte. Doch aus einem ganz einfachen Grund fand er die Antwort nicht: Bernhard Levy war nämlich der Ansicht, niemals etwas falsch gemacht zu haben. In seiner Umgebung hätte niemand es gewagt, seinen Anschauungen zu widersprechen. Lediglich Siegfrieds Verhalten veranlaßte ihn, manchmal einen Gedanken darauf zu verschwenden. Aber dann ging er schnell zur Tagesordnung über, was weitaus bequemer war, als sich mit Fragen zu beschäftigen, die sein Selbstbild ins Wanken zu bringen drohten.

Der verschlossene, schweigsame und sachliche Leo bereitete ihm weniger Schwierigkeiten. Leo hatte viele Eigenschaften seines Vaters geerbt, insbesondere dessen Eifer und Zielstrebigkeit – allerdings auch dessen Starrsinn. Sein Dickkopf zeigte sich zum ersten Mal, als Bernhard ihn bat, es Ernst gleichzutun und Jura zu studieren; und wenn schon nicht Jura, so wenigstens Wirtschaft. Als Bernhard ihn deshalb zu einem ernsten Gespräch zu sich rief, verwahrte sich Leo standhaft gegen diesen Plan: »Es tut mir leid, Papa, aber ein Studium der Juristerei oder Wirtschaft interessiert mich einfach nicht.«

»Die Zeiten haben sich geändert, Leo. Heute kann man eine verzweigte Firma wie die unsere nicht mehr ohne entsprechende Ausbildung leiten.«

»Ich bin nicht daran interessiert, Holzhändler zu sein oder Sägewerke zu leiten.«

»Willst du, daß die Firma mit meinem Tod zugrunde geht?«

»Also wirklich, Papa... Du bist doch noch jung. Dein ganzes Leben liegt noch vor dir. Und abgesehen davon habe ich zwei Brüder und zwei Schwestern.«

Bernhard hatte nicht erwartet, auf Widerstand zu stoßen. Er wollte bereits seine ganze Autorität geltend machen und Leo schlichtweg seinen Willen aufzwingen, als sich Henriette in die Unterhaltung einmischte: »Du bist wie Sigi: Jura und Wirtschaft sind nicht nach deinem Geschmack. Für was also interessierst du dich eigentlich?«

»Chemie«, antwortete Leo.

»Chemie?« fragte Bernhard erstaunt. »Das ist mir völlig neu.«

»Mir aber nicht, Papa. Du hast dich nie für meine Vorlieben interessiert und mir auch nie zugehört. Ich habe mich schon immer für Chemie interessiert. Das Problem ist, daß die Sache einfach nicht wichtig genug für dich war.«

»Sei nicht frech zu deinem Vater.«

»Ich bin nicht frech, Mama. Ihr habt mir beigebracht, immer bei der Wahrheit zu bleiben. Und dies ist die ganze Wahrheit.«

»Und was willst du als Chemiker machen? Willst du etwa als Angestellter bei einem Konzern arbeiten?«

»Was wäre schlecht daran? Ich hätte ein Labor und könnte mich mit Versuchen beschäftigen.«

»Ein Wissenschaftler in der Familie Levy«, spottete Bernhard und warf seiner Frau einen Blick zu. Doch Henriette blieb ernst. »Weißt du, Leo, wir sind Menschen, die jeder Angelegenheit gern auf den Grund gehen wollen. Ich hoffe, dein Vater wird mir zustimmen: Vielleicht ist ein Studium der Chemie gar keine so schlechte Idee. Eventuell können wir einen Kompromiß finden, der sowohl den Bedürfnissen der Familie als auch deinen Wünschen gerecht wird.«

»Was führst du im Schilde?« fragte Bernhard vorsichtig, als fürchtete er, in eine Falle zu tappen.

»Das wirst du gleich sehen. Laß uns einmal annehmen, daß wir Leos Chemiestudium finanzieren... Moment, reg dich nicht gleich auf, Beri... Also, wir ermöglichen ihm, den Beruf zu erlernen, den er gern ergreifen möchte. Doch wir werden dies wie einen geschäftlichen Handel betrachten: Wir tätigen eine Investition, von der wir auch profitieren.«

»Ich kann dir nicht ganz folgen, Mama«, warf Leo schnell ein.

»Geduld. Ich schlage vor, daß wir dir das Chemiestudium ermöglichen. Als Gegenleistung dafür mußt du dich verpflichten, nach Polzin zurückzukehren und in die Firma einzusteigen. Ist das etwa kein gerechter Vorschlag?«

»Die Firma braucht keinen Chemiker, sondern einen Geschäftsmann«, protestierte Bernhard. »Wir werden hier kein Labor einrichten und auch nicht versuchen, den Stein der Weisen zu finden.«

»Ich weiß eine praktische Lösung«, sagte Leo. »Wir könnten uns mit anderen Steinen beschäftigen. In den Sanddünen von Gramentz gibt es Kalksteinschichten. Das Gebiet ist für die Landwirtschaft oder eine Bewaldung ungeeignet und befindet sich in staatlicher Hand. Wir könnten es günstig pachten. Es ist ein idealer Standort für eine Kalkfabrik. Und ob ich diese Fabrik aufbaue oder irgendeine andere Aufgabe in unserer Firma wahrnehme, ist letztlich doch gleichgültig.«

Bernhard starrte zunächst seinen Sohn an, dann seine Frau.

»Habt ihr hinter meinem Rücken etwa einen Pakt geschlossen?« fragte er eher verblüfft als böse.

Leo grinste: »Eine gute Lösung, wie mir scheint. Was meinst du, Papa?«

Bernhard zögerte die Antwort für einige Sekunden hinaus. Dann ging er zu Leo, umarmte ihn und murmelte: »Gott segne dich. Ich hoffe, wir haben ein gutes Geschäft getätigt.«

Im Hochsommer verließ Leo Polzin. Er war an der Universität Heidelberg angenommen worden und zählte schnell zu den herausragenden Studenten. Als er nach Abschluß seines Studiums heimkehrte, brachte er nicht nur einen Doktortitel, sondern auch eine Überraschung namens Else Frensdorf mit.

Else, die Tochter einer vornehmen und alteingesessenen religiösen jüdischen Familie aus Hannover, hatte ihre Ferien bei Verwandten in Stettin verbracht. Auch Leo weilte des öfteren in dieser Hafenstadt. Bei einem dieser Aufenthalte hatte er Else bei Louis und Anna Lewy kennengelernt. Louis war der Neffe von Moritz Gottschalk, und sein Haus in der Friedrich-Karl-Straße, einer breiten Allee mit schattenspendenden Bäumen, war der Treffpunkt für alle in ganz Preußen verstreut lebenden Familienangehörigen. Louis verdiente seinen Lebensunterhalt mit Arbeitskleidung, die er Frauen in Heimarbeit nähen ließ. Seine Frau Anna, von kleiner Statur, resolut und energiegeladen, arbeitete als Lehrerin. Sie war zudem eine geschätzte Laiensängerin und widmete sich als Vorsitzende des Jüdischen Frauenbundes der Wohltätigkeitsarbeit. Bernhard war mit dem Lebenswandel der beiden vertraut, und als er erfuhr, daß Anna bei diesem *Schiduch* ihre Finger im Spiel hatte, hieß er seine zukünftige Schwiegertochter freudig willkommen. Er kaufte weitere Zimmer des Hauses, in dem die Familie wohnte, und machte sie dem Paar zum Hochzeitsgeschenk.

Nunmehr besaß die Familie ein ganzes Stockwerk, insgesamt etwa ein Dutzend Räume. Bis in die dreißiger Jahre, als die Geschichte der Familie auf deutschem Boden enden sollte, wurde die Etage zur Heimstatt für alle Polziner Levys. Im Laufe der Jahre

Jules Pascin: Walter Bondy malt Rudolf Levy, *Paris um 1908*

wandelte sich das Stockwerk, Wände wurden eingerissen und neu gezogen, Balkone und Toiletten hinzugefügt, um den Anforderungen der ständig wachsenden Familie gerecht zu werden. Die für Leo und Else erworbenen Zimmer standen jedoch lange Zeit leer, denn Leo heiratete Else erst im Jahre 1913, als er dreißig wurde.

Fünf Jahre zuvor hatte Ernst Käthe Levy geheiratet, die Tochter seines Onkels Julius. Die Hochzeitsreise machte das Paar nach Paris, eine Extravaganz, die nur eine Generation vorher schier unmöglich gewesen wäre. Käthes Bruder Rudolf führte sie durch die Lichterstadt. Er war bereits 1903 nach Frankreich gezogen und versuchte sich dort als Maler. Nachdem das Paar sich von ihm verabschiedet hatte, kehrte es nicht nach Polzin zurück, sondern ließ sich in Berlin nieder. Ernst beendete sein Referendariat und schloß sich einstweilen als Juniorpartner einer Anwaltskanzlei an; sein eigentliches Streben galt dem Richteramt.

Kurz darauf wurde Lina mit Karl Wilhelm Hamburger verheiratet. Und schnell war die Reihe auch an der jüngsten Tochter. Ida war in Berlin in einem jüdischen Pensionat für Mädchen aus gutem Hause erzogen worden. In der Hauptstadt hatte sie einen Lebensstil angenommen, der ihren Eltern ein Dorn im Auge war. Ida liebte riesige, mit Blumen verzierte Hüte, schwärmte für modische Kleider und glitzernden Tand. Wenn sie nicht den Blicken der Familienangehörigen und Erzieherinnen des Pensionats ausgesetzt war, pflegte sie sich übermäßig zu schminken und zu parfümieren. Freunde schrieben nach Polzin, daß man sie in einem Kabarett nach Pariser Vorbild gesehen habe, das als Treffpunkt für Schriftsteller, Poeten, Maler und andere »zweifelhafte« Gestalten bekannt war. »Diese zwielichtige Spelunke wird beständig von der Polizei observiert und ist sicherlich kein geeigneter Ort für eine junge Frau aus gutem Hause«, berichteten sie. Bernhard und Henriette erschraken. Kein Wunder, daß sie beschlossen, Ida schnellstmöglich zu verheiraten.

Ihre Wahl fiel nicht zufällig auf Paul. Seit der Begebenheit auf dem Bahnsteig von Polzin an jenem Tag, an dem Ascher Levys Testament verlesen worden war, korrespondierten die Cousins miteinander, und je älter Ida geworden war, desto mehr hatte dieser Briefwechsel den Charakter eines Dialogs zwischen Mann und Frau angenommen. Bernhard fuhr zu seinem Bruder nach Danzig, um dessen Einverständnis für den *Schiduch* einzuholen. Paul hatte sein Ingenieurstudium abgeschlossen, und alle sagten ihm eine glänzende Karriere voraus. Das Deutsche Reich hatte nach wie vor ein Auge auf den Orient geworfen und versuchte, ein möglichst großes Stück des geschwächten Osmanischen Reiches zu ergattern. Großunternehmer und Konzerne interessierten sich für die Verlegung von Eisenbahnschienen, um muslimische Pilger von Damaskus nach Mekka und Medina bringen zu können. Schon bald sollte Paul Levy mit einer Gruppe von Ingenieuren und Bauarbeitern nach Syrien aufbrechen.

Julius zögerte: »Es ist eine einmalige Chance für einen jungen Ingenieur, und ich möchte, daß er sie nutzt.«

»Eine Heirat mit Ida ist ebenfalls eine einmalige Chance«, erwiderte Bernhard. Die Brüder grinsten. Julius hegte dennoch Zweifel: »Ich fürchte, daß das Leben als Frau eines Ingenieurs in den Wüsten Syriens und der Arabischen Halbinsel nicht gerade Idas Geschmack entspricht. Ich habe gehört, daß sie – wie soll ich sagen? – eine Frau ist, die das Schöne und die Annehmlichkeiten des Lebens schätzt.«

»Keiner weiß besser als du, daß die Mitglieder der Familie Levy zäh und ausdauernd sind.«

»Auch die Töchter der Levys?«

»Ida wird gehorchen, und die Zeit wird das Ihre tun. Auch wir haben unsere Frauen nicht aufgrund romantischer Erwägungen geheiratet.«

»Sprich lieber nur für dich, Beri.«

»Richtig, ich vergaß. Und trotzdem ...«

»Machst du dir keine Sorgen wegen der Blutsverwandtschaft?« fragte Julius. »Zuerst die Ehe meiner Tochter Käthe mit deinem Sohn Ernst, und jetzt auch noch Ida und einer meiner Söhne?«

»Solange wir nicht Milch und Fleisch vermischen, sehe ich da überhaupt kein Problem. Die *Halacha* gestattet Eheschließungen zwischen Cousin und Cousine. Als wir uns darüber unterhielten, sagte mir Henriette, daß auch Könige und Prinzen nicht von Eheschließungen unter Blutsverwandten Abstand nehmen. Fast alle Königshäuser Europas sind miteinander verwandt.«

»Du hast mich überzeugt«, lachte Julius. »Paul und Ida werden wie Könige leben.«

Die Brüder besiegelten den *Schiduch* mit einem Handschlag. Nach dem Abendessen setzten sie sich zusammen, um die finanzielle Seite zu regeln. Erst am nächsten Morgen holte Julius die Meinung seines Sohnes ein. Paul nahm das Angebot wie einen Befehl auf, dem man nicht zu widersprechen wagt.

Im gleichen Jahr, 1908, brachte Ida aus dem Berliner Mädchenpensionat ihre Freundin Lisbeth Naphtali, die aus Schweidnitz in Niederschlesien stammte, für ein Wochenende mit nach Polzin. Lisbeth war sechs Jahre jünger als Siegfried, für ihr Alter jedoch schon sehr erwachsen. Sie war zwar nicht besonders hübsch, doch ihre Eigenschaften entsprachen Bernhards Vorstellungen. Er sah in ihr eine Frau, die durch ihre sachliche Einstellung und ihren Bezug zur Realität die Leichtfertigkeit Siegfrieds ausgleichen würde, und so gab er dem Paar ohne Zögern seinen Segen. Die Zeremonie fand am 9. Juni 1908 in Berlin statt, und das Paar entschied sich, in Stettin zu leben.

Jetzt, da alle Kinder eigene Familien gegründet hatten, widmete Bernhard seine gesamte Aufmerksamkeit der erneuten Expansion der Firma. Leo wurde zum »Außenminister« ernannt. Um sich in die Firmenleitung einzuarbeiten, ging er durch eine harte Schule: Er war ständig auf Reisen, von Stadt zu Stadt, von Dorf zu Dorf und von Wald zu Wald. »Ich habe auch so angefangen. Glaub mir, es ist die beste Art und Weise«, erklärte ihm Bernhard. Leo kam seinen Verpflichtungen zur Zufriedenheit seines Vaters nach. Dennoch verhärtete er zusehends. Niemals sprach er seine Gedanken offen aus, noch nicht einmal bei Else beklagte er sich. Sie kannte ihren Mann und wußte genau, wie schwer ihm die Handelsgeschäfte fielen. Leo hing mit jeder Faser seines Herzens an der Forschung und wollte nichts anderes, als die Geheimnisse der Chemie entschlüsseln. Nun, eingebunden in die Geschäfte seines Vaters, kapselte er sich ab und teilte immer weniger von sich mit. Er verlernte es, zu den Menschen in seiner Umgebung warmherzige Beziehungen aufzubauen. Später waren davon sogar seine Kinder betroffen. Dieser Prozeß vollzog sich unmittelbar vor Elses Augen, doch sie sah keine Möglichkeit, etwas zu ändern. Sie war eine kluge Frau mit ausgeprägtem Familiensinn, und so tat sie alles in ihrer Macht Stehende, um sich in seine Situation einzufühlen und nicht beständig mit ihrem Mann aneinanderzugeraten. Leo wußte dies sehr zu schätzen. Beide waren darauf bedacht, ihre Partnerschaft geradlinig und mit Anstand aufrechtzuerhalten. Es war ein stilles Leben ohne Höhenflüge, bis ins kleinste Detail geplant und ohne Inspiration, dafür aber ohne eheliche Krisen und Erschütterungen.

Der Aufbau der Kalkmergelwerke in Gramentz war mit unvorhergesehenen Schwierigkeiten verbunden. Die Verhandlungen über die Pachtverträge mit der preußischen Regierung zogen sich jahrelang hin und konnten erst nach dem Ersten Weltkrieg abgeschlossen werden.

Zu Beginn des zwanzigsten Jahrhunderts hatte Polzin sechstausend Einwohner, darunter vierzig jüdische Familien. Zur Familie Levy wahrten diese allerdings eine gewisse Distanz, damit ihre Mitbürger sie nicht mit den »Ausbeutern« identifizierten. Bernhard und seine Söhne scherten sich nicht weiter darum. Aufgrund ihrer gesellschaftlichen Position und ihres Wohlstandes bestand zwischen ihnen und den anderen Juden des Städtchens ohnehin eine Kluft. Nur am *Schabbat* verkehrten sie miteinander, und an den Feiertagen, insbesondere am *Sederabend* zu *Pessach*, pflegte Bernhard die jüdischen Honoratioren Polzins zu sich einzuladen.

Mittlerweile waren auch Leo und Siegfried im Namen der Firma unterschriftsberechtigt. Als Siegfried Lisbeth heiratete, überschrieb Bernhard ihm ein Drittel des Unternehmens. Am Morgen nach der Hochzeitsnacht überraschte Siegfried ihn mit einem geschäftlichen Vorschlag: Er wollte zusätzlich die Mitgift seiner Frau in das Unternehmen einbringen, um seinen Anteil auf fünfzig Prozent zu erhöhen. Bernhard stimmte zu, und so wurde sein jüngster Sohn zum gleichwertigen Geschäftspartner. Als dann Leo drei Jahre später eine Familie gründete, ordnete Bernhard an, ihm ebenfalls ein Drittel des Geschäftes zu überschreiben, so daß er selbst im Besitz von 16,7 Prozent blieb. Die Mädchen erhielten eine Mitgift in Form von Bargeld. Nachdem er den Besitz seinen Wünschen entsprechend aufgeteilt hatte, wandte er sich öffentlichen Tätigkeiten zu. Zunächst wurde er in den Rat der Stadt gewählt und nahm den Sitz seines verstorbenen Vaters ein. Außerdem beteiligte er sich an Ausschüssen jüdischer Wohltätigkeitsvereine, immer unter der Voraussetzung, daß sie nicht zionistisch ausgerichtet waren.

Die deutschen Juden waren auch weiterhin zerstritten und schafften es noch nicht einmal, gegen den gemeinsamen Feind – den Antisemitismus – einheitlich Front zu machen. Die Zionisten propagierten eine staatliche Lösung in *Erez Israel*. Die Mitglieder des »Centralvereins deutscher Staatsbürger jüdischen Glaubens« zogen den Weg der Assimilation vor, die Eingliederung in das allgemeine öffentliche Leben und Anpassung an die deutsche Kultur unter Wahrung der Grundwerte der jüdischen Religion. Die Presseorgane der beiden rivalisierenden Lager, »Die Allgemeine Zeitung« und »Die Jüdische Rundschau«, griffen einander so scharf an, daß sich manchmal sogar die Antisemiten der in diesen jüdischen Zeitungen veröffentlichten Artikel als Waffen bedienten – inzwischen war judenfeindliche Polemik zu einem brauchbaren Instrument im politischen Ränkespiel geworden. Die Mitte- und Rechtsparteien beschwerten sich lauthals über die angebliche »Übernahme« diverser Wirtschaftszweige und Berufe durch Juden und bekämpften diese »gefährliche Ausbreitung«. Die Anhänger des anti-zionistischen jüdischen Lagers reagierten mit heftiger Gegenwehr auf die Gefahr, erneut ins Abseits gedrängt zu werden. Dabei ging es nicht nur um die Bedrohung ihrer materiellen Existenz oder ihrer bürgerlichen Rechte; eine Behinderung von Juden, die in öffentlichen Ämtern und als Juristen und Ärzte tätig waren, drohte jenes Fundament zum Einsturz zu bringen, auf dem ihre Weltsicht basierte. Dazu kam natürlich auch die persönliche Betroffenheit. Als Ernst die Kanzlei, in der er Partner war, verließ und sich selbständig machte, wollte er auch als Notar fungieren. Der preußische Justizminister trat jedoch dafür ein, die Anzahl der Notare mosaischer Religion zu beschränken. Als man in Polzin davon erfuhr, schrieb Bernhard an seinen in Berlin lebenden Sohn:

»Mein teurer Ernst!

Ich habe von dem Kampf der jüdischen Rechtsanwälte gegen das Justizministerium vernommen. Über die Ausführungen des Herrn

Ernst Levy, Berlin 1931

Justizministers kann man nicht einfach hinweggehen, denn diese Angelegenheit ist für uns lebenswichtig. Fünfzig Jahre haben wir dafür gekämpft, daß sich die Tore des jüdischen Ghettos öffnen, und jetzt, da sie offenstehen und wir herauszutreten wünschen, kann es nicht angehen, daß man uns sagt: Es tut uns leid, aber alle Plätze sind für andere reserviert. Erst kürzlich wurde in Stettin die Anstellung einer jüdischen Lehrerin mit der Begründung abgelehnt, daß sich die christlichen Eltern weigern würden, ihre Kinder von dieser Lehrerin unterrichten zu lassen. Ich kenne diese Lehrerin persönlich und weiß, daß sie eine bessere und treuere Deutsche ist als viele christliche Deutsche. Auch hier in Polzin sind von Zeit zu Zeit Ansichten zu vernehmen, daß wir, im Verhältnis zu unserem Anteil an der Bevölkerung, zu viele wichtige Positionen bekleiden. Dies ist eine von Grund auf verwerfliche Haltung, und wir müssen sie nach besten Kräften bekämpfen. Wir erhalten keine zusätzlichen Rechte aufgrund unserer Religion, doch man darf uns auch nicht die uns gesetzlich zustehenden Rechte streitig machen. Wir zählen nicht, wie viele adlige Bürger in hochgestellte Positionen der Armee aufgestiegen sind, und es gibt keinen Grund, daß jemand zum Beispiel den Prozentsatz der deutschen Juden unter den Juristen vorschreibt. Bürgerpflichten, Vaterlandsliebe und Treue gegenüber der Krone werden nicht in Prozentsätzen gemessen. Solange wir als Untertanen dieses Staates ein reines Gewissen haben, ist es erforderlich, daß uns volle Gleichberechtigung hinsichtlich von Rechten und Pflichten zusteht. Ich erwarte von Dir, daß Du von diesen hier genannten Prinzipien niemals abweichst und dementsprechend handelst, so wahr Gott Dir helfe.

Mit den besten Grüßen an Käthe, Dein Papa.«

Bernhard war keineswegs naiv und wußte sehr wohl, daß selbst die besten Ratschläge nur ein sehr unzulänglicher Ersatz für tatkräftiges Handeln waren. Seine Sicht der Dinge veranlaßte ihn, die Nationalliberale Partei mit bedeutenden finanziellen Mitteln zu unterstützen. Die Nationalliberalen vertraten das gebildete und besitzende Bürgertum und suchten daher die alte Klasse der Besitzenden, die Junker, mit den neu aufstrebenden Fabrikbesitzern zu verbinden. Die Sozialdemokraten hingegen waren ihm ein Greuel, obwohl sie innenpolitisch eine tolerante Linie gegenüber allen Religionen, auch gegenüber Juden, verfolgten. Ihre Zielsetzungen widersprachen allen Prinzipien, die er vertrat. Er war wohlhabend, glaubte an die historische Mission Deutschlands und haßte alles, was nach links tendierte. Seine Spenden an die Nationalliberale Partei blieben kein Geheimnis und brachten die Bewohner in der Stadt gegen ihn auf. Die Bürger Pommerns waren von jeher konservativ, und ihre Stimmen verteilten sich auf die Zentrumspartei und auf die Deutsch-Konservative Partei, die der Einwanderung von Fremden in das Reich ein Ende setzen, die Anzahl der Juden in öffentlichen Ämtern einschränken, ihren Zugang zum Offiziersdienst verhindern und sogar ihre Presseorgane schließen lassen wollte. Siegfried verbarg seine Mißbilligung nicht. »Großvater hat sich niemals in die Politik eingemischt. Er wußte, daß man sich von ihr fernhalten muß, weil sie dem Geschäft abträglich ist«, behauptete er.

Es war noch früh am Morgen. Bevor die Angestellten eintrafen, saß Bernhard bereits mit seinen beiden Söhnen bei einer Besprechung zusammen. Die Büros der Firma öffneten um acht Uhr, aber die Familie begann ihren Arbeitstag um sieben Uhr, manchmal sogar noch früher. Heute stand ein wichtiger Geschäftsabschluß zur Diskussion, der nicht zustande gekommen war, weil ein hochgestellter Beamter des Post- und Telegrafenamtes sich weigerte, die Firma an der Ausschreibung für die Lieferung von Telegrafenmasten zu beteiligen. Am Tag zuvor war Siegfried nach Köslin gereist, um mit dem Mann, der die Entscheidung fällte, zu reden und ihn zu fragen, was es mit dieser Benachteiligung auf sich habe.

»Zunächst dachte ich, daß er uns von dieser Ausschreibung fernhält, weil wir eine jüdische Firma sind«, berichtete er. »Ich habe ihn zum Mittagessen in ein Restaurant eingeladen, und wir haben ein offenes Gespräch geführt. Mein Eindruck war, daß der Grund für unsere Zurücksetzung deine Unterstützung der Nationalliberalen ist. Der Beamte stammt aus einer Junkerfamilie und ist ein eingefleischter Konservativer.«

Bernhard stützte die Ellenbogen auf, legte den Kopf in die Hände und dachte nach. Plötzlich fragte er:

»Sagtest du, daß du ihn zum Mittagessen eingeladen hast?«

»Ja, ein gutes Essen hilft, Probleme zu lösen.«

»Und du hast mit ihm gespeist?«

»Sicherlich«, antwortete Siegfried und bereute sofort, seine Zunge nicht im Zaum gehalten zu haben. Sein Vater hatte ihm eine Falle gestellt – nun war es für einen Rückzieher zu spät. Ruhig, aber in messerscharfem Tonfall sagte Bernhard:

»Das bedeutet wohl, daß du *treife* gegessen hast.«

»Ich hatte keine andere Wahl, Papa.«

»Du hast *treife* gegessen und erdreistest dich dennoch, mir Vorhaltungen zu machen.«

»Du weißt, daß ich im allgemeinen sehr auf die Einhaltung der *Kaschrut* achte.«

»Das stimmt nicht, Sigi. Du hast die Regeln bereits in London gebrochen. Herr Moeller hat mich damals schon darüber unterrichtet und gefragt, was er unternehmen solle. Es tut mir heute noch leid, daß ich mich zurückgehalten und nicht eingegriffen habe.«

»Das Essen war dem Geschäft zuträglich, Papa. Deine Tätigkeit hingegen schadet ihm.«

»Es ist besser, Menschen zu verletzen, als die heiligen Gebote des Judentums zu schänden.«

»Deine Ansichten sind reichlich altmodisch, Papa. Und eventuell...«

»Und eventuell?« fragte Bernhard und in seiner Stimme schwang eine Warnung mit.

»Und eventuell ist die Geschäftswelt nichts mehr für dich«, vervollständigte Siegfried seinen Satz. Der Wink mit dem Zaunpfahl betraf Bernhards Eigentümerschaft an der Firma, die nur noch einen geringen Prozentsatz ausmachte.

Leo hatte bisher geschwiegen. Jetzt sprang er seinem Vater zur Seite: »Es wäre angebracht, daß du deine Worte mäßigst«, sagte er. »Es könnte dir nicht schaden nachzudenken, bevor du den Mund aufmachst.«

Siegfried versuchte, ihn zu beschwichtigen. Aber Leo war nicht gewillt, über diesen Zwischenfall hinwegzugehen. Auch ihm war die Einhaltung der jüdischen Tradition wichtiger als jedes Geschäft. Er war nicht bereit, ihr jemals untreu zu werden.

»Wer Gott gegenüber unehrlich ist, ist es auch gegenüber seinen Angehörigen«, stellte er trocken fest.

»Du beschuldigst mich der Unehrlichkeit?« erboste sich Siegfried.

»Du bist intelligent genug, um die Zusammenhänge zu erfassen«, erwiderte Leo, »und jetzt entschuldigt mich. Ich muß zu einem Termin.«

»Ich habe auch einen Termin.« Siegfried hatte es jetzt eilig. »Auf Wiedersehen, Papa. Ich hoffe, du kannst mir verzeihen. Ich wollte dich nicht kränken.«

Die Söhne verließen das Büro. Ihre Schritte entfernten sich. Bernhard stand auf und ging zum Fenster hinüber. Graue Wolken waren aufgezogen. Die Straße war menschenleer.

Der morgendliche Zwischenfall fand keine Fortsetzung. Sowohl Bernhard als auch die beiden Söhne verhielten sich so, als wäre nichts geschehen. Zugunsten des häuslichen Friedens verzichteten Bernhard und Siegfried auf Geltungskämpfe und offenen Streit. Darüber hinaus ließ ein Ereignis in Siegfrieds Eheleben den Vater jeden Groll vergessen.

Ungefähr ein Jahr nach ihrer Hochzeitsnacht verkündete Lisbeth Siegfried: »Ich glaube, ich bin schwanger.« Diese freudige Neuigkeit wurde sofort Henriette mitgeteilt. Henriette riet ihrer Schwiegertochter, bei Dr. Stutz einen Termin zu machen. Der Arzt untersuchte sie gründlich und empfahl schließlich eine eingehendere Untersuchung bei einem Frauenarzt in Stettin.

»Ist etwas nicht in Ordnung, Herr Doktor?« fragte Lisbeth besorgt.

Lisbeth Levy, geb. Naphtali, und Siegfried Levy

»O nein, aber wie Sie wissen, habe ich meine medizinische Erfahrung im Kreise von Matrosen auf einem Schiff gesammelt, und es kam mir nicht unter, daß einer von ihnen schwanger war. Sie brauchen einen Facharzt.«

Schon bald fuhren Siegfried und Lisbeth nach Stettin. Siegfried hatte eine Zusammenkunft mit seinem Rechtsberater Dr. Marcuse arrangiert. Für Lisbeth war ein Termin bei einem Gynäkologen vereinbart worden. Der Arzt untersuchte sie sehr gründlich und verkündete schließlich, daß sie Wiege und Windeln vorbereiten müsse, denn sie sei im dritten Monat schwanger. Lisbeth war überglücklich. Sie eilte los, um ihrem Mann die freudige Botschaft zu verkünden. In ihrer Hast jedoch stolperte sie auf der Treppe und fiel. Einige Passanten halfen ihr auf. Ein stechender Schmerz zwang sie, sich sofort wieder hinzusetzen. Die Nachbarn riefen den Arzt herbei, der sie in seine Praxis zurückführte. Noch bevor er sie untersuchen konnte, entdeckte er einen immer größer werdenden Blutfleck auf dem weißen Überwurf der Liege. »Ich fürchte, Sie haben das Kind verloren«, sagte er ruhig und gab der Schwester Anweisung, die Patientin in ein Krankenhaus einliefern zu lassen.

Nach diesem Zwischenfall konsultierte Lisbeth einen Spezialisten nach dem anderen. Die Ärzte untersuchten sie und schüttelten die Köpfe. Sie machte Heilbäder, schickte Stoßgebete zum Himmel und suchte Rat bei anderen Frauen, die in der gleichen Lage waren, alles umsonst. Am 31. Juli 1914, als sie einen weiteren Facharzt in Berlin aufsuchte, mußte sie endgültig die bittere Wahrheit akzeptieren: Alle weiteren verzweifelten Versuche waren zwecklos, sie würde niemals Kinder bekommen können. Siegfried holte sie von der Arztpraxis ab. Mit der Elektrischen fuhren sie zum Bahnhof, denn sie wollten noch den Schnellzug von Berlin nach Polzin erwischen, so daß sie nur einmal in Köslin würden umsteigen müssen.

Die Plätze in der zweiten Klasse waren bereits reserviert. Die Sitze waren weich und mit einem braun-schwarzgestreiften Stoff bezogen. Lisbeth und Siegfried saßen am Fenster und schwiegen. Der Zug verließ die Stadt und fuhr durch scheinbar endlos weites, bestelltes Land. Siegfried blickte den vorbeihuschenden Telegrafenmasten nach. Lisbeth hatte ein Buch aufgeschlagen, doch die Buchstaben verschwammen vor ihren Augen. Nach einer Weile ließ sie die Lektüre auf die Knie sinken. Das Schweigen bedrückte sie.

»Worüber grübelst du?«

»Ich? Ach, über gar nichts. Ich betrachte einfach nur die Landschaft.«

»Das war der letzte Versuch, nicht wahr?«

»Ich habe aufgehört, mich zu sorgen, Lisbeth. Alles liegt in Gottes Hand.«

»Du redest wie dein Vater«, gab sie ungehalten zurück. »Die Ärzte können mir nicht helfen und Gebete auch nicht.«

»Es hat weiter keine Bedeutung.«

»Du sagst nicht die Wahrheit.«

»Und warum sollte ich lügen?«

»Um mich zu trösten. Aber du kannst die Last, die dich quält, nicht vor mir verbergen. Was hat das Leben für einen Sinn, wenn man keine Kinder in die Welt setzen kann?«

»Wir werden unserem Leben einen anderen Sinn geben.«

»Weißt du, worüber ich nachgedacht habe?«

»Nein.«

»Ich habe darüber nachgedacht, daß Ernst und Leo nur Töchter haben. Das Haus Levy wird keinen Erben haben. Du weißt, was das bedeutet! Wir stecken in einer Sackgasse. Ihr vergrößert die Firma und kümmert euch um die Geschäfte, als sei dies das Wichtigste von der Welt. Aber wenn wir uns eines Tages verabschieden, wird es niemanden geben, der in den Büros das Licht anknipst.«

»Alles zu seiner Zeit.«

»Wir müssen uns jetzt darüber Gedanken machen, Siegfried, in dieser Stunde. Man kann kein Leben führen, ohne in die Zukunft zu blicken. Man kann nicht vorankommen, ohne zu planen. Ich weiß nicht, wie wir die Nachricht Bernhard und Henriette beibringen sollen. Für deinen Vater wird es ein schwerer Schlag sein.«

»Ja«, seufzte Siegfried. »Er erwartet, daß wir ihm einen Enkel schenken, einen Erben.«

»Siehst du, wir können das Problem nicht ignorieren. Das Haus Levy ohne einen männlichen Erben, das ist wie eine Eiche, die man entwurzelt. Es ist ihr Todesurteil.«

Ein Schaffner in dunkler Uniform betrat das Abteil und bat um die Fahrscheine. Er verabschiedete sich mit einem militärisch wirkenden Gruß und schloß die Schiebetür hinter sich. Das Rattern der Räder erfüllte das Abteil. Lisbeth und Siegfried schwiegen wieder. Der Zug schoß weiter durch die Ebene.

Auf der kleinen Bahnstation von Polzin warteten Bernhard und Leo auf sie. Lisbeth hatte sich die Worte für ihren Schwiegervater bereits zurechtgelegt. Das, was sie zu sagen hatte, würde jegliche Hoffnung zunichte machen. Doch Bernhard ließ sie überhaupt nicht zu Wort kommen. Sie waren noch nicht einmal ganz aus dem Zug ausgestiegen, da rief er ihnen schon aufgeregt entgegen:

»Habt ihr schon die neuesten Nachrichten gehört? Der Kaiser hat Rußland aufgefordert, die Mobilmachung einzustellen. Wenn der Zar nicht darauf eingeht, gibt es Krieg.«

Ungefähr einen Monat zuvor, am 28. Juni, hatten serbische Nationalisten in Sarajevo einen Anschlag auf den österreichischen Thronfolger Franz Ferdinand verübt. Das österreichisch-ungarische Königshaus beschloß, diese Gelegenheit zu nutzen und Serbien, wie fünf Jahre zuvor Bosnien und Herzegowina, zu annektieren. Am 6. Juli hatte Wilhelm II. zugesichert, Franz-Joseph, Kaiser von Österreich und König von Ungarn, könne sich – im Falle einer russischen Einmischung – auf die treue Unterstützung Deutschlands verlassen. Am 23. Juli hatten die Österreicher Serbien ein Ultimatum gestellt. Zwei Tage später wiesen die Serben dies zurück, und am 29. Juli wurde Belgrad bombardiert. Am 30. Juli verkündeten Österreich und Rußland die Generalmobilmachung. Am nächsten Tag forderte Wilhelm II. in einem ungewöhnlich scharf formulierten Schreiben an Zar Nikolaus II. in St. Petersburg, die Truppenmobilmachung unverzüglich einzustellen. Die Ereignisse überschlugen sich, und kein europäischer Politiker schien die Lawine noch aufhalten zu können. Viele Jahre zuvor hatte Otto von Bismarck behauptet, daß irgendeine Dummheit auf dem Balkan den nächsten Krieg entfachen würde. Diese Prophezeiung sollte sich nun in voller Grausamkeit bewahrheiten.

Die schmale und unsichere Brücke

Der 1. August 1914, ein *Schabbat*, war ein klarer Sommertag. Am Morgen fütterten die kleinen Töchter von Leo und Else unter den wachsamen Augen ihrer Erzieherin Schwäne, die im Polziner Kurpark auf dem See umherschwammen. Um Mittag herum rief Ernst an und berichtete, daß ganz Berlin in Bewegung sei. »Viele Menschen haben sich am Schloß eingefunden. Mir scheint, ein Krieg ist nicht mehr zu vermeiden«, sagte er mit hörbarer Aufregung. Die Familie hatte sich zum Mittagessen eingefunden. Henriette hatte Kohlsuppe, einen Braten mit Klößen und Soße sowie Kartoffelpüree zubereitet. Zudem gab es Lisbeths Leibspeise: panierte Blumenkohlröschen. Als das Kompott serviert wurde, schlug es eins. Alle blickten zur Wanduhr hinüber, denn in diesem Moment lief das deutsche Ultimatum ab. Hatte der Zar die Generalmobilmachung eingestellt?

In jenen Tagen erfreute sich »Die große Illusion« von Norman Angell großer Popularität. Eine deutsche Übersetzung dieses Werkes fand sich auch in Leos Bücherregal. Der Verfasser versuchte nachzuweisen, daß ein umfassender Krieg in Europa angesichts des Kräftegleichgewichts der Mächte für keinen mehr von Nutzen sei, daß Sieger wie Besiegte den gleichen Schaden davontragen würden. Das Buch wurde in fünfzehn Sprachen übersetzt und entwickelte sich schnell zu einer Art »Bibel der Optimisten«. Doch die Großen der Welt hatten sich offenbar nicht ausreichend dafür interessiert. Nikolaus II. reagierte auf das deutsche Ultimatum mit beleidigendem Schweigen. In den frühen Nachmittagsstunden erhielt der deutsche Botschafter in St. Petersburg ein chiffriertes Telegramm, in dem er aufgefordert wurde, um Punkt fünf Uhr die Kriegserklärung zu überbringen. Zwei Stunden später wurde die Nachricht dem russischen Außenminister Sergej D. Sassonow übermittelt. »Ich hasse die Slawen«, gab in Berlin der Kaiser unverhohlen zu. »Ich weiß, daß es eine Sünde ist, seinen Nächsten zu hassen, aber ich kann diese Abscheu nicht unterdrücken.« Unabhängig von seiner heftigen Abneigung gegen die Slawen befahl der Kaiser, auch im

Westen eine Front zu eröffnen. Laut bereits ausgearbeiteten Plänen sollten zunächst Luxemburg und Belgien besetzt werden. Um fünf Uhr dreißig teilte der Generalstabschef Helmuth von Moltke allen Angehörigen der Obersten Heeresleitung mit, daß er den Befehl zur Generalmobilmachung erhalten habe. Geheime Kriegspläne wurden aus dem Panzerschrank hervorgeholt. Erstmals war das nunmehr ausgebaute Eisenbahnnetz darin einbezogen. Wenn es soweit war, sollten sich mehr als zehntausend Züge in Bewegung setzen, um die Soldaten zu den Schlachtfeldern zu bringen.

Nachdem der *Schabbat* zu Ende gegangen war, begaben sich Bernhard und seine Söhne in die Synagoge, um ein besonderes Gebet zur Unterstützung des Kaisers zu sprechen. In Polzin gab es keinen Rabbiner. Das Gebet leitete immer der, der sich am besten mit den Traditionen auskannte. Einst war das Ascher Levy gewesen, jetzt fiel Bernhard diese Aufgabe zu. Fast alle Männer der jüdischen Gemeinde Polzin hatten sich in der Synagoge eingefunden, außer einigen osteuropäischen Flüchtlingen, die sich zwar in letzter Zeit in der Nähe der Stadt niedergelassen hatten, von den Einheimischen aber noch nicht akzeptiert waren. Zunächst rief Bernhard die traditionelle Bedeutung dieses Tages – *Tischa Be-Av* – in Erinnerung: »Sechs tragische Ereignisse widerfuhren dem jüdischen Volk an diesem Datum. Unsere Vorväter, die Ägypten verließen, waren dazu verurteilt, nicht nach *Erez Israel* einziehen zu dürfen, da die Späher gesündigt hatten; zweimal wurde der Tempel in Jerusalem zerstört; ›Beitar‹, die letzte Festung der Aufständischen der *Bar-Kochba-Rebellion,* fiel; die Heilige Stadt wurde von Titus, dem Sohn des Vespasian, zerstört; und außerdem erinnert dieses Datum an die Vertreibung der Juden aus Spanien ...« Bernhard hielt inne, ließ seinen Blick über die Betenden schweifen und hob den Zeigefinger. »Jetzt hingegen«, fuhr er fort, »werden wir uns nicht länger vergangenen Tagen widmen. Wir, die Juden des Deutschen Reiches, haben ein unzerstörbares Heim und ein Land, aus dem man uns nicht vertreibt. Unser Heim und unser Vaterland liegen uns in dieser schicksalhaften Stunde sehr am Herzen, und um diese Tatsache zu unterstreichen, möchte ich folgendes Gebet vortragen.«

Bernhard setzte seine Brille auf und begann mit lauter und klangvoller Stimme den Text vorzulesen, den er Wort für Wort auswendig kannte.

»Gebet für unseren König, unser Volk und unser Land.

Unser Vater! Unser König! Bekämpfe unsere frevelhaften Feinde und strafe sie für ihren Übermut. Vernichte sie, wenn sie uns entgegentreten, unterwirf uns unsere Gegner und gib, daß überall Furcht und Beben sie ergreife. Schwäche ihre Kraft, vereitle ihren Plan, daß sie wie ihre Flotte den Untergang finden. Viele streiten gegen uns, aber wir werden sie besiegen, denn Du, o Gott, bist unser Schild und unser Heil, und laß kein Schwert mehr in unser Land eindringen. Denn was gilt in Deinen Augen die Größe der Heeresmacht? Du läßt im Augenblick sie dahinschwinden. Wir ersehnen nur Frieden und Wohlfahrt und kämpfen nur um unseren Bestand. Dein Wille, o Herr, geschehe, was Du tust, ist gut, und auf Dich allein vertrauen wir. Der Gott des Himmels und der Wahrheit wird jeden Streit von uns fernhalten, und alle Feinde werden Frieden uns anbitten, wenn Du, o Gott, mit uns bist.

O Herr! Schirme und schütze, rette und stärke unseren erhabenen Kaiser und König Wilhelm II., gib ihm Ansehen und Macht und laß sein Tun gelingen, laß die Feinde ihm unterliegen, daß er mit seinem Heere sieggekrönt in unser Land heimkehre, in Frieden und Freude, in Ruhm und Glanz! Amen.«

Die Anwesenden sprachen die Abschlußformel laut nach. Dann traten sie auf die Straße hinaus, um sich noch miteinander zu unterhalten. Alle waren in Hochstimmung.

In der Nacht rief Julius aus Danzig an: »Hallo, Beri«, brüllte er in die Sprechmuschel, »wir kehren zu den Tagen von Sedan zurück! Was? Rudi und Paul sind bereits mobilisiert. Was ist mit deinen Söhnen?«

»Meine Söhne werden Ende der Woche eingezogen«, antwortete Bernhard.

»Sind sie glücklich?« schrie Julius, um das Rauschen in der Leitung zu übertönen.

»Sie sind wie alle Untertanen des Kaisers.«

»Ich hoffe, daß es nicht allzulange dauern wird.«

»Daran besteht kein Zweifel, Julius. Drei Monate. Höchstens ein halbes Jahr. Dann werden die Feinde geschlagen sein und um Frieden betteln.«

»Auf Knien, Beri, auf Knien.«

Es klickte. Die Leitung war zusammengebrochen. Bernhard blickte die Hörmuschel verwundert an und hängte sie dann an ihren Platz zurück.

Siegfried und Lisbeth hatten sich in ihre Wohnung zurückgezogen. »Siehst du, Lisbeth«, sagte ihr Ehemann, »plötzlich haben persönliche Probleme keine Bedeutung mehr.«

Seine Frau schüttelte den Kopf: »Ich sehe keinerlei Verbindung zwischen diesen Dingen. Kann ich etwa Kinder bekommen, wenn wir die Russen in die Knie zwingen, in der Stunde des Sieges durch Paris marschieren oder dem Reich die britischen Kolonien in Afrika hinzufügen? Alles, was sein wird, ist, daß ich hier allein zurückbleibe, denn schließlich wirst auch du in den Kampf ziehen müssen.«

Doch ganz im Gegensatz zu den anderen Familienmitgliedern träumte Siegfried nicht von glorreichen Siegen. Ganz und gar nicht erpicht darauf, im Militär zu dienen und eventuell für das Vaterland zu fallen, zog er die Annehmlichkeiten des Zivilistenlebens glanzvollen Auszeichnungen und Heldenehrungen vor. Dementsprechend groß war seine Freude, als die Musterungskommission ihn als wehruntauglich einstufte. Ein Schatten auf der Lunge, auf dem Röntgenbild deutlich zu erkennen, rettete ihn vor der Einberufung. Und so traten die beiden Söhne Bernhards sehr unterschiedliche Wege an: Siegfried kehrte nach Hause zurück, um den Familienbetrieb zu leiten. Leo hingegen, der einen Monat später eingezogen werden sollte, begab sich als erstes zum Schneider der Stadt, um sich eine Uniform nach Maß anfertigen zu lassen.

Die meisten jungen Männer Preußens träumten davon, eine Uniform zu tragen, am besten natürlich eine Offiziersuniform. Für Männer mosaischen Glaubens waren diese militärischen Ränge, von einigen wenigen Ausnahmen abgesehen, jedoch noch immer unerreichbar. Schon eine Karriere im Justizwesen oder im öffentlichen Dienst glich einer Gratwanderung in großer Höhe. Nur die Stärksten, Begabtesten und Hartnäckigsten waren erfolgreich. Der Offiziersstand hingegen war ein geschlossener Klub, und dort hineinzuwollen war ähnlich aussichtslos wie der Versuch, einen Elefanten durch ein Nadelöhr zu pressen. Seit den Kriegen gegen Österreich im Jahre 1866 und 1871 gegen Frankreich hatte sich daran kaum etwas geändert. Dennoch glaubten viele Juden, daß sich ihre Situation auch im militärischen Bereich gebessert haben müsse. Schließlich hatten sie im Reich Wurzeln geschlagen, hatten die deutsche Kultur aufgesogen, ja propagierten sie sogar und hatten sich im wesentlichen assimiliert.

Am Tag nach Kriegsausbruch veröffentlichten die Organisationen, Vereine und Verbände der Juden des Deutschen Reiches Aufrufe und Flugblätter, die in glühendem Patriotismus verkündeten: »Wir alle stehen hinter dem Kaiser!«

Am 4. August, einem Dienstag, begaben sich Repräsentanten aller Konfessionen und Delegierte aller Parteien des Reichstages zum kaiserlichen Schloß in Berlin, um dem Monarchen ihre volle Unterstützung in allen staatspolitischen Angelegenheiten zu bekunden.

Wilhelm II., der in einer Galauniform vor die Delegierten trat, war ergriffen. Er trug einen Stahlhelm mit einem vergoldeten Adler, der die Schwingen zum Abflug spreizte – man hörte förmlich das Rauschen seiner Flügel. Der Kaiser stützte sich auf ein antikes Schwert und erklärte mit dem ihm eigenen Pathos:

»Ich kenne keine Parteien mehr, ich kenne nur noch Deutsche, und zum Zeugnis dessen, daß sie fest entschlossen sind, ohne Parteiunterschiede, ohne Standes- und Konfessionsunterschiede zusammenzuhalten, mit mir durch dick und dünn, durch Not und Tod zu gehen, fordere ich die Vorstände der Parteien auf, vorzutreten und mir dies in die Hand zu geloben.«

Auf der Titelseite des »Belgard-Polziner Kreisblattes« wurde das feierliche Gelöbnis mit folgendem Gedicht pathetisch besungen:

»Heil Kaiser Dir! Du sprachest das Wort.
Nur Deutsche kenne ich hinfort!
Und lehrtest uns das Beten
vor Gott in Demut treten.
Heil Kaiser Dir!
Fahnen heraus! Jubelgebraus
möge erklingen! Lasset uns singen;
Heil Kaiser Dir!
In diesem Krieg
durch Kampf zum Sieg!«

Auch wenn der Kaiser »nur noch Deutsche« kannte, so blieben die feinen Unterschiede innerhalb der Gesellschaft doch auch weiterhin bestehen. Die Einberufenen wie die Freiwilligen aus Polzin wurden zunächst in der Schneidemühle kaserniert. Von dort marschierten sie durch die Straßen der Stadt. Die Schaulustigen schwenkten ihre Hüte und überschütteten sie mit Blumen. Männer, die für die Marschierenden ein Spalier bildeten, skandierten Kampfparolen. Freude und Begeisterung rissen alle mit. Juden allerdings mußten in der letzten Reihe marschieren. Leo hatte dagegen aufbegehrt, umsonst. »Das hat nichts mit Zurücksetzung zu tun«, hatte der Oberfeldwebel schroff entgegnet, »jemand muß schließlich der letzte sein. Warum also nicht ihr?!«

Zu den Delegierten, die an besagtem Dienstag vor den Kaiser traten, gehörte auch der Privatdozent und Universitätsprofessor Max Rothmann. Sein achtzehnjähriger Sohn, der sich freiwillig meldete, sollte keine drei Monate später an der Front fallen. Daraufhin bat Rothmann, ein wahrer Patriot, für seinen jüngsten Sohn um Aufnahme in die Kadettenanstalt. Dies entsprach ganz der Familientradition, denn schon der Großvater hatte dem Kaiser in drei Kriegen gedient und sich darin ausgezeichnet. Doch das deutsche Heer wollte keinen jüdischen Kadetten. Ein schriftliches Gesuch an den Kriegsminister wurde negativ beschieden, und auf die Bitte um eine persönliche Unterredung kam folgende unpersönliche, von einem subalternen Beamten verfaßte Antwort:

»Da das Kriegsministerium an dem darin zum Ausdruck gebrachten Standpunkt festhalten muß, würde auch eine mündliche Aussprache erfolglos bleiben, weshalb Euer Hochwohlgeboren gebeten werden, sich nicht bemühen zu wollen...«

Zwei Tage zuvor hatte auch Generalstabschef von Moltke negativ auf Rothmanns Gesuch reagiert:

»Sehr geehrter Herr Professor,

ich danke Ihnen für Ihre Zeilen, denen ich die Anlagen wieder beifüge. Ich kann Ihnen zu meinem Bedauern nicht helfen, da die Entscheidung lediglich beim Kriegsministerium liegt. Möge das Geschick es fügen, daß wir aus diesem Kriege, in dem alle Angehörigen unseres Volkes Schulter an Schulter ihr Leben einsetzen, die alles andere überwiegende Überzeugung gewinnen, daß wir alle Deutsche sind. Nehmen Sie meinen Beileidsausdruck, aber auch gleichzeitig meinen Glückwunsch zu dem Heldentode Ihres Sohnes, der seine Treue dem Vaterland gegenüber mit seinem Herzblut besiegelt hat.

Aufrichtig der Ihre,

Moltke, Generaloberst«

Selbstverständlich wußten die Angehörigen der Familie Levy nichts von der Affäre Rothmann. Der Briefwechsel des angesehenen Professors mit den Regierungsämtern und der Armee wurde erst nach Kriegsende publik, als bereits bekannt war, daß annähernd hunderttausend deutsche Juden Uniform getragen und achtundsiebzig Prozent der jüdischen Soldaten an der Front gekämpft hatten.

Zu Kriegsbeginn im Sommer 1914 wurde jedenfalls die Kaserne Schneidemühle noch mit freudig klingenden Spruchbändern geschmückt. Die Schüler des Ortes schickten den Mobilisierten euphorische Briefe, ihre Mütter backten Kuchen, auf denen mit Zuckerguß und Schokolade geschrieben stand: »Für die tapferen Kämpfer«. Die Grundausbildung hätte eigentlich einen Monat dauern sollen, wurde jedoch auf zwei Wochen verkürzt. »Ihr müßt schnell an die Front, hier verpaßt ihr den Sieg. Schon bald wird Frankreich fallen, und innerhalb eines halben Jahres wird der russische Bär aufgeben«, prahlte der Kasernenbefehlshaber beim letzten Appell.

Und wieder marschierten sie durch die Straßen der Stadt, dieses Mal in voller Montur. »Gott ist mit uns«, stand auf ihrer Ausrüstung zu lesen. »Es lebe der Kaiser!« schrie eine Frau hysterisch und warf sich an die breite Brust des jungen Leutnants, der die Truppe auf dem Weg zur Bahnstation anführte. Auf dem Bahnsteig warteten die Transportzüge. Jemand hatte mit Kreide darauf geschrieben: »Auf nach Paris!«

Am Vorabend des Kriegsausbruchs hatte Rudolf Levy sein Atelier am Pariser Montmartre verlassen und war nach Danzig gereist, um sich zur Musterung zu melden. Er wurde einer kämpfenden Einheit zugeteilt und diente als Fahrer der Infanterie-Division 117, die an der Westfront lag. Von dort schrieb er im Sommer 1915 nach Danzig:

»Lieber Vater,

zum Geburtstag sende ich Dir hoffentlich pünktlich eintreffende Glückwünsche... Du weißt wahrscheinlich, daß ich seit dem 30. Juni hier unten bei Lens in einem kleinen zusammengeschossenen Dorf liege... Dienst ist meistens nachts, da die Wege zum größten Teil vom Feinde eingesehen sind. Ich sitze auf dem Wagen des Kolonnenoffiziers, eines Oberleutnants, und habe eine gewisse Bedeutung als Wegekenner mit anerkanntem Orientierungssinn. Allmählich habe ich mich zu einem brillanten Autofahrer herausgebildet, besitze den Militärführerschein und fahre manchmal Geschwindigkeiten von achtzig km die Stunde, wobei man keine Zigaretten rauchen darf ... An das Pfeifen der Granaten gewöhnt man sich, und Orte, die nicht vollkommen verwüstet sind, kann man sich schon bald nicht mehr vorstellen. Von der berüchtigten Loretto-Höhe schießen die Franzosen (jetzt sind es wohl Engländer) täglich nach Souchez, Angres und Liévin hinein. Das Fahren auf diesen Wegen ist natürlich durch umherliegenden Schutt und die Granatlöcher sehr schwer, aber bis jetzt ist mir nichts passiert...«

Vier Monate später, als das Gefecht um Artois beendet war, teilte er seiner Schwester Käthe mit einer Prise Selbstironie mit:

»Herzlichen Dank für Deine Gratulation zum Eisernen Kreuz, das nun seit vierzehn Tagen die Heldenbrust ziert.«

Und gegen Kriegsende schrieb er an seinen Schwager Ernst in Berlin:

»Ich bin noch immer in meiner pompösen Stellung bei GenKdo XIV R.F. Kampfgruppe Queant, und es geht immer noch um Bulleivart, wie Du ja lesen kannst. Wie lange wird das eigentlich noch dauern? Es ist so wahnsinnig langweilig, daß ich mitunter verzweifle. Auch ein stark gläubiges Judentum kann darüber nicht hinweghelfen. Dabei habe ich viel zu tun, Munitionstransporte, Truppenverschiebung etc. ...«

Fortan verlief das Leben der Familie Levy in Polzin in einem völlig anderen Rhythmus. Die Zeit wurde nicht mehr in Stunden, Tagen und Wochen, sondern vielmehr nach dem Eintreffen der Feldpost bemessen. »Das war, bevor Leo geschrieben hat«, oder »das war zwischen der Mitteilung von Rudolf und dem Brief von Leo«. Dieses Mal arbeitete die Post, ganz im Gegensatz zu 1871, regulär, und die Verbindung zwischen der Front und dem Hinterland funktionierte einwandfrei. Auch die Zeitungen trafen ohne Verspätung in Polzin ein.

Bernhard achtete darauf, täglich in die Synagoge zu gehen. Auf seinem Heimweg vom Morgengebet holte er zusammen mit der Post eine Ausgabe der »Vossischen Zeitung«. Die örtliche Zeitung wurde um neun Uhr vom Postboten gebracht. Während des Frühstücks las Bernhard die Mitteilungen der Obersten Heeresleitung und die wichtigsten Nachrichten von den Schlachtfeldern laut vor. Dieses Vorlesen wurde zur Gewohnheit, beinahe zu einem familiären Ritual, das allen das Gefühl vermittelte, den Geschehnissen an der Front näher zu sein. Anfangs bewahrheiteten sich die optimistischen Prophezeiungen. Im Osten wurde die russische »Dampfwalze« durch General von Hindenburg gestoppt. Im Westen drangen eineinhalb Millionen deutsche Soldaten auf fremdes Gebiet vor. Jeder von ihnen führte eine moderne Ausrüstung mit sich, die ungefähr dreißig Kilogramm wog: ein Gewehr und Munition, ein Paar Schuhe in Reserve, eine Schaufel zum Eingraben und einen Rucksack, der einen Verbandskasten, eine »eiserne Ration«

und einen versiegelten Flachmann mit Schnaps enthielt. Die Flachmänner mußten, auf ausdrückliche Anweisung, gut verschlossen bleiben und durften erst auf Befehl des Offiziers geöffnet werden. Die Versiegelung der Verschlüsse wurde täglich überprüft. Den Reihen der Infanterie, die als lebende Mauer vorrückten, folgten schwere Geräte, die die Schlacht entscheiden sollten: Kanonen, die über Jahre hinweg unter strengster Geheimhaltung in den österreichischen Skoda-Werken und vom deutschen Krupp-Konzern entwickelt worden waren – Haubitzen mit einem Kaliber von dreihundertundfünf Millimetern und größere Modelle mit einem Kaliber von vierhundertzwanzig Millimetern und enormer Reichweite. Jede dieser riesigen Kanonen konnte Kugeln von neunhundert Kilogramm Gewicht bis zu vierzehn Kilometer weit abfeuern, und für die Bedienung eines einzigen Geschützes waren zweihundert Soldaten erforderlich.

Trunken von dieser Demonstration militärischer Macht applaudierten die Deutschen, als das neutrale Belgien besetzt wurde. Von den Mißhandlungen der dortigen Zivilbevölkerung wollte niemand etwas wissen. Innerhalb von zehn Tagen fielen die Befestigungen von Liège, die der größte Architekt für Verteidigungsanlagen, Henri Brialmont, Ende des vergangenen Jahrhunderts geplant hatte. Nach dem ersten Monat des Krieges marschierte eine deutsche Division in eine französische Kleinstadt namens Sedan ein.

Rudolf schrieb an seinen Onkel Bernhard: »Ich fühle mich, als würde ich Schritt für Schritt auf den Spuren meines Vaters wandeln. Hier, an genau diesem Orte, weilte er am 2. September 1871, heute vor dreiundvierzig Jahren. Unendliche Freude erfüllt mein Herz. Die Franzosen bombardieren uns Tag und Nacht, doch ich habe mich an den Lärm gewöhnt und schlafe gut. Nur wenn der Krach aufhört und es plötzlich still um mich wird, schrecke ich aus dem Schlaf und frage mich, was wohl passiert sein mag. Welch ein Leben! Ich bin Fahrer einer Patrouille-Einheit. Mein Dienst ist wichtig und faszinierend, schade, daß ich keine Einzelheiten berichten darf. Die Wege hier sind schlecht, voller Schlaglöcher und Bombenkrater, aber wenn alles gutgeht, so verspricht man uns, werden wir auf diesen Wegen bald ein zweites Versailles feiern können.

In Liebe, Euer Rudi«

Doch es ging nicht alles gut. Der Sturmangriff geriet ins Stocken. Die Armee grub sich ein, aus dem Bewegungskrieg wurde ein schwerer und ermüdender Stellungskrieg. Hunderttausende von Soldaten verbrachten Monate in Schützengräben, hinter Stacheldrahtzäunen, auf verminten Feldern und waren unentwegtem Artilleriefeuer ausgesetzt. Die Monate zogen sich wie eine Ewigkeit hin, und währenddessen wartete jede Seite auf die günstige Stunde zum Angriff. Im Februar 1916 kam der Befehl: Verdun. Der deutsche Angriff begann am 21. Februar und endete im Dezember. Etwa eine Million Menschen – Deutsche, Franzosen und Engländer – bezahlten für diese beispiellose Aktion, die den stockenden Vormarsch wieder in Gang bringen sollte, mit ihrem Leben. Aber auch diese gigantische Zahl von Gefallenen änderte nichts an der Ausgangslage, der militärische Gleichstand blieb trotz des sich in die Länge ziehenden Tötens erhalten.

Der stockende Vormarsch und die unzähligen Todesopfer an der Front bedrückten Leo zwar, demoralisierten ihn jedoch nicht. Seine Einheit lag in einer Kleinstadt im Nordosten Frankreichs. Die Befehlshaber übertrugen ihm die Verantwortung für die Versorgungsgüter der Brigade der Bayerischen Reservisten, eine Tätigkeit, die ihn voll in Anspruch nahm und dadurch ablenkte. In den Abendstunden eines grauen Herbsttages, als draußen die Stimmen verstummten und das Lagergebäude sich leerte, saß er an einem kleinen Tisch und schrieb einige Zeilen an seine kleine Tochter Hannah. Bei seinem Abschied aus Polzin hatte Else ihm eine Tafel Haselnußschokolade der Firma Lindt in seinen vollgepackten Rucksack gesteckt: »Damit du auch weit weg von daheim etwas Süßes hast«, hatte sie gesagt und ihn auf die Wange geküßt. Schon während seiner Studentenzeit hatte Leo die Briefe an seine Eltern zum allgemeinen Vergnügen in Form von Schüttelreimen verfaßt. Später hatte er das Dichten über der geschäftlichen Prosa vernachlässigt. Doch ausgerechnet hier, in einem grauen Reservelager nahe der Front, überkam ihn wieder die Muse. In schräger, gestochen scharfer Handschrift schrieb er:

»Diese Tafel Schokolade
Packte Mutti ein mir gerade
Wie vor länger als zwei Jahren
In den Krieg ich gefahren
Hannah artig ist gewesen
Wie ich hab' im Brief gelesen

Und wenn artig ist ein Kind
Kriegt es eine Tafel Lindt
Doch für Mutti nun zum Schluß
Folgt ein fester *Jontef*-Kuß
Auf daß Euch das nächste Jahr
Gut und süß sei ganz und gar. «

Leo las das Gedicht, das ihm von Herzen kam, und mußte über seine eigene Naivität lachen. Er packte die von dem vielen Hin und Her reichlich mitgenommene Tafel Schokolade in Packpapier und schnürte das Päckchen mit einem dünnen Bindfaden zusammen. Gerade als er fertig war, betrat Hauptmann Tuch, der für die Versorgungsgüter zuständige Offizier, das Depot. »Guten Abend«, grüßte er Leo auf sehr unmilitärische Art und Weise. Leo sprang auf, um zu salutieren, aber der Offizier gab ihm ein Zeichen, sich zu setzen. »Es ist schon spät«, sagte er. »Wir werden für einige Minuten die offiziellen Vorschriften ignorieren.« Für einen Offizier, der ansonsten streng auf preußische Disziplin achtete, war dies eine merkwürdige Einleitung.

Leo ließ das Päckchen vom Tisch verschwinden. Tuch lächelte, als er diese nahezu schüchterne Geste bemerkte. Er setzte sich Leo gegenüber und legte eine mit diversen Dokumenten gefüllte Mappe vor sich auf den Tisch. Dann räusperte er sich: »Ihr Name ist Dr. Leo Levy, nicht wahr?« Leo nickte und fragte sich, was wohl hinter dieser Frage stecken mochte, denn schließlich kannte der Befehlshaber seinen Namen. Hauptmann Tuch blätterte mit ernstem Gesicht in den Papieren und fragte:

»Welcher Religion gehören Sie an, Dr. Levy?«

»Ich bin mosaischen Glaubens.«

»Sie sind also Jude?«

Leo überspielte seine peinliche Berührtheit mit einem Lächeln.

»Das ist nicht das gleiche, Herr Hauptmann«, antwortete er. »Auch wenn der Sachverhalt natürlich von der jeweiligen Weltanschauung abhängt, so verstehe ich mich als Deutscher mosaischen Glaubens.« Der Hauptmann schrieb die Antwort nieder. »Ich verstehe«, sagte er und ging mit seinem Bleistift langsam das Papier durch. »Wie alt sind Sie, Dr. Levy?«

»Im September werde ich fünfunddreißig.«

»Ein gutes Alter für einen Mann.«

»Alles ist relativ«, murmelte Leo, der immer noch nicht begriffen hatte, worum es ging.

Leo Levy, 1915

»Ja, ja, sicherlich ... Und welche Aufgabe erfüllen Sie in der Armee?«

»Aber das wissen Sie doch, ich bin für die Versorgungsgüter der Division zuständig. Darf man fragen, was es mit dieser wundersamen Befragung auf sich hat?«

»Befehl, mein Bester. Befehl des Stabes.«

Leo warf seinem Hauptmann einen verwunderten Blick zu. Dieser konnte seine Verlegenheit nicht verbergen.

»Ich möchte Sie wissen lassen, Dr. Levy, daß diese Angelegenheit nicht auf mich zurückgeht. Ich bin nur ein Soldat, der einen Befehl ausführt; mit Pflichtbewußtsein und Genauigkeit, wie sie uns allen obliegen.«

»Bin ich irgendeines Vergehens beschuldigt, Herr Hauptmann?«

»Um Himmels willen! Sie gehören zu den besten Leuten der Division. Ich werde nicht vergessen, das auf dem Fragebogen zu vermerken.« Tuch ordnete die Unterlagen. Doch bevor er aufstand, betonte er abermals: »Glauben Sie mir, diese ganze Geschichte ist nicht nach meinem Geschmack. Nur Bürohengste, die niemals auch nur im entferntesten mit Schießpulver in Berührung gekommen sind, lassen sich so etwas einfallen ...«

»Ich verstehe nicht.«

»Ich werde es Ihnen erklären. Das Kriegsministerium hat eine Zählung der jüdischen Soldaten angeordnet.«

»Wodurch unterscheiden wir uns von den anderen Uniformträgern?«

»Ich habe es Ihnen bereits gesagt: Ich führe nur Befehle aus. Die Auslegung überlasse ich Ihnen, Herr Doktor. Gute Nacht.«

Die Erklärung war recht einfach, und es fiel Leo nicht schwer, der Sache auf den Grund zu gehen. Die Zivilbevölkerung war mit dem Kriegsverlauf unzufrieden. Ein Teil der Kritik richtete sich, wenn auch zumeist versteckt geäußert, gegen das Oberkommando. Niemand wagte es, offen den Kaiser und die einflußreichen Generäle zu kritisieren, aber insgeheim machte der Vorwurf: »Unterlassung!« die Runde. Das Kriegsministerium und die Oberste Heeresleitung brauchten dringend einen Sündenbock; jemanden, den man ohne weiteres beschuldigen konnte, um so die öffentliche Meinung von den eigentlichen Mißständen ablenken zu können.

Es ist nicht geklärt, welcher Beamte oder Generalstabsoffizier auf die Idee kam, die altgediente Vogelscheuche namens Antisemitismus wieder auszugraben. Jedenfalls sollte das Hinterland mit statistischen Daten bombardiert werden, um zu zeigen, daß die Angehörigen mosaischen Glaubens der nationalen Sache nicht in gleicher Weise dienten wie die anderen Untertanen des Reiches. Der Befehl zur Zählung kam im Oktober 1916. Zeitgenössische Dokumente, die in Archiven erhalten geblieben sind, tragen die Unterschrift des Generalmajors Ernst von Wrisberg, des Direktors des Allgemeinen Kriegsdepartements in Berlin. Es ist jedoch zu bezweifeln, daß diese Initiative auf einen einzelnen Beamten zurückgeht, egal welch hohen Rang er bekleidet haben mag. Als der Befehl bekannt wurde, einen Teil der Öffentlichkeit wachrüttelte und jüdische Kommunalpolitiker aufbrachte, beeilte sich von Wrisberg, die Gemüter zu beschwichtigen, und verkündete auf einer Sitzung des Reichstags:

»Diese Verfügung hat nur den Zweck gehabt, schriftliches Material zu sammeln und Vorwürfe, die gegen die Juden in der Armee erhoben worden sind, diesseits prüfen zu können. (...) Die verfügte Zählung ist nur zur eigenen Unterrichtung des Kriegsministeriums bestimmt. Sie soll Unterlagen bieten, Beschwerden über Versuche der Juden, sich dem Heeresdienst zu entziehen, nachzuprüfen...«

Seit August 1916 konzentrierten sich alle Regierungsgeschäfte in den Händen der Militärs, und im Grunde waren sie die eigentlichen Herrscher. Im Januar 1917 unternahm Reichskanzler Theobald von Bethmann Hollweg eine letzte Anstrengung, »den humanen Charakter des Krieges« zu erhalten, indem er sich weigerte, der U-Boot-Flotte freie Hand zu gewähren. Die Parlamentsabgeordneten unterstützten seine Haltung nicht. Der Reichstag drohte, dem Kanzler die Unterstützung zu entziehen, wenn dieser den Forderungen der Armee nicht nachgebe.

Der geforderte uneingeschränkte U-Boot-Einsatz sollte die von den Anrainerstaaten des Reiches verhängte Seeblockade durchbrechen, die wie ein Joch auf der deutschen Wirtschaft lag und sie empfindlich drückte. Kriegswichtige Industriezweige wurden lahmgelegt, es kam zu Versorgungsengpässen bei lebenwichtigen Produkten, darunter Brot, Zucker, Fleisch, Öl, Baumwolle und Treibstoff.

Zweimal wöchentlich, mittwochs und samstags, erschien das »Belgard-Polziner Kreisblatt«. Bernhard las es mit großem Interesse, da die Zeitung auch die offiziellen Lebensmittelpreise veröffentlichte. Wer sie nicht einhielt, wurde schwer bestraft. Zu Beginn des Jahres 1915 hatte eine Tonne Kartoffeln noch fünfundfünfzig Mark gekostet, im März konnte man bereits neunzig Mark dafür verlangen. Ein Kilogramm Roggenmehl war von sechsunddreißig Pfennig im Januar 1915 auf zweiundsechzig Pfennig im Dezember angestiegen. Die Preise für alle anderen Waren stiegen entsprechend. Am 27. August 1916 druckte das Kreisblatt eine Mitteilung des Landrats ab:

»Es kann mit Sicherheit angenommen werden, daß sich noch etwa eine Milliarde an Goldgeld in Händen von Privatleuten befindet. Das Geld bitte sofort an die Reichsbank abführen!«

Bernhard holte die Zeitung auch an diesem Morgen wie gewöhnlich vom Polziner Postamt ab. Zu seiner Verwunderung mußte er feststellen, daß eine fremde Hand diese Mitteilung mit einem roten Stift markiert hatte. Ihm war klar: Dies war kein Zufall.

Jemand wollte ihn beschuldigen, doch wer? Ein einfacher Postbeamter, der auf seinen Wohlstand neidisch war, oder eine hochgestellte Persönlichkeit, die ihn auf diese Weise auf ihre Ansichten aufmerksam machen wollte? Sein Gewissen war rein. Er besaß keine Goldmünzen oder -barren. Er hatte niemals das Gesetz übertreten. Seine Produkte hatte er stets zu den offiziell festgesetzten Preisen verkauft, selbst wenn er dabei Verluste machte. Über Vermögen und Besitz der Firma legte er den Steuerbehörden peinlich genau Bericht ab, und auch die Geschäftskonten unterlagen strikter Rechenschaft. Doch Bernhard war keineswegs naiv. Er wußte, daß die Wahrheit bedeutungslos war und es keine Möglichkeit gab, die Menschen von seiner Ehrlichkeit zu überzeugen. Er war Jude und zudem reich. Das genügte. In diesem Moment war jedoch seine größte Sorge, wie er die Zeitung vor Henriette würde verbergen können. Er faltete sie zusammen und stopfte sie zuunterst in die Schublade, in der schon sein Vater derartige Papiere aufzubewahren pflegte. Und wie sein Vater hielt auch Bernhard sie unter Verschluß.

Zwei Jahre nach Ausbruch des großen Krieges wurde vielen klar, daß die brillanten Sandkastenstrategen des Generalstabs nicht daran gedacht hatten, Nachschub und Versorgung langfristig zu organisieren. Vielleicht hatten sie versagt, weil sie von einer kurzen militärischen Auseinandersetzung überzeugt waren. Möglich ist aber auch, daß sie von ihrem raffinierten Angriffsplan derart geblendet waren, daß sie die Bedürfnisse der Zivilbevölkerung schlicht und einfach vergaßen. Jetzt forderten die Generäle, die ihnen vom Reichstag zugesprochene Handlungsfreiheit in vollem Umfang ausschöpfen zu können. Das bedeutete, die Zufahrtswege für lebenswichtige Versorgungsgüter mit Hilfe der U-Boot-Flotte freizukämpfen.

Im Herbst 1916 erkannten die Kapitäne der deutschen Wirtschaft die niederschmetternde Wahrheit: Diese gewaltige Industrie, die das Publikum auf der Weltausstellung mit Wundermaschinen und gigantischen Kanonen überrascht hatte, die sechzehn Jahre später die Lichterstadt Paris bombardierten, stand kurz vor der totalen Lähmung. Ein bekannter Industrieller, der Präsident der AEG-Werke Walther Rathenau, wurde aufgefordert, einen Plan zu entwerfen, um die gesamte Produktion des Reiches auf die Erfordernisse des Krieges umzustellen. Bernhard nahm diese Nachricht als Anerkennung auf, obwohl er die Weltsicht dieses Mannes, der eine totale Assimilation befürwortete und die Lösung der »Juden-frage« im Übertritt zum Christentum sah, niemals geteilt hatte. Jetzt waren die Fähigkeiten der wohlhabenden Juden gefordert, ihr Anteil, der dem der Soldaten mosaischen Glaubens gleichkam. Doch auch die Großunternehmer konnten nicht mit leeren Händen zaubern. Im großen und selbstherrlichen Deutschland, wo be-rühmte Ingenieure Lokomotiven, Dieselmotoren und fortschritt-liche Elektrogeräte herzustellen vermochten, wo die beste Kohle Europas abgebaut, exzellenter Stahl produziert und eine gewaltige Armee von vier Millionen Soldaten aufgestellt worden war, gab es für die Zivilbevölkerung bald keinen Laib Brot und keinen Sack Kartoffeln mehr – und das, obwohl sich die unendlichen Felder der Ukraine, der Getreidespeicher Europas, in deutschen Händen be-fanden. Die glänzenden Genies, die Kolbenmotore, Rohre ohne Schweißnähte, Zeppeline und synthetischen Treibstoff entwickelt und Dutzende anderer erstaunlicher Patente erhalten hatten, muß-ten sich nunmehr mit einem System für die Lebensmittelrationie-rung auseinandersetzen. Der U-Boot-Krieg brachte für das deut-sche Volk keine Erleichterung, sondern einen weiteren Feind, denn die deutschen Torpedos bewogen die USA dazu, in den Krieg ein-zutreten.

Die Deutschen hatten sich den Feldzug, der mit dem Kampf um die Marne endete, anders vorgestellt. Die Verbitterung der Zivilbe-völkerung wuchs von Tag zu Tag. In dieser Situation war es durch-aus denkbar, daß die Statistik des Ernst von Wrisberg wie eine Be-ruhigungstablette wirken und den Sturm der Gemüter besänftigen könnte. Aber auch diese Waffe enttäuschte ihre Erfinder. Obwohl eine erlesene Runde von Statistikern monatelang über den Zahlen-reihen brütete, wurden die Ergebnisse der Zählung nicht veröffent-licht, da die Daten den Absichten des Kriegsministeriums nicht zu-träglich waren. Als Wrisberg schließlich pensioniert wurde, veröffentlichte er seine Memoiren, die auch Einzelheiten dieser Zählung enthielten. Unabhängige Historiker stritten später über die Richtigkeit dieser Angaben. Zweifellos waren zum Zeitpunkt der Zählung viele Juden aus ihren an der Front kämpfenden Ein-heiten ins Hinterland verlegt worden, damit die Statistik ihren Zweck erfüllen konnte. Dennoch stellte man fest, daß im Herbst 1916 in der Armee des Reiches etwa dreiundsechzigtausend Solda-ten mosaischen Glaubens gedient hatten, unter ihnen lediglich fünftausend im Hinterland, siebenundzwanzigtausendfünfhundert an der Front und dreißigtausend in den Besatzungstruppen. Diese Zahlen glichen prozentual denen der christlichen Uniformierten.

Leo schickte die Tafel Schokolade an seine kleine Tochter, vermied es jedoch, in dem Brief an seine Familie seine Gemütsverfassung durchschimmern zu lassen. Die diskriminierende Zählung hatte ihm einen schweren Schlag versetzt, und sein Glaube, daß zumindest im Kampf kein Unterschied zwischen den Uniformierten gemacht würde, war ihm abhanden gekommen. Auch Rudolf, der stolz das Eiserne Kreuz trug, zog es vor, schweigend über dieses erschütternde Erlebnis hinwegzugehen. Trotzdem blieb dieser Zwischenfall natürlich kein Geheimnis. Die jüdischen Gemeinden und ihre Organisationen, Orthodoxe wie Reformer, protestierten. Siegfried Levy, der geschäftlich in Berlin weilte, kaufte auf dem Bahnhof eine Ausgabe der »Frankfurter Zeitung« vom 24. November 1916. Auf der Zugfahrt nach Hause las er eine Mitteilung, die ihn aufwühlte:

»Der Verein zur Abwehr des Antisemitismus hielt gestern seine Hauptversammlung ab. Der Vorsitzende, Abgeordneter Dr. Gothein, betonte, daß sich die Hoffnung auf Erhaltung des konfessionellen Burgfriedens leider nicht erfüllt habe. Der Verein werde auch nach dem Kriege nicht überflüssig sein, sondern weiterkämpfen müssen. In seinem Vortrag über die Juden im Kriege bemerkte der Redner, es müsse bekannt werden, daß manche Fortschritte gemacht worden seien. Über eintausendfünfhundert jüdische Offiziere, davon die Hälfte in Preußen, die meisten anderen in Bayern, seien ernannt worden. Trotzdem sei diese Zahl verschwindend gegenüber den dazu qualifizierten Juden. Was die Juden im Heere geleistet haben, gehe am besten daraus hervor, daß über achtzig das Eiserne Kreuz Erster Klasse, über achttausend das Eiserne Kreuz Zweiter Klasse und auch einige den Pour le mérite erhalten haben. Es sei bedauerlich, daß das Kriegsministerium aufgrund von antisemitischen Aufregungen in einem leicht mißzuverstehenden Erlaß eine Statistik über Juden angeordnet habe. Das Schema dieser Statistik sei ein Musterbeispiel, wie man es nicht machen solle. Man wollte ungerechtfertigten Angriffen auf die Heeresverwaltung entgegentreten, wurde sich aber nicht darüber klar, daß dieser Erlaß auf Juden wie auf alle ihre Gerechtigkeit liebenden Kameraden im Felde wirken mußte. Bei Beurteilung der Juden in diesem Kriege dürfe auch nicht vergessen werden, was zahlreiche Chemiker, Ingenieure und Finanzleute jüdischen Glaubens geleistet haben.«

So wie Bernhard faltete auch Siegfried die Zeitung zusammen. Er hingegen stopfte sie tief in die Tasche seines Wintermantels. Das Zugabteil war nicht beheizt. Die Kälte nagte zunächst an seinen Zehen und erfaßte schließlich seinen ganzen Körper. In seinem Koffer, den er in das Gepäcknetz über seinem Sitzplatz gelegt hatte, waren Brote mit Gänseleberpastete und eine Thermosflasche mit heißem Tee. Siegfried blickte forschend in die Gesichter der Mitreisenden – müde Menschen, die sich in Schweigen hüllten. Unter ihren matten Augen Brote zu verspeisen, die mit Gänsefett vollgesogen waren, wäre einer rücksichtslosen Provokation gleichgekommen. Siegfried verkniff sich Brote und heißen Tee und rieb sich statt dessen die Hände, um die Kälte zu vertreiben.

Zu Hause in Polzin lief alles wie gewohnt, die Speisekammer war randvoll. Die Knappheit an Lebensmitteln und anderen grundlegenden Gütern betraf die Familie Levy nicht. Die Gutshöfe auf ihrem Besitz lieferten das beste Fleisch und gutes Gemüse. Henriette sorgte dafür, daß die Verwandten in Stettin, Berlin und Danzig regelmäßig Lebensmittelpakete erhielten, denn in den Städten war die Rationierung empfindlich spürbar. Anfänglich hatte sie auch an ihre Söhne, die an der Front waren, alle möglichen Leckerbissen geschickt, doch Leo und Ernst hatten sie gebeten, damit aufzuhören. Ihre Kameraden hatten ihren Augen kaum getraut. Wer in schlechten Zeiten ausreichend mit Nahrungsmitteln versorgt ist, macht sich leicht unbeliebt. Also befahl Bernhard, die Naturalien, die von den Gutshöfen herbeigeschafft wurden, in große Kisten zu verpacken, auf denen deutlich zu lesen stand: »Landwirtschaftliches Werkzeug«. Wenn die Familie beim Essen zusammensaß, wurden die Türen abgeriegelt, um ungebetene Besucher fernzuhalten.

Auch die Geschäfte wurden durch den Krieg nicht in Mitleidenschaft gezogen. Siegfried fuhr mindestens einmal im Monat nach Berlin, um mit Regierungsbeamten über die Lieferung von Holz zu verhandeln. Um mit den Aufträgen Schritt halten zu können, liefen die Sägewerke auf Hochtouren. Darüber hinaus investierte die Familie verstärkt in den Erwerb landwirtschaftlicher Flächen. Angesichts der Generalmobilmachung konnten die pommerschen Bauern ihre Felder kaum mehr bestellen. In den Dörfern fehlten die jungen Männer, die jetzt Uniform trugen und an der Front dienten. Und da die meisten Bauernhöfe ohnehin in Schulden versanken, wurde ihre Situation von Tag zu Tag schwieriger. Einige Landbesitzer verkauften den brachliegenden Boden an den Meistbietenden. Und da die Preise fielen, packte Bernhard die Gelegenheit beim Schopfe. Oft genügte es, daß er eine geringe Summe in bar anzahlte und die Schulden des Hofes übernahm. Sein Besitz wuchs ständig. In seinen Gebeten dankte Bernhard seinem Schöpfer, daß er die Seinen für ihr Festhalten am Glauben und ihre Vaterlandstreue zu entschädigen verstand.

Der Winter ging vorüber. Doch auch im Frühling verbesserte sich die allgemeine wirtschaftliche Lage nicht. Im Mai reisten Bernhard und Henriette zur Erholung nach Bad Kissingen, als gäbe es keinen Krieg. Siegfried kaufte die Anteile der ehemaligen Geschäftspartner Gustav Moeller & Nachfolger auf, sowohl in Köslin als auch in Stettin. Lisbeth war auf die Idee gekommen. Sie strebte schon seit geraumer Zeit danach, in die große Stadt umzuziehen. Polzin war in ihren Augen eine gottvergessene Stadt ohne jeden Glanz. Gegen die Polziner Firma mit ihrem provinziellen Charakter hegte sie tiefen Abscheu. Die Juden des Städtchens lagen ihr nicht, und die Türen der Adligen blieben ihr verschlossen. Zweimal war sie bei Hermann-Konrad Graf von Kleist zu Gast gewesen. Doch nicht gesellschaftliche Einladungen hatten ihr den Zutritt zum Rittergut in Groß Dubberow verschafft, sondern die Geschäfte der Firma. Vor allem aber befiel sie zunehmend das Gefühl, daß das Verständnis, das die Familie ihr entgegenbrachte, lediglich auf Mitleid wegen ihrer Unfruchtbarkeit beruhte. Das mochte Einbildung sein oder auch nicht, jedenfalls wünschte sie, den unmittelbaren Kontakt mit ihrer Schwiegermutter und ihrer Schwägerin abzubrechen. Nur für Bernhard empfand sie Respekt und Wärme. Er verstand ihre inneren Konflikte und die Auswirkungen der Fehlgeburt auf ihre Gemütsverfassung.

»Ich bin unglücklich«, sagte sie einmal in einer Stunde der Schwäche und legte den Kopf an Bernhards Schulter, als wäre sie ein kleines Mädchen.

»Es ist beinahe zwei Jahre her«, antwortete er und streichelte sanft ihren Kopf. »Du mußt wissen: Die Zeit heilt alle Wunden.«

»Du kannst mein Leid nicht erahnen, Beri. Eine Frau, die keine Mutter sein kann ... Schließlich wurdest du in der Tradition der jüdischen Religion erzogen. In deinen Augen bin ich sicherlich ein minderwertiges Geschöpf. Du weißt, daß jeder orthodoxe Rabbiner mich, falls Sigi es gewollt hätte, zur Scheidung hätte zwingen können.«

»Du redest Unsinn, Lisbeth. Siegfried wird dich niemals verlas-

Die Familie von links nach rechts:
Lisbeths Bruder und Mutter, Lisbeth, Siegfried, Rudolf und Käthe.
Sitzend: Lisbeths Vater, ihr Bruder Oskar und Ernst Levy.

sen. In unserer Familie gab es keine Scheidung, und es wird auch keine geben. Und ganz abgesehen davon wird der Wert von Menschen nicht daran gemessen, ob sie zeugen oder gebären können. Manchmal sind wir tiefbetrübt und manchmal überglücklich. Es gibt keinen Grund, weswegen diese Gemütsverfassungen vom Funktionieren der Organe abhängen sollten.«

»Und trotzdem komme ich nicht zur Ruhe. Ich mag nicht, wie mich die Leute anschauen. Und auch ihre liebenswürdigen Worte kann ich nicht ausstehen, die ohnehin nur verlogen sind.«

»Das ist dein subjektives Empfinden und entbehrt jeglicher Grundlage.«

»Das macht es nicht leichter. Ich bin nun einmal ein subjektives Geschöpf.«

»Mag sein, daß du auf deine Weise recht hast. Schließlich bedeutet Glück für jeden Menschen etwas anderes. Aber es gibt einen Weg, auf dem ich selbst oft weiterkomme.«

»Und der wäre?«

»Man muß versuchen, eine Brücke zwischen den Erwartungen und den Möglichkeiten zu schlagen. Siegfried würde es ganz einfach formulieren: Man kann nicht aus seiner Haut und sollte es auch gar nicht versuchen.« Bernhard lachte, wurde jedoch sofort wieder ernst. »Nein, nein, Liesi. Ich mache mich nicht über dich lustig. Ich verstehe dein Problem in seiner vollen Tragweite. Das Streben nach mehr ist ein wichtiger Ansporn für den Fortschritt der Menschheit. Aber warum sollen wir in unserem Privatleben nicht von Zeit zu Zeit innehalten, über uns nachdenken und unser Streben den uns zur Verfügung stehenden Mitteln und Fähigkeiten anpassen? Wieviel überflüssige Schmerzen fügen wir uns zu, wenn wir das Unmögliche erreichen wollen! Man muß gesunden Menschenverstand walten lassen. Auch ein Gebet vermag zu helfen. Ja, Lisi, ein Gebet. Es kann die Leere zwischen Erstrebtem und Gegebenem ausfüllen.«

»Ich finde darin keinen Trost. Ich wünschte, ich könnte an den Schöpfer glauben, so wie du. Mir ist sehr oft kalt ums Herz, als wäre es leer und überhaupt nicht mein eigen.«

Siegfried stimmte einem Umzug nach Stettin mit Freuden zu. Während einer seiner Reisen mietete er eine großzügige Wohnung und kaufte sogar schon Möbel für die vier Zimmer. Eine überraschende Entwicklung veranlaßte das Paar jedoch, den Umzug aufzuschieben. Im Sommer 1917 kehrte Lisbeths Schwägerin Ida ohne Vorankündigung aus Damaskus heim. Sie brachte eine prächtige Tochter mit und versprach allen, daß auch Paul bald folgen würde. Pauls Vertrag mit der Firma, die die Hedschas-Bahn im Osmanischen Reich baute, war abgelaufen, und er wollte ihn nicht verlängern; so zumindest erläuterte Ida. Doch als er ohne ersichtlichen Grund nicht eintraf, rückte sie schließlich mit der Sprache heraus: Ihr Eheleben mit Paul war in eine Sackgasse geraten.

Solange die beiden im fernen Damaskus gewohnt hatten und sich der Kontakt mit der Familie in Polzin auf wenige Briefe beschränkt hatte, war die Verstimmung nicht aufgefallen. Jetzt, da Ida in Polzin Zuflucht suchte, kam die ganze Wahrheit ans Licht: Die Ehe war von Beginn an nicht glücklich gewesen. Seit ihrer Jugend hatte Ida vom Duft der großen weiten Welt geträumt, in der es nur exquisite Überraschungen und aufregende Versuchungen gab. An Pauls Seite hatte sie das nicht gefunden. Seine Welt drehte sich um Damaskus, um die Wüsten Syriens und der Arabischen Halbinsel und um die Herausforderungen, die sein Beruf ihm bot. Sie fanden keine gemeinsamen Interessen. Ida war inzwischen überzeugt, sich scheiden lassen und ein neues Leben aufbauen zu müssen. Keiner wußte, wie es um Pauls Pläne stand.

In Polzin war Lisbeth die einzige, die Idas Nähe suchte. Idas Sehnsucht nach einem anderen Lebensstil verstand sie nur allzugut. Glücklicherweise war sie – ganz im Gegensatz zu Ida – mit einem Mann verheiratet, der die Dinge genauso sah wie sie. Doch Ida erwiderte die Zuneigung nicht, die ihr von ihrem Bruder und ihrer Schwägerin entgegengebracht wurde. Und so erstickte sie ihre Niedergeschlagenheit in Luxus. In ihren Koffern hatte sie eine aufwendige Garderobe mitgebracht. Jeden Tag wählte sie ein neues Kleid, eines eleganter als das andere, und verströmte den starken Duft französischen Parfums. Sie trug helle Hüte mit Seidenblumen oder schwarze Kopfbedeckungen, die ihr schönes Gesicht unter einer Krempe verbargen. Ihr extravagantes Auftreten wurde in Polzin zum Tagesgespräch, so daß Henriette sich bald gezwungen sah, sie darauf anzusprechen:

»Ist das in Kriegszeiten nicht etwas übertrieben?«

»Aber Mama«, sagte Ida ehrlich verwundert, »meinst du wirklich, daß ich weniger weiblich aussehen sollte, nur weil die Männer sich gegenseitig umbringen?«

»Wie kannst du so etwas nur sagen! Ernst und Leo kämpfen an der Front.«

»Ich habe sie nicht in den Krieg geschickt.«

Henriette wurde böse. »Du kannst leicht große Töne spucken«, sagte sie. »Ihr wart weit weg von daheim. Dein Ehemann mußte nicht dem Vaterland dienen, und du mußtest nicht bangen, ob er zurückkommt oder nicht. Oder hätte dich das ohnehin nicht interessiert?« fügte sie bitter hinzu.

»Die Zukunft wird zeigen, wer seinem Vaterland einen besseren Dienst erweist. Hast du es schon vergessen, Mama? Bevor wir nach Syrien gingen, hast du selber behauptet, daß das der patriotischste aller Dienste sei. Ich wollte in Danzig bleiben. Du und Paul, ihr habt mich überredet, zu fahren. Vielleicht hast du es vergessen, ich jedoch nicht. Ich erinnere mich an jedes einzelne Wort.«

Tatsächlich war die Entscheidung für Syrien nicht nur eine berufliche Herausforderung und eine Gelegenheit gewesen, die persönliche Karriere voranzutreiben. Der junge Paul Levy sah darin auch eine Aufgabe im Dienste der Nation. Als er sich bei Oberingenieur Meissner, der zur Anwerbung neuer Arbeiter nach Berlin gekommen war, vorgestellt hatte, hatte ihm »Pascha Meissner«, wie man ihn in der Türkei nannte, die politische Bedeutung dieses Projektes erläutert. Meissner hatte schon die Verlegung von Eisenbahnschienen im europäischen Teil des Osmanischen Reiches überwacht, und seit 1900 zählte er zu den leitenden Ingenieuren, die die Hedschasbahn anlegten. Diese Eisenbahnlinie sollte Damaskus mit Mekka, der heiligsten Stätte des Islams, verbinden und so die Pilgerfahrt für Tausende von muslimischen Pilgern erleichtern, die für diesen langen und beschwerlichen Weg bislang vierzig Tage benötigt hatten. In den Augen des Kaisers bot sich hier eine günstige Gelegenheit für deutsche Investoren und Ingenieure und zugleich ein machtvolles Instrument, um den Einfluß des Deutschen Reiches im Nahen Osten zu erweitern.

Die Idee, Europa mit Asien durch Eisenbahnen zu verbinden, war nicht neu: Schon im Jahre 1837 hatte Sir Francis R. Chesney darin eine wirkungsvolle Strategie gesehen, Großbritannien langfristig die Herrschaft über Indien zu sichern. Etwa zwanzig Jahre später hatten die Briten die gewünschte Konzession erhalten. Doch nach der Fertigstellung des Suezkanals war ihnen diese Verbindung wichtiger als der Landweg zu den Stränden des Roten Meers, und so konnten die deutschen Banken 1888 die ersehnte Konzession übernehmen. Für Wilhelm II. war die Eisenbahn das richtige Vehikel, um Waren aus deutscher Produktion im Nahen Osten zu verbreiten, denen deutsche Kultur und schließlich politische Macht und Einflußnahme folgen sollten. Politiker und Militärs drangen auf einen deutschen Vorposten im Nahen Osten, der zu gegebener Zeit als Brückenkopf gegen die britischen Expansionsbemühungen würde dienen können. Die erste Teilstrecke wurde 1893 fertiggestellt, und fortan konnte man von Berlin direkt per Eisenbahn nach Bagdad fahren. Mit der Hedschasbahn wurde diese Trasse lediglich fortgeführt. Vom 1. Mai 1900 an ließ Sultan Abd ul-Hamid die notwendigen finanziellen Mittel für den Bau per Erlaß einziehen. Zehn deutsche Ingenieure wurden gebeten, die Umsetzung des Projektes zu übernehmen. Einige, wie zum Beispiel der Königlich Preußische Oberst zur Disposition Auler oder General der Infanterie Colmar Freiherr von der Goltz erhielten hohe Positionen in der osmanischen Armee und wurden sogar zu Paschas ernannt.

Paul und Ida war eine schöne Wohnung in der Nähe der Bahnstation Kadesch-Isch-Scherif zur Verfügung gestellt worden, einer Station, von der aus die Züge gen Süden weiterfuhren. Noch bevor sie in Damaskus eintrafen, war eine Strecke von mehreren hundert Kilometern bereits gebaut. Das Deutsche Reich beteiligte sich nicht nur an der Trasse selbst, sondern auch an den Zügen. Neunundzwanzig Lokomotiven wurden bei Krauss in München und Hohenzollern in Düsseldorf gebaut. Selbst die Eisenbahnwaggons, darunter ein besonderer, der als Moschee ausgestattet war, stammten aus Deutschland.

Die Züge mußten alle fünfundzwanzig Kilometer anhalten, um Wasser aus eigens entlang der Bahnlinie gebohrten Brunnen aufzunehmen. Die Versorgung der Bahnlinie und die bauliche Leitung brachten Probleme mit sich, mit denen kein anderes derartiges Projekt konfrontiert gewesen war. Erschwert wurde die Arbeit außerdem dadurch, daß es nicht-muslimischen Ingenieuren verboten war, die Mad'im-Lasiah-Linie in südlicher Richtung zu überschreiten. Ihr Aufenthalt in der Nähe der heiligen Stätten hätte ihre Ermordung zur Folge haben können. Da es an Arbeitskräften mangelte, wurden für den Bau zirka fünftausend Soldaten des Fünften Korps herangezogen. Auch die Teilung der Kompetenzen zwischen der zivilen Leitung und dem militärischen Oberbefehl führte zu zahlreichen Mißverständnissen und behinderte die Arbeit. Im Sommer 1908, als auf der Arabischen Halbinsel eine Revolte ausbrach, bediente sich der türkische Oberbefehlshaber erstmalig der Hedschasbahn: Achtundzwanzig Regimenter wurden damit bis nach Ma'an gebracht, von wo aus sie ihren Weg zu Fuß bis an den Hafen Aqaba, am Golf des Roten Meeres, fortsetzten. Von dort aus wurden sie nach Hodeida verschifft. Während dieser Zeit wurden mit den Engländern mühselige Verhandlungen über den Erwerb der Bahntrasse von Haifa nach Damaskus geführt. Letztlich ging diese Strecke für neunhundertfünfundzwanzigtausend Reichsmark wiederum an ein deutsches Konsortium, so daß das Reich von nun an den in Palästina liegenden Hafen für die Einfuhr von Rohstoffen nutzen konnte.

Paul Levy war nicht an politischen Entscheidungen und Intrigen beteiligt. Seine Aufgabe war es, dafür zu sorgen, daß die Gleisanlagen einwandfrei funktionierten.

Zeitweilig war er weit von Damaskus entfernt stationiert, und Ida hatte gezwungenermaßen lange Perioden allein in Damaskus verbracht, mit Bediensteten, die kein Deutsch sprachen, und Nachbarn, die den Kontakt zu Fremden mieden. Dreimal die Woche konnte Paul mit einem Bummelzug der Post auf einen kurzen Besuch kommen. Allerdings machte er von dieser Möglichkeit nicht immer Gebrauch. Er hatte sich schnell einen Namen als Experte für die Trassenführung gemacht und stand an der Spitze einer kleinen Gruppe, die in nur vier Jahren, zwischen 1904 und 1907, das Schienennetz um fünfhundertzweiundzwanzig Kilometer erweiterte. In einem seiner Briefe an den Vater in Danzig hatte Paul dieses Abenteuer mit der Reise Ascher Levys nach Palästina verglichen, mit dem Unterschied allerdings, daß es in der Wüste noch keinerlei Anzeichen von Zivilisation gab. Sie bewegten sich in absoluter Einöde. Neben dem Ingenieur gehörten der Gruppe zwei Offiziere des Pionierkorps an, ein Arzt, zehn Soldaten, die für Transportarbeiten zuständig waren, und zwanzig Reiter, die die Gruppe vor räuberischen Beduinenbanden schützen sollten. Die Soldaten waren auch für den Küchendienst verantwortlich. Die Lebensmittel wurden auf Mauleseln transportiert, das Wasser befand sich in Schläuchen aus Ziegenhaut, die von Kamelen getragen wurden. Unterdessen hatte sich Ida in eine fremde Umgebung hineinfinden müssen, die beängstigend und abweisend war, und davon geträumt, so bald wie möglich wieder in die mondäne Welt der europäischen Kultur zurückzukehren.

Doch auch das Leben in der pommerschen Kleinstadt und ihrem Elternhaus entsprach natürlich nicht ihren Vorstellungen. Sie sonderte sich von der Familie ab und zog sich auf ihr Zimmer zurück, wo sie sich in Bücher vertiefte, die ihr Freunde und Verwandte aus Stettin schickten. Nur wenn Briefe von Leo, Ernst oder Rudolf eintrafen, zeigte sie Interesse. Bernhard las diese Briefe immer während des Abendessens vor, wenn die ganze Familie um den Tisch versammelt war. Das Vorlesen wurde so zu einer Art familiärer Zeremonie.

Die Briefe waren recht belanglos, größtenteils aufgrund der Militärzensur. Die Söhne achteten darauf, sich nicht zu den Vorgängen an der Front zu äußern, und vermieden grundsätzlich politische Aussagen. Die wirklich bedeutungsvollen Neuigkeiten kamen ohnehin nicht von der Front, sondern aus der Politik. Der kriegerische Vorstoß war zum Erliegen gekommen, und die Stellungskämpfe wurden zu einem fortwährenden, an den Nerven zerrenden Alptraum. Da die Enttäuschung über die Lage an den militärischen Fronten zunahm, wurden die Auseinandersetzungen an der innenpolitischen Front immer heftiger und machten auch vor Polzin nicht halt. Der Bierkeller am Marktplatz wurde zum Debattierklub, in dem sich Alkohol und Nachrichten aus Berlin zu einem explosiven Gemisch verbanden.

Bernhard hatte alle politischen Diskussionen in seinem Büro, in den Sägewerken und auf den Gutshöfen untersagt. »Ich bezahle euch, damit ihr arbeitet. Wenn ihr schwatzen wollt, dann geht in den Reichstag«, sagte er jedesmal verärgert, wenn er jemanden bei der Mißachtung seines Verbots erwischte. Er wollte sich noch nicht einmal mit Siegfried über das, was in den Zeitungen stand, unterhalten. »Die Politiker machen alles Gute zunichte«, regte er sich auf. Bei jeder Gelegenheit wiederholte er, daß die Sozialdemokraten bei allen Katastrophen die Finger im Spiel hätten. Siegfried kannte die Ansichten seines Vaters und versuchte gar nicht erst zu widersprechen. Ihre Gespräche drehten sich daher im wesentlichen um die gemeinsamen Geschäfte.

Nur in manchen Stunden des Alleinseins gestattete Bernhard sich, den Tatsachen ins Auge zu sehen. Es waren schwierige Momente. Er konnte seine Ansichten, die er seinen Mitmenschen mit so großer Vehemenz verkündete, nur schwer in Frage stellen. Auch Henriette gab er nicht zu erkennen, daß er sich manchmal wie jemand fühlte, der der Sache untreu war. Schließlich ruhte sein ganzes Leben auf dem Sockel heiliger Prinzipien. Also behielt er seine Verwirrung für sich, wenn er schon die unliebsame Realität nicht gänzlich ignorieren konnte.

Im Sommer 1917 wurde Reichskanzler Bethmann Hollweg von Militärs und Reichstag gestürzt, weil er sich der von großen Teilen des Parlaments favorisierten Formel des Friedens »ohne Annexionen und Kontributionen« widersetzt hatte. Die Mitte-Links-Mehrheit des Reichstags war erstmals eine Art Koalition eingegangen und hatte im Reichstag eine Bombe platzen lassen: Angebot von Friedensgesprächen. Inzwischen war allen bewußt, daß die ursprünglich gesteckten Kriegsziele nicht mehr der Realität entsprachen. Der Interfraktionelle Ausschuß kam den Herren Hindenburg und Ludendorff zwar nur ein Jahr zuvor, doch zu diesem Zeitpunkt sorgte ein solcher Vorschlag für erhebliche Aufregung. Doch auch der neue Kanzler Georg Michaelis hielt an dem Prinzip fest, daß, wenn die Tatsachen nicht mehr der Realität entsprechen, eben die Realität geändert werden muß, zumal mit dem Ausbruch des blutigen Bürgerkriegs in Rußland der militärische Sieg noch einmal greifbar zu werden schien.

Das Jahr 1918 begann in Deutschland mit einer Streikwelle. Verbittert und enttäuscht hungerten die Arbeiter nach Brot und Frieden. Der Traum vom Sieg war in weite Ferne gerückt, und die Hoffnungen auf umfangreiche Kriegsreparationen – dreimal so hoch wie die Zahlungen der Franzosen nach dem letzten Krieg – waren offensichtlich unhaltbar.

Anfang März wurde in Brest-Litowsk mit dem sowjetischen Rußland zwar ein Diktatfrieden abgeschlossen; er erwies sich jedoch als so instabil, daß deutsche Truppen auch weiterhin im Osten gebunden blieben. Auch an der Westfront gingen die Kämpfe weiter, sogar mit noch größerer Intensität. Im Frühjahr 1918 hatte die Oberste Heeresleitung versucht, noch einmal Bewegung in den Stellungskrieg zu bringen, und eine große Offensive gestartet. Fünfmal wurden die Soldaten aus ihren Schützengräben zum Angriff gerufen. Fünfmal mußten sie sich zurückziehen. Mitte Juli begann die große alliierte Gegenoffensive. Danach waren die Reservelager der Einheit Leo Levys vollständig vernichtet. Er inspizierte die von Artilleriefeuer schwer getroffenen Gebäude und begleitete mit starrem Blick die Sanitäter, die die Verwundeten und Toten vom Schlachtfeld trugen. Seine Wut auf Franzosen, Briten und Amerikaner wuchs.

»Wir werden schon noch zum Gegenangriff übergehen«, platzte er in Gegenwart von Hauptmann Tuch heraus, der gekommen war, um die Verluste und Schäden selbst in Augenschein zu nehmen. Und so standen sie da, zwischen Betonplatten, die unter der Wucht des Bombardements zusammengebrochen waren, umgeben von Bombenkratern, und blickten den Bahrenträgern nach, die die Gefallenen fortschafften.

»Woher nehmen Sie nur Ihre Überzeugung, Herr Doktor?« fragte Tuch. »Macht Ihnen dieser schreckliche Anblick nichts aus?«

»Ich glaube an den Schöpfer und die historische Gerechtigkeit.«

»Meinen Sie etwa, der Feind glaubt nicht an den Schöpfer und die historische Gerechtigkeit? Oder haben Sie vielleicht einen anderen Gott als wir?«

Leo warf ihm einen erstaunten Blick zu. »Ich verstehe Sie nicht ganz«, sagte er. »Sind Sie denn von der Gerechtigkeit des Krieges, den wir hier führen, nicht überzeugt?«

»Es gibt keine gerechten oder ungerechten Kriege, Herr Doktor. Es gibt lediglich Kriege, die man gewinnt, und solche, die mit einer Niederlage enden. Der Sieger ist immer im Recht, der Besiegte immer im Unrecht.«

»Das ist nicht gerade eine moralische Auffassung, Herr Hauptmann.«

»Moral in einem Krieg?« lachte Tuch. »Suchen Sie etwa in der Wüste nach Wasser?«

»Ich habe Sie noch niemals so deprimiert erlebt.«

»Schauen Sie sich doch einmal um. Hebt das hier vielleicht Ihre Stimmung, Herr Doktor?«

»Das ist ein Teil der Realität.«

»Und ein Vorbote des Unheils.«

»Das klingt, als ob Sie aufgäben.«

»So ist die allgemeine Gemütsverfassung.«

»Nein, charakteristisch für uns ist der Sieg.«

Hauptmann Tuch blickte ihn verblüfft an. Dann senkte er die Stimme: »Ich habe die Abschrift eines geheimen Dokumentes gesehen. Ein Lagebericht des Oberkommandos. Erraten Sie, was die Schlußfolgerung ist?«

Leo schwieg.

»In dem Dokument ist festgehalten«, sagte Tuch, »daß es keine Möglichkeit mehr gibt, diesen Krieg zu gewinnen.«

Am 14. August, vier Jahre und vierzehn Tage nach Kriegsausbruch, war die Oberste Heeresleitung in Spa zu einer Lagebesprechung zusammengetreten. Diese belgische Kleinstadt, ungefähr zwanzig Kilometer südöstlich von Liège, war der deutschen Armee als erste in die Hände gefallen und hatte damals Hoffnungen auf einen umfassenden und schnellen Sieg geweckt. Jetzt gaben sich die Generäle keinen Illusionen mehr hin. Auf die siegreiche alliierte Gegenoffensive im Westen folgte bald auch der Zusammenbruch der Fronten im Südosten und im Süden. Aber es sollten noch fast sechs Wochen verstreichen, bis Generalquartiermeister Ludendorff die Kraft fand, der politischen Führung mitzuteilen, daß der Krieg verloren sei und es keinen anderen Ausweg gebe, als dem Feind den Waffenstillstand anzubieten. Die Militärs entzogen sich der Verantwortung und überließen es dem Parlament, die Entscheidung zu fällen und Friedensverhandlungen einzuleiten. Die Reformmehrheit des Reichstags – Sozialdemokraten, Fortschrittsliberale und Zentrum –, die Außenseiter des Kaiserreichs sollten nun in der Krise das Schlimmste abwenden. Von nun an überschlugen sich die Ereignisse: Am 3. November brach die Revolution aus, am 9. November übertrug Reichskanzler Prinz Max von Baden dem SPD-Vorsitzenden Friedrich Ebert die Regierungsgeschäfte. Am selben Tag dankte Kaiser Wilhelm II. ab und ging ins niederländische Exil. Am 11. November waren die Deutschen gezwungen, einen Waffenstillstand unter den vom Feind diktierten Bedingungen zu akzeptieren, und noch bevor der Schnee geschmolzen war, wurde die Weimarer Republik proklamiert.

Auf dem Schlachtfeld hatten die Feldherren versagt. Die Verantwortung für die Niederlage wurde den Politikern zugeschoben, und so mußte ein Zivilist, der linke Zentrumspolitiker Matthias Erzberger, begleitet lediglich von zwei Offizieren des Großen Hauptquartiers, den schweren Gang zu dem Salonwagen antreten, der nahe einem Stützpunkt der Entente bei Compiègne abgestellt worden war. Der französische Gastgeber Marschall Foch ließ keineswegs französische Höflichkeit walten. »Es wird keinerlei Verhandlungen geben«, verkündete er, »Deutschland hat den Krieg verloren und wird den Preis dafür zahlen.« Zweiundsiebzig Stunden später unterzeichnete Erzberger. Der Preis, der schließlich 1920 im Vertrag von Versailles festgelegt wurde, war hoch: Deutschland verlor Elsaß-Lothringen an Frankreich, der größte Teil Posens, Westpreußens und Teile Oberschlesiens gingen an Polen. Danzig wurde zur Freien Stadt erklärt und das Memelland Litauen zugeschlagen; Dänemark bekam Nordschleswig. Die Industrieregion Eupen-Malmedy fiel an Belgien, das an Kohle reiche Saarland wurde für fünfzehn Jahre dem Völkerbund unterstellt und von den Franzosen besetzt; das gesamte linksrheinische Gebiet wurde entmilitarisiert und zeitweise von den Alliierten besetzt. Das betraf vor allem das hochindustrialisierte Ruhrgebiet. Alle Kolonien wurden von den Alliierten eingezogen; der Große Generalstab wurde aufgelöst, die Größe der Armee auf hunderttausend Mann reduziert; deren Bewaffnung und Munitionierung wurden erheblich eingeschränkt, Panzer-, Gas-, Luft- und U-Boot-Waffen ganz untersagt. Zudem wurden die Reparationszahlungen schließlich 1921 auf 132 Milliarden Goldmark festgesetzt, ein Betrag, den Deutschland selbst beim besten Willen nicht hätte zahlen können.

Auch wenn bei der Unterzeichnung des Waffenstillstands diese Einzelheiten noch nicht bekannt waren, so war doch der Traum von der Großmacht zerplatzt, ohne daß die verantwortlichen Militärs damit in Verbindung gebracht wurden. Die Öffentlichkeit nahm vor allem wahr: Die Armee hatte gekämpft, die Politiker hatten das Vaterland verraten und verkauft. Daß darunter auch Juden waren, machte die Sache nicht besser.

Für Bernhard war die Nachricht vom niederschmetternden Ausgang des Krieges ein schwerer Schlag. Gott hatte sein Gebet, das er am Tag des Kriegsausbruchs gesprochen hatte, nicht erhört. Der Kaiser war geflohen, das Land zerstört. Die Pfeiler seiner Weltanschauung waren zusammengebrochen. Und als wäre es damit noch nicht genug, schwenkten die Massen in München und Berlin rote Fahnen und skandierten revolutionäre Parolen. Bernhard war kein Anhänger der Liberalen und haßte die Sozialdemokraten, aber vor den Kommunisten hatte er regelrecht Angst. »Vielleicht ist es besser, das Geld von der Bank zu nehmen und hier in unserem Haus im Geldschrank aufzubewahren«, beriet er sich mit Siegfried. »Das habe ich bereits vor zwei Wochen getan«, antwortete der Sohn und zwinkerte seinem Vater zu. »Ich habe ungefähr die Hälfte des Barvermögens und alle Wertpapiere abgezogen. Ich wollte die Konten nicht auflösen, denn das hätte sicherlich Unruhe ausgelöst.« Bernhard nickte und hielt eine Bemerkung zurück. Bei jeder anderen Gelegenheit hätte er Siegfried getadelt, weil er ohne sein Einverständnis gehandelt hatte. Dieses Mal zog er es vor, nichts zu sagen, denn im Grunde war er beruhigt, daß das Vermögen in Sicherheit war und er damit nichts zu tun gehabt hatte.

Henriette begann sich um ihren Ehemann zu sorgen, denn Bernhard hüllte sich mehr und mehr in Schweigen. Daß Wilhelm II. ins niederländische Exil gegangen war, faßte er beinahe als persönliche Beleidigung auf. Eines Abends überraschte er seine Frau mit der Bemerkung: »Unser Zeitalter, meine Teure, hat ein Ende gefunden.«

Henriette blickte auf. »Wir müssen uns an neue Zeiten gewöhnen, Beri«, sagte sie.

»O nein. Mir scheint, daß wir diese Schwelle nicht mehr überschreiten können. Ich gehöre nicht in diese neue Welt.«

»Ernst und Leo werden heimkehren, und alles wird sich klären.«

Bernhard seufzte. »Manchmal frage ich mich, in was für eine Wirklichkeit sie zurückkehren werden. In das Deutschland von Karl Liebknecht und Rosa Luxemburg? Die Mitglieder des Spartakus haben uns ein Schandmal gesetzt, das das Volk so schnell nicht vergessen wird. Und jetzt die Republik, die Demokratie, die schmachvolle Niederlage ... Ich habe keine Ahnung, wie tief wir noch sinken können, aber zumindest eine Sache ist mehr als sicher – wir, die Juden, werden den Preis dafür zahlen müssen.«

»Du übertreibst. Alles wird wieder wie früher werden. Du hast schon immer gern aus der *Koheleth* zitiert. Erinnerst du dich: Ein

Geschlecht vergeht, das andere kommt; die Erde aber bleibt immer bestehen.«

Auf Bernhards zusammengekniffenen Lippen erschien ein Lächeln. »Weißt du, was ich an dir am meisten liebe?«

»Du hast es mir nie gesagt.«

»Deine Fähigkeit, dich mit den Tatsachen abzufinden. Dein Anpassungsvermögen ... Vielleicht liegt darin das Geheimnis unserer erfolgreichen Ehe. Seit vielen Jahren leben wir unter einem Dach, und manchmal fühlen wir uns einander sogar wirklich nahe. Ist das etwa kein Erfolg?«

Henriette ließ das Stickzeug sinken, rückte näher an ihn heran und griff nach seiner Hand. Sie war rauh und kalt. »Du übertreibst mit deinen Sorgen, Beri«, sagte sie. »Soll ich dir vielleicht eine Tasse Tee aufbrühen?«

»Immer versuchst du, alle Probleme der Welt mit einer Tasse Tee und einem Stückchen Apfelstrudel zu lösen.«

»Du hast gerade selbst gesagt, daß ich damit bisher eigentlich sehr erfolgreich war.«

Anfang November wurde Ernst aus der Armee entlassen und kehrte nach Berlin zurück. Auch er schreckte vor denen zurück, die die Republik repräsentierten, Leuten wie Philipp Scheidemann und Konstantin Fehrenbach. Allerdings war er sich sicher, daß seinem Weg ins Richteramt nun nichts mehr im Wege stand. »In der Zwischenzeit«, so schrieb er an seinen Vater in Polzin, »habe ich meine Tätigkeit als Rechtsanwalt wieder aufgenommen. Es mangelt nicht an Mandanten, so daß ich mich nicht um meinen Lebensunterhalt sorgen muß, und auch die Zukunft der Mädchen scheint gesichert. Und dennoch fällt es mir, ähnlich wie Dir, schwer, die Tatsache zu verdauen, daß der Thron des Kaisers leer bleibt und fortan nur noch ein Museumsstück sein wird. Vielleicht kommt der Tag, an dem er auf seinen Platz zurückkehrt, denn es kann einfach nicht sein, daß uns Minister beherrschen, die sich darüber streiten, wie dieses ›Neue Deutschland‹, wie sie es nennen, aussehen und welchen Weg es einschlagen soll. In der Stadt herrscht Unruhe, fast jeden Tag demonstriert man hier für oder gegen irgend etwas, so daß es mir manchmal vorkommt, als wären diese Verrückten aus den Käfigen unseres Tiergartens ausgebrochen. Andererseits fühle ich mich selbst oft so, als lebte ich in einem Tollhaus. An dem Tag, als der Kaiser abdankte, wurde hier viel Blut vergossen, aber an demselben Tag floß anläßlich eines Empfangs zu Ehren von Ernst Lubitsch auch viel Champagner. Er stellte seinen Film ›Carmen‹ mit Pola Negri vor. Man sagt, daß sie der Star von morgen sei. Aber es gibt auch solche, die behaupten, daß der wirkliche Stern von morgen Rosa Luxemburg ist. Im stillen frage ich mich manchmal: Wird es überhaupt ein Morgen geben? Viele unserer Freunde hier prophezeien uns einen kommunistischen Staat. Ich tröste mich mit dem Gedanken, daß das deutsche Volk letztlich die Kraft finden und genug gesunden Menschenverstand beweisen wird, um diese Krise zu meistern. Denn wenn nicht, dann werde ich noch bereuen, nicht im Kriege gefallen zu sein ...«

Mitte Januar 1919 erhoben sich die Spartakisten in Berlin, und es kam zu einer überraschenden Wende. Der Sozialdemokrat Gustav Noske, der als Mitglied des Rates der Volksbeauftragten das Militärressort übernommen hatte, ließ den Aufstand blutig niederschlagen, um der Revolution Einhalt zu gebieten. »Einer muß der Bluthund werden«, verkündete er, »ich scheue die Verantwortung nicht!«

Noske trat für einen rein materialistisch ausgerichteten Sozialismus ohne ideologische Verbrämungen ein. In seiner Jugend hatte er davon geträumt, Förster zu werden, doch seine Eltern konnten die Ausbildung nicht bezahlen, und so ging er in einer Korbflechterei in die Lehre. In seinen Augen bedeutete allein schon der Aufstieg aus den unteren Klassen die eigentliche Umsetzung der sozialistischen Idee. »Karl Liebknecht wollte der Lenin Deutschlands werden«, sagte er und hob das Glas, als er von der grausamen Ermordung des Vorsitzenden des Spartakusbundes erfuhr. Die Gefahr, die sich von rechts anbahnte, nahm er nicht wahr.

Das Kräftemessen zwischen den zerstrittenen politischen Lagern uferte aus, Straßenschlachten wurden im Berlin dieser Tage zu einem alltäglichen Ereignis. Rosa Luxemburg und Karl Liebknecht waren grausam ermordet worden. In der deutschen Hauptstadt wurde nach dem Motto »Catch as much as you can« mit harten Bandagen gekämpft. Zehntausende heimgekehrter Soldaten waren arbeitslos, und Kriegsversehrte gingen betteln. An verschiedenen öffentlichen Orten der Stadt wurden Musterungsstationen für die berüchtigten Freikorps eingerichtet, in denen all jene ihren Platz fanden, die sich in der demokratischen Gesellschaft und ihren Institutionen nicht zurechtfanden. Zu dieser Zeit ging in der Stadt eine Grippe-Epidemie um. In den öffentlichen Krankenhäusern gab es für die Kranken nicht genug Betten, und nur wenige konnten sich private ärztliche Hilfe leisten. Daneben entfalteten die Wohlhabenden und die, die sich mittels zwielichtiger Geschäfte am Krieg bereichert hatten, einen prahlerischen Lebensstil. In diesem Tohuwabohu entstand die Republik. Wegen der Unruhen mieden die Politiker Berlin und zogen sich nach Weimar zurück, um abseits der täglichen Auseinandersetzungen eine dauerhafte Verfassung auszuarbeiten. Viele Gegner des neuen Staates spotteten anschließend darüber, daß die Geburt der Republik nicht einmal in deren Hauptstadt erfolgt sei.

Leo, der im Geiste der preußischen Ordnung erzogen worden war, hatte für diese Wirren überhaupt kein Verständnis. Zirka drei Monate vor der Ausrufung der Republik erhielt er seinen Entlassungsbescheid. Sein Abschied von der Einheit war kurz. Hauptmann Tuch drückte ihm fest die Hand und sagte: »Vier Jahre waren wir zusammen. In der Geschichte ist dies nur eine kurze Zeit, doch für ein Menschenleben war es eine himmelschreiende Vergeudung.« Leo antwortete nicht. Diese Worte entsprachen ganz und gar nicht seiner Anschauung. Und so packte er seine Sachen, darunter ein Militär-Verdienstkreuz zweiter Klasse mit der Krone für Kriegsverdienste und ein Anerkennungsschreiben des Generals der Infanterie Fasbender.

In Polzin traf er am Abend vor Weihnachten ein. Die Familie hatte zu seinen Ehren einen feierlichen Empfang vorbereitet. Henriette hatte seine Leib- und Magenspeisen gekocht, und die Haustür war mit bunten Papierblumen und einem Spruchband mit den Worten »Herzlich willkommen« umkränzt. Die viereinhalbjährige Hannah und die ein Jahr jüngere Eva hatten anläßlich der Rückkehr ihres Vaters ein Gedicht auswendig gelernt. Nur Siegfried blieb im Büro und stellte die Jahresbilanz auf, denn er wollte seinen Bruder beeindrucken und ihm sofort bei seiner Ankunft zeigen, wie gut die Geschäfte während seiner Abwesenheit gelaufen waren.

Bernhard begab sich mit zwei Angestellten zur Bahnstation, um seinen zurückkehrenden Sohn nach Hause zu geleiten. Als der Stationsvorsteher Bernhard erkannte, führte er salutierend die Hand an die rote Mütze. Es wurde bereits in den frühen Nachmittagsstunden dunkel. Der Schnee war geschmolzen und zu Matsch geworden. Es war ein ungemütlicher, regnerischer Tag. Die drei setzten sich in den ungeheizten Warteraum. Draußen, auf dem erleuchteten Vorhof, wartete der Kutscher tabakkauend im Nieselregen. Der Stationsvorsteher entschuldigte sich: »Der Zug hat einunddreißig Minuten Verspätung. Es tut mir leid, aber auch die Züge sind nicht mehr das, was sie einmal waren.«

»Mein Sohn kommt mit vier Jahren Verspätung an, und ich beschwere mich nicht«, entgegnete Bernhard. Man wußte nicht so genau, ob er es ernst meinte oder zynisch.

Leo stieg aus einem Abteil dritter Klasse. Er trug einen schäbigen Koffer in der linken Hand und einen randvollen Armeerucksack auf der Schulter. Vater und Sohn umarmten sich flüchtig. »Du siehst nicht aus, als kehrtest du aus dem Krieg zurück«, begann Bernhard das Gespräch und erkundigte sich erst dann nach Leos Wohlergehen. »Körperlich bin ich gesund«, sagte Leo ohne weitere Erläuterung. Auf dem Heimweg in der Kutsche legte Bernhard seinem Sohn die Hand auf die Schulter, die zögerliche Andeutung einer Art Umarmung. »Wir haben für dich einen königlichen Empfang vorbereitet, mit Apfelstrudel und Gedichten«, sagte er. »Mama erwartet dich schon sehnsüchtig.«

Leo reagierte nicht. Die Kutsche fuhr durch die ihm vertrauten Straßen, doch er würdigte sie keines Blickes. Kerzengerade saß er da, wie es sich für einen Soldaten gehört, ohne daß auch nur ein einziges Wort über seine Lippen kam. Erst als sie sich dem Haus näherten, brach er sein Schweigen und sagte ruhig: »Ich hoffe, daß ihr mir nicht böse seid, aber ich bin sehr müde. Ich möchte einfach nur schlafen.«

Der Krieg hatte seine Spuren hinterlassen, aber die Levys hatten ihn wenigstens ohne materielle Einbußen überstanden. Als Leo fast zwei Tage durchgeschlafen hatte, setzten sich die Brüder in dem alten Kontor in der Brunnenstraße zusammen, um Bilanz zu ziehen. »Papa ist ein Teufelskerl«, bemerkte Siegfried, als er die Unterlagen, die über die Transaktionen der Firma an der Getreidebörse Auskunft gaben, auf dem Tisch ausbreitete. Das Vermögen belief sich auf ungefähr drei Millionen Mark, für einen provinziellen Familienbetrieb eine gewaltige Summe. Es war in Wertpapieren und Immobilien sicher angelegt, und nur einen kleinen Teil hatte man in bar wieder auf der alteingesessenen Stettiner Bank eingezahlt. Bei Licht betrachtet waren sie steinreich! Dennoch behielten die Levys ihren bescheidenen Lebensstil bei, wie er für Bürger eines kleinen Ortes typisch war. Man hatte keine neuen Möbel gekauft, die Frauen achteten auf eine gemäßigte Garderobe, und die Kinder erhielten kein überzogenes Taschengeld. Der Haushalt wurde sparsam geführt. Siegfrieds Vorschlag, ein Automobil zu kaufen, tat Bernhard als »absoluten Wahnsinn« ab.

Die Idee, einen Wagen anzuschaffen, hatte Siegfried von seinem Vetter Rudolf. Rudolf war zu Pinsel und Leinwand zurückgekehrt, dieses Mal an die Münchner Akademie der Bildenden Künste, aber die Erfahrung mit Automobilen, die er im Krieg gemacht hatte, ließ ihn nicht los. In seinen Briefen an die Polziner Verwandten schaffte er es, Siegfried mit seiner neuen Leidenschaft anzustecken. Doch Bernhard wollte von dieser »teuflischen Erfindung« nichts wissen. Gegen Autos als solche hatte er im Grunde nichts einzuwenden, denn trotz seines Alters und seiner konservativen Prinzipien war Bernhard immer für praktische Vorschläge zugänglich geblieben. Seine strikte Ablehnung rührte eher von seinen Vorbehalten gegenüber Rudolf her. Schon während des Krieges war ihm zu Ohren gekommen, daß sich sein Neffe mit zweifelhaften Personen abgab. Nun hatte er erfahren, daß Rudolf sich mit einer Christin angefreundet hatte und das Paar heiraten wollte. Für ihn gab es keine größere Sünde als Verrat an Religion und Herkunft. Das Judentum war ein Grundpfeiler seiner Weltanschauung. Ähnlich wie Jäckel und Ascher Levy hatte auch er es geschafft, eine Brücke zwischen seiner jüdischen Religion und seiner deutschen Nationalität zu schlagen. Er war sich sehr wohl bewußt, daß es sich um eine schmale und unsichere Brücke handelte, und er fürchtete Erschütterungen, die seine zerbrechliche Konstruktion zum Einsturz hätten bringen können.

Die religiösen Werte, die über Generationen hinweg als moralische Grundlage der Ständeordnung in den europäischen Gesellschaften gegolten hatten, waren im Gefolge der Französischen Revolution zunehmend in den Hintergrund gedrängt worden. Schon im späten neunzehnten Jahrhundert bestimmte der moderne Mensch seine Identität immer weniger anhand der Religion. An deren Stelle traten in immer stärkerem Maße säkulare Inhalte. Bernhard fiel es unendlich schwer, sich an diese weltanschauliche Neuorientierung zu gewöhnen. In seinen Ohren hallte noch immer die Warnung seines Vaters Ascher Levy wider, mit der dieser Theodor Herzls zionistische Veröffentlichung kommentiert hatte: »Dies ist der Beginn eines Geistertanzes.«

Mittlerweile war der Geistertanz in vollem Gange. Bernhard stemmte sich mit aller Macht dagegen: »Ein Mensch, der sich nur auf sich selbst verläßt und nicht auf seinen Glauben an Gott beruft, ist ein Wesen, das dem Verlust seiner Moral entgegenschreitet. Und da wir nicht das Recht auf ein Dasein ohne moralische Grundlage haben, kommt diese Art des Voranschreitens einem Selbstmord gleich«, schrieb er an Ernst in Berlin. Damals wußte er noch nicht, daß auch Ernst die Grenzen überschritten hatte. Als er ihn in Berlin besuchte, mußte er zu seinem Entsetzen feststellen, daß sein Sohn und seine Schwiegertochter die Speisegesetze nicht mehr einhielten. Solange er bei ihnen weilte, begnügte er sich daher mit hartgekochten Eiern. Anfangs schwankte er: sie rügen oder sich zurückhalten? Doch dann fürchtete er, nicht die Kraft für eine solche Auseinandersetzung aufzubringen, und verzichtete schließlich auf eine Moralpredigt. »Zweifellos rührte mein Schweigen von meiner Schwäche her und war ein schwerwiegender Irrtum«, schrieb er an Henriette. Ihm war durchaus bewußt, daß große Bewegungen mit kleinen, ersten Schritten beginnen, und für ihn war dies wahrlich der erste Schritt einen steilen Abhang hinunter.

Unterdessen waren Siegfried und Lisbeth in eine Fünf-Zimmer-Wohnung umgezogen, die sie im zweiten Stock eines Hauses in der Friedrich-Karl-Straße, in einem ruhigen Wohnviertel von Stettin, gemietet hatten. Auch in diesem Haushalt wurde bereits kein jüdischer Lebenswandel mehr geführt. Als sich Siegfried und Lisbeth von der Familie in Polzin verabschiedeten, hatte Bernhard ihnen das Portrait des Maimonides überreicht. »Hängt es in eurem Salon auf«, bat er und fügte hinzu: »Wenn ihr über unsere Herkunft nachgrübelt, werft einen Blick auf ihn, damit ihr nicht vergeßt, wohin wir gehören.« Siegfried hatte seinem Vater einen Kuß auf die Wange gedrückt und das alte Bild an sich genommen. Lisbeth hatte es in braunes Packpapier gewickelt, und darin blieb es bis zu dem Tag, an dem sie aus Deutschland fliehen mußten.

Im Frühjahr 1920 reiste auch Ida ab, zunächst nach Berlin, später von dort aus nach Köln. Das große Haus leerte sich zusehends. Bernhard war es schwer ums Herz. »Vermögen ist kein Ersatz für eine Familie«, sagte er traurig zu seiner Frau. Henriette versuchte ihn zu trösten: »Schließlich ist doch Leo hier bei uns.«

Eines Abends, als sie wie gewöhnlich im Salon saßen – Henriette strickte, und Bernhard war in Bücher vertieft –, bemerkte er unvermittelt: »Die Kinder und Enkelkinder zerstreuen sich wie das jüdische Volk nach der Zerstörung des Tempels. Und wenn wir einmal nicht mehr sind, dann wird es keine Familie Levy mehr geben.«

Einige Tage später, am 19. Mai 1920, erwachte Henriette in den frühen Morgenstunden. Ihr war sonderbar zumute. Anfangs glaubte sie, sie hätte einen Alptraum gehabt, einen jener Träume, die nur Sekunden dauern und an deren Inhalt man sich nicht erinnert, die jedoch Körper und Geist noch Stunden nach dem Erwachen gefangenhalten. Durch das Fenster drangen Sonnenstrahlen. Vögel zwitscherten in den Bäumen neben dem Haus, und auf der Treppe waren die Schritte des Milchmanns zu hören. Demnach mußte es halb sieben sein. Sie hob den Kopf, um den alltäglichen Geräuschen eines ganz normalen Morgens zu lauschen. Plötzlich wußte sie, woher ihr sonderbares Gefühl rührte: Sie hörte die schweren Atemzüge ihres Ehemannes nicht.

Seit dem Tag ihrer Hochzeit am 1. September 1874 teilten sie dieses große Bett, das wie ein antikes hölzernes Schiff in ihrem Schlafzimmer vor Anker lag. In diesem Bett hatte sie fünf Kinder zur Welt gebracht und auch – dank der Breite des Bettes – eine gewisse Privatsphäre zu wahren vermocht. Einmal hatte sie sich darüber lustig gemacht und gemeint, dieses große Bett erinnere sie an die hochherrschaftlichen Tafeln der Adligen, an denen Mann und Frau an den gegenüberliegenden Kopfenden sitzen und sich nur durch Vermittlung ihrer Dienstboten verständigen können.

Jetzt setzte sie sich auf und lehnte sich, auf einen Ellenbogen gestützt, zu ihrem Ehemann hinüber. Bernhard hatte ihr den Rücken zugewandt. Vorsichtig berührte sie sein Nachtgewand, doch noch bevor sie die Hand an seine Stirn führen konnte, wußte sie, daß diese kalt war. Sein Herz schlug nicht mehr. Der Arzt konnte nichts anderes tun, als den Totenschein auszustellen. Als Todesursache trug er ein: Natürlich.

Um die Mittagsstunde wurde der Leichnam abgeholt. Henriette blickte ihm trockenen Auges nach. Schmerz und Trauer verbarg sie in ihrem Inneren. Zu ihrem großen Erstaunen mußte sie plötzlich feststellen, daß Bernhards großer und kräftiger Körper geschrumpft war, und sie fragte sich, ob dies wohl darauf zurückzuführen sei, daß die Seele ihrer Hülle entwichen war.

Alle Formen der Ehrerbietung und des Luxus, die Bernhard Levy zu Lebzeiten abgelehnt hatte, wurden ihm auf seinem Begräbnis zuteil. Aus der Polziner Gesellschaft blieb keiner der Trauerfeier fern, die auf den nächsten Tag verschoben worden war, damit auch Angehörige, die nicht in der Stadt lebten, zugegen sein konnten. Die Lokalzeitung widmete dem Ereignis eine ganze Seite. Der Bürgermeister erschien in seiner Amtstracht und sprach am offenen Grab einen Nachruf auf das langjährige Mitglied des Stadtrates. Dem Leichenzug schloß er sich unmittelbar hinter den Familienangehörigen an. Ihm folgten die Geschäftspartner, der Direktor der Stettiner Bank und Abgesandte der Arbeiter aus den Sägewerken, den Fabriken und den Höfen der Familie. Kränze mit schwarzen Seidenschleifen trafen ein: von den Wohltätigkeitsvereinen, die Bernhard über viele Jahre hinweg unterstützt hatte; von der Regionalverwaltung der Eisenbahn, zu deren besten Kunden die Firma Levy zählte; von der Anwaltskanzlei Dr. Heinrich Marcuse und Kompagnons, die seit Jahren die Interessen der Firma vertrat; vom »Verein zur Erziehung jüdischer Waisen in Palästina«, zu dem Bernhard die Beziehungen abgebrochen hatte und der sich offensichtlich, in Erwartung einer Erbschaft, in Erinnerung rufen wollte; von der Freiwilligen Feuerwehr, der er zwei Jahre zuvor eine neue Leiter für den Einsatzwagen gestiftet hatte; von Freunden, aber auch von Feinden, die Versöhnung suchten. Aus Stettin reiste in drei verstaubten Automobilen Rabbiner Moses Vermus mit einer Delegation an, unter ihnen der Vorbeter Garbarski, der mit samtweicher Stimme einige Gebete sang; und auch Anna Lewy, die Verwandte, in deren Haus Siegfried und Lisbeth sich kennengelernt hatten, hatte den Weg auf sich genommen. Am Tor zu dem kleinen jüdischen Friedhof standen die uniformierten Chauffeure und Kutscher neben der langen Schlange von Autos und Droschken, in denen die Trauergesellschaft gekommen war. Auf diese Weise enthüllte sich beim Begräbnis in vollem Umfang die Bedeutung und auch die Macht des Hauses Levy, das sich nie ins Rampenlicht gedrängt, sondern eher den Schutz des Schattens vorgezogen hatte.

Nach der Beisetzung gab Leo Anweisung, die Büros für die Zeit der *Schiwah* zu schließen. Alle geschäftlichen Aktivitäten wurden eingestellt, und die Familienangehörigen fanden sich für die Woche der offiziellen Trauer im Wohnhaus der Familie ein. Leo las aus dem Buch der *Sanhedrin* über die Bestattungs- und Trauervorschriften vor, bis man ihn bat, damit aufzuhören und sich anderen Gesprächen zuzuwenden.

Nach der *Schiwah* reiste der Anwalt der Familie erneut aus Stettin an. Zunächst begab er sich zu Henriette und blieb eine ganze Weile bei ihr. Danach suchte er Leo und Siegfried in ihrem Büro auf und legte ihnen einen versiegelten Umschlag vor: »Ich habe das Testament Ihres Vaters mitgebracht. Er hat es acht Tage vor seinem

Unser wechselseitiges Testament!

Die unter, der Kaufmann Bern,
Herr und Henriette, geb. Cohn,
Levy'schen Eheleute zu Polzin freien,
erklären in wohlüberlegter Wille im
Nachstehenden unser wechselseitiges
Testament zu errichten. Indem wir
bemerken, daß wir miteinander in
erster und alleiniger Ehe leben,
bestimmen wir Folgendes:

§ 1

Wir setzen uns einander
gegenseitig und unsere Kinder:

1. Lina
2. Ernst
3. Siegfried   } Levy
4. Leo
5. Ida

sowie diejenigen Kinder, welche aus
unserer Ehe noch hervorgehen sollten, zu
Erben mit der Maßgabe ein, daß der
Überlebende von uns die von aller Auf-
sicht und Rechnungslegung befreite Verwaltung unseres beiderseitigen Vermögens

bis

Tod angefertigt und darum gebeten, daß es in Ihrer Gegenwart nach Ablauf der *Schiwah* geöffnet wird. Ich schlage vor, daß wir uns heute nachmittag um fünf Uhr in der Wohnung der alten Frau Levy versammeln.«

Dieses Mal hatte Henriette nicht ihren berühmten Apfelstrudel gebacken. Sie hatte es der Köchin überlassen, belegte Brote und Tee vorzubereiten. Dr. Marcuse räusperte sich, und Stille kehrte ein. »Meine Damen und Herren, ich möchte Sie um Ihre Aufmerksamkeit bitten«, sagte er mit pathetischer Stimme, schlitzte den Umschlag auf und entnahm ihm mehrere Blatt Papier, die der Verstorbene sehr dicht beschrieben hatte. Dann trug er den Inhalt langsam vor, wobei er die erwähnten Namen, Beträge und Konditionen besonders betonte:

»Mein letzter Wille!

1. An meine liebe Frau Henriette, mit der ich seit dem 1. September 1874 in glücklicher Ehe gelebt habe, sollen außer meiner gesamten Wirtschaftseinrichtung binnen drei Monaten nach meinem Tode 400.000.– Mark als Vermächtnis ausgezahlt werden, und zwar vorwiegend aus den mir gehörenden Hypotheken, Grundschulden und Wertpapieren zum Berliner Börsenkurse. Über dieses Kapital nebst Zinsen hat sie auf Lebenszeit freie Verfügung, jedoch wünsche ich, daß sie sich hierbei des Rates und Beistandes unseres Sohnes Leo und, bei dessen Behinderung, unseres Sohnes Siegfried bedient. Außerdem soll meine Frau freies Wohnungsrecht in denselben Räumen haben, wie wir sie jetzt innehaben. Nach dem Tode meiner Frau fällt dieses Kapital zu gleichen Teilen meinen fünf Kindern zu.

2. Zu meinen Erben berufe ich meine fünf Kinder Lina, Ernst, Siegfried, Leo und Ida, mit der Maßgabe, daß die Mitgiften, Darlehen und Unterstützungen, die ich meinen Kindern bis zu meinem Tode gegeben habe, diesen nicht angerechnet, sondern niedergeschlagen werden sollen.

3. Ein Kapital von 50.000.– Mark soll innerhalb von sechs Monaten nach meinem Tode nach dem Ermessen der Majorität meiner fünf Söhne und Schwiegersöhne in ihnen beliebigen Teilbeträgen für allgemeine jüdische und wohltätige jüdische Dinge oder für Arme gezahlt werden.

4. Weitere 10.000.– Mark sollen ebenfalls nach dem Ermessen der Majorität meiner Söhne und Schwiegersöhne unter diejenigen jüdischen Vereine usw. verteilt werden, die von mir bisher Jahresbeträge erhalten haben.«

Dann folgte eine Reihe komplizierter Verfügungen, die hauptsächlich einen Fonds betrafen, der zugunsten seiner Enkelinnen eingerichtet werden sollte. Gebunden war die spätere Auszahlung der Gelder an sie allerdings an die Bedingung, daß sie Jüdinnen blieben, Juden heirateten und auch ihre Kinder im jüdischen Glauben zu erziehen versprachen. Auch Rudolf Levy bekam den Rigorismus seines Onkels zu spüren:

»8. Mein Neffe Rudolf Levy, z. Zt. in München, soll 5.000.– Mark als Vermächtnis erhalten unter der Bedingung, daß seine Frau Jüdin wird. Dieses Kapital ist mit fünf von hundert vom Eintritt der Bedingung ab halbjährlich zu verzinsen und mit Ablauf seines sechzigsten Lebensjahres bar an ihn auszuzahlen.

9. Meiner Nichte Minna Cohn, Berlin, sollen am Tage ihrer Verheiratung, falls sie Jüdin ist und einen Juden heiratet und verspricht, auch ihre Kinder im jüdischen Glauben zu erziehen, 10.000.– Mark als Vermächtnis ausgezahlt werden.

10. Mit Rücksicht auf derzeitige Verhältnisse wirtschaftlicher und politischer Natur einerseits und die hierdurch bedingte Lage meiner Unternehmungen andererseits, ist es zur Zeit unmöglich, bezüglich der Auseinandersetzung meiner Kinder bindende Anordnungen zu treffen. Mein väterlicher Wunsch geht jedoch dahin, daß meine Söhne Siegfried und Leo das von meinem seligen Vater begründete und von mir weiter betriebene Geschäft sowie meine anderen Unternehmungen – mit Ausnahme von Lankwitz und Patzig – in alter Weise fortführen, und daß zwecks Ermöglichung dieses meines Wunsches meine übrigen drei Kinder ihnen hinsichtlich der Übernahme der vorhandenen Werte und der Auszahlung der ihnen zustehenden Erbquoten in weitestgehender Weise entgegenkommen.
Sollte jedoch entgegen meinem Wunsche keine gütige Verständigung über die Geschäftsübernahme erzielt werden können, so bestimme ich ausdrücklich, daß die dann notwendige Liquidation ohne Zustimmung von Siegfried und Leo nicht anders als durch Abwicklung im Laufe von vier Jahren, beginnend vom 1. September nach meinem Todestage, erfolgen soll. Bei der Verwertung der Fabrikanlagen, Maschinen und dazugehöriger Grundstücke sollen Siegfried und Leo das Vorkaufsrecht haben.
Sollten bei der Geschäftsführung Siegfried und Leo über irgendwelche Fragen sich nicht verständigen können, so soll die

Majorität meiner fünf Söhne bzw. Schwiegersöhne entscheiden, so bedinglich, daß darunter einer der beiden Geschäftsführer ist.«

Das Testament schloß mit dem denkwürdigen Absatz:

»11. Ich habe mit meiner Frau stets nach den Satzungen der jüdischen Lehre gelebt und auch die Bedürftigen nicht vergessen. In diesem Sinne sind auch meine Kinder erzogen. Der göttliche Segen hat augenscheinlich sowohl auf unseren Kindern wie deren Nachkommen, wie auch auf uns selbst, auf meinen Geschäften und Unternehmungen geruht. Ich ermahne meine Kinder, im gleichen Sinne zu leben und auf ihre Kinder zu wirken. Sollte einer meiner Nachkommen aus egoistischen Gründen aus dem Judentum austreten, so soll er aus der Gemeinschaft der Familie ausgeschlossen sein und bleiben. Ich wünsche, daß der Segen des Himmels, der auch weiter auf meiner Familie ruhen möge, sich von diesem entarteten Nachkommen abwende. Ich ersuche meine Kinder und Nachkommen, sowohl den Knaben wie den Mädchen hiervon bei Eintritt in das sechzehnte Jahr, wie auch weiterhin noch wiederholt, Kenntnis zu geben.«

Der Rechtsanwalt hielt inne und legte die Blätter auf den Tisch. »Sind alle Punkte klar und verständlich?« fragte er. Im Zimmer herrschte völlige Stille. Nur Henriette, die während der gesamten Trauerwoche keine einzige Träne vergossen hatte, fing plötzlich herzzerreißend an zu weinen.

Die Schrift an der Wand

»Ich freue mich, Sie als unseren Gast begrüßen zu dürfen«, sagte Curt von Bleichröder und reichte Siegfried Levy die Hand. »Unsere Großväter haben einige erfolgreiche Geschäfte zusammen getätigt. Beide zeichneten sich durch ihren Weitblick aus, obwohl sie an einer Augenkrankheit litten.«

Der junge Bankier lachte trocken. Er liebte es, sich mit improvisierten Kalauern hervorzutun. Siegfried stimmte nicht ein. Er war nur deshalb hier, weil ein Mann in seiner Position die Einladung eines der bedeutendsten Bankiers nicht ablehnen konnte, auch wenn er persönlich Bleichröder verabscheute. Obwohl Siegfried sehr liberale Ansichten vertrat, konnte er sich schwerlich mit der Tatsache anfreunden, daß Curt sich, wie alle anderen Nachfahren Gerson Bleichröders auch, vom Judentum losgesagt hatte und Protestant geworden war. In diesem Punkt dachte er genauso wie sein verstorbener Vater. Als ihm die Nachricht vom Übertritt der Bleichröder-Söhne zum Christentum zu Ohren gekommen war, hatte Bernhard gelobt, niemals mehr einen Fuß in die Behrenstraße zu setzen. Was Siegfried nun zur Weißglut trieb, war die Neuigkeit, daß der Gastgeber dem »Stahlhelm« beigetreten war.[*] Doch seit er sich zu diesem Besuch durchgerungen hatte, achtete Siegfried pedantisch darauf, die Spielregeln einzuhalten und seinen Abscheu nicht zu zeigen. Bleichröder, der auch tatsächlich nichts ahnte, führte ihn zu einer Sitzgruppe am Ende des großen Raumes. Als sie sich näherten, erhob sich ein Mann von vielleicht fünfzig Jahren und warf ihnen durch seinen goldgerahmten Zwicker einen prüfenden Blick zu. Anwesend war noch ein zweiter Mann, der allerdings sitzen blieb.

---

[*] Im Januar 1942 bat Curt von Bleichröder, aufgrund seiner Dienste für die Nazis beim »Stahlhelm« und als sogenannter Halbjude nicht in ein Konzentrationslager deportiert zu werden. Der für die Deportationen zuständige SS-Obersturmbannführer Adolf Eichmann, der den Fall bearbeitete, stimmte zu, ihn statt dessen in das »Ghetto der Alten« zu schicken. Curt von Bleichröder wußte, was das bedeutete – Theresienstadt –, und floh in die Schweiz. Seine Schwester, Baronesse von Campe, wurde in das KZ Riga deportiert.

»Ich darf Sie miteinander bekannt machen«, sagte der Gastgeber, »Herr Otto Spangler, Geheimrat im Finanzministerium, und Herr Seniorchef Paul Schwabach junior von unserer Bank.«

Die Anwesenden schüttelten sich die Hände. Siegfried ließ sich schwerfällig nieder. Ihm war unbehaglich zumute. Zweifellos hätte auch seine Mutter diese Zusammenkunft nicht gern gesehen. Doch Henriette war im Januar 1922, etwa zwei Jahre nach ihrem Ehemann, verstorben. Vor dem Hintergrund der drückenden Reparationszahlungen, die Deutschland an die Sieger zu leisten hatte, und angesichts der daher allgemein herrschenden Krisenstimmung und Niedergeschlagenheit war ihr Begräbnis recht schlicht und ohne Aufsehen verlaufen. Knapp einen Monat später war die unerwartete Einladung aus Berlin eingetroffen. Eigentlich hätte Leo in seiner Position als Firmenleiter das Unternehmen bei dieser Unterredung repräsentieren sollen, doch er weigerte sich, mit dem Bankier zusammenzutreffen, »dessen Benehmen für unseren Vater, gesegnet sei sein Andenken, einem Schlag ins Gesicht gleichgekommen wäre«. Siegfried argumentierte mit der ihm eigenen pragmatischen Herangehensweise: »Schließlich haben wir nichts zu verlieren und können eventuell etwas gewinnen.« Und so entschied er, selbst nach Berlin zu fahren. Seinen wütenden Bruder versuchte er mit der spöttischen Bemerkung zu beschwichtigen: »Ich habe noch niemals gehört, daß ein Übertritt zum Christentum eine ansteckende Krankheit ist.«

Und trotzdem hatten Bernhards Befürchtungen durchaus ihre Berechtigung gehabt, denn die Einhaltung der väterlichen Tradition war nicht unbedingt populär. Bernhard hatte dies kommen sehen und mittels seines Testamentes versucht, dem Einhalt zu gebieten. Leo teilte die Befürchtungen seines Vaters. Seit er das Oberhaupt der Polziner Familie Levy geworden war, hatte er darauf bestanden, das Haus in eine Festung zu verwandeln, die jeglichem fremdem Einfluß trotzte. Von den zirka ein Dutzend jüdischen Haushalten am Ort unterhielten nur noch zwei oder drei eine *koschere* Küche. Sogar zu den Gebeten am *Schabbat* kam nur noch mit Schwierigkeiten ein *Minjan* zusammen. Doch bei den Levys wurden die jüdischen Reinheitsvorschriften auch weiterhin geachtet, wie einst zu Aschers und Bernhards Zeiten. Je größer allerdings die geographische Distanz zu Polzin wurde, desto mehr entfernten sich die Familienmitglieder von den Ursprüngen. Als Leo des öfteren geschäftlich in Berlin weilte, bemerkte er sehr schnell, wie vor

*Siegfried Levy (links) besuchte seinen Cousin Rudolf
häufig in dessen Atelier.*

ihm schon Bernhard, daß im Hause seines Bruders Ernst Fleisch
und Milch nicht mehr getrennt zubereitet wurden und daß sein
Bruder und dessen Familie auch am *Schabbat* und an den Feierta-
gen mit der Elektrischen fuhren. Auch seine Schwestern Lina und
Ida zündeten am *Schabbat* keine Kerzen mehr an. Ida lebte außer-
dem mit Paul in Scheidung, wenn sie damit auch bis zum Tod der
Eltern gewartet hatte, um diese nicht zu verletzen. Und als sein
Cousin Rudolf eine *Goja* geheiratet hatte, war die gesamte Polziner
Familie der Hochzeitszeremonie demonstrativ ferngeblieben. Nur

Hier entstand auch 1927
Siegfrieds Portrait.

Siegfried hatte nicht gezögert, Rudolf telefonisch zu beglückwün-
schen. Siegfried sagte sich zwar niemals vom Judentum los, doch
die *Mitzwoth* vernachlässigte auch er. War er zu Besuch in Polzin,
versuchte er, sich der dortigen Lebensweise anzupassen, hauptsächlich um Leo nicht zu verletzen. In seinem eigenen Heim in Stettin
hingegen führte er mit Lisbeth ein recht freizügiges Leben.

Siegfried unterschied sich von den anderen Familienmitgliedern
sowohl hinsichtlich seines Charakters als auch seines Aussehens. Er
war ein optimistischer Mensch, der auch die kleinen Annehmlich-

keiten des Lebens zu genießen verstand und ausgelassene Gesellschaften schätzte. Er hatte in der Badenallee 25 im Berliner Stadtteil Charlottenburg eine Zweitwohnung erworben und entdeckte schnell die Vorzüge der Hauptstadt. Leo packte seinen Tadel immerhin in freundliche Worte: »Wenn sich mein Bruder dem Studium des *Talmud* ebenso intensiv widmen würde wie dem Studium der Speisekarten, dann wäre er schon längst ein Gelehrter.« Doch in Siegfrieds Haus spielten die heiligen Schriften keine Rolle. Lisbeth verschlang romantische Romane, Siegfried zog die Börsenberichte vor, die er nicht minder spannend fand. Schnell eignete er sich erstaunliche Kenntnisse über komplizierte finanzielle Transaktionen an, und viele übertrugen ihm ihre Gelder, damit er sie verdoppele und verdreifache. Böse Zungen behaupteten später, daß er dieses Kapital zu Beginn der Inflation in Pfund Sterling umgetauscht und auf eine englische Bank eingezahlt habe, um es erst dann wieder abzuziehen, als die Mark ihren Tiefstand erreichte. Auf diese Weise habe er sich auf Kosten jener Leute bereichert, die ihm ihr Geld anvertraut hatten. Obwohl Siegfried und Lisbeth diese Gerüchte mit Nachdruck zurückwiesen, fragten sich viele, wie dieser Mann wohl zu seinem Vermögen gekommen war.

Als die Einladung von Bleichröder junior in Polzin eingetroffen war, hatte Siegfried auf eine Gelegenheit für eine profitable Investition gehofft. Doch was er da vernahm, als er dem Bankier gegenübersaß, übertraf selbst seine kühnsten Träume.

»Ich schlage vor, daß wir uns sofort den Geschäften zuwenden«, sagte Curt von Bleichröder. Der Geheimrat nickte.

»Ich bin ganz Ohr«, verkündete Siegfried und breitete die Arme aus, als wollte er die ganze Welt umfangen.

»Wie viele Sägewerke befinden sich derzeit in Ihrem Besitz?« fragte Spangler.

Siegfried begann sie aufzuzählen: »Uns gehörten die Sägewerke Kollatz, Groß Linichen und Gustav Moeller & Nachfolger in Köslin. Außerdem sind wir an einigen anderen Betrieben beteiligt, darunter auch an den Sägewerken Neuhof. Gut Neu Buslar und die Kalkwerke in Gramentz sind in Familienbesitz. Das Kalkwerk ist auf lange Zeit gepachtet. Bei allen Partnerschaften halten wir die Mehrheitsanteile.«

»Dachte ich mir doch, daß dem so ist. Auf die Levys ist Verlaß«, bemerkte Bleichröder zufrieden.

»Das sind keine Geheimnisse, mein Herr. Unser Vermögen haben wir so direkt wie möglich investiert.« Siegfried blickte den Bankier an und fügte hinzu: »So wie dies in der Firma Levy Tradition ist.«

»Und dennoch scheint mir, daß Sie mit den Lieferfristen kaum Schritt halten können.«

»Das stimmt, die Auftragslage ist gut. In den Werken wird in drei Schichten gearbeitet, und trotzdem kommen wir kaum nach. Derzeit sind wir auf die Herstellung von Telefon- und Telegrafenmasten spezialisiert. Man könnte glauben, daß plötzlich die gesamte Menschheit darauf brennt, Telefongespräche zu führen oder Glückwunschtelegramme zu senden.«

»Meine Herrschaften, wir kommen der Sache näher.« Geheimrat Spangler senkte die Stimme. »Ist Ihnen bekannt, wohin diese Lieferungen gehen?«

»Natürlich. Die Güterwaggons gehen direkt nach Frankreich. Unsere Regierung gibt das Geld, die Franzosen erhalten die Ware. Ich nehme an, daß dies ein Teil der enormen Summe ist, die wir den Froschessern zu zahlen haben.«

Bleichröder hob den Zeigefinger, als wollte er ihn warnen: »Ich muß Sie daran erinnern, daß der Inhalt dieser Unterredung nicht für fremde Ohren bestimmt ist.«

»Das versteht sich von selbst«, bestätigte der Geheimrat. »Früheren Gesprächen mit Herrn von Bleichröder habe ich entnommen, daß wir auf die Firma Levy voll vertrauen können.«

»Unsere Familie hat ihre Vaterlandstreue im Laufe von mindestens vier Generationen unter Beweis gestellt.«

»Und es gibt nichts Besseres, als den Dienst am Vaterland mit Geschäften zu verbinden, die einen hübschen Profit abwerfen. Schließlich zahlt nur der Steuern, der ein Auskommen hat.« Bleichröder brach in trockenes Gelächter aus.

Geheimrat Spangler überging die letzte Bemerkung und fuhr fort: »Die Angelegenheit ist von größter Bedeutung, allerdings auch sehr delikat. Die Franzosen drohen – für den Fall, daß wir unseren Verpflichtungen nicht nachkommen – mit politischen Sanktionen. Wir möchten eine direkte Konfrontation vermeiden. Kurz gesagt: Wir wollen, daß Sie die Produktion verdoppeln. Ich werde mich um die notwendigen vertraglichen Änderungen kümmern.«

»Die Produktion verdoppeln? Ich habe doch gerade dargelegt, daß wir ohnehin bereits an den Grenzen unserer Kapazität angelangt sind.«

»Warum modernisieren Sie die Betriebe nicht? Und warum erwerben Sie nicht noch ein weiteres Sägewerk oder vielleicht auch zwei?«

»Das ist wohl kaum der richtige Zeitpunkt, finanzielle Rücklagen anzugreifen, um zu investieren. Da werden Sie mir zustimmen, schließlich kommen Sie ja aus dem Finanzministerium. Die Inflation galoppiert. Vor einem Jahr betrug der Wechselkurs für einen einzigen amerikanischen Dollar einhundertsechzig Mark, heute steht er bei siebentausend, und es würde mich nicht wundern, wenn er im nächsten Jahr auf siebzigtausend klettert.«

»Je größer die Inflation, desto mehr Profit werden Sie machen.«

»Wie bitte?« fragte Siegfried fassungslos nach.

»Selbstverständlich habe ich nicht an eine Eigenfinanzierung gedacht«, erläuterte der Geheimrat. »Die Regierung ist bereit, Ihnen Kredite zu besonders günstigen Konditionen zu gewähren.«

»Und unsere Bank wird für die Rückzahlung der Schulden bürgen«, fügte Bleichröder umgehend hinzu. »Ein solches Angebot können Sie nicht zurückweisen. Ihnen wird jede Summe zur Verfügung gestellt, die Sie zur Expansion Ihrer Produktion benötigen. Den Kredit werden Sie nach Ablauf von fünf Jahren zum nominalen Wert zurückzahlen, und zwar mit Geldscheinen, die dann sicherlich so gut wie wertlos sein werden. Jeder, der sich auskennt, weiß, daß die Inflation ein Paradies für umsichtige Geschäftsleute ist.«

»Mir ist durchaus geläufig, welches Schicksal Adam und Eva ereilte.« Siegfried ging auf Distanz.

»Sie haben vom falschen Baum gekostet«, hielt ihm Bleichröder entgegen, »aber schließlich sind Sie doch Fachmann für Bäume, oder etwa nicht?«

»Davon gehe ich doch aus.«

»Also, ich schlage vor, daß wir in mein Büro gehen, um die Einzelheiten festzulegen und den Vertrag zu unterschreiben.«

Die Herren erhoben sich. Bleichröder stand für einen Moment neben Siegfried, hielt ihn am Arm fest und flüsterte: »Äh, um künftige Mißverständnisse auszuschließen: Ich denke, Sie verstehen, daß die anfallenden Bankgebühren durch ein Darlehen garantiert werden müssen, das an den realen Wert der Sägewerke einschließlich der Ausrüstung, die Sie zu erwerben beabsichtigen, gebunden ist.«

»Das ist mir neu, Herr von Bleichröder.«

»Im Grunde ist der ganze Kredit neu für Sie, nicht wahr?«

»Stimmt.«

»Und ich habe nicht vernommen, daß Sie sich von diesen Konditionen distanziert hätten.«

»Ich verstehe. Und trotzdem gestatten Sie mir bitte, meinen Bruder in Polzin zu Rate zu ziehen. Wir führen die Firma als gleichberechtigte Direktoren. Ich möchte eine derart bedeutende Entscheidung unter keinen Umständen fällen, ohne zuvor seine Meinung eingeholt zu haben.«

»Uns steht nicht viel Zeit zur Verfügung.«

»Ich werde Ihnen morgen eine Antwort geben.«

»Das ist ausreichend, Herr Levy. Ich wünsche Ihnen viel Erfolg. Es bereitet mir große Freude, Geschäfte mit einem Mann zu tätigen, der sein Handwerk versteht.«

Das Übereinkommen mit der Polziner Firma Levy sowie Dutzende ähnlicher Absprachen mit anderen Sägewerken in ganz Deutschland konnten die Beziehungen zur französischen Regierung nicht dauerhaft verbessern. Deutschland brach unter der Last der Reparationszahlungen zusammen. Die Regierung bat, einen Teil der gewaltigen Schulden erlassen zu bekommen. Die Franzosen waren aber der Auffassung, daß die Lieferungen absichtlich verlangsamt wurden, um ein Moratorium zu erhalten. Hunderttausend Telefonmasten, die 1922 nach Frankreich geliefert werden sollten, jedoch nicht termingerecht überstellt wurden, waren der berühmte Tropfen, der das Faß zum Überlaufen brachte. Die Franzosen drohten mit Vergeltungsmaßnahmen. Als Ausfälle bei den Kohlelieferungen hinzukamen, befahl der französische Ministerpräsident Raymond Poincaré seiner Armee, das Ruhrgebiet zu besetzen. Die deutschen Arbeiter antworteten mit einem Generalstreik. Bei einem bewaffneten Zusammenstoß in den Essener Krupp-Werken wurden dreizehn Arbeiter von den Soldaten erschossen. Die Bevölkerung in der Region reagierte mit einer Reihe von Sabotageakten. Doch auch diese Untergrundtätigkeit änderte nichts an der Realität: Das industrielle Herz der deutschen Wirtschaft war verloren, der Zusammenbruch unabwendbar.

Siegfried kehrte mit einer Zahlungsanweisung in der Tasche nach Polzin zurück, die eine umfassende Expansion des Holzhandels ermöglichte. Die Brüder kauften sofort ein großes Dampfsägewerk in der Umgebung von Köslin. Als Geheimrat Spangler Siegfried den Kredit aushändigte – hundert Millionen fünfhunderttausend Mark –, war dieser Betrag zweihundertsechzigtausend Dollar wert. Am 20. November 1923 wurde der Kredit aus den Geschäftsbüchern der Firma Levy gestrichen – in bar getilgt, wie der Buchhalter festhielt. Mit Hilfe der Bleichröderschen Bank wurde er in voller Höhe an den Staat erstattet, zuzüglich des gesetzlich festgelegten Zinssatzes. Zu diesem Zeitpunkt machten die Schulden einschließlich der Zinsen gerade einmal siebzig Dollar und fünfundachtzig Cent aus!

Steckte hinter alldem etwa ein System? Als William L. Shirer in den fünfziger Jahren sein Buch »Aufstieg und Fall des Dritten Reiches« veröffentlichte, vertrat er die Ansicht, die deutsche Währung sei absichtlich gedrückt worden – anfänglich, um sich der durch die Kriegskosten enormen Staatsschulden von hundert Milliarden Mark zu entledigen, und später, um sich die Reparationszahlungen vom Halse zu schaffen.

Die Inflation galoppierte mit ungeahnter Geschwindigkeit. Ende 1923 betrug der Wechselkurs für einen Dollar fünfundzwanzig Millionen Mark. Danach erreichten die Wechselkurse völlig absurde Dimensionen. Die Inflation ließ viele kleinere Sparer verarmen und brach dem Mittelstand das Rückgrat. Großindustrie und windige Spekulanten indes genossen jeden Moment. Industrielle und Bankiers tilgten ihre nicht devisengebundenen Schulden mit wertlosen Geldscheinen. Die staatlichen Druckerpressen arbeiteten rund um die Uhr, um mit der Nachfrage Schritt zu halten, und als die staatlichen Papiervorräte zur Neige gingen, wurden im Ullstein-Verlag zum Buchdruck vorgesehene Papierrollen konfisziert.

Mit dem Verfall der Währung ging auch ein Verfall der traditionellen Werte und Normen dieser an Ordnung gewöhnten Gesellschaft einher. Das Vertrauen in die Regierungsfähigkeit der demokratisch gewählten Politiker schwand rasch. Matthias Erzberger, der die Kapitulationserklärung unterzeichnet hatte, Hugo Haase, der Vorsitzende der Unabhängigen Sozialisten, und schließlich auch Außenminister Walther Rathenau fielen rechten Attentätern zum Opfer. Rathenau, der zuvor als Wiederaufbauminister das Prinzip verfolgt hatte, die Reparationsforderungen der Siegermächte bis an die Grenzen des Möglichen zu erfüllen, um so auch den Siegern die Unerfüllbarkeit deutlich zu machen, wurde für das politische und ökonomische Chaos verantwortlich gemacht. Seine Gegner verhöhnten ihn als Juden und bezeichneten ihn sogar als einen der

»Weisen von Zion«. Daß Rathenau zwei Jahre lang – 1914/15 – die Kriegsrohstoffabteilung im preußischen Kriegsministerium aufgebaut hatte, interessierte niemanden mehr. In den Eckkneipen von Berlin hörte man es grölen:

Auch Rathenau der Walther
erreicht kein hohes Alter,
knallt ab den Walther Rathenau,
die gottverdammte Judensau.

Am 24. Juni 1922 wurde diese Aufforderung tragische Realität. Als sich Rathenau auf dem Weg von seinem Wohnsitz im Grunewald zum Außenministerium befand, schleuderten zwei junge Männer eine Handgranate in seinen offenen Wagen. Es war schon eine Ironie des Schicksals, daß ausgerechnet Rathenau, der sich als »Deutscher jüdischer Abstammung« bezeichnete und verkündet hatte, daß »das deutsche Volk mit ihm ist, Deutschland sein Vaterland und sein Glaube die deutsche Religion ist, die über allen anderen Religionen rangiert«, von antisemitisch motivierten Attentätern umgebracht wurde. Obwohl die Polziner Levys ganz und gar keine Anhänger Rathenaus waren, wurde der Tag seiner Ermordung auch für sie zum familiären Trauertag, denn die Schwester des Außenministers war mit dem Sohn von Moritz Gottschalk verheiratet, der beim AEG-Konzern als Elektroingenieur arbeitete. Ernst nahm im Namen der Familie an der Beerdigung teil.

Zu Beginn der zwanziger Jahre neigten viele erneut dazu, angebliche Unterlassungen des Establishments auf Ränkespiele der Juden zurückzuführen. Damals wimmelte es in Deutschland nur so von politischen Abenteurern, und einer von ihnen, Adolf Hitler, hämmerte seinen Anhängern ein, Deutschland könne nur gerettet werden, wenn man die »jüdische Plage« mit der Wurzel ausrotte. Der Antisemitismus befand sich wieder einmal auf dem Vormarsch und drang schließlich auch in die entlegensten Winkel vor. Oberflächlich betrachtet, schienen die Fakten die Behauptungen der extremen Rechten zu bestätigten: Zuerst Rosa Luxemburg und Karl Liebknecht, dann der erste sowjetische Botschafter in Deutschland Adolf Joffe und der polnische Revolutionär Karl Radek hatten versucht, in Deutschland eine Revolution zu entfachen. Sie alle waren Juden. Auch in den großen deutschen Banken fanden sich viele Juden in maßgeblichen Positionen, das galt vor allem für die Deut-

Else Levy, geb. Frensdorf, und Leo Levy, 1926

sche und die Dresdner Bank. Die großen Kaufhäuser waren ebenfalls in jüdischem Besitz: Wertheim, Tietz, Schocken und Israel. Die Juden Ullstein und Mosse leiteten große Verlags- und Pressehäuser, Max Reinhardt, Bruno Walter, Oscar Straus feierten auf der Bühne Erfolge. Albert Einstein, Fritz Haber und Otto Meyerhof zeichneten sich in den Wissenschaften aus. Die Demagogen der neuen Rechten, Joseph Goebbels, Hermann Göring und Alfred Rosenberg nutzten diese prominenten Figuren, um hysterisch eine Übermacht der Juden zu beschwören.

In Polzin verlief das Leben weiterhin in seinen gewohnten Bahnen. Das Donnern und Grollen des Sturmes war hier nur noch schwach zu vernehmen. Leo trieb vor allem die Entwicklung der Kalkwerke in Gramentz mit großem Eifer voran, da sie seiner Begeisterung für die Chemie am ehesten entgegenkamen. Doch auch die anderen Firmenzweige nahmen ihn in Beschlag. Wer mit ihm Geschäfte machte, lernte ihn sehr schnell als aufrichtigen, pflichtbewußten, korrekten, aber auch unnachgiebigen Menschen kennen. Man schätzte seine Geradlinigkeit und fürchtete seine Härte. Bekannte hatte er viele, seine Freunde konnte er allerdings an den Fingern einer Hand abzählen. Als Siegfried einmal stichelte, daß Leos Verhalten gegenüber seinen Mitmenschen diese mitunter zu Feinden und Widersachern mache, antwortete Leo ebenfalls spöttelnd: »Gott schütze mich vor meinen Freunden, um meine Feinde kümmere ich mich selbst.« Doch Leo Levy hatte durchaus Schwierigkeiten, zwischen Freund und Feind zu unterscheiden, und im Strudel der Ereignisse nahm er die Schrift an der Wand nicht wahr. Bedroht sah er sich nicht durch die Vertreter der Rassenideologie, sondern ausgerechnet durch jene Juden, die eine nationale Wiedergeburt in Palästina propagierten. Seit 1918 unter britischer Militärverwaltung, wurde Palästina 1922/23 vom Völkerbund offiziell britischem Mandat unterstellt, und die Hoffnung auf Erfüllung der zentralen Grundsätze der Balfour-Deklaration von 1917 beflügelte die Zionisten. Damals hatte London zugesichert:

»Die Regierung Seiner Majestät betrachtet mit Wohlwollen die Errichtung einer nationalen Heimstätte für das jüdische Volk in Palästina und wird bemüht sein, die Durchführung dieses Vorhabens nach Kräften zu erleichtern, unter der ausdrücklichen Voraussetzung, daß nichts geschehen soll, was die bürgerlichen und religiösen Rechte der in Palästina bestehenden nichtjüdischen Gemeinden oder die Rechte und den politischen Status der Juden in irgendeinem anderen Land beeinträchtigen könnte.«

Leo gefiel dieser Wortlaut ganz und gar nicht. »Man kann den Kuchen nicht essen, ohne ihn anzuschneiden«, grollte er. »Die nationale Heimstätte der deutschen Juden ist und bleibt Deutschland. Alles andere ist aus unserer Sicht eine schwere Verletzung unserer Rechte und Loyalitäten.«

»Du bist wahrlich das Alter ego unseres verstorbenen Vaters«, mokierte sich Siegfried. »Du wiederholst seine Ansichten wie eine alte Grammophonplatte, die einen Sprung hat.«

»Ist es etwa eine Schande, etwas zu wiederholen, das nicht nur zutreffend und wahr ist, sondern auch der eigenen Überzeugung zutiefst entspricht?«

»Meiner nicht, teurer Bruder.«

»Warum wanderst du dann nicht dorthin aus, um Sümpfe trockenzulegen und dir die Malaria einzufangen?«

Siegfried brach in Gelächter aus. »Du weißt sehr gut, warum. Ich liebe ein bequemes Leben und gutes Essen und lechze keineswegs danach, im Malariafieber zu delirieren. Abgesehen davon ist mir die Börse heiliger als alle heiligen Stätten Palästinas.«

»Also hast du wenigstens eine positive Eigenschaft«, spottete Leo.

»Und die wäre?«

»Aufrichtigkeit!«

»Aber nur in schwachen Momenten und nur, wenn wir uns unter vier Augen unterhalten. Aber einmal ganz im Ernst: Glaubst du tatsächlich, daß man historische Entwicklungen aufhalten kann? Daß man das Unvermeidliche unserem subjektiven Willen unterwerfen kann?«

»Ich verstehe nicht ganz, was du damit meinst.«

»Also wirklich, Leo! Du verstehst mich sehr gut. Alle Völker streben nach Selbstbestimmung. Warum ist in deinen Augen einzig und allein der Zionismus verwerflich?«

»Weil alle anderen Völker ihre Souveränität auf die Tradition ihrer Väter gründen, die Zionisten hingegen ignorieren die Wurzeln des Judentums. Der zweite Mann der Bewegung ist mit einer *Goja* verheiratet. Und wenn eine solche Mischehe deiner Meinung nach mit jüdischen Interessen vereinbar ist, dann brauchen wir uns überhaupt nicht weiter zu unterhalten. Setz das Gespräch mit Rudolf fort. Der wird dich verstehen!«

»Nun werde doch nicht gleich böse, Leo. Ich wollte dich doch nicht für die Zionisten werben. Im Grunde habe ich lediglich die Logik hinter deiner vehementen Ablehnung in Frage gestellt. Jeder Besuch in Berlin verursacht mir eine Gänsehaut. Wir sind reich, klug, aufgeklärt und setzen uns für die Konsolidierung Deutschlands ein – und trotzdem müssen wir uns anbiedern und darum betteln, daß die Deutschen unsere Anwesenheit dulden. Ist das etwa nicht absurd?«

»Du bist zuviel in Berlin. Das ist alles.«

»In Stettin liegen die Dinge auch nicht viel anders. Kannst du nicht wie ein erwachsener Mensch auf diese Fragen eingehen? Du sitzt hier in deinem Zimmer und verschließt die Ohren vor dem Geschrei der Rassenfanatiker. Du redest dir selbst ein, daß das, was man nicht hört, auch gar nicht existiert.«

»Ich bin keineswegs naiv, Sigi. Aber was ist schon die Rassenideologie? Einige Extremisten und Spinner wollen die Biologie zum obersten aller Werte erklären. Die Marxisten haben das gleiche mit der Wirtschaft versucht. Und wo sind sie heute? Die Revolution hat ihre Kinder gefressen. Und was war in der Vergangenheit? Hat es etwa nicht unendlich viele Versuche gegeben, unsere Rechte als gleichgestellte und gleichberechtigte Bürger zu beschneiden? Natürlich! Und wenn schon. Wir sind hier. Du bist hier. Ich bin hier. Und Deutschland ist hier. Fürchtest du dich vielleicht vor der historischen Entwicklung?«

Siegfried hob abwehrend die Hände. »Du feuerst auf einen schutzlosen Menschen. Ich will mich mit dir nicht um Ideologien streiten. Laß uns Waffenstillstand schließen.«

»In Ordnung«, lenkte Leo ein, »aber ohne Versailler Verträge.«

»Ohne Versailler Verträge«, stimmte Siegfried zu. »Komm, wir gehen zu ›Zell‹ und trinken eine Tasse Kaffee.«

Das Café Zell war der Treffpunkt der feinen Gesellschaft Polzins. Karl Zell hatte den köstlichsten Kuchen der ganzen Stadt, schenkte das beste Bier der gesamten Gegend aus und behandelte seine Gäste immer sehr zuvorkommend. Das Café lag an dem künstlich angelegten See im Kurpark, und im Sommer konnte man in angenehmer Atmosphäre draußen sitzen. Als die Brüder dort eintrafen, kam ihnen Herr Finkelstein entgegen. Er hatte kürzlich eine Pension mit *koscherer* Küche eröffnet und versuchte nun, sich mit allen gut zu stellen.

»Haben Sie die letzten Neuigkeiten schon gehört?« fragte er sichtlich aufgeregt. »Nein? Ein junger Bankier aus Darmstadt ist zum Reichswährungskommissar und Reichsbankpräsidenten ernannt worden und hat bekanntgegeben, daß der Wechselkurs der Mark heute auf vier Dollar zwanzig gesunken ist.«

»Siehst du?« grinste Leo. »Alles wird wieder wie früher.«

Dieser neue Mann aus Darmstadt war erst sechsunddreißig Jahre alt und galt in damaligen Tagen als Finanzgenie. Sein Name war Horace Greely Hjalmar Schacht. Ein Psychologe, der mehr als zwanzig Jahre später die Angeklagten in den Nürnberger Kriegsverbrecherprozessen untersuchte – Schacht hatte bis 1944 auch den Nazis gedient –, stellte bei ihm einen Intelligenzquotienten von einhundertdreiundvierzig fest. Das lag weit über dem der anderen Angeklagten. Doch zurück ins Jahr 1923. Dem frischgebackenen Reichswährungskommissar wurde ein Büro zur Verfügung gestellt, das zuvor als Abstellkammer für Putzmittel gedient hatte. Von diesem kleinen Zimmer aus setzte er eine schmerzhafte Finanzoperation durch: Er drehte den Hahn für die günstigen staatlichen, nicht an Devisen gebundenen Kredite zu und hielt die Druckwalzen an, die Geldscheine mit zwölf Nullen ausspuckten. Auf diese Weise sägte er den Ast ab, auf dem die Spekulanten saßen, und verursachte den Konkurs zahlloser Firmen und sogar Konzerne, die durch die Inflation groß geworden waren. Die Folge war Massenarbeitslosigkeit. Im November des Jahres 1923 sollte Deutschland auf diese Weise zwar den Wirren der Inflation entkommen; gleichzeitig aber wurde die Grundlage für einen viel gefährlicheren Wahnsinn gelegt.

Am 9. November jährte sich die Proklamation der Republik. Der Bürgermeister von Polzin forderte die Einwohner der Stadt auf, ihre Häuser mit der Nationalflagge zu schmücken. Nur wenige kamen dieser Aufforderung nach. Im konservativen Pommern galt die demokratische Verfassung der Weimarer Republik nicht gerade als Glanzleistung des deutschen Geistes.»Dies ist nicht unser Fest«, antwortete Leo dem Angestellten, der fragte, ob er am Bürohaus die Fahne hissen solle.

Auch die Rechtsextremisten in München begingen den 9. November 1923 nicht als demokratischen Nationalfeiertag, obwohl dort zahlreiche Flaggen gehißt wurden – Hakenkreuzfahnen! Hunderte von Demonstranten marschierten in den Straßen. Am Abend zuvor hatte Hitler im Bürgerbräukeller die »nationale Revolution« ausgerufen und einen Rechtsputsch versucht. Noch in der Nacht waren Reichswehr und die bayrische Landespolizei gegen die Putschisten mobilisiert worden. Obwohl Hitler auf verlorenem Posten stand, rief er seine Anhänger am Morgen des 9. zum »Marsch auf die Feldherrnhalle« auf. Nun bewegten sie sich in Richtung Odeonsplatz im Zentrum der Stadt. Die Marschroute säumten neugierige Passanten, die das Geschehen vom Bürgersteig aus verfolgten. Unter ihnen war auch die auffällige Gestalt Rudolf Levys. Er war ebenfalls stehengeblieben, als der Zug in Sichtweite kam. Mittlerweile ein Mann von siebenundvierzig Jahren, der kahl wurde oder, freundlicher gesagt, eine hohe Stirn hatte und eine Brille trug, betrachtete er abwesend die Marschierenden. Seine Kleidung – heller Anzug, gelbe Fliege und breitkrempiger Hut – erinnerte ihn daran, daß er erst an diesem Morgen von der sonnigen Riviera Frankreichs zurückgekehrt war, wo er die Farben der Bucht von Sanary in der Nähe von Toulon auf Leinwände gebannt hatte: blaue Wolken und türkisfarbenes Meer, zartgrüne Bäume, saftiggrüne Wiesen und Blumen in allen Farben des Regenbogens. Nun fröstelte er.

Die Sturmtrupps stimmten Marschlieder an, doch Rudolf war sich gar nicht bewußt, was um ihn herum geschah. München übte eine magische Anziehungskraft auf ihn aus, übertrumpft nur von seiner Lieblingsstadt Paris. Hier, an den Ufern der Isar, hatte das zwanzigste Jahrhundert für ihn mit einer schweren Niederlage an der Akademie der Bildenden Künste begonnen: Er hatte ein Portrait und eine Aktzeichnung in »unakademischer Weise« gemalt und vorgelegt. Das war mittlerweile dreiundzwanzig Jahre her, doch er erinnerte sich daran, als wäre es erst gestern oder vorgestern gewesen. Einige Zeit später hatte er zögerlich an die Tür von Professor Heinrich von Zügel geklopft und gebeten, in den Kreis seiner Studenten aufgenommen zu werden. Zügel, dessen Äußeres eher einen biederen Förster als einen Künstler vermuten ließ, war damals als Tiermaler berühmt. Zügel bat ihn in sein Atelier. Auf allen Leinwänden war ein riesiger Esel zu sehen. Rudolf kam es so vor, als wackelte der Esel mit den Ohren und lachte ihn aus. Noch bevor der Professor ihn als Schüler akzeptierte, wußte Rudolf, daß er am falschen Platz gelandet war. Und tatsächlich sollte Zügels Tadel nicht lange auf sich warten lassen: Die erste Kuh, die Rudolf zeichnete, war zu klein, und die Landschaft im Hintergrund »zu groß«... Das ließ sich nun einmal nicht ändern. Rudolf liebte Landschaften und nicht Kühe.

Mittlerweile waren die Marschierenden vorübergezogen und um die nächste Hausecke verschwunden. Der Gesang verhallte allmählich, und die Schaulustigen zerstreuten sich. Rudolf überlegte, wie spät es wohl sein mochte, und zog eine Uhr, die an einer Goldkette baumelte, aus seiner Westentasche. Abends wollte er den Schnellzug nach Berlin nehmen, denn am darauffolgenden Tag hatte er eine Verabredung mit dem Galeristen Alfred Flechtheim. Die Verbindung zu Flechtheim rührte noch aus den Vorkriegsjahren. Der Galeriebesitzer aus Düsseldorf hatte sich seiner angenommen, seine Bilder ausgestellt und ihm, noch bevor er das erste Bild verkauft hatte, einen nicht unwesentlichen Geldbetrag zugesteckt. Diese Großzügigkeit kam nicht von ungefähr. Flechtheim, ein erfahrener Kunsthändler und -sammler, glaubte an Levys Talent und sah in seiner Unterstützung eine rentable Investition in die Zukunft. Im Laufe der Zeit hatte er die Beziehung zu dem Maler intensiviert und zahlte ihm ein festes Monatsgehalt. Kam Rudolf mit diesen bescheidenen monatlichen Einkünften nicht aus, wurde er auch auf anderen Gebieten tätig. Auch jetzt hatte er eine Ausgabe von Stendhals »Rot und Schwarz« in seiner Aktentasche, deren Übersetzung ein großer Berliner Verlag bei ihm in Auftrag gegeben hatte.

Anfang der zwanziger Jahre tummelten sich in Berlin Dadaisten, Kubisten und Futuristen. In den Berliner Cafés trafen sich viele, die später Geschichte schreiben, aber auch Künstler, die in Vergessenheit geraten sollten. Im Romanischen Café konnte man den Protagonisten der dadaistischen Bewegung antreffen, den bärtigen Architekten Johannes Bader, der im Besitz eines medizinischen Attestes war, wonach er für seine Taten nicht verantwortlich gemacht werden konnte. George Grosz, der in seinen Bildern den Materialismus und Militarismus seiner Zeit aufs Korn nahm, verkehrte im »Monopol«. Käthe Kollwitz wurde durch ihre Zeichnungen über Armut und Krieg bekannt, Wassili Kandinsky und Paul Klee avancierten zu Professoren am Bauhaus, und eine Clique junger Maler, Bildhauer und Poeten, die sich an ihre Fersen geheftet hatte, verlieh der Stadt ihr besonderes Flair. Im Kreise dieser schillernden Gesellschaft hatte Rudolf mit Leichtigkeit seinen Platz gefunden, und das, obwohl er nicht aufbegehrte, nicht seine Ellenbogen einsetzte, keine Phrasen drosch und seine Gemälde keineswegs revolutionär waren, wie es der Zeitgeist diktierte. Die schöpferische Boheme war sein natürlicher Ort. Bereits 1921 hatte er zusammen mit Hans Purrmann, Max Pechstein und anderen in der Berliner Freien Secession ausgestellt.

Fast ein Jahr vorher hatte ihm der Postbote ein Einschreiben aus Stettin gebracht. Dr. Marcuse hatte ihm eine Abschrift des Testamentes seines Onkels Bernhard gesandt und einige Zeilen hinzugefügt. Rudolf las Brief und Testament, lächelte und warf beides in den Papierkorb. Wieder einmal sorgte sich die Familie um das Heil seiner jüdischen Seele. Hatten sie noch immer nicht begriffen, daß für ihn Cézanne und Matisse wichtiger waren als der *Schulchan Aruch*, daß die Sprache der Farben ihn mehr anzog als jedes Gebet? Soweit es ihn betraf, war der Tempel ohnehin nicht zerstört worden, denn entscheidend war seiner Ansicht nach nicht der Bau aus libanesischem Zedernholz, sondern wesentlich waren die Geschichten, die der Kraft der Phantasie entsprangen – und die hatten überdauert.

Rudolf schmunzelte über Bernhards einschränkende Klausel. Noch aus dem Grab heraus wollte der sture Onkel seine Lebensweise beeinflussen. Den kritischen Blicken Bernhards und Henriet-

Eugenie (Genia) Levy, geb. Schindler, München um 1919

tes hatte er sich zwar weitgehend entzogen, doch seine Ehe mit Genia war natürlich kein Geheimnis geblieben. Eugenie Schindler, die Tochter gutsituierter Bauern aus dem oberhessischen Geislitz, war als Siebzehnjährige nach München gekommen, um Photographie zu studieren. 1919 lernte sie den mehr als zwanzig Jahre älteren Rudolf kennen und erlag seinem persönlichen Zauber und Intellekt. Ihre Beziehung war für beide Familien ein rotes Tuch. Genias Eltern waren entschieden gegen die Verbindung ihrer Tochter mit einem Juden. In Polzin sah man darin – wenn auch aus anderer Warte – ebenfalls einen Verrat an allen Werten und Normen, die der Familie seit Generationen heilig waren. Man hielt Eugenie im Grunde für eine Prostituierte, die einen naiven Mann, einen Traumtänzer, der über den Realitäten schwebte, verführt hatte. Weder in

Geislitz noch in Polzin verstand man das Wesen der Beziehung zwischen den beiden. Als sie sich im November desselben Jahres entschieden zu heiraten, war Eugenie vierundzwanzig Jahre alt. Sie war eine dürre junge Frau mit schmalen Schultern, hervorstehendem Schlüsselbein und großen, staunenden Augen und entsprach kaum den bezaubernden Mädchen in den Klubs und Cafés von Paris, Berlin und München. Doch nicht die fleischliche Lust, sondern eine tiefe intellektuelle Verbundenheit machte ihre innige Beziehung aus. Manchmal, wenn sie in ihrem Stammcafé saßen und Kaffee mit Cognac tranken, betrachteten Rudolfs Bekannte und Freunde Genia mit unverhohlener Neugierde und fragten sich, was dieses zerbrechliche junge Ding wohl in dem alternden Maler sehen mochte, der erst 1922 die Gelegenheit zu seiner ersten Einzelausstellung bekam. Rudolf und Genia nahmen diese Blicke überhaupt nicht wahr, denn sie waren ständig in Gespräche über Gott und die Welt vertieft. Und redeten sie über materielle Dinge, dann meist über die Abenteuer des schöpferischen Lebens in einer grausamen Welt, die sich den Menschen entzog. Nur die, die Rudolf sehr nahestanden, wußten, daß auch in ihrer Wohnung der Tisch, an dem sie ihre Gespräche führten, und keineswegs das gemeinsame Bett das wichtigste Möbelstück war.

Die Hochzeit der beiden im Dezember 1919 war bescheiden. Wie erwartet, boykottierten die Familien die Trauung. Nur Paul sandte seinem Bruder ein Glückwunschtelegramm, und Siegfried rief an, um dem Paar *Massel Tov* zu wünschen.

In Begleitung einiger Freunde, angeführt von Roda-Roda – Rosenfeld –, Alfred Flechtheim und Oskar Kokoschka, gingen Rudolf und Genia direkt vom Standesamt aus in das Spielkasino Kleist in der Kleiststraße, um zu beweisen, daß ihnen das Glück auch weiterhin hold war. Innerhalb von nur einer Stunde verlor Rudolf beim Roulette das gesamte Geld, das er bei sich gehabt hatte. Als sie mitten in der Nacht den halbdunklen Spielsalon verließen, legte Rudolf seinen Arm um Genias schmale Schultern und lachte: »Wirklich, wir hätten uns kein Spielkasino mit passenderem Namen aussuchen können. Schließlich war es Kleist, der seinen Michael Kohlhaas aussandte, um der Gerechtigkeit nachzujagen – und mordete und brandschatzte sein Protagonist letztlich nicht? Und legte nicht Kleist Hand an sich selbst, als seine Henriette im Krankenbett lag? ...«

Tatsächlich ließen sich alle Protagonisten Heinrich von Kleists unter dem Einfluß ihrer Mitmenschen zu verabscheuungswürdigen Taten verleiten. Er selbst brachte sich an den Ufern des Berliner Wannsees um, an jenem Ort, an dem hundertdreißig Jahre später, am 20. Januar 1942, Heydrich die sogenannte »Endlösung der Judenfrage« in Gang setzen sollte. War dieser unschuldige Kasinobesuch in der Hochzeitsnacht ein Omen und eine Warnung? Sicherlich nicht. Rudolf und Genia verließen das Etablissement in beschwingter Stimmung. Der Verlust des Geldes war für sie nicht weiter von Bedeutung. Sie nahmen sich ein Taxi nach Hause, zum ersten Mal als verheiratetes Paar. »Wahrscheinlich sind wir das erste Paar der Welt, das es in der Hochzeitsnacht nicht eilig hat, ins Ehebett zu hüpfen«, lachte Rudolf. Genia drückte verständnisvoll seine Hand und verkündete: »Das ist wirkliche Freiheit.«

Die wirkliche Freiheit hatte Rudolf bereits 1897, als er das erste Mal nach München kam, entdeckt. In Paris hatte er sich später bis zum Rausch an ihr gelabt. Seinem Vater in Danzig und seinem Polziner Onkel pflegte er nichtssagende Postkarten und Landschaftsansichten aus Südfrankreich zu schicken, wo er oftmals auf Cézannes Spuren wandelte, um die Schönheit von Sanary und Cassis auf der Leinwand festzuhalten. Und obwohl auch nach Pommern und Danzig Gerüchte über seinen Lebenswandel drangen, wurden sie immer schlicht abgetan: »Unser Rudolf? Nein, das kann nicht möglich sein.« Nur wer zu den Stammgästen des Café du Dôme auf dem Boulevard Montparnasse zählte, kannte die Wahrheit: Rudolf brach mit allen Konventionen, nicht nur im Hinblick auf die Religion. Auf seiner schier endlosen Suche nach dem ultimativen Erlebnis entdeckte er auch die Liebe von Mann zu Mann.

Das Café du Dôme war ein kleiner und vernebelter Ort, das einer prächtigen katholischen Kirche gegenüberlag. Das Café stand unter der allumfassenden Herrschaft des flinken Kellners André. Die Künstler behandelten ihn mit echter Ehrerbietung, und das nicht nur wegen seiner Fähigkeiten als Kellner. André fungierte in der Stunde der Not als ihr Bankier. Er war immer bereit, einem Notleidenden »bis Ende der Woche« einige Franc zu leihen, und es versteht sich von selbst, daß einige dieser Wochen schier endlos dauerten.

Die Tische zogen sich an den Wänden entlang. Ein niedriger Paravent teilte den Raum. Einen Teil bevölkerte die amerikanische Boheme, der andere Teil war von den Deutschen und Österreichern in Beschlag genommen. Niemand versuchte, die Demarkationslinie zu überschreiten. Frankreich blieb außen vor. Innerhalb kürzester Zeit avancierte Rudolf zum ungekrönten Anführer der deutschsprachigen Gruppe. Wer nicht von seinen Gemälden begeistert war, der verehrte die Leichtigkeit, mit der er Vergil rezitierte, in fließendem Latein versteht sich. Aber neben den Künstlerfreunden, darunter Hans Purrmann und Jules Pascin, war Rudolf ständig in der Begleitung dieses oder jenes Jünglings, der ihm verzückt in die Augen blickte und bereit war, jeden seiner Wünsche zu erfüllen. Zu diesen Jünglingen zählte auch Peter Weigel.

Weigel hatte es aus Düsseldorf nach Paris verschlagen. Die Beziehung der beiden hatte mit dem ersten Blickkontakt ihren Lauf genommen. Am Sonntag tranken sie zusammen Pernod, am Montag zog Peter in die Atelierwohnung ein, die Rudolf Levy an der Place de Clichy am Montmartre gemietet hatte. Künstler und Verehrer kamen gut miteinander aus, bis eines Tages im Café du Dôme die Geschwister Gertrude und Leo Stein, Kunstsammler und Mäzene, auf der Bildfläche erschienen.

»Und was halten Sie von Picasso?« fragte Gertrude Stein, nachdem sie sich einige von Rudolfs Aquarellen angesehen hatte.

»Picasso? Ich habe von ihm gehört. Aber ich habe weder den Mann noch eines seiner Werke jemals zu Gesicht bekommen.«

»Sie müssen ihn einfach kennenlernen«, beharrte Leo Stein. »Er ist zauberhaft, und ich sage ihm eine großartige Karriere voraus.«

»Er muß einfach Erfolg haben. Wissen Sie auch, warum? Ich habe zwei seiner Gemälde erworben. Die Steins haben ihr Geld noch niemals zum Fenster rausgeworfen«, scherzte Gertrude.

Leo Stein drängte: »Kommen Sie heute abend in das ›Lapin agile‹. Was, das kennen Sie nicht? Aber das ist eines der fabelhaftesten Etablissements von ganz Paris. Wie kann man sich so etwas nur entgehen lassen? Die gesamte Clique um Picasso geht dort ein und aus.«

Rudolf zögerte. Hans Purrmann, der am Nebentisch saß und die Unterhaltung mitgehört hatte, antwortete in seinem Namen. »Natürlich werden wir kommen. Die ganze Bande.«

Noch in derselben Nacht vergnügten sich die deutschen Künstler mit ihren französischen Kollegen. Picasso, ein kleinwüchsiger und dunkelhäutiger Spanier, von ungeduldiger Natur und gekleidet wie ein Arbeiter, erschien in Begleitung seiner neuen Flamme Fernande Olivier und einer regelrechten Delegation von Freunden und Bewunderern. Rudolf hatte Peter Weigel mitgenommen. Doch als er sich um zwei Uhr früh völlig betrunken auf den Heimweg machte, war der schöne Peter nicht mehr an seiner Seite. Die leere Atelierwohnung deprimierte Rudolf, und innerhalb weniger Tage zog er an den üblichen Treffpunkt, an den Montparnasse, zurück. Erst dann erfuhr er, daß jemand aus der »Picasso-Clique« sich Weigels angenommen und ihm ein Zimmer in einem Haus gemietet hatte, das zuvor eine große Wäscherei gewesen und jetzt in kleine Atelierräume unterteilt war, die vorzugsweise an Künstler vermietet wurden. Pablo Picasso höchstpersönlich hatte in diesem Zimmer gewohnt. Gemeinsame Freunde berichteten, daß Weigel Drogen anheimgefallen sei: Er rauche Haschisch und spritze sogar Kokain. »Bitte hab ein Auge auf ihn«, bat Rudolf den Bildhauer Manolo. Doch die Wachsamkeit des Freundes nutzte nichts. Eines Mittags, als Rudolf gerade wie gewöhnlich auf einen Kaffee im Café du Dôme saß, wurde er ans Telefon gerufen. Aus dem Hörer vernahm er Manolos gehetzte Stimme: »Er hat sich am Fensterkreuz erhängt. Es tut mir leid.«

Das Begräbnis des jungen Selbstmörders wurde zu einer regelrechten Prozession der Pariser Künstlergemeinde. Hinter dem Sarg schritt Rudolf Levy gesenkten Hauptes, Arm in Arm mit Pissarro. Père Fred, der in ein weißes Jackett gekleidete Wirt des Lapin agile, und Picasso gingen in der zweiten Reihe, gefolgt von Purrmann und Manolo, Pascin, Derain und Wilhelm Uhde, der gerade erst einen Picasso aus der Blauen Periode – »Das Blaue Zimmer« – erworben hatte, und vielen, vielen anderen. Selbstverständlich fehlten auch Mannequins, Negressen und Freudenmädchen nicht, und es kann kaum überraschen, daß Purrmann in seinen Memoiren festhielt: »Es war schwer, ernst zu bleiben.« Und anstatt nach der Zeremonie am Friedhofstor auseinanderzugehen, schlug Picasso vor, gemeinsam zu Gertrude Stein zu fahren, um sich bei einem Gläschen Calvados und etwas Klatsch in ihrem Künstlersalon zu trösten.

Gertrude Stein war um die dreißig und gebürtige Amerikanerin. Sie hatte ihre Kindheit in Wien verbracht und war der europäischen Kultur regelrecht verfallen. 1903 hatte sie sich in Paris niedergelassen und ihr Haus jungen Künstlern geöffnet. Sie und ihr Bruder Leo besaßen einen ausgeprägten Geschäftssinn. Gertrude erwarb Gemälde von Picasso, Georges Braque und Matisse, noch bevor diese von der professionellen Kunstszene entdeckt wurden.

Rudolf Levy lernte Henri Matisse 1905 während des dritten Herbstsalons in Paris kennen, als dessen Bild »Frau mit Hut« die

Kritiker in Aufruhr versetzte. Den Kritikern saßen die saftigen Farben von Matisse' Portraits und Landschaften wie eine Gräte im Hals quer, und einer von ihnen verglich dessen Werke gar mit anarchistischen Bomben. Ein anderer nannte ihn und seine Anhänger verächtlich »les fauves« – die Wilden – und gab unabsichtlich auf diese Weise der neuen Strömung ihren Namen: »Faubisten«. Die Kritiker verrissen Matisses' Werke, doch Gertrude und Leo kauften seine »Frau mit Hut«. Sie bewiesen damit einen gesunden Instinkt für Investitionen, denn nur wenige Jahre später sollten sich die großen Museen Europas und Amerikas um seine Werke reißen.

Es war auch Gertrude Stein, die Matisse' davon überzeugte, eine eigene Schülerwerkstatt zu eröffnen, »um den neuen Stil zu etablieren«. Matisse zögerte. »Ich will keine Generation von Imitatoren heranziehen«, meinte er. Doch schließlich ließ er sich überreden und eröffnete 1908 das Atelier in der Rue de Sèvres. Auch Rudolf Levy gehörte bald zu seinen Schülern. In Hoch-Zeiten studierten bis zu achtzig Schüler bei Matisse, der das Atelier bald ins Kloster Sacré Coeur am Boulevard des Invalides verlegte. An einem Tag in der Woche malten sie, an einem anderen erhielten sie fachkundige Führungen durch die Museen von Paris. Matisse verabscheute Vorlesungen vor Studenten, die ihn nicht verstanden, und tatsächlich verlor er bald die Geduld und zog den Süden Spaniens den Zusammenkünften im Atelier vor. Auf seine Empfehlung hin wählten die Studenten Rudolf zum Leiter der Schülerwerkstatt. Doch Rudolf mangelte es an Kompetenz, und vielleicht fehlten ihm auch Matisse' Wissen und Erfahrung, und so wurde das Atelier im Frühjahr 1912 geschlossen. Obwohl Rudolf nur kurz mit Matisse zusammenarbeitete, sollte er sein Leben lang von dessen Stilrichtung beeinflußt bleiben. »Ich habe verstanden«, so schrieb er einem seiner jungen Freunde, »daß die Farbe nicht nur eine Beigabe zur Darstellung eines Themas ist. Farbe lebt und existiert für sich selbst und kann den Betrachter aus eigener Kraft beeinflussen.« Einige Zeit später versuchte Picasso, Rudolfs Aufmerksamkeit auf die abstrakte Malerei zu lenken, die als die natürliche Fortsetzung dieser Stilrichtung erachtet wurde. Rudolf jedoch war skeptisch: »Ich schrecke vor der abstrakten Malerei zurück. Ich befürchte, wegen der Kälte, die diese Malerei auf ihre Umgebung ausstrahlt, die menschliche Empfindung zu verlieren.«

1911 und 1912 wurden einige von Rudolfs Werken im Amsterdamer Stedelijk Museum ausgestellt, ein Jahr später war er mit ei-

Rudolf Levy links neben Henri Matisse in dessen Schüler-Atelier, Paris 1909

ner Landschaft in der Armory-Show in New York vertreten. Endlich fanden sich Interessenten für seine Werke. Von seinem Bruder Paul, der noch immer in Damaskus weilte und Gleise nach Mekka verlegte, erhielt er auch weiterhin eine bescheidene monatliche Unterstützung, doch zum ersten Mal in seinem Leben reichte sein Einkommen, um ein normales Leben führen zu können, ohne dabei jeden Pfennig zweimal umdrehen zu müssen. Als 1914 sechzehn seiner Gemälde gemeinsam mit anderen Bildern der Künstlergruppe aus dem Café du Dôme in Flechtheims Düsseldorfer Galerie ausgestellt wurden, war Rudolf finanziell abgesichert. Die Ausstellung hätte auch in Berlin und in anderen Städten Deutschlands gezeigt werden sollen, doch der Kriegsausbruch machte diese Pläne zunichte. Der Krieg setzte auch der deutschen Künstler-Clique im Café du Dôme ein Ende. Die meisten packten ihre Sachen und kehrten in die Heimat zurück, um sich zu den Fahnen zu melden. So auch Rudolf. Als hätte er niemals eine kosmopolitische Weltanschauung vertreten, überwog das nationale Pflichtbewußtsein alle anderen Empfindungen. Als er Ende August vor der Ärztekommission in Danzig zur Musterung erschien, wurde er als für eine kämpfende Einheit wehrtauglich eingestuft.

»Gütiger Gott«, fragte er sich, als er am 9. November 1923 in München auf dem Bürgersteig stand, »sollte dies das Deutschland sein, für das ich mein Leben geben wollte?«

Er blickte erneut zur Uhr und mußte feststellen, daß er noch seinen Zug nach Berlin verpassen würde, wenn er sich nicht beeilte. Erst später erfuhr er, daß Ludendorff und Hitler verhaftet worden waren und Heß und Göring sich nach Österreich abgesetzt hatten, doch er maß dem keinerlei Bedeutung bei. Er interessierte sich nicht für Politik. Genia hatte eine schöne Wohnung in der Küstriner Straße in Berlin-Charlottenburg angemietet. Er hatte sich lediglich um die Einrichtung des Ateliers gekümmert. Bis Hitler an die Macht kam, lebte Rudolf in der deutschen Hauptstadt – mit Ausnahme einer kurzen Unterbrechung von zwei Jahren, als er seinem Freund Herbert Schlüter nach Paris folgte. Den Schriftsteller und Intellektuellen Schlüter hatte er zu Beginn der zwanziger Jahre in Paris kennengelernt. Rudolf und Herbert verbanden ähnliche sexuelle Neigungen, und die Freundschaft der beiden sollte, von einigen kurzen Trennungen abgesehen, mehr als einundzwanzig Jahre halten, bis zu dem Zeitpunkt, als Rudolf in Florenz verhaftet wurde.

Schnell wurde Rudolf auf den Berliner Künstlerbällen zu einer zentralen Figur. Er fühlte sich in den »Bohemekellern« zu Hause und war auch in den Häusern der reichen Kunstmäzene ein gerngesehener Gast. Seit 1928 fungierte er sogar zusammen mit Charlotte Berend, George Grosz, Max Pechstein, Hans Purrmann und anderen als Vorstands- und Jurymitglied der Berliner Secession. Die Türen eines Hauses allerdings blieben ihm versperrt: In der Polziner Bismarckpromenade wollte man ihn nicht mehr sehen. Leo ließ es nicht bei einem Bann bewenden, sondern verbot sogar allen in seiner Umgebung, den Namen dieses aufsässigen Familienmitgliedes laut auszusprechen. Siegfried und Lisbeth, die ihre Zeit zwischen Stettin und Berlin aufteilten, ignorierten die Verfügungen. Mehr noch: Sie trafen sich sogar regelmäßig mit Rudolf und Genia. Siegfried, der eine Schwäche für die Photographie hatte, liebte es, Genia in ihrem Labor zu besuchen, wo sie ihre Filme entwickelte und Abzüge anfertigte, zumeist Ablichtungen von Gemälden für Kunstbände und Ausstellungskataloge.

Siegfried und Leo leiteten das Familienunternehmen mit großer Umsicht. Sie standen tagtäglich telefonisch in Verbindung, und keiner fällte irgendeine geschäftliche Entscheidung, ohne den anderen einzubeziehen. Es war zwischen ihnen niemals ernstlich zum Streit gekommen. Beide hatten das Ziel ertragreicher Profite vor Augen, und die Jahresbilanzen der Firma bewiesen, daß alles bestens lief.

Leo und Siegfried konnten Ernst, Ida und Lina mühelos, wie testamentarisch verfügt, ihren Firmenanteil auszahlen. Leo hielt jeden einzelnen Paragraphen des Testamentes peinlich genau ein und wich keinen Deut von den Anweisungen seines Vaters ab. Die Firmenleitung war wie schon in der Vergangenheit konservativen und unnachgiebigen Stils. Doch trotz der Wahrung des Althergebrachten konnten sie jedes Geschäftsjahr mit einem Gewinn abschließen, der die Ausgaben für die Bedürfnisse der Familie überstieg. Den Überschuß investierte Siegfried in Aktien und Wertpapiere, wobei er darauf achtete, nicht alles auf eine Karte zu setzen: ein wenig Schwerindustrie, ein bißchen Banken und Versicherungsgesellschaften und daneben ausländische Devisen – das war sein Motto.

Siegfried vermied während seiner Besuche in Polzin grundsätzlich zwei Themen: Prinzipien und Politik, denn in beiden Fragen fanden die Brüder keinen gemeinsamen Nenner. Siegfried fühlte sich von den Umtrieben der extremen Rechten bedroht, und angesichts der zunehmenden Aktivitäten dieser Kreise wurde ihm immer banger ums Herz. Für Leo hingegen war Adolf Hitler lediglich ein »Spinner mit Schnurrbart«, wie er ihn nannte, eine vorübergehende Erscheinung. Nachdem dieser »Spinner« jedoch auch in Stettin eine angriffslustige Rede gehalten hatte, brachte Siegfried das Thema doch zur Sprache.

»Wer ›Mein Kampf‹ gelesen hat, der kann einfach nicht gleichgültig wegsehen«, behauptete er.

»Du solltest diesen Schund nicht lesen«, meinte Leo aufgebracht. »Diese ganze Rassenideologie ist nichts anderes als ein schlechter Witz, der bald in Vergessenheit geraten wird. Niemals werde ich Bücher wie ›Mein Kampf‹ lesen oder ins Haus holen.«

»Genau das hast du auch einmal über Herzls ›Judenstaat‹ gesagt«, hielt ihm Siegfried entgegen.

»Wie kannst du diese beiden Bücher nur in einem einzigen Atemzug nennen?« fragte Lisbeth, die die Unterhaltung verfolgt hatte.

»Ich vergleiche sie gar nicht«, antwortete Siegfried. »Und dennoch sind sie wie die zwei Enden eines Stocks: Sie werden niemals zueinanderfinden, und dennoch sind sie, zumindest nach Leos Weltanschauung, nicht voneinander zu trennen.«

»Ich habe niemals darüber nachgedacht«, sagte Leo gedankenverloren. »Aber man kann jeden Stock in zwei Stücke zerbrechen.«

Diese unangenehme Unterhaltung geriet schnell in Vergessenheit. Siegfried verabschiedete sich mit einem herzlichen Händedruck von seinem Bruder und fuhr nach Stettin zurück.

Neben den familiären Geschäften in Polzin widmete er sich seinen eigenen Unternehmungen. Eines der Zimmer der Wohnung diente ihm als Büro. Lisbeth, der es Vergnügen bereitete, Gäste zu bewirten, gab Gesellschaften. Zwar waren auch Siegfried und Lisbeth wie Leo und Else darauf bedacht, ihre Bekannten sorgfältig auszuwählen; doch war im Gegensatz zu ihren Polziner Verwandten das Sieb nicht so engmaschig, daß nur wenige hindurchzuschlüpfen vermochten.

Anders als Leo verstanden Siegfried und Lisbeth Geld nicht nur zu verdienen, sondern auch zu genießen. Sie reisten gern und viel, besuchten Schweden und Spanien, machten Urlaub in Italien und sogar in Lappland, im hohen Norden Finnlands. Siegfried trennte sich niemals von seiner kleinen Leica, und was er auf Zelluloid verewigte, ordnete Lisbeth in zahllose Alben, die im Wohnzimmer ihrer Wohnung standen. Auf vielen Bildern ist sie in Kleidern namhafter Berliner und Pariser Modehäuser zu sehen. Leo gefiel ihr Lebenswandel nicht, verkniff sich jedoch eindeutige Bemerkungen. Als seine Tochter Eva vierzehn Jahre alt war und beschlossen wurde, sie auf das Gymnasium in Stettin zu schicken, weigerte er sich allerdings mit Nachdruck, seine Tochter im Hause seines Bruders unterzubringen. »Ich will nicht, daß sie etwas von dieser säkularen Atmosphäre annimmt, ich will nicht, daß sie von Lisbeths Speisen kostet, die vielleicht wohlschmeckend, aber mit Sicherheit nicht *koscher* sind. Und ich möchte auch nicht, daß meine Tochter an den französischen Parfums meiner Schwägerin schnuppert. Wir werden einen Platz bei anderen Familienmitgliedern für sie finden, die in jeder Hinsicht einen jüdischen Haushalt führen. Schließlich haben wir auch solche Verwandten.«

Siegfried nahm es ihm nicht übel.

Eva besuchte bereits seit zwei Jahren das Gymnasium, als ein Nazi zu ihrem Klassenlehrer ernannt wurde. Der neue Lehrer trug den Schülern seiner Klasse auf, einen Aufsatz über ihren Stammbaum zu schreiben. Außerdem sollten sie auf die dominante Augen- und Haarfarbe ihrer Familie eingehen und das Herkunftsland ihrer Vorväter benennen. Seine Absicht war nur allzu offensichtlich. Als Eva am Wochenende zu einem kurzen Besuch nach Polzin fuhr, klagte sie ihrem Vater ihr Leid: »Was soll ich denn nur schreiben, Papa?« fragte sie.

»Keine Sorge, meine Kleine«, beruhigte er sie. »Juden leben schon seit Jahrhunderten in diesem Gebiet. Du kannst historische Dokumente zitieren, die dies eindeutig beweisen. Such doch mal im Stadtarchiv.«

Eva befolgte den Rat ihres Vaters. Sie fand ein Dokument vom 12. Januar 1325. Darin wurden dem Juden Jordan sowie dessen Nachkommen als Dank für treue Dienste für die Stadt besondere Rechte zugestanden. Jordan und seine Nachfahren wurden von zusätzlichen Steuern befreit; er mußte lediglich wie die anderen Bürger der Stadt Stettin jährlich vierzig Taler entrichten. Das erste Dokument, in dem die Familie Levy erwähnt wurde, datiert aus dem frühen neunzehnten Jahrhundert, als in Stettin eine ordentliche jüdische Gemeinde gegründet und amtlich anerkannt worden war. Ein Angehöriger der Familie Levy hatte großzügig für den Bau der ersten Synagoge gespendet und sich für hundert Taler auf Lebzeiten einen Gebetsplatz gesichert. Als 1848 in die Synagoge eingebrochen wurde, hatte der Vorsteher der Gemeinde, Louis Levy, eine Belohnung für die Ergreifung der Einbrecher ausgesetzt. Am 14. Juni war am Eingangstor der Synagoge eine Mitteilung angebracht worden: »Die gestohlenen Leuchter wurden an ihren Platz zurückgeführt. Innerhalb von zwei Tagen wurden die Diebe gefaßt und den Hütern des Gesetzes übergeben. Dem Goldschmied Bernau, der zu ihrer Ergreifung beitrug, wurde die ausgesetzte Belohnung ausgezahlt.«

Eva war für den Aufsatz so fleißig, als wollte sie es nicht nur mit einem einzelnen nationalsozialistischen Lehrer aufnehmen, sondern die gesamte Rassenideologie widerlegen. Als sie den Aufsatz einreichte, konnte der Lehrer seinen Groll nicht verbergen. Die Namen ihrer Vorfahren fanden sich schon in dreihundert Jahre alten Bürgerregistern der Stadt Hannover; und laut Evas Darstellung hatten alle Familienmitglieder blaue Augen, helles Haar und waren von kräftiger und großer Statur – »arischer« ging es kaum.

Doch auch ihre »arischen« Rassemerkmale halfen der Familie Levy nicht, als die Nazi-Ideologie immer mehr um sich griff. Eva mußte das Gymnasium schließlich verlassen. Ihr Vater begann sich Gedanken über ihre Zukunft zu machen. Zum ersten Mal in seinem Leben kam es ihm, der die zionistische Idee so strikt ablehnte, in den Sinn, sie gemeinsam mit ihren beiden älteren Schwestern in die »nationale Heimstätte« der Juden in Palästina zu schicken – zumindest für geraume Zeit, so lange, bis die Gemüter sich beruhigt hatten. Wie seine jüdischen Nachbarn in Polzin war auch Dr. Leo Levy der Ansicht, daß die Vernunft letztlich siegen werde und Menschen wie Adolf Hitler nur Randfiguren der Geschichte bleiben würden. Trotzdem konnte er die Augen nicht länger vor dem verschließen, was um ihn herum geschah. Pommern war immer unerschütterlich konservativ-reaktionär und preußisch-national gewesen, die Linke hatte hier nie Fuß fassen können. Bei den Reichstagswahlen am 5. März 1933, etwa zwei Monate nach Hitlers Ernennung zum Reichskanzler, war es der NSDAP trotz Terrors und massiver Behinderung der anderen Parteien nicht gelungen, die absolute Mehrheit zu erringen. In Pommern hingegen erhielt sie 56,3 Prozent aller abgegebenen gültigen Stimmen.

Etwa zwei Wochen später, am 23. März 1933, entledigte sich Hitler mittels des Ermächtigungsgesetzes des Reichstages; das Parlament schaltete sich selbst aus, indem es das verfassungsmäßige Gesetzgebungsverfahren suspendierte und die Gesetzgebung an die Regierung übertrug. Der »Spinner mit dem Schnurrbart« wurde zum allmächtigen Diktator. Seine Handlanger bemächtigten sich schnell aller staatlichen und öffentlichen Institutionen und erklärten den »Feinden des Regimes«, in erster Linie Linken und Juden, den Krieg.

Bis zu diesem Moment war der Haß gegen Juden zwar ein immer wieder auftauchendes Phänomen gewesen, niemals aber von staatlicher Seite institutionalisiert worden. Schon vierhundert Jahre zuvor hatte Martin Luther gefordert, Deutschland von den Juden zu befreien, ihr Geld und ihren Schmuck zu konfiszieren, in ihre Häuser einzubrechen und diese zu zerstören, sie wie Zigeuner in Pferdeställen unterzubringen und ihre Tempel in Brand zu stecken, denn »sie beklagen sich ohne Unterlaß über uns bei Gott«. Und etwa fünfzig Jahre zuvor hatte der Philosoph Friedrich Wilhelm Nietzsche den Herrenmenschen postuliert und behauptet, das kommende Jahrhundert werde die Entscheidung über das Schicksal der Juden Europas bereithalten. Die Juden würden sich entweder zu den Herrschern Europas aufschwingen oder aber von Europa zu Sklaven gemacht werden, so wie ihre Väter und Vorväter in Ägypten als Sklaven gedient hätten.

Aber all die Verleumdungen, Verfolgungen und grausamen Pogrome der Vergangenheit sollten verblassen vor dem, was die europäischen Juden während des Dritten Reiches in wohlorganisierter Weise und unter Absicherung von Gesetzen würden erleiden müssen. Im Hause Levy hörte man das Grollen und Donnern, das den Sturm ankündigte, ohne zu verstehen, daß diese Vorboten das Ende verkündeten.

Zu *Pessach* des Jahres 1933 versammelte sich die Familie in Bad Polzin zum traditionellen *Sederabend*. Ernst brachte Frau und Töchter mit. Siegfried und Lisbeth glänzten durch Abwesenheit. Sie wollten die Feiertage in größtmöglicher Distanz zu dieser Heimat, die sie nicht haben wollte, verbringen. Während sich Leo in Polzin zu Tisch begab, war Siegfried mit seiner Ehefrau auf dem Weg nach Südfrankreich. Man schrieb den 15. April. Zwei Wochen zuvor hatte sich Rudolf von Genia getrennt und am 1. April das Reich verlassen, dieses Mal für immer. In Nizza traf er sich mit Siegfried und Lisbeth; auch ihre Nichte Sanna, die Tochter von Ida und Paul, war bei ihnen. Sie verbrachten einige beschwingte Tage miteinander. Die angenehme Sonne der französischen Riviera half ihnen zu vergessen, was sich daheim zutrug. Nach diesem Kurzurlaub reiste Siegfried wegen geschäftlicher Angelegenheiten in die Schweiz. Sanna brach nach Rom auf und Rudolf nach Rapallo, um Oskar Kokoschka zu treffen. Seine Zukunft lag im dunkeln. Er sehnte sich nach Genia und Herbert, die in Berlin zurückgeblieben waren, und hatte keine Ahnung, wohin ihn sein Schicksal treiben würde. Lediglich eines stand unumstößlich fest: Er gelobte, so lange nicht nach Deutschland zurückzukehren, wie die Nazis dort an der Macht waren. Seit seiner Abwesenheit war erst ein Monat verstrichen, doch sein Name war bereits von der Liste der Vorstandsmitglieder der »Berliner Secession« getilgt. In der deutschen Presse war zu lesen:

»Zu den zahlreichen kulturellen Vereinigungen, die in den letzten Wochen eine grundlegende Umgestaltung im Sinne der durch das deutsche Volk gehenden nationalsozialistischen Erneuerungsbewegung erfuhren, ist jetzt auch die Berliner Secession gekommen. Die deutschbewußten Kräfte darin, die lange Jahre vom jüdischen Element zurückgedrängt wurden, haben wieder die Oberhand gewonnen. Die Juden sind aus der Vereinigung ausgeschlossen worden, und in der Generalversammlung vom 2. Mai wurde die Berliner Secession neu gegründet.«

Auf der konstituierenden Versammlung dieser neu ins Leben gerufenen Vereinigung skizzierte Emil van Hauth, der neue Vorsitzende, den zukünftigen Weg wie folgt:

»Wir wollen auf ganz neuer Grundlage die Secession aufbauen. Wir wollen ein Stoßtrupp deutscher Kunst werden, anschließend an die hohe Tradition der Berliner Secession. Wir Künstler sind verpflichtet, die Konsequenzen der neuen Staatsidee vorausschauend zu erkennen und voranzutragen. Die Secession verpflichtet sich, die schöpferischen Kräfte aller deutschen Landschaften und Stämme zu sammeln und ihre Mannigfaltigkeit und Verschiedenheit zum Ausdruck zu bringen. Der Anlaß zur ersten Gründung der Secession war die Kampfansage gegen die reaktionäre, akademisch-verknöcherte, epigonenhafte Kunstgesinnung des damaligen offiziellen Deutschlands. Die Berliner Secession nimmt die Verantwortung auf sich, durch die ernste Arbeit ihrer Mitglieder mit zur Klärung dessen beizutragen, was künftig unter deutscher Kunst verstanden werden soll.«

Als Leo während des feierlichen Abendessens am Kopfende des Tisches saß, fühlte er sich wie der Kapitän, der das häusliche Schiff in sichere Gefilde lenkt, Gefilde, die seiner Ansicht nach von vorangegangenen Generationen auf ewig definiert worden waren.

Am nächsten Morgen warf ein Unbekannter ein faules Ei in das Zimmer des Religionslehrers Viktor im Erdgeschoß des Hauses in der Bismarckpromenade. Bernhard hatte dem Gelehrten, der aus Osteuropa nach Polzin gekommen war und die Verantwortung für den jüdischen Religionsunterricht übernommen hatte, dieses Zimmer überlassen. Leo verabscheute zwar diesen »Ostjuden«, doch er ehrte seinen Vater und brach daher die Vereinbarung nicht. Er zahlte ihm auch weiterhin ein Gehalt, damit er ohne Probleme seinen Lebensunterhalt bestreiten und seine ganze Aufmerksamkeit dem Unterricht widmen konnte.

Mittags suchte Viktor die Wohnung der Familie auf und flüsterte Leo etwas ins Ohr. Leo bat seine Verwandten um Entschuldigung, nahm seinen Gehrock, heftete sein Militärverdienstkreuz daran und begab sich in den Kurpark. An der Tür des Cafés Zell hing ein neues Schild: »Juden betreten diesen Ort auf eigene Gefahr.«

Leo las den Text wieder und wieder. Dann stieß er unvermittelt die Tür auf und stieg die drei Stufen in den Hauptraum hinauf, wo einige gelangweilte Gäste saßen. Über ihre Bierkrüge hinweg warfen sie ihm verwunderte und neugierige Blicke zu. Wahrscheinlich hofften sie, daß nun endlich etwas Interessantes passieren werde. Gastwirt Zell, der mit dem Aufräumen der Theke beschäftigt war,

Urkunde zur Verleihung des Militär-Verdienstkreuzes 2. Klasse mit der Krone für Kriegsverdienst an Leo Levy, Januar 1915

tat, als hätte er den Gast nicht bemerkt. Leo ging auf ihn zu und grüßte.

»Guten Tag, Herr Doktor Levy«, antwortete Karl Zell und legte den Lappen zur Seite. »Der Kuchen ist ausgegangen. Soll ich Ihnen vielleicht ein Helles bringen?«

»Danke, nein. An *Pessach* ist uns Mehl ebenso untersagt wie Bier.«

»Ja, natürlich. Dann vielleicht einen Rachenputzer?«

»Bitte?« Leo hatte keine Ahnung, wovon der Wirt sprach. Zell erklärte es ihm lachend:

»Ich habe einen kleinen Schnaps gemeint.«

»O nein, mein Freund. Ich bin nicht zum Trinken gekommen.«

»Wenn Sie beten wollen, ist das hier nicht der richtige Ort«, warf einer der Gäste frech ein und nahm einen kräftigen Schluck aus seinem Krug. Alle brachen in Gelächter aus. Leo schwieg, wirkte allerdings keineswegs peinlich berührt. Der Gastwirt zuckte mit den Schultern, als wollte er andeuten, daß er für seine Gäste nicht verantwortlich sei, und fragte:

»Also, Herr Doktor, was möchten Sie?«

»Ich würde gern in Erfahrung bringen, welchen Gefahren ich ausgesetzt bin, wenn ich mich hier aufhalte«, sagte Leo und zeigte hinter sich in Richtung des Schildes.

»Ach, das?« sagte Zell wegwerfend. »Das ist völlig bedeutungslos, Herr Doktor Levy. Da kamen welche von der Ortsgruppe der SA und haben mich gebeten, dieses Schild in der Tür auszuhängen.«

»Sind Sie Mitglied der Sturmabteilung?«

»Nein. Aber wer bin ich schon, daß ich mich mit denen anlege?«

»Ich verstehe. Ich verstehe Sie vollkommen«, entgegnete Leo mit unvermittelter Strenge. »Aber wenn Sie wieder einmal einen Kredit zu besonderen Konditionen benötigen, wenden Sie sich besser an jemand anders.«

»Das hätte ich ohnehin getan, Herr Doktor«, antwortete der Gastwirt beleidigt und fügte sofort hinzu: »Und außerdem ist es gar nicht so sicher, daß Sie in Zukunft überhaupt noch Geld haben, das Sie verleihen können.«

Die Biertrinker grölten zustimmend.

Leo räumte das Feld und begab sich gemessenen Schrittes hinaus. Er spürte die Blicke der Anwesenden im Rücken, doch niemand verließ seinen Platz, keiner sagte etwas. Er ging die drei Stufen zur Tür hinunter. Aus einem ersten Impuls heraus hätte er sie am liebsten hinter sich zugeknallt, doch er besann sich und schloß sie leise und behutsam. Er war mit sich selbst durchaus zufrieden.

Am Abend berichtete er Ernst von dem Zwischenfall. Der große Bruder reagierte immer sehr schwerfällig, und auch dieses Mal vergingen einige Sekunden, bevor er etwas sagte.

»Leo, glaubst du tatsächlich, daß du die Nationalsozialistische

Deutsche Arbeiterpartei besiegt hast?« Und nach einer weiteren Minute fügte er hinzu: »Wußtest du, daß das Reichsjustizministerium die Ernennung meines Schwiegersohnes rückgängig gemacht hat?«

Ernsts Schwiegersohn war Rechtsanwalt und in den letzten Tagen der Weimarer Republik zum Richter ernannt worden. Alle hatten ihm eine steile Karriere vorausgesagt. Doch nach nur vier Monaten war ihm seine Abberufung mitgeteilt worden. Am 7. April war das »Gesetz zur Wiederherstellung des Berufsbeamtentums« erlassen worden, das alle Juden ihrer staatlichen Ämter enthob.

Es war jedoch nicht dieser schwere Schlag, der Ernst dazu bewog, Bilanz zu ziehen. Am 10. Mai, als er sich von seinem Büro nach Hause begab, nahm er eine merkwürdige Stimmung in den Straßen von Berlin wahr. Tausende von Studenten erhellten die Prachtstraße Unter den Linden und den Vorhof der Universität mit Fackeln. Angesichts der gemachten Erfahrungen beeilte sich Ernst, diesen Ort schleunigst zu verlassen. Am nächsten Morgen erfuhr er, daß die fanatisierte Menge annähernd zwanzigtausend Bücher auf einem riesigen Scheiterhaufen verbrannt hatte. Neben den Werken von Thomas und Heinrich Mann, Stefan und Arnold Zweig hatten die aufgeputschten Studenten auch Bücher von Albert Einstein und Marcel Proust, von Erich Maria Remarque und Émile Zola, Jack London, Arthur Schnitzler, Lion Feuchtwanger und H. G. Wells den Flammen übergeben. Ein derartiges Spektakel hatte es in Europa seit den *Talmud*-Verbrennungen vom 3. März 1241 gegenüber der Pariser Kathedrale Notre-Dame nicht mehr gegeben. Jetzt hatte die Deutsche Studentenschaft allen Werken, die angeblich »eine Verunreinigung des deutschen Gedankengutes« darstellten, den Kampf angesagt, folglich also jedem gedruckten Wort, das nicht in Einklang mit der nationalsozialistischen Ideologie stand. Dieser Akt war für Ernst verabscheuungswürdiger als jede antisemitische Gewalttat. Er bestellte seine Tochter Thea und deren Ehemann zu sich. »Ich fürchte, wir haben keine Zukunft in diesem Land«, eröffnete er ihnen. Dies war der zweite überraschende Ausspruch aus dem Munde eines Mitglieds der Familie Levy.

Ernst, der niemals wichtige Entscheidungen fällte, ohne diese vielfach abzuwägen, wies sie an, noch im selben Monat die Koffer zu packen. Er kaufte ihnen Schiffspassagen erster Klasse für den Dampfer »Champollion«, der von Marseille nach Haifa übersetzte. Einundsechzig Jahre nachdem Ascher Levy das Heilige Land besucht hatte, reiste einer seiner Nachfahren erneut dorthin. Dieses Mal jedoch nicht als Fürsprecher der Mittellosen und Armen von Jerusalem, sondern als Flüchtling. »Sorgt euch nicht«, tröstete Ernst sie, »wir werden euch mit Sicherheit bald folgen.«

Und tatsächlich lösten Ernst und Käthe im September ihre Wohnung auf und bezogen in einer jüdischen Pension in der Schlüterstraße Quartier. Es galt nur noch, die Überführung der Gelder von Berlin nach *Erez Israel* zu regeln.

Als Hitler zum Reichskanzler ernannt worden war, besaßen die rund fünfhunderttausend deutschen Juden insgesamt Vermögenswerte von ungefähr zwölf Milliarden Mark, eine Summe, die sowohl für das Reich als auch für die Zionisten von Interesse war. Am 9. April hielt Arthur Ruppin, einer der Gründungsväter von Tel Aviv, in seinem persönlichen Tagebuch fest: »Wenn die deutsche Regierung den Juden erlauben würde, ihre Gelder oder einen Teil davon mitzunehmen, könnten einige Tausend sich in Palästina als Landwirte ansiedeln.« Das war im Grunde die Geburtsstunde einer großangelegten, komplizierten und gewagten Überführungsaktion, die unter dem Namen *Ha'avarah*-Abkommen bekannt werden sollte.

Die Idee erhielt Hand und Fuß, als sich in einer bescheidenen Tel Aviver Wohnung zwei Hauptaktionäre der landwirtschaftlichen Gesellschaft »Hanotea« trafen, die Orangenhaine und Grundstücke in der Nähe von Netanija besaß: Gad Machnes und Sam Cohen. Im Anschluß an dieses Gespräch reiste Sam Cohen nach Berlin. Zu seiner großen Überraschung wurde er ohne weiteres zu einem Gespräch im Reichswirtschaftsministerium vorgelassen. Im Büro des Regierungsrates Hans Hartenstein legte Cohen seine Pläne und Argumente dar:

»Die Wirtschaft des Reiches leidet unter dem weltweiten Boykott durch Juden. Der Export deutscher Waren nimmt zusehends ab. Die Regierung des Reiches ist darüber hinaus an der Emigration der deutschen Juden interessiert. Die Gesellschaft ›Hanotea‹ ist bereit, jüdisches Vermögen auf folgender Grundlage nach Palästina zu tranferieren: Für die Summe in Reichsmark, die die deutschen Juden auf Bankkonten einer Gesellschaft in Berlin einzahlen, werden wir Waren aus deutscher Produktion erwerben, um sie in *Erez Israel* oder anderen Ländern des Nahen Ostens weiterzuverkaufen. Den Erlös werden wir an diejenigen Auswanderer auszahlen, die das Reich verlassen und sich in Palästina angesiedelt haben. Bei dieser Verfahrensweise profitieren beide Seiten. Nazi-Deutschland wird den Boykott durchbrechen und seinen Export steigern. Potentielle Emigranten erhalten einen Ansporn auszuwandern, was Ihrer Politik entgegenkommt. Und den tatsächlichen Emigranten werden Mittel zur Verfügung stehen, um sich in ihrer neuen Heimat eine Existenz aufzubauen.«

Am 25. Mai 1933 verließ Sam Cohen mit einer schwarzen Tasche aus Seehundsfell unter dem Arm das Reichswirtschaftsministerium. In dieser Tasche befand sich die Genehmigung für die erste Transaktion in Höhe von drei Millionen Mark. In der Meinekestraße in Berlin eröffnete die PALTREU, die die Angelegenheiten in Deutschland koordinieren sollte, ihre Büros. Der PALTREU war es gestattet, Sonderkonten bei den Banken A. E. Wassermann in Berlin und M. M. Warburg in Hamburg zu eröffnen.

Regierungsrat Hartenstein hatte nicht nur selbst den Nutzen des *Ha'avarah*-Abkommens erkannt, es gelang ihm auch, die Instanzen in Partei und Staat und sogar die unterschiedlichen Sicherheitsorgane von diesem Nutzen zu überzeugen. Dieses Abkommen sei der geeignete Weg, behauptete er, die Juden des Reiches schneller zur Emigration zu veranlassen. Auch in der Kanzlei des Führers stieß die Idee auf Zustimmung. Die Leiter der Reichshauptbank sahen in erster Linie die ökonomischen Aspekte. Obwohl das *Ha'avarah*-Abkommen der Staatskasse keine ausländischen Devisen einbrachte, ermöglichte es doch die bessere Vermarktung deutscher Produkte, die aus unterschiedlichen Gründen – unter anderem wegen des weltweiten Boykotts deutscher Waren durch Juden – im Ausland keine Abnehmer fanden. Die langatmigen Diskussionen wurden im Runderlaß des Reichswirtschaftsministers unter anderem wie folgt zusammengefaßt:

»Um die Abwanderung deutscher Juden nach Palästina durch Zuteilung der erforderlichen Beträge ohne übermäßige Inanspruchnahme der Devisenbestände der Reichsbank zu fördern und gleichzeitig die deutsche Ausfuhr nach Palästina zu steigern, ist mit den beteiligten jüdischen Stellen ein Abkommen auf folgender Grundlage abgeschlossen worden:

Auswanderern, denen die Auswanderungsberatungsstelle bestätigte, daß über den als Einreisegeld genehmigten Mindestbetrag von eintausend Palästina-Pfund hinaus weitere Beträge zur Gründung einer Existenz in Palästina erforderlich und angemessen sind, kann im Rahmen dieses Gutachtens für den fünfzehntausend Reichsmark übersteigenden Betrag die Genehmigung zur Einzahlung auf ein bei der Reichshauptbank errichtetes Sonderkonto I der Bank der Tempelgesellschaft (Bank of the Temple Society Ltd.) zugunsten einer in Palästina zu errichtenden jüdischen Treuhandgesellschaft erteilt werden.

Das Sonderkonto I, für das zusammen mit dem weiter unten zu erwähnenden Sonderkonto II zunächst ein Betrag von drei Millionen Reichsmark vorgesehen ist, wird von der Tempelbank als Treuhandkonto für die genannte jüdische Treuhandgesellschaft geführt. Den Auswanderern wird der Gegenwert ihrer Einzahlung nach Maßgabe der aus dem Absatz der deutschen Waren in Palästina zur Verfügung stehenden Beträge durch die palästinensische Treuhandgesellschaft nach der Reihenfolge und dem Verhältnis der Einzahlung auf dem Sonderkonto I untereinander in Palästina-Pfund ausgezahlt. (...)

Für die Bank der Tempelgesellschaft ist bei der Reichshauptbank ferner ein Sonderkonto II eingerichtet worden. Auf Antrag können die Devisenbewirtschaftungsstellen deutschen Staatsangehörigen jüdischen Volktums, die zur Zeit noch nicht auswandern, sich aber gleichwohl schon jetzt eine Heimstätte in Palästina schaffen wollen, die Genehmigung zur Einzahlung von Beträgen bis zu höchstens fünfzigtausend Reichsmark je Person auf diesem Konto (ebenfalls zugunsten einer in Palästina zu errichtenden jüdischen deutschen Treuhandgesellschaft) erteilen.

Erwirbt eine Person, die ihren inländischen Wohnsitz noch nicht aufgegeben hat, infolge der Einzahlung auf Sonderkonto II durch Eingang entsprechender Warenzahlungen bei der Treuhandgesellschaft in Palästina dort ein Guthaben in Palästina-Pfunden, so ist dieses Guthaben nach den Grundsätzen der Durchführungsverordnung zur Devisenverordnung der Reichsbank anzubieten. Die Reichsbank ist aber bereit, dem Pflichtigen dieses Guthaben zunächst auf sechs Monate zu belassen und diese Frist auf Antrag und bei Vorlegung eines befürwortenden Gutachtens des Palästina-Amtes Berlin entsprechend zu verlängern. Will ein solcher Inländer über sein Guthaben zum Ankauf von Land in Palästina oder zu sonstigen Anlagen dort verfügen, so hat er die erforderliche Genehmigung bei der zuständigen Devisenbewirtschaftungsstelle unter Vorlage einer Bestätigung des Deutschen Generalkonsulats in Jerusalem über die ernsthafte Absicht der Anlage nachzusuchen.

Für andere Zwecke als für Anlage in Palästina kann eine Genehmigung zur Verwendung des Guthabens nicht erteilt werden. (...)«

Da nunmehr die rechtliche Grundlage für das *Ha'avarah*-Abkommen gelegt war und man davon ausging, daß der anfängliche Betrag von drei Millionen Mark sehr schnell aufgebraucht sein würde, fürchteten die Nazis, der Kontakt zu der Privatfirma »Hanotea« trage den Interessen des Reiches nicht genügend Rechnung. Regierungsrat Hartenstein forderte, die Umsetzung des *Ha'avarah*-Abkommens offiziellen und weltweit agierenden Vertreterschaften der Juden zu übertragen. Auf diese Weise gedachten die deutschen Wirtschaftsführer den Boykott, der insbesondere in England und den USA erneut Zuspruch gefunden hatte, zu brechen. Die jüdischen Weltorganisationen standen somit vor einer schwierigen Frage: Sollte man den Boykott fortsetzen oder lieber dieses Abkommen unterstützen, durch das man Zehntausende von Juden würde retten können? Diese Frage stand im Mittelpunkt der Diskussionen des Zionistenkongresses in Luzern im Sommer 1935. Die Kongreßabgeordneten entschieden beinahe einstimmig, die Transaktionen des *Ha'avarah*-Abkommens der Zionistischen Weltorganisation zu unterstellen. Von diesem Tag an nahm etwas Unglaubliches seinen Lauf: Das jüdische Establishment führte direkte Verhandlungen mit den Nazis.

Das *Ha'avarah*-Abkommen wurde ohne Unterbrechung bis zum Ausbruch des Zweiten Weltkriegs fortgesetzt. Die Nazis waren bereit, auch nach dem 1. September 1939 ganz normal mit dem Handel fortzufahren, da Palästina, als Mandatsgebiet der Briten, nicht am Krieg beteiligt sei. Doch die englische Regierung war anderer Ansicht und untersagte dem *Jischuw* in *Erez Israel* jeglichen Kontakt mit Hitler-Deutschland. Auf diese Weise verblieb auf den Konten der beiden jüdischen Banken Wassermann und Warburg ein Betrag von mehr als achtzig Millionen Mark. Aus unerfindlichen Gründen konfiszierten die Nazis dieses Geld nicht, und nach dem Krieg wurde es den ursprünglichen Eigentümern zurückerstattet.

Mehrere zehntausend Juden aus Deutschland nutzten die Dienstleistungen der PALTREU, und schnell hatte sich ein Überschuß an Geld angesammelt. Zu Beginn der dreißiger Jahre lebten lediglich zweihunderttausend Juden in Palästina. Der kleine *Jischuw* konnte wegen seiner schlechten wirtschaftlichen Lage nicht Waren im Wert von mehreren Millionen Mark erwerben. Folglich waren die Zionisten gezwungen, zusätzliche Märkte in anderen Ländern des Nahen Ostens aufzutun; eine schwierige und komplizierte Angelegenheit, vor allem in Anbetracht des Drucks, den das deutsche Generalkonsulat in Jerusalem ausübte. Es hatte von Anfang an gegen das Abkommen opponiert und aufgrund der lautstarken Forderungen der Araber jegliche Tätigkeit eingestellt, die mit der Zuwanderung weiterer Juden in Verbindung stand. Doch der Präsident der Reichsbank, Hjalmar Schacht, wies diese Opposition strikt zurück. Auch nachdem Schacht und Hartenstein 1937 aus der Leitung der Bank entlassen worden waren, hielten die Nazis am *Ha'avarah*-Abkommen fest. Doch im Laufe der Jahre verringerte sich der Wert einer sogenannten *Ha'avarah*-Mark. Da die deutschen Hersteller im Rahmen des Abkommens nicht in den Genuß der Prämie kamen, die den Auslandsverkäufern ihrer Waren üblicherweise in Devisen gezahlt wurde, war die PALTREU gezwungen, einen Teil der eingezahlten Gelder für den Ausgleich dieser Differenz aufzuwenden. Bekam man ursprünglich ein Palästina-Pfund für zwölfeinhalb Reichsmark, kostete es 1939 vierzig Reichsmark.

Ernst unterschrieb im Rahmen des *Ha'avarah*-Abkommens einen Vertrag über fünfzigtausend Mark mit einem minimalen Verlust von drei Prozent.

»Du bist wirklich *meschugge* geworden«, regte Siegfried sich auf, als er davon erfuhr. Leo schrieb Ernst einen vorwurfsvollen und mahnenden Brief: »Du warst schon immer leichtsinnig, aber ich hätte nicht gedacht, daß Du es so weit treiben würdest. Du bist zwar ein gelehrter Rechtsanwalt, verstehst aber nichts von Geld und Geschäften. Warum hast Du nicht, bevor Du diesen Unsinn unterschrieben hast, meinen Rat eingeholt?«

Letztlich stornierte Ernst wegen der Beschwörungen seiner Brüder den Vertrag. Wenige Monate später berichteten Bekannte aus Palästina, daß Thea ernstlich erkrankt sei. Ernst reiste umgehend zu ihr. Doch als er in Tel Aviv eintraf, stellte sich die Nachricht als Schwindel heraus. Thea war überhaupt nicht krank. »Ich kehre nach Berlin zurück«, versicherte er ihr, »und werde versuchen, mit Siegfried und Leo zu reden. Anschließend komme ich wieder und werde mich für immer hier niederlassen.« Doch Ernst Levy sollte nicht nach Deutschland zurückkehren. Während seines Aufenthaltes in Tel Aviv erkrankte er und verstarb innerhalb kürzester Zeit im Alter von nur siebenundfünfzig Jahren.

Leo behielt seine Trauer für sich. Als Else jedoch dreißig Tage nach dem Tod seines Bruders eine Gedenkkerze anzündete, seufzte er: »Siehst du – es gibt keine Erlösung in der Emigration.«

»Schschsch, du sündigst«, warnte Else und legte einen Finger auf seine Lippen.

Während Ernst bereits im September 1933 seine Wohnung aufgelöst hatte und in die Pension übergesiedelt war, verbreitete Leo noch immer Zuversicht. Die Versuche des neuen Regimes, sich eines Teils des Familienbesitzes zu bemächtigen, ignorierte er. Schon vor einiger Zeit hatte ihn der Leiter der Kalkwerke in Gramentz, Herr Filbrandt, über den überraschenden Besuch des Kreisbauernführers informiert, der eigens aus Köslin angereist war und gefordert hatte, das Unternehmen an einen nichtjüdischen Treuhänder zu übergeben. Filbrandt hatte ihn an die Firmenleitung in Polzin verwiesen, wo man nichts von ihm hörte. Doch Leo schöpfte seinen Optimismus auch aus anderen Quellen: In seiner Naivität war er tatsächlich der Ansicht, daß die schwersten Unruhen vorbei seien. Auch wenn auf dem Rathaus die Hakenkreuzfahne flatterte, der Apotheker am Marktplatz verkündet hatte, »außer Gift nichts an eine Judensau« zu verkaufen, die Brunnenstraße feierlich in Adolf-Hitler-Straße umbenannt und am Eingang zum Kurpark ein Schild mit der Aufschrift »Für Hunde und Juden Zutritt verboten« angebracht worden war, so diktierte das neue Regime dennoch nicht den gesamten Alltag. Die Bauern verkauften auch weiterhin ihr Getreide an die Firma Levy und erwarben den Dünger, den Leo Levy in den Gramentzer Werken produzierte. Auch die Gutsbesitzer, die einen Kredit benötigten, kamen noch immer in das Büro der Firma; allerdings versuchten sie, ihre Besuche geheimzuhalten, und forderten günstigere Zahlungskonditionen und Zinsen. Jede Transaktion wurde peinlich genau in den Geschäftsbüchern notiert, und Leo glaubte, daß nichts passieren könne, solange alle Seiten die erforderliche Ordnung einhielten.

Seit dem Zwischenfall im Café Zell achtete er darauf, in der Öffentlichkeit immer sein Militärverdienstkreuz zu tragen. Zudem hatte er sich um eine offizielle Bescheinigung bemüht, die ihn als »Frontkämpfer« auswies, denn ehemaligen Frontsoldaten wurde eine bessere Behandlung zuteil als »einfachen Juden«. Anfang November veröffentlichte die Reichsvertretung der deutschen Juden eine Mitteilung: Sie stellte sich hinter Hitlers Außenpolitik. Siegfried lachte lauthals darüber, nicht so Leo. Aufmerksam las er jedes Wort:

»Mit dem ganzen deutschen Volk sind auch wir Juden als Staatsbürger aufgerufen, zu der auswärtigen Politik der Reichsregierung unsere Stimme abzugeben. Sie wird gefordert für die Gleichberechtigung Deutschlands unter den Völkern, die Versöhnung der Nationen und die Befriedung der Welt. Trotz allem, was wir erfahren mußten: Die Stimme der deutschen Juden kann nur Ja sein.«

Die jüdische Presse sah darin nicht nur einen Ausdruck der Vaterlandstreue, einerlei welche Regierung herrschen mochte. Die »Jüdische Rundschau«, die die offizielle Bekanntmachung der Reichsvertretung publizierte, kommentierte am 3. November auf der Titelseite:

»Der Wunsch jedes deutschen Juden muß es sein, eine Klärung der jüdischen Stellung im Staate herbeizuführen, damit in solchen Momenten der Spannung und Entscheidung keine Zweifel an der Legitimation der jüdischen Bürger dieses Landes, sich an der Ausübung der staatsbürgerlichen Rechte zu beteiligen, entstehen können.«

Wunschvorstellungen und Realität waren jedoch zwei verschiedene Paar Schuhe. Kurz darauf ereilte das Haus Levy der erste direkte Schlag. Es war ein nebliger und feuchter Tag, typisch für diese Jahreszeit. Die Hügel, die Polzin umgaben, ließen eine Art Kessel entstehen, in dem Wolken und Nebel festhingen. In den Büros wurde wie gewöhnlich gearbeitet. Um fünf Uhr nachmittags hielt vor dem Haus in der Adolf-Hitler-Straße 14 ein schwarzer Mercedes. Ein Chauffeur in SA-Uniform öffnete die Tür zum Fond. »Hier ist es«, sagte er und zeigte auf die Büros der Firma. Leo brütete gerade über Preiskalkulationen, die am Morgen aus den Gramentzer Werken eingetroffen waren, als ein verschreckter Angestellter die Gäste ohne vorheriges Anklopfen in sein Büro eintreten ließ.

»Was soll das? Ich hatte doch Anweisung gegeben ...«, sagte Leo verärgert. Doch als er aufblickte und die Uniform sah, verstummte er.

»Sind Sie Leo Levy?« fragte ein korpulenter Mann in grünem Lodenmantel.

»Ich bin Dok-tor Leo Levy«, antwortete er, seinen Titel betonend.

Der unbekannte Besucher rückte sich selbst einen Stuhl zurecht und ließ sich, als wollte er seine Autorität demonstrieren, unaufgefordert nieder. Sein Begleiter legte zunächst den Hut auf den Tisch und stellte dann den Besucher vor:

»Sie haben die Ehre, mit Herrn Blödorn zu sprechen, dem Landesbauernführer der nationalsozialistischen Bauernschaft.«

»Sehr angenehm«, sagte Leo und streckte dem Besucher die Hand entgegen. Dieser erwiderte die Geste nicht.

»Ich bezweifle, daß es Ihnen tatsächlich angenehm sein wird, Levy«, hob Blödorn an. »Ich bin gekommen, um Geschäftliches zu besprechen.«

»Wir sind immer erfreut, unserer Kundschaft zu Diensten zu sein, ganz wie es in unserer Firma, die übrigens bereits seit 1841 besteht, Tradition ist.«

»Es ist an der Zeit, daß ihr euch aus dem Staub macht«, platzte der Begleiter, der sich nicht vorgestellt hatte, heraus.

Blödorn brachte ihn mit einer Handbewegung zum Schweigen und fragte: »Haben Sie das neue Gesetz gelesen, Levy?«

»Jeden Tag werden neue Gesetze erlassen. Auf welches beziehen sich der Herr?«

»Auf das Reichserbhofgesetz.«

»Nein, ich habe es noch nicht geschafft, mich eingehender damit zu befassen.«

»Sie sind wohl die ganze Zeit mit Geldscheffeln beschäftigt, was?«

»Wir entrichten Steuern für jeden Pfennig, den wir einnehmen, mein Herr. Wir haben nichts zu verbergen.«

»Von jetzt an werden Sie eine Reichsmark für jeden Pfennig, den Sie verdienen, zahlen«, lachte Blödorn sarkastisch, knöpfte seinen Mantel auf und streckte die Beine aus. »Warm hier«, merkte er an. »An Holz zum Heizen fehlt es Ihnen wohl nicht, wie?«

»Wir haben Sägewerke. Den Ausschuß ...«

»Ich weiß«, unterbrach ihn Blödorn. »Lesen Sie zuerst einmal das Gesetz«, sagte er und warf ihm eine dünne Broschüre zu. Leo fing sie auf, vertiefte sich schweigend darin und wurde bleich. Der Erlaß des Reichsministeriums für Ernährung und Landwirtschaft erklärte land- und forstwirtschaftlich genutztes Grundeigentum bis zu einer Größe von 125 Hektar zu Erbhöfen. Der Eigentümer eines Erbhofes mußte die deutsche Reichsangehörigkeit besitzen und »deutschen oder stammesgleichen Blutes« sein; der »arische« Stammbaum mußte bis zum 1. Januar 1800 zurückreichen. Erbhöfe galten von nun an als »grundsätzlich unveräußerlich und unbelastbar«, Geldforderungen gegen sie konnten nicht vollstreckt werden.

»Sind Sie fertig?«

Leo nickte. »Ja«, sagte er leise.

»Und haben Sie es verstanden?«

»Ja.«

»Das heißt, Levy, daß Sie auf die Eigentümerschaft des Gutes Neu Buslar verzichten müssen. Ein amtlicher Gutachter wird den Wert festlegen, und wir werden Ihnen eine gesetzliche Entschädigung zahlen. Schließlich sind wir ein Rechtsstaat und berauben die Bürger des Reiches nicht. Sie sind doch noch immer deutscher Staatsbürger, nicht wahr?«

»Soweit mir bekannt ist, ja.«

»Und ich darf Sie an noch etwas erinnern, Levy«, sagte Blödorn. »Von heute an sind alle Hypotheken, die Bauern auf ihren Besitz aufgenommen haben, null und nichtig. Sie können also deren Schulden nicht durch Einzug des Pfandgutes eintreiben.«

»In dem Gesetz ist nicht vermerkt, daß es rückwirkend in Kraft tritt«, wandte Leo ein.

»Sind Sie Rechtsanwalt oder Gutsbesitzer?« fragte Blödorn zynisch. Sein Begleiter lachte hämisch:

»Natürlich ist das alles ohne Bedeutung, wenn Sie Ihre Zugehörigkeit zur arischen Rasse nachweisen können.«

Leo überging diese Bemerkung einfach. Blödorn fuhr fort: »Ich gebe Ihnen drei Tage Zeit, eine detaillierte Liste anzulegen: jede Hypothek, alle Böden, jeder landwirtschaftliche Besitz. Ich komme Ende der Woche, um die Transaktion abzuschließen. Und was die Bauern angeht, die Ihnen Geld schulden, mit denen müssen Sie sich schon selbst rumschlagen. Ich rate Ihnen, Milde und Verständnis walten zu lassen.«

Die beiden Besucher verließen das Büro. Leo trat ans Fenster und sah ihnen nach, bis ihr Wagen um die nächste Straßenecke verschwunden war. Dann ließ er sich schwerfällig in seinen Sessel fallen und nahm die Broschüre erneut zur Hand. Der Text war sprachlich sehr verklausuliert und nicht immer verständlich. Schließlich ging er nach Hause. Nachdem es im Haus still geworden war und auch Else ihm bereits Gute Nacht gesagt hatte, wählte er Heinrich Marcuses Telefonnummer in Stettin und bat ihn um Rat. Der alteingesessene Rechtsanwalt mußte gestehen, ebenfalls machtlos zu sein: »Ich bin Jude wie Sie, mein Bester. Bei allen Verhandlungen mit Nazi-Funktionären werde ich immer den kürzeren ziehen. Sie haben nicht nur das Gesetz auf ihrer Seite, sondern auch die Macht. Aber die Sache ist noch nicht ganz verloren. Ich rate Ihnen, Rechtsanwalt Zubke aus Köslin hinzuzuziehen. Zubke ist hundertprozentiger Arier und ein gerissener Anwalt, der auch vor jüdischem Geld nicht zurückschreckt. Gegen ein gutes Honorar ist er sicherlich bereit, Sie aus den Schwierigkeiten herauszupauken.«

Die Bauern nahmen das neue Gesetz mit großer Zufriedenheit auf. Das Regime sorgte zudem dafür, daß die Preise für landwirtschaftliche Produkte heraufgesetzt wurden und das Ansehen des auf eigenem Boden wirtschaftenden Bauern stieg. Nicht umsonst schwärmten die Nazis für »Blut und Boden« und erklärten mit großem propagandistischem Aufwand die Bauern zum »Blutquell des deutschen Volkes«. Die Popularität der Nazis auf dem Lande wuchs. In seinen »Erinnerungen« schildert Albert Speer eine denkwürdige Autofahrt, die er mit Hitler zusammen unternommen hatte: »Überall auf dem Lande ließen Bauern ihre Geräte stehen, Frauen winkten, es war eine Triumphfahrt. Während das Auto dahinrollte, lehnte sich Hitler zu mir zurück und rief: ›So wurde nur ein Deutscher bisher gefeiert: Luther! Wenn er über das Land fuhr, strömten von weitem die Menschen zusammen und feierten ihn. Wie heute mich!‹«

Nun ja – als sich 1525 die deutschen Bauern zum einzigen Mal in ihrer Geschichte wegen der schweren Lasten, die auf ihren Schultern ruhten, gegen die Fürsten erhoben, hatte Martin Luther empfohlen, sich dieser »verrückten Hunde« – wie er die armen Aufständischen nannte – mit Härte und Grausamkeit anzunehmen ... Doch derzeit ging man großzügig mit historischen Parallelen um. Im Hinblick auf einen jüdischen Geschäftsmann und einen deutschen Bauern machte man nun eine einfache Rechnung auf: Der Bauer mußte seine Schulden nicht tilgen, und der Jude war gezwungen zu schweigen. Leo wußte, daß die Firma dies nicht überstehen würde: Ihre Liquidität und damit ihre Existenz war gefährdet. Das neue Gesetz schlug sich auch rasch im persönlichen Umgang nieder. Niemand grüßte Leo mehr zuerst, niemand lüftete mehr seinen Hut oder sprach auf der Straße mit ihm. Ein kurzer Brief des Bürgermeisters teilte ihm mit, daß man ihn nicht mehr zu den Honoratioren der Stadt zähle. Um die Familie herum entstand eine Atmosphäre gesellschaftlicher Isolation.

Rechtsanwalt Zubke forderte ein horrendes Honorar, doch er war sein Geld wert. Er hatte viel Erfahrung im Umgang mit Repräsentanten des Regimes. Noch war die Regierung darauf bedacht, ihrer Vertreibungspolitik den Anschein der Gesetzmäßigkeit zu verleihen, und kleidete sie daher in das Gewand ministerialer Verordnungen. Gewandte Juristen, »Arier« wie Zubke, lavierten ihre Klienten erfolgreich zwischen den Paragraphen hindurch, suchten nach Schlupflöchern und errangen dabei oft zumindest Teilerfolge. Zubkes zähe Verhandlungen mit den zuständigen Behörden endeten wenigstens mit einer Entschädigungszahlung für Neu Buslar, die unter den gegebenen Umständen noch als angemessen durchgehen konnte.

Als die Nazis als nächstes die Eigentümerschaft an den Kalkwerken in Gramentz einforderten, war es beinahe selbstverständlich, daß Leo und Siegfried sich erneut an die Kösliner Anwaltskanzlei wandten. Für Siegfried, der gerade einmal wieder von einer seiner Auslandsreisen zurückgekehrt war, war dies lediglich eine Angelegenheit von finanzieller Bedeutung. Nicht jedoch für Leo. Die Werke in Gramentz waren seine Schöpfung, er hatte sie aufgebaut und zudem monatelang daran getüftelt, wie man am effektivsten aus Kalk Düngemittel gewinnen konnte. Sein Herz schrie danach, den Zwangsverkauf zu verhindern. Verloren sie die Gramentzer Werke, so war seinem Gefühl nach das Schicksal des Familienunternehmens besiegelt; ausgerechnet der Verlust der jüngsten Firma kappte in seinen Augen die Wurzeln des Familienbetriebes, die bis in die Mitte des neunzehnten Jahrhunderts zurückreichten.

Der 4. Februar 1934 war ein Sonntag. Nach dem Gottesdienst setzte Rechtsanwalt Zubke seinen kleinen Opel in Bewegung und fuhr nach Grünwald. Die abschließende Sitzung in der Angelegenheit der Kalkwerke war im Hause des nationalsozialistischen Kreisbauernführers Klix einberufen worden. Zubke hatte Verstärkung mitgebracht. Leo Levy und der Gramentzer Werksdirektor Filbrandt begleiteten ihn nach Grünwald, außerdem war ein weiterer Rechtsanwalt namens Bayer aus Neustettin zugegen. Klix bereitete ihnen einen angenehmen Empfang. Seine Frau hatte Kaffee und Kuchen vorbereitet, und Klix holte aus einem Schränkchen selbstgebranntes Kirschwasser. Ein Außenstehender hätte glauben können, dies sei eine sonntägliche Zusammenkunft guter alte Freunde. Tatsächlich wurde mit harten Bandagen gekämpft.

Am nächsten Tag faßte Leo den Verlauf der Unterhaltung für Siegfried schriftlich zusammen:

»Zuerst fing Klix ziemlich scharf an, indem er sich zunächst gegen Rechtsanwalt Zubke wandte, daß man sich sehr gewundert habe, daß Zubke die Vertretung für uns übernommen habe. Dann ging es gegen mich, den er eigentlich schon längst wegen unsocialen Verhaltens hätte in Schutzhaft nehmen können. Auf meine Frage, worin dieses unsociale Verhalten denn bestanden haben sollte, fing er – in gleicher Weise, wie er es Filbrandt gegenüber die Tage vorher schon am Telephon getan hatte – an, daß wir die Löhne um dreißig Prozent abgebaut hätten, den Kalkpreis dagegen überhaupt nicht ermäßigt hätten. Ich bewies ihm sofort anhand des Lohnbuches, daß wir die Löhne von 1931 auf 1932 genau gemäß der Notverordnung vom 31. Dezember um zirka fünfzehn Prozent auf den Satz von 1927 gesenkt hatten und daß wir damals auch den Kalkpreis auf einhundertundzehn Reichsmark ermäßigt haben. Davon wollte aber Klix angeblich nichts wissen; trotzdem er sowohl 1932 wie 1933 selbst Kalk zu dem ermäßigten Preise bezogen hat, behauptete er, daß wir ihm den alten Preis berechnet hätten.

Dann fing er wegen der von uns angeblich zu Unrecht erfolgten verkürzten Arbeitszeit usw. an, was ich kurz dahingehend richtigstellte, daß wir uns darin genau nach den Intentionen der neuen Regierung gerichtet hätten, die wiederholt verkürzte Arbeitszeit empfohlen habe, um dadurch vermehrten Arbeitsentlassungen vorzubeugen. Zu dieser Verkürzung seien wir eben durch den – infolge der Boycottbestrebungen – verringerten Auftragseingang gezwungen worden, um überhaupt ohne Stillegung wenigstens bis Weihnachten durchhalten zu können.

Dazwischen erwähnte Klix dann – wohl um wieder etwas Angst zu machen – die vor einigen Tagen veranlaßte Schutzhaft des jungen Dennig in Juchow ›wegen unsocialen Verhaltens‹, und es gab in der ersten halben Stunde des öfteren scharfe Zusammenstöße, da ich seine unrichtigen Bemerkungen immer gleich nach Möglichkeit richtigstellte.

Klix fing dann an, den Brief einer landwirtschaftlichen Genossenschaft an den Landesbauernführer Blödorn vorzulesen, von dem er seinerzeit im Dezember schon Filbrandt am Telephon gesagt hatte, daß dafür gesorgt werden müsse, daß das Kalkwerk in andere Hände überginge, damit die Bauern den dringend benötigten Kalkmergel vom Gramentzer Werk beziehen könnten. Er las dann auch auszugsweise einen Brief des Ingenieurs Moritz-Kalkberge an ihn vor, worin Moritz-Kalkberge ihm offensichtlich verschiedene Zahlen nannte, die er anläßlich seiner Besichtigung in Gramentz und einer Besprechung mit mir genannt hatte. Aus diesem Brief geht hervor, daß Moritz-Kalkberge – der uns von der Regierung zugeführte Reflektant – sich jetzt mit Klix zusammentun will, um uns das Werk billigst abzujagen. Denn während Moritz-Kalkberge am 22. Dezember in Gramentz mir und Filbrandt gegenüber als ungefähren, von ihm geschätzten Dauerwert der Maschinen fünfundsiebzigtausend Reichsmark genannt hatte, schrieb er an Klix von anscheinend ca. vierzig- bis fünfzigtausend Reichsmark.

Wir fingen dann an, den Vertrag mit der Regierung durchzugehen, stellten dazwischen die von uns in den Jahren seit 1928 verkauften Kalkmengen und die in diesen Jahren gezahlten Gelder fest (z.T. durch telefonisches Befragen von Herrn Frick); ich nannte ihnen auch die erzielten Gewinne von Gramentz, und zwar in den letzten beiden Jahren je ca. zehntausend Reichsmark. Das Jahr davor Verlust wegen der Abschreibungen infolge der Sicherungsverfahren etc. ca. viertausend Reichsmark. Die Jahre davor ca. siebzehn- bis zweiundzwanzigtausend. In den Jahren seit 1930 sei der Umsatz infolge landwirtschaftlicher Schwierigkeiten auf etwa die Hälfte gegenüber den Jahren davor gefallen, und damit natürlich auch der Gewinn. (...)

Wir gingen dann wieder ins Bureau zurück, wo es dann dazwischen auch mal wieder politische Erörterungen gab, u.a. über die angebliche Berechtigung des Boycottes gegen die Juden, weil das ausländische Judentum deutsche Waren boycottiert, was aus dem letzten Außenhandelsbericht klar hervorginge. Ich habe gesagt, daß wir durchaus nicht gezwungen seien, auf alle Fälle vom Vertrag loszukommen, weil ja ein größerer Teil mehrjähriger fester Abschlüsse lief, und man ja auch annehmen dürfe, daß es auch sonst wieder besser werden würde. Klix meinte, daß er als Kreisbauernführer die Erbhof-Bauern so fest in der Hand habe, daß keiner wagen würde, wenn er Befehl gebe, nichts von uns zu kaufen, dagegen zu handeln. Wenn er bisher vermieden habe, direkten Befehl gegen uns zu geben, so sei es im Hinblick auf unsere Arbeiter geschehen; wenn wir aber durch zu hohe Forderungen eine Übernahme der Pacht unmöglich machten, so würde er eben ein striktes Abnahmeverbot herausgeben, und dann würden wir doch entweder bald schließen müssen oder ohne jeglichen Verdienst arbeiten. Und an eine Verlängerung der Verpachtung über 1939 hinaus sei doch bestimmt nicht zu denken.

Sowohl Rechtsanwalt Zubke als auch ich wiesen wiederholt auf die verschiedenen Ministerialerlasse hin, beispielsweise den von

Minister Frick vor einigen Tagen, worauf Klix erklärte, daß er in keiner Weise etwas Ungesetzliches tun wolle, daß er aber nach dem im neuen Staat anerkannten Princip von Blut und Boden als Bauernführer das Recht habe, den Kauf bei nichtarischen Firmen zu verbieten.

Klix wollte dann allmählich eine genaue Forderung von uns haben, worauf ich zunächst fragte, wie denn die Zahlung gedacht sei; worauf Klix sofort erklärte, daß alles gleich in bar ausgezahlt werden könne. Ich ging dann mit Rechtsanwalt Zubke ins Nebenzimmer, wo wir uns besprachen, daß unsere äußerste Forderung bei sofortiger Barauszahlung neunzigtausend Reichsmark für das Werk sei und daß die Vorräte an fertigem Kalkmergel, Rohkalk auf Kippe, Kohlen sowie sonstige Betriebsmaterialien zum Gestehungswerte übernommen werden müßten. Zweckmäßig müßte man dann den 1. März als Übergabetag nehmen ...«

Ende des Monats trafen in Gramentz fremde Arbeiter ein und demontierten das Firmenschild, das dort vor vielen Jahren angebracht worden war: »Kaiserliche Domäne Gramentz – Kalkwerk Ascher Levy«. Zwei Tage zuvor waren die offiziellen Verträge unterschrieben worden. Gegen eine Zahlung von fünfundsiebzigtausend Reichsmark ging das Werk an die neuen Besitzer. Und wieder, wie auch im Fall von Neu Buslar, waren die Gebrüder Levy mit dem Ausgang des Verkaufes vom geschäftlichen Standpunkt her durchaus zufrieden. Wie sehr Leo dieser Verlust jedoch schmerzte, läßt ein fast nebensächliches Detail erkennen: Er gab Anweisung, das Firmenschild auf einen kleinen Lastwagen zu verladen und in das Kollatzer Sägewerk zu bringen. Dort wurde es zu Kleinholz verarbeitet, und als die Sägeblätter sich kreischend durch das Holz fraßen, fühlte Leo sich, als schnitten sie ihm ins eigene Fleisch. Ihm war klar, daß nach Gramentz schnell auch alle anderen Firmen der Familie an die Reihe kommen würden. Die Eisenbahnverwaltung hatte bereits angekündigt, die Nebengleise, die das Kollatzer Sägewerk mit dem Staatlichen Eisenbahnnetz verbanden, stillzulegen und zu demontieren. Die Stillegung dieser Teilstrecke würde den An- und Abtransport unmöglich machen und auf diese Weise die Produktion im Grunde lahmlegen.

»Was machst du mit deinem Teil der Abfindung?« fragte Siegfried, als er mit Lisbeth für ein Wochenende in Polzin zu Besuch war.

»Ich habe das Geld erst einmal auf mein Bankkonto eingezahlt«, sagte Leo.

»Deine Naivität überschreitet alle Grenzen«, ärgerte sich sein Bruder. »Gestern haben sie uns Gramentz genommen, morgen werden sie sich an unseren Bankkonten vergreifen.«

»Du übertreibst wie üblich ... Und was machst du mit deinem Geld?«

Siegfried senkte die Stimme. »Warum versuchst du nicht, das Geld ins sichere Ausland zu schaffen?«

»So wie Ernst? Auf jede Überweisung ins Ausland erhebt man jetzt hohe Abgaben. Ich bin doch nicht *meschugge* und werfe ein Drittel meines Geldes zum Fenster hinaus.«

»Es gibt auch andere Wege.«

»Was meinst du damit?« fragte Leo, und in seiner Stimme schwang ein leiser Verdacht mit. »Ich hoffe, du führst nichts im Schilde, was die bestehenden Verordnungen umgeht?«

»Entschuldige bitte, ich habe nichts gesagt.« Siegfried zuckte mit den Schultern und schwieg. Die Brüder sollten sich nie wieder über dieses Thema unterhalten.

Dem Anschein nach hatte sich nichts geändert. Das Büro öffnete und schloß wie eh und je zu den festgesetzten Zeiten. Leo und Siegfried führten lange telefonische Gespräche, berieten sich in jeder Angelegenheit, doch bedeutende Geschäfte, die einer Absprache bedurft hätten, gab es immer weniger. Siegfried fuhr häufiger ins Ausland, ohne seinen Bruder über die Gründe dieser Reisen in Kenntnis zu setzen. Seine Abwesenheit schadete der Firmenleitung nicht. Von all den verzweigten Unternehmungen waren nur die Sägewerke übriggeblieben, und selbst die waren nicht voll ausgelastet. Im allgemeinen vermochte die Eisenbahnverwaltung keine für den Transport von Holzbohlen geeigneten Waggons zur Verfügung zu stellen. Leo nahm die Mitteilungen verärgert entgegen, schließlich war die Benachteiligung nicht nur offensichtlich, sondern auch gesetzwidrig. Es gab nicht eine Verordnung, die den Gebietsdirektor der Eisenbahn dazu ermächtigt hätte, Sägewerken, die sich in jüdischem Besitz befanden, das Recht streitig zu machen, ihre Ware zu den Kunden zu transportieren. Leo schickte einige Protestbriefe nach Köslin, ohne jedoch eine Antwort zu erhalten. Sein Cousin Paul war, seit er seine Arbeit für die Hedschasbahn beendet hatte, Bahnbeamter in Stettin und hatte sich im Laufe der Jahre bis zum stellvertretenden Chefingenieur hochgearbeitet. Jetzt wandte sich Leo, dem keine andere Wahl blieb, an ihn. »Hast du etwa vergessen, daß ich Jude bin?« fragte Paul, als sie miteinander telefonierten. »Meine Tage bei der Reichsbahn sind gezählt, und hier ist mit Sicherheit niemand, der etwas auf meine Meinung gibt.«

Paul Levy sollte noch annähernd ein weiteres Jahr bei der Reichsbahn angestellt bleiben. Seine jüdischen Kollegen, die während des Ersten Weltkriegs nicht gedient hatten und daher nicht in die Kategorie »Frontkämpfer« fielen, waren bereits im Laufe des Jahres 1934 ohne Abfindung entlassen worden. Paul war – zumindest einstweilen noch – durch seinen Kriegsdienst geschützt. Er war von der russischen Front mit einer Beinverletzung heimgekehrt und hatte zweimal das Eiserne Kreuz erhalten. Die Stettiner Reichsbahnleitung widersetzte sich seiner frühzeitigen Entlassung, da man für den technisch bewanderten Ingenieur keinen Ersatz finden konnte. Als Paul Levy am 2. Oktober 1935 auf der Titelseite des »Völkischen Beobachters« einen Artikel las, der die sofortige Entlassung aller noch bei der Reichsbahn angestellten Juden forderte, wußte er, daß nunmehr auch seine Stunde geschlagen hatte:

»Die Nürnberger Gesetze haben bei der Reichsbahn-Gesellschaft insofern schon praktische Ergebnisse gezeigt, als sie dem stellvertretenden Generaldirektor, S.A.-Oberführer Kleinmann, die Möglichkeit gaben, alle Widerstände zu beseitigen und sofort nach Veröffentlichung der Gesetze durch telegraphische Anweisung alle noch in leitenden Stellungen bei der Reichsbahn befindlichen Juden zurückzuziehen.

Wenn man erfährt, daß im Jahre 1935, über zwei Jahre nach dem Umbruch, bei der Deutschen Reichsbahn rund dreißig Juden in oberen Beamtenstellungen saßen, so fragt man sich, weshalb geschieht dies erst jetzt unter staatlichem Druck und nicht aus eigener Initiative?!«

Als Paul zum Stettiner Reichsbahndirektor gerufen wurde, sah er, daß eine Ausgabe des Parteiorgans offen auf dessen Schreibtisch lag. Das Gespräch war kurz. Der Direktor fühlte sich augenscheinlich unwohl in seiner Haut, doch Paul wußte, daß nichts auf der Welt etwas an dem Ergebnis dieser Unterredung würde ändern können. »Ihr Arbeitsverhältnis endet heute um Punkt vier Uhr«, verkündete der Direktor und trug ihm auf, seinen Nachfolger einzuweisen. Dann fügte er hinzu: »Der Staat hat Ihren Armeedienst berücksichtigt. Wir schicken Sie nicht mit leeren Händen nach Hause. In Paragraph Vier der Verordnung vom 15. November heißt es: ›Beamte, die im Weltkrieg an der Front für das Deutsche Reich oder für seine Verbündeten gekämpft haben, erhalten bis zur Erreichung der Altersgrenze als Ruhegehalt die vollen zuletzt bezogenen ruhegehaltsfähigen Dienstbezüge.‹ Was sein wird, wenn Sie das Pensionsalter erreichen, werden wir dann schon noch sehen.«*

In Bad Polzin nahm man die Nachricht von Pauls Entlassung beinahe gleichgültig zur Kenntnis. Die Zwangsjacke wurde in rasendem Tempo immer enger gezurrt, und die Schläge kamen inzwischen so regelmäßig, daß sie fast zur Gewohnheit geworden waren. Die Regelung des Holztransportes stand schon lange nicht mehr ganz oben auf der Prioritätenliste. Seit die Firma auf den Grundbesitz hatte verzichten müssen, vor allem auf große Waldgebiete, war sie zu Geiseln in den Händen jener Händler geworden, die das Rohmaterial vertrieben. Von Zeit zu Zeit wurde Holz zum Verkauf angeboten, oder Wälder wurden zum Abholzen freigegeben, wie in dieser Branche üblich, durch öffentliche Ausschreibungen. Leo verzichtete nicht auf das ihm formal zustehende Recht, sich daran zu beteiligen. Sorgfältig gekleidet und mit seinem Eisernen Kreuz am Aufschlag, fuhr er in die Kleinstädte und Dörfer, begutachtete das Holz mit fachmännischem Blick und bestimmte den Preis, den er zu zahlen bereit war. Manchmal machte er das beste Angebot, und trotzdem erhielt er niemals den Auftrag. Immer mehr Menschen zogen es vor, keine Geschäfte mit Juden zu tätigen. »Ihre Glaubensgenossen im Ausland boykottieren deutsche Produkte«, warfen sie ihm vor. »Es gibt keinen Grund, warum wir nicht ebenfalls die jüdischen Firmen unseres Landes boykottieren sollten.« Vergeblich erklärte er, daß er, Dr. Leo Levy, deutscher Staatbürger sei wie sie. Seine Worte stießen auf taube Ohren.

Der Schaden für die Firma war gewaltig. Weit mehr aber schmerzte Leo die fortschreitende Beschneidung und Verletzung seiner Rechte und das augenfällig veränderte Verhalten seiner Umgebung. Er war verletzt und aufgebracht zugleich. Doch am allerschlimmsten war es, all diesen Machenschaften schutzlos ausgeliefert zu sein.

Die Angestellten seiner Firma in Bad Polzin und die leitenden Arbeiter in den Werken hatten Leo immer respektvoll behandelt. Die meisten stammten aus der näheren Umgebung, und die Firma

---

* Paul Levy wurde 1941 in das Lager Piaski bei Lublin, im Osten Polens, deportiert und kam 1943 im KZ Majdanek ums Leben.

Ascher Levy kannten sie von Kindesbeinen an. Die Tatsache, daß die »Levys hier waren, bevor wir geboren wurden«, hatte zum Prestige der Firma nicht unwesentlich beigetragen. Bei der Firma Levy als Angestellter zu arbeiten hatte in Bad Polzin lange Zeit als etwas Besonderes gegolten. Die Angestellten der Firma hatten das Vertrauen der Leute ebenso genossen wie günstige Kredite in den Geschäften, da man an ihrer Zuverlässigkeit nicht gezweifelt hatte. Die Levys stellten hohe Anforderungen an ihre Angestellten, auch wenn Ascher und Bernhard und nach ihnen Leo niemals übertrieben großzügig gewesen waren; die von ihnen gezahlten Gehälter und Löhne waren stets im Rahmen dessen geblieben, was auch andere Firmen zahlten. Ihre Umgebung hatte dies dennoch nicht als Geiz verstanden, sondern als geschäftliche Umsicht gewürdigt. In Pommern protzte man nicht mit seinem Geld.

Leo hatte zwar immer eine gewisse Distanz zu seinen Mitarbeitern aufrechterhalten, doch nicht aus Überheblichkeit, sondern weil er überzeugt war, jeder müsse seinen Platz kennen. Das hatte ihn allerdings nicht davon abgehalten, sich von Zeit zu Zeit mit seinen Angestellten auch über alltägliche Dinge oder die Ereignisse in der Welt zu unterhalten. Gemeinsam hatten sie sich manchmal sehnsüchtig nach den verflossenen Tagen des Kaisers gesehnt und über die Weimarer Republik hergezogen. Kurz: Zwischen den Angestellten und ihrem Arbeitgeber hatte ein gewisses Einverständnis geherrscht.

Doch auch dieses Verhältnis war brüchig geworden. Im politischen Leben ist kein Platz für ein Vakuum. Den Platz der Deutsch-Nationalen hatte im Laufe der vergangenen Jahre in Pommern die NSDAP eingenommen. Und als die Regierung an die wirtschaftliche Grundlage der Firma rührte und damit ihre Existenz in Frage stellte, sahen auch die treuesten und langjährigsten Angestellten ein, daß es nicht länger ratsam war, die eigene Zukunft an die der Familie Levy zu knüpfen.

Man kannte Leo als einen unnachgiebigen Menschen. Nur die, die ihm nahestanden, wußten, daß dieser harte, kühle Mann für atmosphärische Veränderungen äußerst sensibel war. Meist gab er vor, das Geflüstere hinter seinem Rücken nicht gehört und die gesenkten Blicke der Passanten nicht wahrgenommen zu haben, doch als Siegfried wieder einmal für ein Wochenende nach Polzin kam, platzte Leo heraus:

»Mir scheint, daß wir uns nicht einmal mehr auf unsere Angestellten verlassen können. Zweifellos gibt es auch unter ihnen Denunzianten.«

»Wundert dich das, Leo? Sie wollen nur ihre eigene Haut retten. Sie merken sehr wohl, wer ihr Brot mit Butter bestreicht. Hast du etwa vergessen, wer als letzter auf einem sinkenden Schiff bleibt? Der Kapitän, Leo, einzig und allein der Kapitän.«

»Und trotzdem wundert es mich. Sehen sie denn tatsächlich nicht, daß Hitler nur eine vorübergehende Erscheinung ist? In hundert Jahren wird man sich nicht einmal mehr an seinen Namen erinnern.«

»Mach dir keine Sorgen«, spottete Siegfried. »In hundert Jahren werden sie ihre Meinung ändern, und alles wird beim alten sein.«

Leo fand das nicht lustig. »Kann man sich mit dir denn überhaupt nicht ernsthaft unterhalten?« fragte er.

»Ganz im Gegenteil, mein teurer Bruder. Das ist lediglich Galgenhumor. Du kennst doch die Geschichte von dem Juden, der zum Rabbi geht, um sich über seine aussichtslose Lage zu beklagen. Immer wieder geht er zum Rabbi und weint. Dieser jedoch weist ihn immer wieder aufs neue zurück. Bis der Jude schließlich zum Rabbi geht und lauthals lacht. Erst da versteht der Rabbi, wie schlecht es diesem Mann tatsächlich geht ... Ja, ja. Mal sehen, was dieser Herr Hitler noch alles anstellen wird, um sich eine Zeile in den Geschichtsbüchern zu sichern.«

Am 15. September 1935 wurden die sogenannten Nürnberger Gesetze erlassen: das »Gesetz zum Schutze des deutschen Blutes und der deutschen Ehre« und das »Reichsbürgergesetz«. Zum ersten Mal in der modernen Geschichte wurde der Wert eines Menschen anhand des Blutes definiert, das in seinen Adern pulsiert und in denen seiner Vorväter floß. Die Gesetze spiegelten die Quintessenz der nationalsozialistischen Rassenideologie wider. Das »Reichsbürgergesetz« erkannte Juden die bürgerlichen Rechte ab; Juden konnten nur noch »Staatsangehörige« sein. Das »Gesetz zum Schutze des deutschen Blutes und der deutschen Ehre« untersagte Eheschließungen sowie außereheliche sexuellen Kontakt zwischen Juden und »Reichsbürgern«, also »Ariern«. Die Gesetze wurden im Radio verlesen und in allen Zeitungen abgedruckt.

Leo hörte sich die Sondersendung im Radio an. Die Worte, die ihm das entrissen, was ihm am teuersten war, gruben sich tief in seine Seele ein. Mit dramatischer Stimme verkündete der Radiosprecher: »Nur ein Reichsbürger kann als Träger der vollen politi-

schen Rechte das Stimmrecht in politischen Angelegenheiten aus-
üben und ein öffentliches Amt bekleiden ... Ein Jude kann nicht
Reichsbürger sein.« Leo schaltete das Radio aus, begab sich zum
Bücherschrank und nahm aus einem der Regale ein Buch mit einem
dunklen Ledereinband. Es war der elfte Band der »Geschichte der
Juden von den ältesten Zeiten bis auf die Gegenwart«. Auf der ersten, inzwischen vergilbten Seite hatte der Verfasser, Professor
Heinrich Graetz, eine persönliche Widmung für seinen Großvater
geschrieben. Leo las laut, was im Vorwort stand: »Glücklicher als
meine Vorgänger, kann ich [die Geschichte der Juden] mit einem
freudigen Gefühl abschließen, daß der jüdische Stamm endlich in
den civilisierten Ländern nicht bloß Gerechtigkeit und Freiheit,
sondern auch eine gewisse Anerkennung gefunden hat ...«

Else hatte beobachtet, wie sich ihr Ehemann in sein Zimmer
zurückzog, und die Radiostimme ebenfalls gehört. Besorgt ging sie
ihm nun nach, blieb jedoch fassungslos im Türrahmen stehen: Leo,
der sie nicht bemerkte, hatte mittlerweile das gesamte Vorwort laut
gelesen. Nun hob er das Buch hoch über seinen Kopf und schmet-
terte es mit aller Macht auf den Fußboden. Erst in diesem Augenblick erwachte Else aus ihrer Erstarrung und warf sich ihm entmu-
tigt in die Arme: »Leo, ach, Leo«, murmelte sie, »was wird jetzt
bloß aus uns werden?«

In den zwei Jahren, die seit der Machtübernahme Hitlers vergangen waren, hatten etwa fünfundzwanzigtausend Juden eine
recht schlichte Antwort auf diese Frage gefunden: Sie verließen das
Vaterland, in dem sie unerwünscht waren. Sogar drei von Leos
Töchtern hatten sich aufgemacht: Eva war nach Holland gegangen,
wo sie sich im Rahmen der *Hachscharah* auf ihre Auswanderung
nach *Erez Israel* vorbereitete. Hannah war in Litauen, um sich auf
einer ORT-Schule mit der praktischen Landwirtschaft vertraut zu
machen. Dort näherte sie sich der zionistischen Idee an und entschloß sich schließlich ebenfalls zur Auswanderung nach *Erez Israel*. Grete hatte eine Anstellung als Erzieherin in einer jüdischen
Pension in London gefunden, und allen war klar, daß sie nicht be-
absichtigte, nach Hause zurückzukehren. Einige Zeit nach Ernsts
Tod war auch Leo nach Palästina gereist, um seine Nichte Thea
kurz zu besuchen. Er betrachtete »die nationale Heimstätte« der
Juden mit kritischem Blick und verspürte keinerlei Nähe zu dem
Land, das ihm, im Vergleich zu Deutschland, unterentwickelt vor-
kam, Lichtjahre von jeglichem kulturellem Zentrum entfernt und

orientalisch in seinem Charakter. Viele seiner Bekannten lebten bereits in Tel Aviv oder einer der landwirtschaftlichen Siedlungen. Er hörte sich ihre Schilderungen an, verstand durchaus ihre Beweggründe, war aber selbst nicht in der Lage zu emigrieren; weder nach Palästina noch an irgendeinen anderen Ort. Wäre er ausgewandert, hätte er all seine Ideale preisgegeben, die ihn von Kindesbeinen an geleitet hatten. Er hätte seinen Vater und seinen Großvater betrogen, ihre Weltanschauung verraten und wäre sich selbst, vielleicht zum ersten Mal, untreu geworden. »Für mich kommt die Emigration einem moralischen Selbstmord gleich«, sagte er zu Else. »Wir bleiben hier, denn niemand kann seinem Schicksal entrinnen, egal, wohin er sich auch wendet.«

Das letzte Gemälde

Der Schnellzug Berlin-Zürich, über Nürnberg und Ulm, lief mit vierzig Minuten Verspätung aus. »Ich weiß nicht, was mit mir los ist, aber die Sache macht mich ganz kribbelig«, sagte Lisbeth, ohne ihren Mann direkt anzusehen. Siegfried reagierte nicht. Er war hinter der Morgenzeitung verschwunden. Versunken in die Sportberichte, hatte er es sich auf den weichen Polstern seines Sitzes der zweiten Klasse bequem gemacht. Das Ehepaar reiste niemals dritter Klasse, wo man auf harten Holzbänken saß und die Reisenden nach Bier und Tabak stanken. Die erste Klasse hingegen war ihrer Meinung nach nur etwas für Snobs und Verschwender. Und weil nur eine kleine Minderheit die ganz teuren Billetts kaufte, zog man damit unweigerlich die Aufmerksamkeit auf sich. In diesen Tagen des August 1936 war es ratsam, an jede Kleinigkeit zu denken und alle möglichen Auswirkungen zu bedenken; vor allem weil Lisbeths und Siegfrieds bevorstehendes Unterfangen nicht ganz ungefährlich war.

Lisbeth stand am heruntergelassenen Fenster und beobachtete aufmerksam das Treiben auf dem Bahnhof. Die Bahnsteige waren überfüllt. Gepäckträger in einheitlichen Arbeitsanzügen eilten von hier nach dort, und ein nicht enden wollender Menschenstrom strebte den unterirdischen Unterführungen entgegen. Eine Gruppe Knaben samt Betreuer hatte sich wohlgeordnet entlang des Zuges aufgestellt und stimmte ein patriotisches Lied an. Die Außenwände des Zentralgebäudes waren mit Fahnen und Parolen geschmückt.

Wenige Tage zuvor war im neuen Stadion von Berlin das olympische Feuer entzündet worden. Das rege Treiben auf dem Bahnhof zeugte vom Erfolg der Spiele. Für die Propagandisten des Nazi-Regimes waren die Olympischen Spiele von großem Wert, da sie Gelegenheit boten, der Welt die »Errungenschaften« des Dritten Reiches und dessen »Friedensliebe« zu demonstrieren. Auf stillen Befehl hin waren wie durch Zauberhand alle Schilder entfernt worden, auf denen »Juden unerwünscht« oder »Für Juden und Hunde Zutritt verboten« stand und die vorher nahezu überall geprangt

hatten: an den Eingängen öffentlicher Parkanlagen, an Lichtspiel-
häusern, Theatern und Badeanstalten, an fast allen öffentlichen
Einrichtungen, ja selbst an manchem Ortseingang. Die Presse hatte
ihren antisemitischen Ton gemäßigt, und die Artikel über die Erha-
benheit der nordischen Rasse ruhten so lange in den Schubladen
der Redakteure, bis das olympische Feuer erloschen war. Deutschland präsentierte sich seinen Besuchern als ein ruhiges und zufrie-
denes Land, dessen Bevölkerung sich um die erhabene Persönlichkeit Adolf Hitlers scharte.

Keine fünf Monate zuvor hatte die deutsche Wehrmacht das ent-
militarisierte Rheinland besetzt. Drei Monate später hatte der
zukünftige italienische Bündnispartner Hitlers, Benito Mussolini,
die Besetzung Abessiniens abgeschlossen. Daß die Nazis General
Franco, der drei Wochen zuvor in Spanien einen Bürgerkrieg ange-
zettelt hatte, zur Seite standen, war ein offenes Geheimnis. Und
auch alle Rassengesetze und Konfiszierungsverordnungen waren
weiterhin in Kraft. Dennoch waren die ausländischen Gäste, vor allem die Briten und Amerikaner, von diesem Land, das friedlich
wirkte und in dem Gesetz und Ordnung herrschten, beeindruckt.
Aber vielleicht war es für die Besucher auch einfach bequemer, nur
das zu sehen, was sie sehen wollten?

»Das ist auch unsere große Stunde«, hatte Siegfried gesagt, »wir
werden sie bis zum letzten auskosten.«

Lisbeth erinnerte sich an diese Worte ihres Mannes genau in dem
Moment, als zwei behelmte Polizisten gemessenen Schrittes auf
ihren Zug zukamen, der Verspätung hatte. Sie blieben neben der
geöffneten Tür zu ihrem Waggon stehen. Einer der Schupos las,
was auf dem weißen Schild stand, das neben dem Einstieg hing,
und sagte laut zu seinem Kollegen: »Die lassen sich det aba jutjehn,
wa? Fahrn nach Zürich...« und stützte sich mit seiner Hand gegen
das Schild. Lisbeth lief ein eiskalter Schauer den Rücken hinunter.
Kurz bevor sie den Zug bestiegen hatten, hatte Siegfried einen
dicken Umschlag in den Spalt zwischen Schild und Waggon gesteckt und mit elastischem Klebeband fixiert. Lisbeth hatte das Klebeband erst zwei Tage zuvor in einer Apotheke in der Nähe ihrer
Wohnung gekauft. Der Apotheker hatte sie gefragt: »Wir haben
breites und schmales Leukoplast. Welches wünschen Sie?« Vor lauter Aufregung war sie ganz durcheinander gewesen. In ihrer Panik
hatte sie geglaubt, der Apotheker wisse ganz genau, wozu das Klebeband dienen sollte. Und jetzt, da die Schupos keine Anstalten

machten weiterzugehen, konnte sie sich nicht mehr beherrschen. Sie ging zu ihrem Mann hinüber und nahm ihm die Zeitung aus der Hand. Diesmal stand ihr die Panik ins Gesicht geschrieben.

»Was ist passiert?« fragte er.

»Polizei«, flüsterte sie. »Zwei Schupos stehen neben...du weißt schon, neben...«, und zeigte mit dem Finger in Richtung Tür.

»Beruhige dich, Lies«, beschwichtigte Siegfried sie und erhob sich widerwillig. »Laß mich mal sehen, was da los ist.«

Die Schupos blickten auf, als Siegfried sein rundes Gesicht zum Fenster herausstreckte.

Wie alle Levys hatte auch Siegfried keine semitischen Gesichtszüge. Seine blonden Haare und blauen Augen widerlegten jeden erfahrenen und pedantischen Rassenforscher. Vor vielen Jahren hatte ihm Leo eine lustige Begebenheit aus seiner Studentenzeit an der Heidelberger Universität erzählt. Einer der Professoren hatte über die physiognomischen Unterschiede der europäischen Völker doziert. Als er gefragt wurde, wie denn ein Arier aussehe, hatte er, ohne zu zögern, auf Leo gezeigt: »Wie dieser Student.« Die ganze Klasse war in schallendes Gelächter ausgebrochen – Leos Kommilitonen wußten alle, daß er Jude war.

Die beiden Schupos bedachten Siegfried mit einem Lächeln, das dieser erwiderte.

»Se fahrn in Urlaub?« fragte der Schupo, der am Schild lehnte.

»Bis jetzt bewegen wir uns noch nicht einmal«, scherzte Siegfried. »Ich fürchte, dieser Zug wird keine Medaille mehr erringen.«

»Det Wichtigste is, nich de Hoffnung uffzujeben«, entgegnete der Schupo. Er war allerbester Laune. »De Medaillen, de holn wa uns schon im Stadion.«

Vom anderen Ende des Bahnsteiges war ein Pfiff zu vernehmen. Die heisere Stimme des Schaffners ordnete das Schließen der Türen an.

»Sehn Se, mein Herr: Ende jut, allet jut«, lachte der Schupo und grüßte Siegfried mit stramm vorgestrecktem Arm.

Der Zug fuhr nur langsam an, als zögerte er, unter der gewaltigen Glas- und Stahlkonstruktion des Bahnhofs hindurchzufahren. Sie passierten das Gewirr sich kreuzender Schienen, und bald hatten sie die Innenstadt verlassen. Der Zug beschleunigte seine Fahrt.

Siegfried schloß das Fenster und wandte sich wieder seiner Zeitung zu. Lisbeth saß ihm gegenüber. Sie holte eine silberne, mit glänzendem Perlmutt beschichtete Puderdose aus ihrer Handtasche. Obwohl sie allein im Abteil waren, sprachen sie kein Wort miteinander. Lisbeth schminkte sich, Siegfried vertiefte sich erneut in seine Zeitung. Plötzlich brach er in lautes Gelächter aus. Lisbeth blickte von ihrem Spiegel auf.

»Ich verstehe. Eine sehr natürliche Reaktion nach all der schrecklichen Aufregung.«

»Nein, meine Teure, das hat nichts mit Aufregung zu tun. Ich habe gerade gelesen, daß ein schwarzer Läufer vier Goldmedaillen geholt hat.« Siegfried verschluckte sich fast vor Lachen. »Stell dir vor: ein erbärmlicher Schwarzer aus Alabama, Angehöriger einer minderwertigen Rasse, welch ein Schlag für die nordische Rasse... unglaublich ... unfaßbar. Ich würde eine Menge dafür geben, das saure Gesicht Hitlers sehen zu können.«

»Ich würde eine Menge dafür geben, ihn niemals zu Gesicht bekommen zu müssen.«

Der Zug traf am frühen Morgen in Zürich ein. Die Paßkontrolle an der Grenze war ohne Zwischenfälle verlaufen, und seit sie sich auf Schweizer Boden befanden, hatte sich Lisbeths Nervosität verflüchtigt.

Auf dem Bahnsteig herrschte ein buntes Treiben. Siegfried entfernte den Briefumschlag hinter der Anzeigetafel, ohne daß jemand ihn auch nur beachtete. Am nächsten Morgen, etwa eine Stunde nachdem die Geldinstitute geöffnet hatten, stand er am Schalter seiner Bank. Das breite Lächeln des Bankangestellten verriet, daß Siegfried hier nicht unbekannt war.

»Wieviel ist es dieses Mal?« fragte er.

Siegfried schob ihm ein Bündel Wertpapiere und Bargeld zu. »Sechzigtausend«, sagte er.

»Auf Ihr Konto, wie üblich?«

»Ja, wie üblich.«

Der Bankbeamte quittierte die Einzahlung und reichte Siegfried den Durchschlag: »Angenehmen Aufenthalt.«

»Wenn man Geld besitzt, ist jeder Aufenthalt angenehm«, scherzte Siegfried. »Auf Wiedersehen und bis bald.«

»Auf Wiedersehen, mein Herr.« Der Bankbeamte ordnete die Papiere in seine Schublade ein und nickte freundlich.

Seit die Nürnberger Gesetze erlassen worden waren und die Repressalien gegen jüdische Geschäfte immer mehr zunahmen, sorgten Siegfried und Lisbeth dafür, ihr Vermögen außer Landes zu schmuggeln. Siegfried war der wohlhabendste der Gebrüder Levy.

Neben seinen Einkünften aus dem Familienbetrieb in Bad Polzin und Stettin hatte er durch eigene Finanzgeschäfte ein hübsches Vermögen gemacht, zumeist durch An- und Verkauf von Wertpapieren an der Börse. Als sich Stettiner Regierungsbeamte für seine Unternehmungen zu interessieren begannen, war er endgültig nach Berlin umgesiedelt, da er hoffte, in der großen Stadt eine gewisse Anonymität wahren zu können. Das Ehepaar wohnte in einer großzügigen Wohnung im gutsituierten Stadtteil Charlottenburg, ganz in der Nähe des neuen Olympia-Stadions, und führte seine Geschäfte von dort aus weiter. Flinke Vermittler fanden schnell ihren Weg in sein neues Domizil und boten ihre Dienste beim Transfer von Geldern ins sichere Ausland an. Hunderte von Ideen waren entworfen worden, komplizierte und ausgeklügelte, doch die simpelsten waren bei weitem die effektvollsten.

Siegfrieds Bekannte bedienten sich eines originellen Rezepts: Sie veröffentlichten ausgerechnet in der Anzeigenrubrik des »Völkischen Beobachters« Inserate mit folgendem Wortlaut:

»Kaufmann mit internationalen Beziehungen sucht Sekretärin mit Fremdsprachenkenntnissen als Begleitung für Geschäftsreisen in Europa und Amerika. Ernstgemeinte Bewerbungen bitte an das Berliner Büro der Zeitung unter Chiffre zwei-drei-drei-sechs richten.«

Tausende junger Deutscher träumten davon, in der weiten Welt umherzureisen, daher wunderte sich niemand, daß die Anzeigenabteilung des »Völkischen Beobachters« mit Briefen an die Chiffrenummer zwei-drei-drei-sechs geradezu überschwemmt wurde. Drei Wochen später meldete sich der Inserent, entschuldigte sich, er habe unvermutet wegen geschäftlicher Angelegenheiten in die Schweiz reisen müssen, und bat darum, ihm die bisher eingetroffenen Angebote dorthin nachzusenden. Das Bündel Bewerbungsschreiben wurde zu einem großen Paket verschnürt und nach Basel geschickt. In der deutschen Zollabfertigung kam niemand auf die Idee, eine Sendung mit dem Absender »Völkischer Beobachter« zu kontrollieren, und so traf sie ungeöffnet beim Empfänger ein. Nur wenige Eingeweihte wußten, daß die meisten der an die Chiffrenummer zwei-drei-drei-sechs gerichteten Briefe vom Inserenten selbst stammten und daß in jedem dieser Umschläge zwei Fünfhundert-Dollarscheine steckten. Auf diese einfache Weise verließen insgesamt annähernd hunderttausend Dollar das Land, bevor der Inserent selbst der unwirtlichen Heimat den Rücken kehrte.

Siegfried wußte von diesem Trick, zog es jedoch vor, auf eigene Faust vorzugehen, ohne Mitwisser und Teilhaber. Er pendelte häufig zwischen Berlin und Zürich. Sein Reisepaß, ausgestellt vom Stettiner Polizeipräsidenten, war bis 1941 gültig und trug noch nicht den großen Buchstaben »J«, mit dem bald alle Pässe jüdischer Reisender gekennzeichnet werden sollten. Jedesmal, wenn er in die Schweiz fuhr, nahm er einen Teil seiner Wertpapiere mit und versteckte sie hinter der Anzeigetafel an seinem Waggon. Selbst wenn die Nazis das Bündel gefunden hätten, wäre er nicht in Gefahr gewesen. Keines der Wertpapiere war auf seinen Namen ausgestellt; alle trugen den Vermerk, daß der Überbringer als Besitzer gelte.

Als Siegfried und Lisbeth nach Abschluß der Olympischen Spiele aus der Schweiz zurückkehrten, verbrachten sie einige Wochen bei der Familie in Bad Polzin. Innerhalb nur eines Jahres hatte sich im Ort vieles verändert. Max Kröning, bereits seit 1927 Bürgermeister und Kurdirektor, hatte rasch begriffen, aus welcher Richtung nunmehr der Wind wehte. Die Stadtverwaltung hatte sogar das Luisenbad, das schöne Kurhaus des Ortes, dem Führer zum Geschenk gemacht. Leo kannte den Bürgermeister sehr gut. Als Kröning zehn Jahre zuvor erstmals in Polzin kandidiert hatte, war er noch als in Schloppe wohnhaft gemeldet gewesen. Er hatte damals nicht gezögert, an Leo Levy zu schreiben und um ein Empfehlungsschreiben zu bitten. Leo, der niemals auch nur den kleinsten Zettel, und sei er noch so unbedeutend, wegwarf, hatte diesen Brief aufbewahrt. »Sehr verehrter Herr Doktor Levy«, hatte Kröning am 15. Dezember 1926 geschrieben und nachfolgend seine Fähigkeiten angepriesen und seine Hoffnung zum Ausdruck gebracht, auf Leos Unterstützung seiner Kandidatur zählen zu können. Doch nun fand er nicht einmal mehr die Zeit, den »sehr verehrten Herrn Doktor Levy« auch nur zu einer kurzen Unterredung zu empfangen. Und an den neuen Büros der Stadtverwaltung, die im Haus der ehemaligen Pension des Herrn Finkelstein untergebracht waren, hing ein Schild: »Juden unerwünscht«.

Im Bierkeller des Hotels Preußischer Hof am Marktplatz fand einmal in der Woche eine Zusammenkunft der Braunhemden statt. Leo hätte mit Sicherheit nicht, wie einst im Café Zell, demonstrativ dort hineingehen können, ohne Schaden zu nehmen. Die letzten Entwicklungen hatten deutlich gezeigt, welche Rolle Geld bei der Gestaltung eines Menschenantlitzes spielte. Das Regime hatte den

Schloppe, den 15. Dezember 1926.

Sehr geehrter Herr Dr. Levy!

Infolge einer ... sitzung habe ich meinen Besuch in Polzin nicht ... länger können. Dies bedauere ich ... mehr, als ich dadurch den ... Herren Nachbarorten mit meinem Besuch machen konnte. Ich bitte Sie, sehr geehrter Herr Dr, mir das ... nicht überlegen zu wollen. Zu meinen ... die ich ... Herren Nachbarorten dort mache,

Levys die meisten ihrer Besitztümer abgeknöpft, und nun hatten sie das Gefühl, dem Dschungel nackt ausgesetzt zu sein. Wenn Leo durch die Straßen von Polzin spazierte, wurde er gemieden. Das Eiserne Kreuz an seinem Mantelaufschlag öffnete ihm längst keine Türen mehr. Die neuen Rassengesetze hatten zwar noch immer Ausnahmeregelungen für Frontkämpfer, in geschäftlicher Hinsicht galt dies allerdings nicht. Seine Tochter Eva war mittlerweile freiwillig vom Stettiner Gymnasium abgegangen, obwohl sie als Tochter eines Frontkämpfers noch berechtigt gewesen wäre, dort auch dann noch zu lernen, als andere Juden schon längst die von den jüdischen Gemeinden eingerichteten Institutionen besuchen mußten.

Die Elementarschule in Bad Polzin besuchte nur noch eine einzige jüdische Schülerin, ebenfalls die Tochter eines »Privilegierten«. Ihr Vater, Georg Zander, war nicht nur ehemaliger Frontkämpfer, sondern außerdem mit einer »reinrassigen Arierin« verheiratet. Nach den Nürnberger Gesetzen galt seine Tochter als »Mischling« und wurde daher nicht der Schule verwiesen. Jahre später, als diese schrecklichen Tage lange hinter ihr lagen, erzählte sie: »Die zwei Jahre mit diesen deutschen Kindern haben sich wie ein nicht enden wollender Alptraum in mein Gedächtnis eingegraben. Die Mädchen, mit denen ich aufwuchs und seit dem Kindergarten befreundet war, traten und hänselten mich, zogen mich auf und hinderten mich, aktiv an den Unterrichtsstunden teilzunehmen. Ich habe meinen Vater angefleht, mich aus dieser Hölle zu befreien, doch er bestand darauf, nicht nachzugeben. ›Wir haben das Recht, dir eine deutsche Erziehung angedeihen zu lassen, und es gibt keinen Grund, wegen einiger undisziplinierter Schüler darauf zu verzichten‹, entgegnete er auf meine wiederholten Bitten.«

Es war ausgerechnet der Reichserziehungsminister, der das Mädchen von ihrem Leiden erlöste. In einem Erlaß, der zu Ostern 1936 herausgegeben wurde, hatte er die Errichtung von Schulen für jüdische Schüler gefordert. Der Minister hielt diesbezüglich fest:

»Eine Hauptvoraussetzung für jede gedeihliche Erziehungsarbeit ist die rassische Übereinstimmung von Lehrern und Schülern. Kinder jüdischer Abstammung bilden für die Einheitlichkeit der Klassengemeinschaft und die ungestörte Durchführung der nationalsozialistischen Jugenderziehung auf den allgemeinen öffentlichen Schulen ein starkes Hindernis.

Die auf meine Anordnung bisher vorgenommenen Stichproben in einzelnen preußischen Gebieten haben gezeigt, daß die öffentlichen Volksschulen noch immer in nicht unerheblichem Maße von jüdischen Schülern und Schülerinnen besucht werden. (...) Für die Entwicklung des nationalsozialistischen Schulwesens ergeben sich hieraus schwere Hemmungen. (...)

Die Errichtung öffentlicher und privater jüdischer Schulen hat zwar an einzelnen Orten zu einer gewissen Sonderung derjenigen jüdischen Schulkinder geführt, die der mosaischen Religion angehören. Die Trennung nach Konfessionen ist jedoch für ein nationalsozialistisches Schulwesen nicht ausreichend. Die Herstellung nationalsozialistischer Klassengemeinschaften als Grundlage einer auf dem deutschen Volkstumgedanken beruhenden Jugenderziehung ist nur möglich, wenn eine klare Scheidung nach der Rassenzugehörigkeit der Kinder vorgenommen wird. Ich beabsichtige daher, vom Schuljahr 1936 ab für die reichsangehörigen Schüler aller Schularten eine möglichst vollständige Rassentrennung durchzuführen.«

Im Juli 1937 wurde dieser Erlaß auch auf »Mischlinge« wie Zanders Tochter ausgedehnt. Die Mitteilung des Reichserziehungsministers wurde sofort bereitwillig vom Rassenpolitischen Amt der NSDAP aufgegriffen, und die Schulen von Bad Polzin wurden endgültig »judenrein«.

Georg Zander und Leo Levy waren sich in letzter Zeit sehr nahegekommen. Der drastische Rückgang der Geschäfte bescherte beiden viel Freizeit. Manchmal führten sie endlose Gespräche über die Vorgänge in Deutschland. Bei gutem Wetter genossen sie es, sonntags mit allen Familienangehörigen ausgedehnte Spaziergänge zu unternehmen. Die Männer waren in helle Hemden und grüne Reithosen gekleidet, die Frauen trugen hübsche Kleider mit Blumenmuster. So auch dieses Mal. Else hatte wie üblich einen Korb mit Butterbroten und einigen Portionen Pudding vorbereitet. Als auch Lisbeth noch in Polzin gewohnt hatte, hatte sie vor dem Umfüllen in eine der Puddingschälchen immer einen Kirschkern oder den Stein einer Pflaume gelegt. »Wer den Kern in seiner Portion findet, darf sich etwas wünschen«, hatte sie scherzend verkündet. Nunmehr setzte Else diese Familientradition fort. Ziel ihrer sonntäglichen Ausflüge war das Luisenbad. In den Parkanlagen erhob sich das mit barocken und gotischen Türmen verzierte Kurhaus wie ein bayerisches Märchenschloß. Angeblich hatte schon Mitte des letzten Jahrhunderts der junge Bismarck seine Liebschaften hierher gebracht, um mit ihnen im großen Saal, dessen Wände mit Kristallspiegeln verkleidet waren, zu tanzen und Champagner zu trinken. Doch seitdem war viel Wasser die Flüsse Pommerns hinuntergeflossen, und der Ort hatte einen volkstümlicheren Charakter angenommen; aber von der Romantik, die er ausstrahlte, war immer noch etwas zu spüren. Lina Levy hatte einst darum gebeten, hier die Hochzeit mit dem Mann ihres Herzens, dem Rechtsanwalt Karl Hamburger, feiern zu dürfen. Es war eine prachtvolle Hochzeit gewesen. Doch jetzt war der Weg, der zum Luisenbad führte, plötzlich mit Stacheldraht versperrt. Auch auf der Zufahrtsstraße verkündete ein kleines Schild, daß der Zutritt verboten war und Zuwiderhandelnde bestraft würden. Darunter prangte das Abzeichen der SS. Ein Wanderer erklärte ihnen, daß der Führer das Gebäude an die SS übergeben und diese wiederum darin ein »Lebensborn«-Heim für ledige Mütter eingerichtet habe, immer vorausgesetzt, die Frauen gingen mit einem »reinrassigen Arier« schwanger. Die Ausflügler kehrten enttäuscht zurück. Später am Abend klingelte im Hause Levy das Telefon. Leo nahm den Hörer ab. »Es ist für dich, Siegfried. Doktor Boling aus Berlin ist am Apparat.«

Rechtsanwalt Boling vertrat Siegfrieds vielfältige Interessen. Er war Parteimitglied der NSDAP und bekleidete sogar irgendeinen Posten in der nationalsozialistischen Rechtsanwaltskammer. Von Zeit zu Zeit schaltete er sich in Transaktionen ein, die zwar nicht immer ganz korrekt waren, dafür aber mit einem guten Profit lockten. Auch an diesem Abend hatte er ein verführerisches Angebot zu unterbreiten. Siegfried zog es vor, nicht über Einzelheiten informiert zu werden. Wenn sogar die Wände Ohren hatten, dann erst recht die Telefonleitungen. Die beiden vereinbarten eine Zusammenkunft in einem Café am Potsdamer Platz, im Zentrum Berlins. »Morgen abend um sieben Uhr«, sagte Siegfried in die Sprechmuschel. »In Ordnung, Punkt sieben«, bestätigte der Rechtsanwalt.

Als Siegfried am nächsten Tag am verabredeten Ort erschien, mußte er zu seiner Überraschung feststellen, daß ein dritter Mann zugegen war.

»Darf ich Sie mit Herrn Krieger bekannt machen?« stellte Boling den Unbekannten vor. »Herr Krieger ist extra aus Hamburg angereist.«

»Sehr angenehm. Levy«, Siegfried streckte die Hand aus. Herr Krieger erwiderte den Händedruck herzlich. Erst jetzt sah Siegfried das runde Parteiabzeichen an dessen Revers. Boling folgte Siegfrieds Blick und beruhigte ihn:

»Keine Sorge. Mit Herrn Krieger können wir offen reden. Wir kennen uns seit vielen Jahren.«

»Wenn Sie es sagen ...«

»Was wünschen die Herrschaften zu trinken? Ich schlage Tee vor, denn der Kaffee schmeckt hier wie Muckefuck«, sagte Boling, und ohne eine Antwort abzuwarten gab er beim Kellner die Bestellung auf. Dann fuhr er fort: »Herr Krieger und seine Gattin, Frau Martha, besitzen ein schönes Grundstück in der Schweiz. Wo sagten Sie noch?«

»In Bisone, im Kanton Ticino. Tessin, wenn Sie die deutsche Bezeichnung vorziehen. Eine wunderschöne Gegend. Angenehmes Klima. Ruhige Nachbarn, zumeist Italiener ...«

»Sicherlich«, unterbrach ihn der Rechtsanwalt. »Aber Herr Levy hat nicht die Absicht, sich in Bisone niederzulassen. Wir sprechen hier über eine Investition. Genauer gesagt, über einen Tauschhandel.«

»Handel? Wie bitte? Ich bin nicht abgeneigt ... ich habe vollstes Vertrauen zu Ihnen.«

Siegfried blickte den Gast aus Hamburg nachdenklich an. Irgendwie war seine Redensweise merkwürdig, ja sogar verdächtig. Doch Rechtsanwalt Boling legte bereits einen Auszug aus dem Schweizerischen Grundbuch auf den Tisch.

»Herr Krieger ist bereit, das Anwesen zu veräußern«, erläuterte er. »Mir scheint, dies ist für Sie beide eine glänzende Gelegenheit, meine Herrschaften.«

Siegfried prüfte den Grundbucheintrag.

»Die Dokumente sind einwandfrei. Ich habe die Unterlagen zusammen mit einem Kollegen aus Lugano, Doktor Valdo Riva, durchgesehen. Das Objekt liegt an einem guten Platz. Vielleicht nicht dem besten, aber in diesen Tagen können wir schließlich nicht allzu wählerisch sein, nicht wahr?«

»Wieviel?« fragte Siegfried und nahm einen Schluck heißen Tee.

»Zweihunderttausend Mark.«

»Und die Zahlungskonditionen?«

»Bargeld.«

»Gibt es ein beglaubigtes amtliches Gutachten?«

»Ja«, beeilte sich Boling zu antworten. »Das Grundstück ist etwa neunzigtausend Mark wert. Die Schätzung ist erst in diesem Monat erfolgt. Sind Sie interessiert?« Boling schob ihm ein Blatt Papier zu.

Siegfried warf einen flüchtigen Blick darauf.

»Sie sind sich doch wohl im klaren darüber, daß der Preis ziemlich überzogen ist.«

»Das Ehepaar Krieger läßt vielleicht mit sich reden, nicht wahr?« Boling warf dem Gast aus Hamburg einen fragenden Blick zu.

»Ich muß mich mit meiner Frau beraten. Das Grundstück haben wir nämlich von ihren Eltern. Ein Hochzeitsgeschenk, verstehen Sie, Herr Levy ...«

»Ich verstehe.«

Boling grinste. »Sie werden keinen besseren Weg finden, Ihr Vermögen in die Schweiz zu transferieren, Herr Levy.«

Jetzt war es an Siegfried zu lächeln. Boling fuhr fort:

»Ich werde mich um alles Notwendige kümmern. Rechtsanwalt Riva wird die Überschreibung auf Ihren Namen erledigen. Sie kennen ihn doch, oder?«

»In der Vergangenheit hatten wir ab und zu geschäftlich miteinander zu tun.«

»Gut. Also werde ich für beide Seiten als Bürge fungieren. Das Honorar werden Sie beide zu gleichen Teilen zahlen. Jeder fünftausend Reichsmark. Sie werden einsehen, daß dies unter den gegebenen Umständen keine überzogene Summe ist. Herr Levy wird mir die Kaufsumme aushändigen; ich werde sie dem Ehepaar Krieger in dem Moment übergeben, in dem ich aus der Schweiz Nachricht habe, daß das Objekt auf Ihren Namen überschrieben wurde. Was sagen Sie dazu, Herr Levy?«

»Ich sage: hundertvierzigtausend Mark.«

»Das Ehepaar Krieger nimmt ein großes Risiko auf sich ...«

»Ich ebenfalls.«

»Diese verdrehte jüdische Logik«, brauste Krieger auf. »Sie sind eine hartnäckige Rasse. Ich beginne jene, die Sie hassen, zu verstehen ... Dieses Gespräch ist ganz und gar nicht nach meinem Geschmack. Man hat mich nicht gelehrt zu feilschen. Doch meine

Frau und ich, wir werden uns auf einen Kompromiß von hundertfünfzigtausend einlassen, unter der Bedingung, daß die Bezahlung
in bar erfolgt, und zwar umgehend. Und das ist unser letztes Wort.
Einhundertfünfzigtausend.«

»In Ordnung«, rutschte es Siegfried unabsichtlich heraus. »Gekauft.«

»Ich würde mich freuen, wenn Sie morgen in den Abendstun-
den, nachdem die Sekretärin gegangen ist, mit dem Geld in mein
Büro kommen würden. So gegen halb acht. Erinnern Sie sich an die
Adresse?«

»Durchaus.«

Die Männer reichten sich die Hand. Siegfried beglich die Rechnung und ließ für den Kellner zwanzig Pfennig Trinkgeld liegen.

Krieger und Boling gingen als erste. Siegfried begab sich
zunächst zur Garderobe, nahm seinen Hut, und erst als er sich zur
Tür wandte, nahm er ein kleines Schild wahr: »Juden unerwünscht«.

Bis Ende 1936 hatten Siegfried und Lisbeth insgesamt dreihun-
derttausend Mark in bar – unter anderem durch das Geschäft mit
Krieger – oder in Wertpapieren in die Schweiz transferieren können. 1937 machten sie eine Reise in die Vereinigten Staaten und
schmuggelten in ihrem Reisegepäck zirka hunderttausend Dollar
heraus. Im März 1938 begaben sie sich in die britische Botschaft in
Berlin, um Einreisevisa nach Palästina zu beantragen.

»Für welche Laufzeit?« fragte der Beamte der Konsularabtei-
lung.

»Für zwei Wochen«, antwortete Lisbeth.

»In Ordnung«, entgegnete der Beamte und fügte hinzu: »Sie
müssen wissen, daß die Reisebewegungen nach Palästina strengen
Kontrollen unsererseits unterliegen. Wir müssen uns vor illegaler
Einwanderung schützen.«

»Sorgen Sie sich nicht«, lächelte Lisbeth. »Wir haben nicht die
geringste Absicht, uns in Asien niederzulassen. Hier, sehen Sie, wir
haben auch die amtliche Bescheinigung über die Devisenzuweisung
für Touristen mitgebracht.«

Der Beamte nickte, stempelte die Visa in ihre Reisepässe, schrieb
die Nummern auf – 72905 und 72906 – und setzte seine Unterschrift darunter. »Viel Vergnügen«, wünschte er.

Die »Vulcania« ging am 7. April 1938 im Hafen von Haifa vor
Anker. Neben dem Ehepaar Levy standen einige Dutzend deutsche

Einwandererfamilien an Deck. Am Kai erwarteten sie Lastenträger und Neugierige. »Die *Jekkes* kommen!« schrie der Kioskbesitzer Hanoch und sputete sich, die Leckerbissen seiner Küche auf der Theke auszubreiten. Händler, Makler und Bodenspekulanten drängten sich neben dem Laufsteg des Schiffes und boten ihre Dienste in einer Mundart feil, die den Ankömmlingen kaum verständlich war. Die gutgekleideten deutschen Einwanderer, einige von ihnen trugen sogar Tropenhelme aus Kork, wirkten auf sie wie die pure Verkörperung europäischer Tölpelhaftigkeit. Die zionistischen Pioniere, die das Land urbar machten, hatten ihr Ideengut mitgebracht, doch diese Neuankömmlinge schleppten, sehr zum Erstaunen der Zöllner, seltene Schmetterlingssammlungen, in Leder gebundene Kochbücher von Escoffier, schwere Enzyklopädien von Knaur, Kontrabässe in riesigen Futteralen und runde Schachteln für die Hüte der Damen.

Die meisten wußten kaum etwas über das Land, in dem sie eintrafen. Obwohl die zionistische Presse und das Berliner Palästina-Amt jeden Interessierten mit aktuellen Informationen versorgten, waren die meisten Ankömmlinge überzeugt, in Palästina Geschöpfe vorzufinden, die »Ostjuden« genannt wurden und die entweder in *Kibbuzim* oder in Kleinstädten lebten, die nach osteuropäischem Modell erbaut waren. Andere sahen in dieser Reise ein vorübergehendes Übel: Sie kamen hierher, bis der Haß sich verflüchtigt hatte, bis das Hitler-Regime wie ein Kartenhaus eingestürzt war und es wieder möglich sein würde, nach Hause zurückzukehren.

Die Nachbarschaft in der Panoramastraße auf dem Carmel-Gebirge in Haifa registrierte argwöhnisch, wie der Ingenieur Joseph Loewy in jenen Tagen auf das Dach seines Hauses kletterte und dort, das Auge an ein riesiges Teleskop geheftet, stundenlang ausharrte. »Was baldowert dieser Bodenspekulant dort nur aus?« fragten sie einander. Bereits zweimal hatte Joseph Loewy bei Bodenspekulationen Pech gehabt, und seine Niederlagen waren seinem Ruf nicht gerade zuträglich gewesen. Doch er ignorierte die Bemerkungen einfach und beobachtete mit seinem Teleskop den Hafen, wo ein reges Treiben von Neuankömmlingen aus Deutschland herrschte. Dann richtete er seine Linse wieder auf die Gebiete am nördlichen Ende der Bucht von Haifa, in Richtung Akko und noch weiter nordwärts. Letztlich machte er eine Rechnung auf und kam zu dem Ergebnis, daß zwei plus zwei durchaus mehr als vier ergeben könnte.

Im März 1934 hatte sich Herr Alfred Tuani, eine reicher Araber aus Beirut, auf eine Reise an die Riviera begeben, um seinen Horizont zu erweitern. In Monte Carlo war er allerdings dem Zauber des Roulettespiels erlegen. Als seine Mittel erschöpft waren, hatte er sich gezwungen gesehen, seinen Grundbesitz zwischen Akko und Rosch Hanikra zu verkaufen. Auf dieses Gebiet hatte der Ingenieur Joseph Loewy ein Auge geworfen. Seine Rechnung war schlicht und einfach: den Boden kaufen, Einwanderer aus Deutschland dort ansiedeln und auf diese Weise eine gute patriotische Tat vollbringen, die dennoch nicht ohne Profit bleiben sollte.

In der Siedlungsabteilung der Jewish Agency in Jerusalem hielt man Loewy für einen Traumtänzer. »Wer von diesen Doktoren, Professoren und Direktoren wird sich schon in der Landwirtschaft betätigen wollen, noch dazu in einer Gegend, in der kein Jude lebt?« fragten sie ihn. Doch Ingenieur Loewy war für seine Hartnäckigkeit bekannt. Am 15. Mai 1935 wurde in der Beiruter Kanzlei des Rechtsanwaltes Jean Gadali der Kaufvertrag unterzeichnet. Der Grundbesitz der Familie Tuani wurde einer Holding-GmbH überschrieben, die von Joseph Loewy, dem Agronomen Dr. Selig Eugen Soskin und fünf weiteren Herrschaften, die anonym zu bleiben wünschten, gegründet worden war. Auf die vierunddreißigtausend Palästina-Pfund, die die Grundstücke insgesamt kosteten, zahlten die Käufer viertausend Palästina-Pfund als erste Rate an. Noch am selben Tag wurden im Haus der Karmeliter die Büros der neuen Firma namens Klein-Naharija-Holding-GmbH eröffnet.

Später sollte man scherzhaft sagen, daß Naharija auf immer und ewig deutsch bleiben würde. Mehrere hundert deutsche Familien, die nach Palästina kamen, interessierten sich für das Angebot der Firma Joseph Loewys und kauften in Naharija und Umgebung Grundstücke. Nach einigen Jahren erzählte man sich die Mär über ein Kind von Neueinwanderern, das auf der Straße eine fremde, merkwürdige und in einen schwarzen Kaftan gekleidete Gestalt gesehen hatte. Das Kind war angeblich nach Hause gerannt und hatte aufgeregt gerufen: »Papa, Papa, ein Jude aus Palästina kommt zu uns!« Und tatsächlich war Naharija bis zur Gründung des Staates Israel ein sonderbarer Ort, eine Art Enklave, geprägt von der deutschen Sprache, deutschen Sitten und deutschem Ordnungssinn. Die Geschichten über diese deutsche Siedlung an der Levante gelangten sogar bis nach Bagdad: Im Mai 1948 überflogen irakische Flugzeuge Naharija und warfen über der Stadt deutschsprachige Flugblätter ab: »… es wird Ihnen nichts zustoßen, wenn Sie jegliche Beziehungen zu den Zionisten abbrechen …«

Im April 1938 schritten Lisbeth und Siegfried den Laufsteg der »Vulcania« hinunter, umgeben von arabischen Jungen, die vielversprechende Broschüren verteilten: »Naharija – Die neue Siedlung im Norden, wo Obstbäume gedeihen und Sie mit Leichtigkeit einen landwirtschaftlichen Betrieb aufbauen können, der Ihnen ein gutes Einkommen sichert«, hieß es da verheißungsvoll. Die Klein-Naharija-Holding-GmbH machte Interessierten folgendes Angebot: fünftausend Quadratmeter für 885 Palästina-Pfund, siebentausend Quadratmeter für 1240 und neuntausend Quadratmeter für 1640 Palästina-Pfund. Der Bau eines bescheidenen Wohnhauses kostete zusätzlich sechshundert Palästina-Pfund. Naharija war auf keiner offiziellen Besiedlungskarte eingetragen, denn die Siedlungsinstitutionen, in vorderster Linie die des Jüdischen Nationalfonds, erkannten eine »private Initiative« zum Ankauf von arabischem Grundbesitz nicht an und glaubten zudem nicht an den Erfolg einer mittelständischen Siedlung auf agrarwirtschaftlichem Boden.

Siegfried ging die Broschüre, die ihm ein barfüßiger arabischer Junge in die Hand drückte, flüchtig durch und warf sie weg. Nicht für einen Moment wäre es ihm in den Sinn gekommen, in diesem unterentwickelten und rückständigen Land zu bleiben. Er war zusammen mit seiner Frau hierher gereist, um Angehörige zu treffen, einige Ausflüge nach Galiläa zu unternehmen und Jerusalem zu besuchen, und das alles im rasenden Galopp, denn sie wollten die »Roma« noch erwischen, einen Luxusdampfer, der schon bald aus dem Hafen von Haifa in Richtung Neapel auslaufen sollte.

Die schwärzesten Prophezeiungen der Jewish Agency und des Jüdischen Nationalfonds sollten sich bewahrheiten: Lediglich fünfundzwanzig Prozent der »kapitalistischen« Einwanderer aus Deutschland ließen sich letztlich in landwirtschaftlichen Siedlungen nieder, zumeist auf privaten Böden oder zumindest auf Grundbesitz, der aus privaten Mitteln erworben worden war. Fünfundzwanzig Ärzte, drei Ärztinnen und zehn Rechtsanwälte wagten allerdings das Abenteuer und siedelten in Ramot Haschawim in der Scharon-Ebene. Ihre Parzellen waren zu klein, als daß sie sich vom Ertrag der Agrarprodukte hätten ernähren können. Doch diese Nichtigkeit schreckte die Doktoren-Landwirte nicht ab. Sie gründeten eine landwirtschaftliche Kooperative und holten einen Fachmann für Hühnerzucht aus Amerika zu Hilfe. Von nah und fern kamen Neugierige nach Ramot Haschawim, um diese »*Jekkes* mit den Hühnern« zu bestaunen. Tagsüber arbeiteten sie in den Hühnerställen, abends lasen sie Heine oder lauschten klassischer Musik. Schallendes Gelächter hallte in der Scharon-Ebene wider, und Ramot Haschawim wurde spöttisch »Kukuriku« genannt. Doch vor lauter Spott bemerkten die Nachbarn nicht, daß die deutschen Doktoren mit Hilfe des ausländischen Experten den Grundstein für die moderne Hühnerzucht in Palästina gelegt hatten.

Die große Einwanderungswelle aus Zentraleuropa veränderte auch die Dörfer und Städte Palästinas in nicht geringem Maße. Die Einwanderer brachten »revolutionäre« Ideen mit: eine ansprechende Gestaltung der Schaufenster, eine andere Wohn- und Eßkultur, einen neuen architektonischen Stil, der größtenteils auf dem Konzept des Bauhauses beruhte, sowie moderne Methoden in Medizin und Forschung.

Siegfried und Lisbeth konnten ihre ursprünglichen Reisepläne in Palästina nicht in die Tat umsetzen. Im Land herrschten Unruhen. Die Auseinandersetzungen zwischen dem *Jischuw* und der arabischen Bevölkerung nahmen gewalttätige Formen an. Eine deutschsprachige Zeitung berichtete auf der Titelseite über blutige Massaker.

»Ich bin doch nicht verrückt und mache Ausflüge auf einem Schlachtfeld«, empörte sich Lisbeth. Und überhaupt, das Palästina der dreißiger Jahre gefiel ihr ganz und gar nicht. »Wie kann man nur so leben?« wunderte sie sich im stillen über ihre Nichten, Ernsts und Leos Töchter. Palästina war unterentwickelt und hinkte Europa um Jahrhunderte hinterher. Der Schmutz in den Stadtvierteln und den arabischen Dörfern ekelte sie an, während der Hochmut der Gutsituierten ihr lediglich ein spöttisches und nachsichtiges Lächeln entlockte. Sie fühlte sich mit dem Pulsschlag des *Jischuw* keineswegs verbunden. Die zionistische Idee und der Pioniergedanke gehörten nicht zu ihrer Welt. Ihre Eindrücke waren lediglich visuell, nicht emotional. Sie nahm nichts anderes wahr als das, was ihr ins Auge sprang, und so schien ihr alles, trotz des strahlenden Sonnenscheins, grau in grau.

Nach Ablauf der zwei Wochen verabschiedete sich das Paar wie geplant von den Familienangehörigen und machte sich wieder auf den Weg zu seinem Berliner Heim. Ursprünglich hatten sie auf dem Rückweg einige Zeit in Italien Station machen wollen. Lisbeth freute sich schon auf das Hotel Positano, wo sie auch schon in der Vergangenheit gewohnt hatten und von wo man einen wunderbaren Blick über die Bucht von Salerno hatte. Doch die politischen Entwicklungen zwangen sie, den weiteren Verlauf ihrer Reise grundsätzlich zu ändern.

In Amalfi trafen sie Rudolf. Er war eigens aus Ischia angereist, wo er seit einigen Monaten lebte. Siegfried und Rudolf hatten sich seit fünf Jahren nicht mehr gesehen. Rudolf zog umher, immer auf der Suche nach sonnendurchfluteten Landschaften und Freunden, die seine Anschauungen teilten. Eigentlich wäre er sehr gern in Cala Ratjada geblieben, einem kleinen Dorf auf der Insel Mallorca, wo er sich ausgesprochen wohl gefühlt hatte. Viele deutsche Künstler, die vor den Schrecken der Nazi-Herrschaft geflüchtet waren, hatten dort Unterschlupf gefunden. Der Ausbruch des Spanischen Bürgerkriegs 1936 und die Weigerung der Polizei, die Aufenthaltsgenehmigungen auf der Insel zu verlängern, hatten jedoch dazu geführt, daß sich die schöpferische Gemeinschaft in alle Himmelsrichtungen zerstreute. Schon bevor er gezwungen worden war, die Insel zu verlassen, hatte er sich offiziell von seiner Frau getrennt. Genia hatte um ein Treffen in Marseille gebeten, und Rudolf war ihrem Wunsch nachgekommen. Ihre Freundschaft sollte sie auf immer verbinden, doch es gab keinen Anlaß mehr, diese Verbindung in institutionalisierter Form aufrechtzuerhalten. Das Regime sprang nicht gerade wohlwollend mit »Arierinnen« um, die mit Juden verheiratet waren. Genia hatte ihn zwar nicht ausdrücklich um die Auflösung ihre Ehe gebeten, doch Rudolf verstand und willigte in die Scheidung ein. Er war nach Mallorca mit dem Gefühl zurückgekehrt, richtig gehandelt zu haben. Dennoch schwieg er darüber; lediglich an Schlüter schrieb er: »Niemand weiß besser als du, daß meine Eheschließung von Anfang an völlig unlogisch war.«

Das Gespräch mit Lisbeth und Siegfried drehte sich um die neuesten Entwicklungen. Sie saßen in einer kleinen italienischen Gastwirtschaft, einem jener winzigen Restaurants – wo die Pasta immer vorzüglich mundete –, die man über das Dach betreten mußte, da sie an einen Hang gebaut waren. Sie sprachen über den »Anschluß«. Erst einen Monat zuvor hatte Österreich seine Souveränität eingebüßt. Nach langen Intrigen, begleitet von Druck und Gewalttätigkeiten, war das Land an das Dritte Reich angegliedert worden. Der österreichische Kanzler Kurt Schuschnigg war, unter verschärften und herabwürdigenden Bedingungen, unter Hausarrest gestellt worden. Der jüdischen Gemeinde wurden achthunderttausend Schilling abgepreßt, da die Nazis bei einer Hausdurchsuchung der israelitischen Kultusgemeinde Wien Belege dafür gefunden hatten, daß die Gemeinde dieselbe Summe zuvor Schuschnigg gespendet hatte. Adolf Eichmann verkündete seine Absicht, in Wien eine Niederlassung der »Zentralstelle für jüdische Auswanderung« einzurichten. All dies verhieß nichts Gutes. »Ich glaube, wir sollten unsere Rückkehr nach Deutschland für einige Zeit verschieben«, sagte Siegfried.

Rudolf nickte: »Ich denke, das ist eine weise Entscheidung.«

»Und du?« fragte Lisbeth. »Kehrst du nach Ischia zurück?«

»Wahrscheinlich«, antwortete Rudolf.

»Wir bleiben diesen Sommer in der Schweiz«, entschied Siegfried und wandte sich an seine Frau: »Was meinst du?«

»Du weißt doch, daß ich gute Schokolade über alles liebe«, gab sie lächelnd zur Antwort.

»Und endlich werden wir auch Gelegenheit haben, uns anzusehen, was wir von diesem Herrn Krieger erworben haben.«

»Mir sind die Schaufenster Zürichs oder die Hotels von Lugano wesentlich lieber. Was gibt es schon auf diesem Anwesen? Das ist doch nur ein Stückchen Land.«

»Das stimmt, es ist nur ein Stückchen Land, aber es liegt auf Schwitzer Territorium und gehört uns.«

»Bitte schön, dann schlage ich folgenden Kompromiß vor: Wir schauen uns das Grundstück in Bisone an, werden aber in Lugano wohnen.«

»In Ordnung, Lies. Du weißt doch, die Ehe ist nichts anderes als eine Aneinanderreihung von Kompromissen. Also abgemacht: Bisone und Lugano.«

»Ich habe Lugano und Bisone gemeint.«

Beide brachen in fröhliches Gelächter aus, als gäbe es keinerlei Grund zur Sorge. Rudolf schaute sie skeptisch an, nahm einen Schluck Wein und stimmte schließlich in ihr Lachen ein. Jetzt war die Reihe am Kellner, die drei deutschen Gäste mit verwunderten Blicken zu bedenken. »Diese Deutschen, denen gehört die ganze Welt«, sagte er zum Koch, der den Kopf aus der Durchreiche der Küche herausgestreckt hatte, um zu sehen, was dort wohl vor sich gehen mochte.

Die Pension in Lugano,
Lisbeths und Siegfrieds erstes Domizil im Exil

Die Pension in Lugano, eine Villa im mediterranen Stil, war in den zwanziger Jahren in der Via Braganzone 4 gebaut worden. Sie war ruhig gelegen, in einiger Entfernung von der Hauptstraße, die sich den Berg hochwindet. Das Ehepaar Levy mietete dort zunächst zwei Zimmer in der ersten Etage. Die Fenster gingen auf den See hinaus, und unter ihnen breitete sich das Ferienstädtchen aus. Vor ihrem Schlafzimmer war ein kleiner Balkon. Lisbeth fühlte sich hier vom ersten Augenblick an wohl. Abends, wenn sie die Rolläden heruntergelassen hatte, kam sie sich sicher und beschützt vor, als seien alle Sorgen und Bedrohungen aus diesen vier Wänden verbannt. Sie liebte es, sich mit ihrem Buch auf dem Samtsofa niederzulassen und im Licht der Tischlampe zu schmökern. Siegfried hing jeden Abend wie gebannt am Radio. Vormittags pflegte er die Cafés entlang des Sees aufzusuchen, wo er Bekanntschaften mit anderen Flüchtlingen schloß, die ebenfalls vorübergehend Zuflucht in der Schweiz gefunden hatten. Sie saßen zusammen, tranken Campari mit Soda und erörterten stundenlang immer dasselbe Thema: Wann würden sie wohl nach Hause zurückkehren können?

Die Nachrichten aus Deutschland waren nicht gerade tröstlich. Mindestens einmal pro Woche telefonierte Siegfried mit seinem Bruder in Bad Polzin. Alle vierzehn Tage rief er seinen Berliner Rechtsanwalt an.

»Ich will alle Anordnungen einhalten, damit ich keine Unannehmlichkeiten bekomme, wenn ich nach Deutschland zurückkehre«, erklärte er seinem Rechtsanwalt Herrn Boling. »Wann beabsichtigen Sie zu kommen?« fragte der Rechtsanwalt. »Wenn sich alles beruhigt hat«, antwortete Siegfried. »Ich verstehe Sie nicht recht«, erwiderte Boling und legte auf. In Berlin wußten alle, daß die Gestapo jedes internationale Telefongespräch abhörte.

Im Sommer strömten immer mehr jüdische Flüchtlinge aus Österreich in die Schweiz. Bereits innerhalb der ersten zwei Wochen nach dem »Anschluß« hatte die Schweizer Regierung der Grenzpolizei Anweisung gegeben, die Paßkontrollen zu verschärfen. Die neutrale Schweiz sah es nur allzugern, wenn Flüchtlinge Gelder und Goldbarren auf Schweizer Banken einzahlten, doch auf keinen Fall wollte sie zur Zufluchtsstätte für weniger betuchte Verfolgte werden. Die offiziellen Beweggründe waren einfach: Eine Einwanderungswelle würde die Arbeitslosigkeit verschärfen, und diese Arbeitslosen würden wiederum den staatlichen Wohlfahrtsstellen zur Last fallen. Dennoch löste eine verschärfte Paßkontrolle das Problem keineswegs. Alle österreichischen Staatsbürger erhielten Pässe des Dritten Reiches, und die Inhaber solcher Pässe konnten ungehindert und ohne Visavorschriften in die Schweiz einreisen. Die Grenzpolizisten hatten Schwierigkeiten, zwischen erwünschten Touristen und ungebetenen Flüchtlingen zu unterscheiden. Grundlegend gingen die Schweizer Behörden davon aus – und dies ganz zu Recht –, daß Juden im allgemeinen Flüchtlinge waren und Nichtjuden als Touristen kamen. Doch wie unterscheidet man Juden und *Gojim*? Diese Frage beschäftigte vor allem Heinrich Rothmund, den Chef der Eidgenössischen Bundespolizei, der zugleich die Zentralstelle der Fremdenpolizei befehligte. Auf der Suche nach einer Lösung beschloß er, den deutschen Konsul in Bern zu Rate zu ziehen.

Unter den Dokumenten im Archiv des nationalsozialistischen Außenministeriums findet sich unter anderem ein Brief des Botschafters des Reiches in Bern, datiert vom 24. Juni 1938. Ganz unverblümt hielt er darin für seine Vorgesetzten in der Wilhelmstraße fest: »Ich hatte eine Unterredung mit Rothmund. Er hielt fest, daß die Schweiz an den Juden genausowenig interessiert ist wie Deutschland, und bat darum, direkten Kontakt zu unserer Polizei in Wien aufzunehmen.« Zwei Monate später verkündete der Schweizer Botschafter in London, daß sich die Schweiz entschieden »gegen eine Verjudung des Staates verwahrt« und von den Nazis verlangte, jüdischen Bürgern des Reiches die Fluchtwege zu versperren. Diese Mitteilung wurde mit Hilfe des deutschen Botschaftsrates in London Theodor Kordt nach Berlin übermittelt. Wenig später trug der in Berlin stationierte Geschäftsträger der Schweiz, Kappeler, eine originelle Idee vor: Vielleicht könnten die deutschen Behörden freundlicherweise die Pässe von Juden irgendwie kennzeichnen, so daß es möglich sei, diese an den Grenzübergängen unzweifelhaft zu identifizieren?

Dieses Gespräch fand unter strengster Geheimhaltung statt. Ende September begab sich Rothmund nach Berlin und wurde im Ministerium des Innern sowie bei der Gestapo freundlichst empfangen. Am 29. September wurde ein geheimes Abkommen unterzeichnet: Vom 5. Oktober an sollten die Pässe von Juden mit einem mindestens zwei Zentimeter großen »J« gekennzeichnet werden. Fortan würden die Schweizer Behörden die Inhaber derartig markierter Pässe nur dann einreisen lassen, wenn sie Aufenthaltsgenehmigungen der entsprechenden Schweizer Behörden vorweisen konnten oder Bescheinigungen, daß seitens der Schweiz keine Bedenken gegen ihre Durchreise auf dem Weg zu einem anderen Reiseziel bestanden.

Leo Levy hatte natürlich nicht die geringste Ahnung, was hier im geheimen vorbereitet wurde. Als er Ende August einen neuen Reisepaß beantragte, war das Abkommen noch nicht in Kraft getreten. Er erhielt seinen Reisepaß problemlos. Eva hatte ihre Ausbildung in Holland abgeschlossen und stand unmittelbar vor ihrer Auswanderung nach Palästina. Ihr Vater hatte beschlossen, sie bis nach Triest zu begleiten. Das war für beide keine Vergnügungsreise. »Um die Wahrheit zu sagen, Papa, die Auswanderung nach Palästina steht im gewissen Widerspruch zu meiner Weltanschauung«, sagte das junge Mädchen, als Else ihre Koffer packte.

»Du mußt erst einmal etwas von der Welt sehen, um eine Weltanschauung zu haben«, verkündete Leo mit väterlichem Ernst.

Es war eine reichlich ausweichende Antwort, doch das wußte er selbst. Die Auswanderung in das Land der Zionisten war als einzige Lösung geblieben – das war eine unumstößliche Tatsache, die nur ein Einfältiger noch in Frage stellen konnte. Und Leo war keineswegs dumm, auch wenn er selbst nicht die Kraft aufbrachte, diese Schlußfolgerung in die Tat umzusetzen. Er, der Kapitän, würde auf dem sinkenden Schiff ausharren. Zwar nicht mehr auf der Kommandobrücke, sondern in einer der dunklen Kammern im Schiffsrumpf, aber zumindest mit dem Gefühl, seine Pflicht erfüllt zu haben. Die Mädchen, ja, das war natürlich eine ganz andere Sache. Im Dritten Reich hatten sie keine Zukunft, schlimmer noch, sie hatten dort noch nicht einmal eine Gegenwart. Alle Umstände rechtfertigten eine Emigration. Als er Eva zum Sekretär des Stettiner Palästina-Amtes in der Prinz-Albert-Straße 6 begleitet hatte, um sich um die Ausstellung ihres Zertifikates zu kümmern, hatte im Wartezimmer unübersehbar ein Stapel der »Jüdischen Rundschau« gelegen, das Sprachrohr der Zionistischen Vereinigung Deutschlands. Die Schlagzeilen der Zeitung verkündeten: »Ende der Einwanderung nach Kolumbien!«; »Visapflicht bei Einreise nach Kuba«; »Paraguay erwägt Einschränkung der Zuwanderung«; »Nach Brasilien – nur bei Familienzusammenführung« ... Auch wenn er die Wahrheit nur schwer akzeptieren konnte: Je mehr die Verfolgung zunahm, desto mehr entmutigte Leute gab es, die einen Weg aus der Falle suchten, und je mehr Menschen zu entkommen versuchten, desto weniger Türen standen ihnen noch offen.

»Sie sollten Ihre Tochter besser nach China schicken«, hatte ihm ein alter Bekannter zugeflüstert, der ebenfalls aus Bad Polzin nach Stettin gereist war und Verbindung zu einem Reiseunternehmen aufgenommen hatte, das Billetts für eine der letzten Überfahrten in den Fernen Osten verkaufte. Es gebe da ein mit der Gestapo kooperierendes Reiseunternehmen, das ein großes Passagierschiff angemietet habe, welches demnächst nach Shanghai auslaufen sollte, denn Shanghais Verfassung ermöglichte die Zuwanderung von Flüchtlingen aus aller Welt. »Wenn Sie Shanghai bevorzugen, gebe ich Ihnen gern die Adresse«, hatte der Mann ihm angeboten. Doch allein schon der Gedanke, daß es Eva auf die andere Seite der Erdkugel verschlagen würde, in eine sündige Stadt, die er lediglich aus den Erzählungen Pearl Bucks kannte, ja, allein schon der Gedanke war ihm unerträglich. Unter den gegebenen Umständen schien ihm Tel Aviv das kleinere Übel zu sein.

Am 15. September bestiegen Eva und Leo den Schnellzug Berlin-Triest. An diesem Tag begab sich auch der britische Premierminister Arthur Neville Chamberlain auf eine schicksalhafte Reise. Chamberlain fuhr zum Berghof bei Berchtesgaden, um Adolf Hitler zu treffen und ihn zu beschwichtigen. Nach dem »Anschluß« Österreichs war der territoriale Appetit der Nazis nur gewachsen – nun liebäugelten sie mit dem Sudetenland.

Zwei Tage zuvor war das französische Kabinett zu einer Sondersitzung zusammengetreten. Frankreich hatte sich verpflichtet, der Tschechoslowakei für den Fall, daß ein anderes Land ihre Unabhängigkeit und Souveränität bedrohte, zur Seite zu stehen. Doch jetzt war das Kabinett gespalten: Sollte man dieser vertraglichen Vereinbarung nachkommen, auch wenn dies Krieg mit dem Reich bedeutete? Einen ganzen Tag lang dauerten die fieberhaften Gespräche. Am Abend hatte man einen Ausweg gefunden: Man würde Chamberlain bitten, Hitler zu treffen und dessen Appetit durch irgendein Abkommen, das die Öffentlichkeit Westeuropas würde akzeptieren können, zu stillen. Zwei Stunden lang waren die Angestellten des französischen Außenministeriums durch die Hauptstadt gerast, bis sie den britischen Botschafter Sir Eric Phipps, der sich in der Opéra Comique aufhielt, endlich ausfindig gemacht hatten. Noch in derselben Nacht wurde eine entsprechende Depesche nach London gekabelt.

Auf dem Reichsparteitag in Nürnberg hatte Göring vor Tausenden von Anhängern gedroht: »Wir wissen, daß es unerträglich ist, wie dieser kleine Volkssplitter da unten – kein Mensch weiß, woher sie gekommen sind – ein Kulturvolk dauernd unterdrückt und belästigt ... Wir wissen aber, daß es ja nicht diese lächerlichen Knirpse sind. Dahinter steht Moskau, dahinter steht die ewig jüdisch-bolschewistische Zerrfratze.« Nun war Chamberlain bereits auf dem Weg nach Berchtesgaden, um Hitler zu beschwichtigen. Danach sollte er nach Bad Godesberg reisen und schließlich, Ende September, zur berüchtigten Münchner Konferenz. Im Gegenzug für die Preisgabe des Sudetenlandes wurde dort ein Frieden für Europa erkauft. Niemand fragte: Für wie lange?

Noch bevor die Tinte auf dem Münchner Abkommen getrocknet war, machte sich Eva nach Palästina auf. Leo stand am Kai des Triester Hafens und winkte dem Schiff hinterher, bis es auf dem Meer entschwunden war. Er eilte in sein Hotel zurück, packte seine Koffer und bestellte sich ein Taxi zum Bahnhof. Der Zug nach Lugano fuhr über Venedig, Vicenza, Verona und Bergamo.

»Ich bin nur für ein, zwei Tage gekommen«, sagte er sofort bei seiner Ankunft in Lugano.

»Warum die Eile, Leo?« wunderte sich Lisbeth. »Warum nutzt du deinen Aufenthalt nicht, um etwas auszuspannen? Es gibt hier genug freie Zimmer, und angesichts all dessen, was in Deutschland vor sich geht, hast du einen Urlaub dringend nötig.«

»Und überhaupt – warum zurückkehren?« fügte Siegfried hinzu. »Ruf Else an ... dieses Haus ist einfach wunderbar.«

»Ich bin in Polzin zu Hause.«

»Du hängst nur an den vier Wänden. Denn außer diesen Wänden ist dort nichts mehr geblieben.«

»Ich hänge nicht an den vier Wänden, sondern an Prinzipien.«

»Wer bist du? Galileo Galilei?«

»Ich bin Leo Levy.«

»Na und? Ob du nun hier lebst oder an irgendeinem anderen Ort, bist du dann etwa nicht mehr Leo Levy?«

»Das ist ja gerade das Problem mit dir, Sigi. Du hast mich niemals verstanden. Weißt du auch, warum? Weil du niemals irgendwelche Prinzipien vertreten hast. Ein Mensch ohne Prinzipien ist ein Mensch ohne Wurzeln.«

»Wir haben beide Erfahrung auf diesem Gebiet. Wir beide wissen nur zu gut, was mit einem Baum geschieht: Seine Wurzeln mögen noch so tief greifen, und trotzdem wird er abgeholzt und zu Balken, Bohlen und Sägespänen verarbeitet.«

»Der Mensch ist eben kein Baum.«

»Genau das habe ich gemeint. Ein Mensch verharrt nicht wie ein Klotz an einem Ort, an dem die Erde brennt.«

Leo senkte den Kopf. »Vielleicht hast du recht«, sagte er. »Jetzt, da auch Eva Deutschland verlassen hat, erscheinen mir die Dinge längst nicht mehr so einfach und eindeutig. Und trotzdem ... nein, Siegfried, ich kann nicht mein ganzes Leben plötzlich verleugnen.«

»Du hast recht. Ich werde dich niemals wirklich verstehen. Die Realität ändert sich, das Regime wechselt, deine Umgebung wandelt sich – und nur du allein, du, Doktor Leo Levy, Sohn Bernhard Levys, Enkel Ascher Levys, Urenkel Jäckels, du allein mußt wie ein Fels in der Brandung ausharren, nur dir ist es untersagt, vom Weg der Prinzipien abzuweichen, selbst wenn diese schon längst ihre Grundlage eingebüßt haben.«

»Ich werde nicht mit dir streiten, Sigi. Du weißt, wie Streitigkeiten unter Brüdern aussehen? Das ist ein Tauziehen. Jeder zieht mit aller Kraft an seinem Ende, jeder in seine Richtung. Doch wenn ich plötzlich loslasse, dann fällst du hin ... Das ist aus den *Mischnajot* ... Du hast niemals darin gelesen, nicht wahr?«

Siegfried lachte. »Du bist unverbesserlich.«

»Das gleiche denke ich von dir.«

»Endlich seid ihr einmal der gleichen Ansicht«, warf Lisbeth erleichtert ein, und alle lachten.

Drei Tage später bat Leo seinen Bruder, ihn zur Bahnstation zu begleiten. Sie fuhren in einer offenen Kutsche die Allee entlang, die den See säumte. Der Sommer ging zu Ende. Die Berggipfel, die sich über dem See erhoben, waren von dünnen Nebelschwaden umhüllt. Auf dem See fuhr ein weißes Ausflugsboot, auf dem Deck standen einige Touristen. »Schau, Leo, wie wunderschön es hier ist. Was für eine Ruhe, welche Stille!« Leo nickte. »Ist es noch weit bis zum Bahnhof?« fragte er.

»Wenn alles nach Plan geht, dann erwische ich noch den Nachtzug von Zürich nach Berlin«, sagte Leo, als sie die Bahnstation erreichten. Dann warf er wie nebenbei ein: »Und du, Siegfried?«

»Ich? Was meinst du damit?«

»Komm, Siegfried, du weißt ganz genau, was ich damit meine!«

Siegfried seufzte und legte seinem Bruder die Hand auf die Schulter. »Nein, Leo, es gibt nur wenig Hoffnung. Aber du kannst uns jederzeit hier in der Schweiz besuchen. Es ist ein Land nach meinem Geschmack, das sich glücklich schätzen kann. Seit Hunderten von Jahren kennt es keinen Krieg. Mir scheint, daß es niemals wirklich erschüttert wurde, und abgesehen von Lawinenschlägen in den Alpen kennt es noch nicht einmal Naturkatastrophen. In Zeiten, in denen in Europa Not herrschte, war es ein sicherer Hafen. Hierhin flüchteten die Calvinisten, als sie von der katholischen Kirche verfolgt wurden. Hierher kamen ... Ja, das ist im Moment der richtige Ort, um sich niederzulassen. Und weißt du, was mir außerdem gefällt?« Siegfried grinste lausbubenhaft: »Frauen haben in der Schweiz kein Wahlrecht!«

Leo schwieg. Er hatte nicht den gleichen Humor wie sein Bruder.

Siegfried nahm die Hand von Leos Schulter, zog sein Portemonnaie aus der Tasche und fragte ernsthaft besorgt: »Vielleicht benötigst du ...?«

»Nein, nein, danke. An Geld fehlt es mir nicht.«

»Ich weiß, aber vielleicht für den Weg ...«

»Du weißt, daß ich ein ordentlicher Mensch bin. Ich habe an alles gedacht.«

»Wenn dem so ist, dann habe ich eine Bitte an dich. Ida hat uns geschrieben, daß sie sich dieser Tage auf eine Italienreise begibt.«

»Richtig. Ich glaube, daß auch sie keine Rückfahrkarte löst.«

»Ida braucht keine Fahrkarte. Sie fährt mit dem Auto. Ich frage mich manchmal, in was für einer Welt wir leben. Einerseits der ›Anschluß‹ und der politische Raubzug im Sudetenland, Sonderregelungen für Juden und Nürnberger Gesetze, Raub von Besitztümern – was immer du nur willst. Und andererseits bist du hier, inmitten dieser wunderbaren Landschaft, und Ida reist der Sonne entgegen, in ihrem Sportwagen, so als ginge nichts vor sich.«

»Siehst du, es ist nicht alles so schwarz, wie du es malst. Was willst du von ihr?«

»Sie soll uns Lisbeths Photoalben mitbringen. Ich meine die Alben mit den Familienaufnahmen. Die Alben, die in Bad Polzin geblieben sind und im untersten Regal stehen ...«

»Ich weiß. In Vaters altem Bücherschrank.«

»Richtig. Und noch etwas. Wenn es dir nichts ausmacht, Leo, würde ich als Andenken gern die beiden Silberleuchter von Urgroßvater Jäckel haben. Sie wären zumindest eine symbolische Verbindung nach daheim.«

»Du hast doch gesagt, daß dein Zuhause hier ist, in der Schweiz ... schon gut, schon gut. Wir wollen nicht wieder streiten. Ich werde nicht vergessen, dir Alben und Kerzenleuchter zu schicken. Aber ich warne dich, Siegfried: Du wirst im Alter sentimental.«

»So liebe ich dich, Leo. Weniger Prinzipien und mehr Humor.«
Die Brüder umarmten sich.

»Richte Else Grüße aus ... Ich hoffe, daß sich alles zum Guten wenden wird.«

»Keine Sorge. Solange der Mensch lebt, hat er noch Hoffnung. Stirbt er, geht seine Hoffnung verloren ... Das ist aus dem *Jerusalemer Talmud*. Auf Wiedersehen.«

»Auf Wiedersehen, Leo.«

Auf dem Heimweg machte Leo Levy in Berlin Station. Dort hatte er sich mit seiner Frau und einem Makler verabredet, der einen Käufer für das Sägewerk in Kollatz finden sollte. In Bad Polzin traf er am 7. November ein. In Lugano hatte die Sonne geschienen. In Polzin war es kühl, alles wirkte grau und trist. Er konnte nicht umhin, den unglaublichen Unterschied zwischen diesen beiden Welten wahrzunehmen. Neben dem Schild am Ortseingang war ein großes Spruchband mit der Aufschrift »Kraft durch Freude« angebracht worden. Überall in Deutschland waren in den letzten Jahren Erholungsheime eingerichtet worden, um Arbeitern aus dem Ruhrgebiet und anderen Industriezentren kurze Erholungsreisen zu ermöglichen. Ihre Anwesenheit veränderte die Atmosphäre in der Stadt. Bad Polzin wurde volkstümlich und vulgär. Manchmal fühlten sich die Einwohner wie Fremde in ihrer eigenen Stadt.

Am Abend seiner Ankunft knipste Leo die Tischlampe an und schrieb einen Brief an seine Töchter. Obwohl Gretel in England war und Hannah und Eva in Palästina lebten, pflegte Leo seine Briefe immer an seine drei Töchter zusammen zu richten, so als wohnten sie an einem Ort. Eine Kopie schickte er dann separat nach London.

»Liebe Hannah, Eva und Gretel,
wir sind heute aus Berlin zurückgekehrt nach einem Weekend, ich via Stettin um sechs Uhr und Mutti direkt vorhin um acht, welches dieses Mal dadurch ein besonderes Gepräge erhielt, als wir gestern nunmehr den Verkauf von Kollatz – und damit unseres letzten Betriebes – perfekt gemacht haben. Käufer ist ein Herr Micheli aus Baumgarten in Ostpreußen, soweit man das beurteilen kann, ein für das Kollatzer Werk geeigneter, schon etwas älterer (ca. siebenundvierzigjähriger) Mann. Nun müssen erst die diversen notwendigen Genehmigungen abgewartet werden, worüber wohl ca. zwei Monate vergehen werden, und dann erst kann die Über-

Das Familienhaus in der Bismarckpromenade, Bad Polzin 1930

gabe erfolgen. Wenn ich damit dann ja auch noch nicht Voll-Rentier sein werde, so rückt dieses Stadium aber immer näher, und die damit zusammenhängenden Fragen treten in schlaflosen Morgenstunden immer mehr an einen heran.

Von Dir, liebe Gretel, haben wir in Berlin Deine Karte vom 3. erhalten. Und heute sprach Mutti nun auch persönlich mit Frau Epstein und erhielt den Pull. Frau E. wußte überhaupt nicht, daß Du die Tochter Deiner Eltern bist, sonst hätte sie sich viel intensiver für Dich interessiert. Aus welchem Grunde Du Dich bei Begegnungen mit fremden Leuten nicht als das bekannt machst, was Du bist und woher Du bist, verstehe ich nicht recht. Ihr müßt doch alle mal inzwischen eingesehen haben, wie richtig und notwendig es ist, sich der Beziehungen, die man vom Elternhause mitbekommen hat, auch zu bedienen!...

Was Du in Deiner Karte von einer ›Engländer-Heirat‹ schreibst, ist uns ganz unklar. Du weißt doch, daß wir in diesen Fragen auf dem gut-jüdischen Standpunkt stehen, daß die Ehe und Familie das Fundament unserer ganzen Existenz bilden, und eine viel zu heilige Einrichtung bilden, als daß man sie zu Experimenten – und sei es

aus noch so wichtigen praktischen-politischen Erwägungen heraus – herabwürdigen sollte...«

Am nächsten Morgen ging Leo wie gewohnt in die Büros der
Firma. Im Empfangszimmer fand er drei Angestellte über eine Zeitung gebeugt vor. »Habt ihr nichts zu tun?« tadelte er sie. Leo
konnte Müßiggang nicht ausstehen. »Diese Woche hatten wir noch
nicht einmal einen einzigen Kunden«, antwortete Franz, der Ge-
hilfe des Buchhalters. »Das rechtfertigt keineswegs, daß ihr
während der Arbeitszeit Zeitung lest«, fuhr Leo sie ärgerlich an.
Der Angestellte faltete die »Pommerschen Nachrichten« zusammen und entschuldigte sich.

Daß Franz, der einzige »arische« Angestellte der Firma, sich bei
ihm entschuldigte, beschwichtigte Leo, machte dies doch allen Anwesenden klar, wer der Herr im Hause war. Leo ging in sein Büro,
schloß die Tür hinter sich, setzte sich an den Schreibtisch und
wollte gerade die eingegangene Post durchsehen, als er die Zeitung
bemerkte, die unübersehbar auf dem Schreibtisch ausgebreitet lag.
Jemand mußte sie absichtlich so hingelegt haben. Die Schlagzeile
verkündete in riesigen Buchstaben:

»Attentat auf deutschen Diplomaten in Paris. Jude erschoß Bot-
schaftssekretär Ernst vom Rath«.

Ernst vom Rath war weder Nationalsozialist noch Antisemit;
ganz im Gegenteil. Die Gestapo hatte sich bereits vor geraumer
Zeit an seine Fersen geheftet, denn man verdächtigte ihn, dem
neuen Regime gegenüber nicht loyal zu sein. Er wurde irrtümlich
erschossen. Ein junger Jude namens Herschel Grynszpan hatte es
eigentlich auf den deutschen Botschafter in Frankreich abgesehen,
um auf die Ausweisung Tausender von Juden polnischer Staatsbürgerschaft aufmerksam zu machen, die seit vielen Jahren in
Deutschland lebten und von denen einige sogar in Deutschland geboren worden waren. Grynszpans Eltern und Geschwister waren
unter den Ausgewiesenen, die an der polnisch-deutschen Grenze
festgehalten wurden. Der siebzehnjährige Student irrte sich in der
Person und brachte den Falschen um. Natürlich änderte dies nichts
am Sturm der Entrüstung, der in Deutschland losbrach. Die Presse
attackierte postwendend auch die Juden in Deutschland. Nicht nur
die »Pommersche Zeitung« forderte eine kollektive Bestrafung.
Leo schlug die Zeitung auf, strich die Knickfalten mit der Hand-
fläche glatt, grübelte für einen Moment, stand dann auf, öffnete die
Tür und rief:

»Franz!«

»Jawohl, mein Herr?« Der Angestellte blickte ihn an, ohne sich von seinem Stuhl zu erheben.

»Hast du die Zeitung in mein Büro gelegt?«

»Ich habe mich für das Zeitunglesen entschuldigt. Jetzt entschuldige ich mich dafür, daß ich Ihr Zimmer ohne Erlaubnis betreten habe. Ich ging davon aus, daß Sie auf dem laufenden gehalten werden möchten. Schließlich bringt nicht jeden Tag ein Jude einen Angehörigen meines Volkes um.«

Leo konnte nur mit Mühe seinen Ärger niederkämpfen. Es kostete ihn große Anstrengung, ruhig zu bleiben, als er Franz mitteilte: »Du kannst dir am Ende des Monats deinen Lohn abholen. Bis dahin möchte ich dich hier nicht mehr sehen.«

»Wir werden uns schon noch sehen«, antwortete der Angestellte mit zusammengebissenen Zähnen und verließ Türen knallend das Büro.

Einen Tag später, kurz vor Mitternacht des 9. November, stand der Angestellte Franz neben einem Lastkraftwagen der Marke »Opel-Blitz«, der im Innenhof des »Lebensborn«-Heimes im Luisenbad parkte. Etwa zwei Dutzend kräftige Männer waren hierher beordert worden. Sie alle trugen die braunen Hemden der SA und breite Armbinden mit einem Hakenkreuz. Nur wenige wußten, daß Franz der Partei beigetreten war. Er hatte dies geheimgehalten; seine tiefreligiöse Mutter haßte Hitler, seit dieser sich mit der Kirche angelegt hatte. Vielleicht haßte sie ihn aber auch, seitdem ihr Mann sie wegen einer zwanzig Jahre jüngeren Frau verlassen hatte, die in der Deutschen Arbeitsfront tätig war. Vier Jahre lang hatte Franz insgeheim der NSDAP loyal und ergeben gedient. Er war beauftragt worden, laufend Informationen über die Vorgänge in der Firma Ascher Levy zu liefern und hatte diesen Auftrag zur Zufriedenheit seiner Vorgesetzten ausgeführt. Er war es gewesen, der dem Kreisbauernführer Klix Zahlen aus den Geschäftsbüchern hatte zukommen lassen. Auch eine Unterredung zwischen Leo und Siegfried hatte er belauscht und darüber Bericht erstattet. Außerdem hatte er zuweilen die Gestapo in Köslin über die Vorgänge unter den Polziner Juden informiert. Als er jetzt neben dem Lastwagen im Luisenbad stand, fragte er sich, was wohl der Anlaß dieser Zusammenkunft sein mochte. Bald darauf wurden sie aufgeklärt, und kurz bevor er in den Wagen stieg, kam der NSDAP-Ortsgruppenleiter auf ihn zu und sagte mit kräftiger Stimme:

»Dies ist die Nacht Ihrer Vergeltung.«

Es war eine kühle Nacht, der Himmel war wolkenlos und sternenklar. Leo hatte das Büro um acht Uhr abends geschlossen und war heimgegangen. Else hatte ein leichtes Abendessen gerichtet, nur Hähnchen mit etwas Gemüse. »Du mußt ein wenig mit dem Essen achtgeben«, schmunzelte sie. »Ich möchte keinen Ehemann mit Schmerbauch.« Nach dem Abendessen zog sich das Paar ins Schafzimmer zurück. »Ich bin müde«, sagte Leo und knipste das Licht aus. Der Schlaf brachte ihm kurz darauf einen merkwürdigen Traum: Er besteigt einen Berg, schnaubend und schwitzend, doch je mehr er sich anstrengt, desto ferner rückt der Berggipfel. In einem Wäldchen unterhalb des Gipfels grast eine Herde Zuchtvieh. Das Bimmeln der Glocken, die um ihre Hälse hängen, klingt wie Salven aus einem Maschinengewehr, die mal anschwellen und mal schwächer werden. Währenddessen steigt er weiter empor. Plötzlich berührt ihn eine Hand ... Diese Berührung war so real, daß er aufschreckte. Er schwebte noch immer zwischen Traum und Wachen, hörte aber dennoch die Worte seiner Frau:

»Leo, Leo, ich glaube, das Telefon schellt.«

Elses verschreckte Stimme holte ihn sofort in die Realität zurück. Das Telefon im Nebenzimmer klingelte unablässig. »Moment«, murmelte er und ging, ohne Licht zu machen, in den Salon hinüber. Mit der linken Hand hielt er seine Schlafanzughose fest, mit der rechten tastete er sich vor, um nicht gegen die Möbel zu stoßen. Das Telefon läutete unaufhörlich.

»Hallo«, raunte er in den Hörer. »Wer ist da?«

»Zander.«

»Zander? Um Gottes willen, wissen Sie, wie spät es ist?«

»Viertel nach vier. Es tut mir leid, aber die Sache kann nicht warten.«

Inzwischen war Leo hellwach.

»Was ist passiert?«

Zander senkte die Stimme: »Nazi-Horden haben sich der Stadt bemächtigt.«

»Ich verstehe nicht recht, was Sie meinen. Bei uns ist es absolut ruhig.«

»Sie holen Juden aus ihren Häusern, plündern Geschäfte, zertrümmern Fensterscheiben.«

»Lassen Sie mich mal sehen.« Leo ging zum Fenster, schob den Vorhang beiseite und blickte hinunter. Die Straße war menschenleer. »Ich sehe nichts. Sind Sie sicher, daß Sie keinen schlechten Traum hatten?«

»Leider nein, es stimmt tatsächlich. In diesem Augenblick sind sie im gegenüberliegenden Haus. Hören Sie die Schreie denn nicht?«

»Warum rufen Sie nicht die Polizei?« fragte Leo. »Es kann doch nicht angehen, daß eine Bande von Unruhestiftern das Gesetz in die Hand nimmt.«

»Ich fürchte, es hat keinen Sinn, die Polizei anzurufen. Mir sieht das Ganze nach einem Pogrom aus, und die Täter genießen den Schutz der Polizei. Vor einer halben Stunde hat mich Herr Abramson angerufen. Die Synagoge von Stettin steht in Flammen. Anscheinend haben sie auch die Pavillons unseres Segel- und Tennisklubs angezündet.«

»Gütiger Gott«, murmelte Leo, »ich weiß nicht, was ich sagen soll.«

»Sagen Sie lieber nichts, Herr Levy. Verrammeln und verriegeln Sie Ihre Wohnung – und beten Sie.«

»Danke«, stotterte Leo und legte den Hörer zurück auf die Gabel. Reglos stand er da, unfähig, auch nur einen klaren Gedanken zu fassen. Alles in ihm war leer, leer, leer. Es war, als hätte man ihm plötzlich den Boden unter den Füßen weggezogen. Sein Blick glitt nach unten. Erst jetzt bemerkte er, daß er barfuß auf dem gebohnerten Parkettboden stand. Er schleppte sich zum nächsten Sessel hinüber und ließ sich hineinfallen.

»Wer hat angerufen?« rief Else aus dem Schlafzimmer.

»Zander. Ich erzähl's dir gleich«, antwortete er. In diesem Moment hörte er auf der Straße Lärm. Ein Wagen hielt an, Männer unterhielten sich lautstark. Er wollte wieder ans Fenster gehen, doch eine merkwürdige Schwere bemächtigte sich seines Körpers, er vermochte einfach nicht aufzustehen. Er blieb auch dann noch im Sessel sitzen, als er das Stampfen von Stiefeln im Treppenhaus hörte und im nächsten Moment an die Wohnungstür gehämmert wurde.

Als Else die Tür öffnete, erblickte sie drei Männer. Sie erkannte Franz. Die beiden anderen waren Fremde, junge Männer in den Zwanzigern. Sie waren bester Stimmung und verbreiteten demonstrative Selbstsicherheit. »Aus dem Weg!« schrie einer der Eindringlinge. Else wollte Franz fragen, was hier vor sich gehe, doch Franz, den sie als zuvorkommenden und bescheidenen Angestellten kannte, stieß sie brutal zur Seite. Sie wurde an die Wand gedrängt, als die ungebetenen Gäste an ihr vorbei in die Wohnung stürmten.

»Ich hab dir doch versprochen, daß ich vor Monatsende zurückkomme. Siehste, wir, die Nationalsozialisten, halten immer unsere Versprechen«, höhnte Franz und versetzte dem Sessel, in dem Leo saß, einen Fußtritt.

Leo reagierte nicht; verwundert blickte er den Angreifer an, als begriffe er nicht, was um ihn herum geschah.

Franz wandte sich an seine Kameraden: »Nun, wer meldet sich freiwillig?«

»Ich«, sagte einer der Eindringlinge und zückte seine Pistole.

Erst jetzt kam Leo mit einem Satz auf die Beine. Im Bruchteil einer Sekunde war er wieder Herr seiner Sinne. Er sah, daß der Lauf der Pistole direkt auf seinen Kopf gerichtet war.

»Das steht im Widerspruch zum Gesetz ... Sie sind dazu nicht ermächtigt! ...« schrie er. Wir werden niemals wissen, was er noch hatte sagen wollen. Der Angreifer drückte zweimal ab. Leo riß die Hände vor sein Gesicht, als wollte er das Unvermeidliche abwehren, dann brach er zusammen. Else warf sich über ihren Ehemann; sie wußte sofort, daß er für immer aufgehört hatte zu atmen.

»Saubere Arbeit«, grinste der Mörder und steckte die Pistole in das Halfter zurück.

»Jetzt werden wir uns hier erst einmal gründlich umsehen«, sagte Franz trocken. »Diese Levys haben uns unser Geld seit hundert Jahren abgeknöpft. Es ist an der Zeit, daß der Besitz an die Eigentümer zurückgegeben wird.«

Schützend über die Leiche ihres Mannes gebeugt, schaute Else stumm zu, wie die drei Männer Schränke und Schubladen auskippten und durchwühlten. Als sie endlich das Haus verlassen hatten, schlich sie zum Telefon und wählte Georg Zanders Nummer. Am anderen Ende nahm niemand ab. Just in diesem Moment wurde Herr Zander, der unter den Bauern und Gutshofbesitzern der ganzen Gegend als Viehfutterhändler geschätzt wurde, zum Sammelpunkt in der Stadt geschleift. Seine Rechte im Vaterland und auch die verzweifelten Proteste seiner Frau, die aus der Gegend stammte und mit Leichtigkeit einen »arischen« Stammbaum bis in die dritte Generation nachweisen konnte – ganz wie es die Rassengesetze der Nazis vorschrieben –, nutzten nichts. Nachdem sie seine Wohnung geplündert hatten, warfen ihn die SA-Barbaren wie einen Sack Kartoffeln auf einen Lastwagen. Dort fand er sich in Gesellschaft von annähernd zwanzig anderen Juden wieder, die ebenfalls aus ihren Wohnungen gezerrt, geschlagen und auf die Ladefläche des grauen Opels geschubst worden waren. Bis zum Mittag wurden alle Männer jüdischer Abstammung in der örtlichen Polizeistation festgehalten. Gegen Abend wurden sie erneut auf einen Lastwagen verfrachtet und entschwanden mit unbekanntem Ziel.

Mittags rief Else Rechtsanwalt Zubke an. »Es steht nicht in meiner Macht, Ihnen zu helfen«, teilte er ihr mit. »Ich kann die Toten nicht wieder lebendig machen. Und was den Sachschaden angeht, empfehle ich Ihnen, sich an Ihre Versicherungsgesellschaft zu wenden.«

In der darauffolgenden Nacht wies der Befehlshaber der Polizei von Bad Polzin vier Juden an, sich im Schutze der Dunkelheit zum Hause Levy zu begeben und die Leiche »schnellstmöglich und ohne Aufsehen und Getue zu verscharren«. Doch als sie in der Adolf-Hitler-Straße eintrafen, sagte ihnen Else: »Sie sind vergeblich gekommen. Wir haben ihn sofort nach der Katastrophe begraben.« Niemand kam auf die Idee, ihre Aussage zu überprüfen. Die Polziner Polizei hatte alle Hände voll damit zu tun, die Gefangenen nach Köslin zu schaffen, denn von dort aus sollten sie, so wurde ihnen zumindest mitgeteilt, in das Konzentrationslager Oranienburg gebracht werden.

Else hatte gelogen. Der Leichnam ihres Ehemannes lag, mit einem Laken bedeckt, auf dem Sofa im Wohnzimmer. Else verständigte ihre Tochter Ruth, die noch in Berlin war, weil sie auf die notwendigen Auswanderungsdokumente wartete. Innerhalb weniger Stunden traf sie in Polzin ein. Obwohl sie erst siebzehn Jahre alt war, übernahm sie die Vorbereitung des Begräbnisses. Das Grab hatten zwei christliche Totengräber ausgehoben.

»Wie traurig, daß niemand ein *Kaddisch* für ihn sagen kann«, schluchzte Else. Jetzt, da sie neben dem Grab stand, konnte sie die Tränen nicht mehr zurückhalten.

Der Totengräber, dem die jüdischen Bräuche recht gut bekannt waren, zuckte mit den Schultern. »Ich kenne Ihr *Kaddisch* nicht, aber es macht mir nichts aus, für sein Seelenheil zu beten. Er war kein umgänglicher Mensch, aber geradlinig. Möge er in Frieden ruhen«, sagte er und kniete auf der frisch ausgehobenen Erde nieder.

Keiner außer Else und Ruth nahm an dem Begräbnis teil. Doch noch bevor Leo Levy bestattet wurde, hatten sich Mutter und

Tochter hingesetzt und Briefe an die Töchter der Familie Levy aufgesetzt, die es geschafft hatten, Deutschland zu verlassen.

»Liebe Drei! Ich hoffe, daß Ihr unser Brieftelegramm inzwischen bekommen habt«, schrieb Ruth. »Wir bekamen Euers durch Gerda telefonisch mitgeteilt. Ich schreibe den Text nochmal hin, falls Ihr es nicht bekommen haben solltet: ›Ferdi verreist, mein Zustand gesund und gefaßt. Bin zu Hause mit Ruth. Absichten noch unbestimmt. Beantragt Zertifikat auch für Ruth. Mutti.‹

Ihr erachtet daraus also, daß es Mutti soweit gutgeht. Sie schläft und ist gesund. Ich kam Donnerstag abend hier an. Um elf Uhr wurde Vati hier abgeholt. Freitag nachmittag kamen die Kollatzer mit Pferden, und wir brachten Vati dann ins alte Haus. Gestern wurde Vati dann in den richtigen Sarg gelegt (er lag zuerst in einem anderen), und morgen hoffen wir ihn dann unter die Erde zu bringen. Mutti ist im Moment drüben und schreibt, glaube ich, auch an Euch … Man kann vorläufig noch nichts weiter machen als abwarten. Ihr könnt Euch ja denken, daß jetzt eine Menge Fragen auftauchen, die man aber vorläufig nicht beantworten kann … Vatis Beerdigung wird nicht so sein, wie Ihr sie Euch vorstellt, aber das ist ja nicht zu ändern. Von außerhalb kommt niemand her, höchstens ein oder zwei Herren aus Stettin … Ich weiß nicht, was ich Euch schreiben kann. Viele herzliche Grüße und Schalom – Ruth.«

Lisbeth und Siegfried saßen zum Nachmittagskaffee im Café am Postplatz von Lugano. Am Abend zuvor hatte Siegfried ein Telefongespräch mit Bad Polzin geführt. Seitdem beschäftigte die dort geschehene Katastrophe ihre Gedanken. Jetzt nahm Lisbeth einen Schluck von ihrer Melange und sagte wie nebenbei:

»Jetzt, da auch Leo nicht mehr unter uns weilt, bist du der letzte männliche Nachfahre der Familie Levy.«

»Ja, das ist richtig«, stimmte Siegfried nickend zu. »Aber was willst du eigentlich damit sagen?«

»Nichts, einfach nur so.«

»Lisbeth, wir kennen uns nun schon wahrlich lange genug … Du hast noch niemals etwas ohne Absicht ›einfach so‹ in den Raum geworfen.«

»Ich habe darüber nachgedacht, was wohl wäre, wenn du eine andere Frau geheiratet hättest …, ich meine, eine Frau, die dir Kinder hätte schenken können. Du weißt sehr gut, was ich damit meine.«

»Ja, hätte ich eine andere Frau geheiratet, hätte ich jetzt ein Dutzend Söhne und würde eine Fußballmannschaft aufstellen mit einem Torwart auf der Reservebank.«

»Du kannst das, was ich gesagt habe, nicht mit deinen Witzen abtun. Ich weiß, wie wichtig die Sache ist.«

»Wichtig für wen?«

»Für die Familie. Zur Sicherung ihres Fortbestehens.«

»Ich dachte, wir hätten dieses Thema vor Jahren zu den Akten gelegt?!«

»Jetzt haben sich aber die Umstände geändert. Manchmal öffnen sogar Gerichte wieder Verfahren, auch wenn bereits Staub auf den Akten liegt.«

»Im Juni werde ich sechzig. Was willst du eigentlich? Soll ich mich scheiden lassen und eine jüngere Frau heiraten, die mir einen Sohn gebären wird? Oder soll ich mich mit einem illegitimen Sohn begnügen? Das italienische Zimmermädchen in unserer Pension macht eigentlich gar keinen schlechten Eindruck. Eine freundliche Brünette. Was meinst du?«

»Du entziehst dich einem ernsthaften Gespräch.«

»Wenn es eine angemessene Lösung gäbe, hätte es Sinn, sich darüber zu unterhalten. Aber so?! Warum in alten Wunden stochern?«

»Ha, auf frischer Tat ertappt!« Lisbeth hob den Kopf und blickte ihm in die Augen. »Auch du redest von Lösungen und Wunden. Auch du hast das Gefühl, daß der Stammbaum hier endet. Daß all die Mühe, die ihr über Generationen hinweg investiert habt, umsonst war. Daß es niemanden mehr gibt, der dies fortführt.«

»Moment mal, beruhige dich. Die Tatsache, daß Leo ermordet wurde, ändert gar nichts ... Ich wollte sagen: Das ist der Sache weder zu- noch abträglich. Es ist schließlich kaum vorstellbar, daß Else nochmals schwanger geworden wäre und ausgerechnet einen Sohn zur Welt gebracht hätte. Wenn man dem *Tanach* Glauben schenkt, dann ist das zwar Sarah widerfahren. Aber heutzutage geschieht so etwas nicht. Und wenn wir schon über uns reden, so müssen wir uns erst einmal um die Gegenwart kümmern, vielleicht auch um das Morgen, aber mit Sicherheit nicht um die kommenden Generationen. Abgesehen davon, habe ich mich jemals über dich beschwert, und sei es auch nur mit dem leisesten Hinweis?«

»Ich weiß, Siegfried. Aber manchmal ist mir nun einmal schwer ums Herz. Eine andere Frau würde sich vielleicht in eine dunkle

Ecke verkriechen und weinen. Tränen verschaffen Erleichterung. Aber ich bin nicht fähig, mir die Augen auszuheulen. Anscheinend sind solche Gespräche der Ersatz dafür. Bitte sei mir nicht böse.«

»Es käme mir gar nicht in den Sinn, dir böse zu sein.« Er legte seine Hand auf die ihre und streichelte sie sanft.

»Armer Leo«, sagte sie. »Ich habe ihn immer etwas aufgezogen. Seine Spießigkeit, diese Hörigkeit gegenüber den Buchstaben des Gesetzes, dieser blinde Glaube an die Prinzipien der Gerechtigkeit ... Ich habe mich ihm niemals wirklich nahe gefühlt, aber ausgerechnet jetzt, da er nicht mehr ist, vermisse ich ihn, als wäre jemand, der mir sehr wertvoll ist, von mir gegangen. Vielleicht schaffen wir es wenigstens, Else und Ruth zu überreden, hierherzukommen.«

»Hast du es schon vergessen? Gestern abend, als ich mit ihnen telefonierte, hat Else mir erzählt, daß sie das Geschäft auflöst und mit Ruth nach Tel Aviv geht. Nach diesem Unglück hat man sie auf dem Palästina-Amt in Stettin anständig behandelt. Anscheinend werden sie schon in Kürze die Zertifikate erhalten.«

»Leo mußte erst umgebracht werden, damit sie den ersten Schritt machen. Welch ein Preis ...«

Auf der anderen Seite des Platzes, im zweiten Stockwerk eines alten Hauses mit Renaissance-Fassade, in riesigen Räumen, deren Decken mit Holzschnitzereien verziert waren, hatte Rechtsanwalt Valdo Riva seine Kanzlei. Lisbeth und Siegfried suchten ihn noch am selben Tag auf. Er empfing sie freundlich wie gewöhnlich im halbdunklen Arbeitszimmer, inmitten antiker Möbelstücke, hinter einem gewaltigen, reichverzierten Schreibtisch sitzend. Doch dieses Mal kamen sie nicht der Geschäfte wegen. Das Ehepaar Levy war vor allem um den weiteren Aufenthalt in der Schweiz besorgt. Nachdem die Kennzeichnungspflicht der Pässe von deutschen Juden eingeführt worden war, galten die alten, nicht markierten Pässe als ungültig. Lisbeth und Siegfried hatten die Wahl, entweder nach Berlin zu fahren, um ihre Pässe entsprechend der Anordnung kennzeichnen zu lassen, oder eine einstweilige Aufenthaltsgenehmigung in der Schweiz zu beantragen. Die Reise nach Deutschland wäre mit großen Gefahren verbunden gewesen, und es war davon auszugehen, daß die Schweiz sie nicht wieder aufgenommen hätte. »Signore Riva«, sagte Siegfried, »wir müssen diese Aufenthaltsgenehmigung erhalten, was immer es kosten mag.«

Der Rechtsanwalt nickte verständnisvoll. »Haben Sie die Bescheinigung der Bank mitgebracht?« fragte er in fließendem Deutsch. Hier, südlich der Alpen im Kanton Tessin, war Italienisch die offizielle Amtssprache. Valdo Riva, ein junger und dynamischer Anwalt, hatte viele deutsche Mandanten, weil er auch Deutsch perfekt beherrschte. Siegfried legte ihm einen Brief der Direktion der Schweizerischen Bankgesellschaft in Zürich vor, in dem bestätigt wurde, daß sich auf seinem Konto sechzigtausend Franken befanden. Herr Riva warf einen Blick auf das Dokument, lächelte zufrieden und versprach, sich der Sache anzunehmen. In einem ausführlichen und gut begründeten Schreiben bat er die Justizabteilung und die Berner Polizei, Herrn Levy und seiner Frau eine Aufenthaltsgenehmigung in Lugano zu gewähren. »Über die liquiden Gelder hinaus, die in beiliegender Bankbescheinigung bestätigt werden, besitzt das Ehepaar ein Anwesen in Bisone im Werte von sechsundvierzigtausend Schweizer Franken. Das Ehepaar Levy ist kinderlos, beide haben weitere Besitztümer in Deutschland, sind also vom materiellen Standpunkt her abgesichert und benötigen keine Arbeitsplätze in der Schweiz. Es besteht keine Befürchtung, daß sie den Wohlfahrtsstellen zur Last fallen werden ....«

Zwei Wochen später mußte sich Siegfried bei der Fremdenpolizei in Bellinzona, der Hauptstadt des Kantons, melden. Ein ernst dreinblickender Offizier schob ihm ein gelbes Büchlein hinüber, eine Art Ausweis, der an vorübergehend in der Schweiz lebende Ausländer ausgegeben wurde. »Ihrem Antrag wurde stattgegeben«, verkündete er. »Sie dürfen in unserem Kanton bis zum 1. September 1939 verweilen. Wie Sie sehen, mein Herr, war und bleibt die Schweiz ein Symbol für Gastfreundlichkeit.«

In der Nacht vom 31. August auf den 1. September, einem Freitag, packte Lisbeth die Koffer. Ein Taxi war für sieben Uhr morgens bestellt. Um acht Uhr fuhr der Schnellzug nach Genua via Mailand ab. Einen Tag später sollten sie nach Nizza weiterreisen, wo sie auf Empfehlung von Freunden ein Zimmer im Hotel »Windsor« gebucht hatten.

Die letzten Tage vor ihrer Ausweisung aus der Schweiz waren in ganz Europa von einer großen Anspannung gekennzeichnet. Nach Österreich und der Tschechoslowakei stand jetzt Polen auf der Speisekarte des Dritten Reiches, und das, obwohl Polen in Großbritannien und Frankreich militärische Verbündete hatte. Ein Überfall auf Polen mußte eine entschiedene – und das hieß: militärische – Reaktion der beiden westlichen Bündnispartner zur Folge haben. Das aber bedeutete einen neuen Weltkrieg. Die Weltöffentlichkeit wollte Hitlers Appetit gezügelt sehen. Sogar die Staatsmänner hatten inzwischen begriffen, daß selbst eine Herausgabe Polens den lang ersehnten Frieden in Europa nicht auf Dauer gewährleisten würde.

In der Nacht, in der Lisbeth ihre Koffer packte, öffnete das Oberkommando des Heeres die geheimgehaltenen Unterlagen für die Operation »Fall Weiß«. Nach einem inszenierten Überfall auf den deutschen Rundfunksender Gleiwitz im deutsch-polnischen Grenzgebiet bombardierten deutsche Flieger im Morgengrauen polnische Städte, Brücken und Flughäfen. Panzerverbände und motorisierte Infanterie überschritten die Grenzsperren, und der Zerstörer »Schleswig-Holstein« setzte mit schweren Geschützen die polnischen Munitionslager auf der Westerplatte in der Nähe von Danzig in Brand. Die Wucht des Angriffs war gewaltig und die Niederlage der polnischen Armee lediglich eine Frage der Zeit.

Kurz bevor Siegfried und Lisbeth die Pension in Lugano verlassen wollten, klingelte das Telefon. Rudolf war am Apparat. Die Nachricht vom deutschen Angriff im Osten hatte ihn aus dem Bett geholt. »Habt ihr die Nachrichten gehört?« rief er in den Hörer. »Was werdet ihr machen? Wie wird es bloß unseren Verwandten ergehen?«

»Wir verlassen die Schweiz«, antwortete Siegfried und fragte, von wo aus der Cousin anrief.

Rudolf war auf der Insel Procida, bot aber an, sich irgendwo mit seinen Verwandten zu treffen. Siegfried schlug den Ferienort Bordighera an der Riviera di Ponente vor. Die beiden verabredeten einen Treffpunkt in einem kleinen Strandcafé.

»Was für eine Ironie des Schicksals«, sagte Rudolf, als sie zusammen am Tisch saßen. »Drei Generationen der Levys haben gegen die Franzosen gekämpft. Und jetzt sucht ihr in Frankreich vor den Deutschen Zuflucht.«

»Ich konnte Kriege noch niemals ausstehen«, sagte Lisbeth. »Und was ist mit dir, Rudi? Wohin wird es dich verschlagen?«

»Sorgt euch nicht. Ich lebe wie ein Schmetterling, ich flattere von Blume zu Blume. Und ich habe noch nie gehört, daß man mit Kanonen auf Schmetterlinge schießt.«

»Das ist keine Antwort.«

»Ich werde erst einmal in Italien bleiben«, gab Rudolf dieses

Mal ernsthaft zur Antwort. »Vielleicht kann ich wieder nach Ischia zurück oder zu meinen Freunden nach Rom. Ich hatte schon immer eine Schwäche für diese Stadt.«

»Ich habe gehört, daß auch Mussolini zum Krieg aufhetzt. Vielleicht ...«

»Ich bin kein Mensch, der anderen Schaden zufügt. Ich habe keine Feinde. Solange es die Natur gibt und die Sonne aufgeht, werden mir die Annehmlichkeiten des Lebens sicher sein, völlig unwichtig, wo das auch sein mag.«

»Ich beneide dich«, seufzte Lisbeth. »Wäre ich doch nur so wie du ...«

»Was für ein Segen, daß der Allmächtige uns nicht alle aus dem gleichen Holz geschnitzt hat, denn das wäre doch wahrlich langweilig. Die Quintessenz, die ich aus dem Leben ziehe, beruht doch gerade auf diesen Unterschieden. Stellt euch doch nur einmal vor, die Welt um euch herum wäre schwarz-weiß, ohne Zwischentöne und Farben!«

»Du bist ein Poet, Rudolf. Wir sind aus Fleisch und Blut. Du sagtest Schmetterling – ein Schmetterling, der von Blume zu Blume flattert. Wir hüpfen eher unfreiwillig von Ort zu Ort und nehmen die Blumen dabei überhaupt nicht wahr. Du kannst dich glücklich schätzen.«

Es war an der Zeit, Abschied zu nehmen. »Wann sehen wir dich wieder?« Die Cousins gaben sich die Hand. »Das weiß Gott allein.« Lisbeth stellte sich auf die Zehenspitzen, küßte Rudolf auf die Wange und flüsterte ihm ins Ohr: »Sieh dich vor den Netzen der Schmetterlingsfänger vor, mein Falterchen.«

Tatsächlich war Rudolf längst nicht so unbeschwert, wie er vorgab, auch wenn er sich die Schrecken, die die Menschheit noch erwarteten, nicht vorstellen konnte. Er war wie ein Spaziergänger, der den Regentropfen auszuweichen versuchte, ohne sich der eigentlichen Schwere des Unwetters bewußt zu sein. Von Bordighera aus kehrte er für kurze Zeit in das Hotel Savoia auf der Insel Procida zurück, wo er die letzten Sommermonate vor Kriegsausbruch verbracht hatte. Von seinem Zimmer aus hatte er einen wunderbaren Ausblick auf die ganze Bucht oder, um es mit seinen eigenen Worten wiederzugeben: »Sicht über den ganzen Golf; Capri, den Vesuv, Cap Misenum, Torregaveta, Ischia und alles übrige mit einem einzigen Blick des Auges umfassend«. Kurz darauf verschlug es ihn zunächst nach Ischia, dann nach Rom, dann fuhr er wieder nordwärts nach Genua. Mittlerweile reiste er nicht mehr atemberaubenden Landschaften nach, sondern war auf der Suche nach einem Ausweg. Die Italiener weigerten sich, seine Aufenthaltsgenehmigung zu verlängern. Seine Ausweisung stand für den 25. November 1939 bevor. Er hatte keinerlei Erfahrung im Umgang mit Behörden und war außerdem mittellos. Mit wachsender Verzweiflung bemühte er sich um die Auswanderung, doch wurde die Liste der Länder, die überhaupt noch Flüchtlinge aufnahmen, täglich kürzer. Seine ganze Hoffnung setzte er auf Erik Charell, einen befreundeten Regisseur und Choreographen, der unmittelbar nach Hitlers Machtergreifung aus Deutschland geflohen war und Rudolf im Oktober 1936 in New York als Gast aufgenommen hatte. Die zwei hatten gemeinsam die Vereinigten Staaten bereist und sogar der Traumfabrik Hollywoods einen Besuch abgestattet. Jetzt wandte sich Rudolf hilfesuchend an Charell. Eine Auswanderung in die USA sei nicht zu bewerkstelligen, erklärte Erik, doch einige Tage später traf ein Telegramm von ihm ein: »hoffen einreise chile zu bekommen stop müssen dafür dreihundert dollar bezahlen stop weitere dreihundert hinterlegen stop kannst du schiffbillet genua-chile mit hilfe genia oder freunden aufbringen stop rückdrahte stop erik.« Doch Rudolf war zu stolz, um sich an Genia zu wenden, und die Antworten einiger anderer Freunde ließen auf sich warten. Er konnte das Geld nicht auftreiben. Seine Versuche, ein Visum für Equador zu erhalten, schlugen ebenfalls fehl. Eine Rückkehr nach Deutschland aber wäre einem Selbstmord gleichgekommen. Der Kontakt zu den Familienangehörigen im Auge des Zyklons, der in Zentraleuropa wütete, brach nach und nach ab. Nur sein Bruder Paul, der nach seiner Entlassung aus den Diensten der Reichsbahn von Stettin nach Berlin verzogen war, schickte ihm weiterhin kleinere Geldbeträge, manchmal allerdings, aufgrund der bestehenden Devisenbeschränkungen, sehr geringe Summen. Einmal zehn, ein anderes Mal zwanzig Mark. Auch Genia sprach ihm mit herzlichen Worten Mut zu, doch ihre Beziehung zu einem anderen Mann war in Künstlerkreisen kein Geheimnis mehr. Die lange Trennung von ihr machte ihm allerdings nichts mehr aus. Herbert Schlüter hatte schon seit langem ihren Platz in seinem Herzen eingenommen. Da dieser dürre Mann mit den kantigen Gesichtszügen und dem ruhigen Gemüt in Florenz weilte, sollte dies Rudolfs nächstes Reiseziel sein. Im Dezember 1940 traf er an den Ufern des Arno ein und fand sich in einem großräumigen Zimmer im fünften Stockwerk eines dunklen, düsteren Hauses an der Piazza Santo Spirito wieder. Er mietete dieses Zimmer von Signora Elena Bandini, einer rundlichen und freundlichen Italienerin, die das Haus, das in Künstlerkreisen nicht unbekannt war, mit eiserner Hand leitete. Der Ort gefiel ihm, auch wenn das Zimmer nur äußerst spartanisch möbliert war. Außer einem Doppelbett, einem Schrank aus Eichenholz und einem Schreibtisch mit zwei Stühlen befand sich nichts im Zimmer. Doch ausgerechnet diese Leere sprach ihn an, denn sie ließ genügend Platz, um eine Staffelei aufzustellen. Von seinem Fenster aus hatte er einen direkten Blick auf die Kirche Santo Spirito, die er in leuchtenden Farben malte.

Die Pension Bandini lag im obersten Stockwerk des Palazzo Guadagni, eines alten Palastes, der schon glanzvollere Zeiten gesehen hatte. »Luxuriöser Pferdestall«, stellte Rudolf gleich zu Anfang fest, als er seine Koffer den breiten und verkommenen Treppenaufgang hinaufwuchtete. Und dennoch sollte Herbert mit seiner Empfehlung goldrichtig gelegen haben. Bei Signora Bandini logierten etliche deutsche Intellektuelle und Künstler, die es aus den unterschiedlichsten Gründen vorzogen, lieber außerhalb der Grenzen des Dritten Reiches zu verweilen. Trotz der Achse Berlin–Rom zeigte das Regime kein Interesse an ihnen. Auch die italienische Polizei belästigte sie nicht und kümmerte sich nicht um die Gültigkeit ihrer Aufenthaltsgenehmigungen. Man hätte meinen können, daß nicht die Faschisten, sondern die Nachfahren der Medicis, die einst die Kunst großzügig gefördert hatten, über diese wunderschöne Stadt wachten. Vielleicht unterhielten sich die Bewohner im Tagesraum der Pension auch deshalb so wenig über Politik und widmeten sich statt dessen den schönen Künsten.

Zwei alte Freunde, Heinz Battke und Kurt Craemer, begleiteten Rudolf in jenen Tagen. Craemer hielt später darüber fest:

»... dieser Wechsel des Wohnortes war gesetzlich freilich nicht zulässig, und nur der freundlichen Nachsicht des Beamten, der im Ufficio für die Ausländer Dienst tat, ist es zu verdanken, daß Rudolf nicht nach Rom zurückgeschickt wurde. Als dann noch Karli Sohn-Rethel zu uns stieß, entwickelte sich nach langer Zeit wieder eine normale Atmosphäre. Wir arbeiteten tagsüber und trafen uns abends – es wurde ein kalter Winter – alle am Kamin. Vor allem für Rudolf Levy bot die neue Wohnung zum ersten Mal seit Jahren wieder ein gewisses Maß an Sicherheit. Er fühlte sich in unserer Gemeinschaft geschützt, und auch die äußeren Zwischenfälle und Probleme, die finanziellen zumal, konnten durch die Nähe von erprobten Freunden leichter als sonst bestanden werden. So gewannen unsere Zimmer, die seit langem provisorischen Unterkünften geglichen hatten, endlich wieder einmal das Aussehen von Ateliers. Ich selbst hatte länger als ein Jahr überhaupt nicht mehr gearbeitet, Rudolf seit fast zweien nicht mehr. Keiner von uns hatte seit längerem die Möglichkeit gehabt, im gleichen Haus von einem Zimmer ins andere zu gehen und, gewissermaßen mit Anstand, nachzuprüfen, was entstanden war ... Für mich und die jüngeren, die in unserem Haus ein und aus gingen und an diesem Umgang und Austausch teilhatten, wurden Rudolf Levys konsequente Aufteilung des Tages und sein regelmäßiges ungezwungenes Arbeiten zu einer wichtigen Erfahrung. Bestimmte Stunden des Tages widmete er der Aufzeichnung von Erinnerungen. Der Stapel von Blättern, die er tagsüber füllte und der auf der linken Seite seines peinlich ordentlichen Schreibtisches lag, wuchs zusehends. Rudolf hatte die Angewohnheit, den Bögen, die er mit seiner schönen, sorgsamen Handschrift beschrieb, ein briefähnliches Aussehen zu geben, indem er auf sie bunte Briefmarken, möglichst aus exotischen Ländern, zu kleben pflegte. Wie er äußerte, brauchte er diese Aufmachung seines Manuskriptes, damit ihm die Empfindung der unmittelbaren Mitteilung des gewissermaßen briefmäßigen Schreibens nicht verlorengehe. Tatsächlich hatte jedes Blatt, schon vom Optischen her, einen unverkennbaren Reiz. Wenn er aus dem Hause ging, verbarg er das Manuskript an einer Stelle, von der nur meine Mutter wußte. Als nach Rudolfs Tode seine Freunde dieses Manuskript suchten, schickten wir mit genauen Angaben eine Zeichnung des Ortes nach Florenz, aber es war leider nichts aufzufinden ...«

Doch einstweilen, in dieser Atmosphäre der scheinbaren Ruhe, hielt Rudolf am Pinsel fest. Beinahe alle zwei Wochen nahm er ein vollendetes Bild von der Staffelei. Einige wurden verkauft und erleichterten seine Existenzsorgen. Andere hielt er zur Verschönerung seines Zimmers zurück, wie zum Beispiel ein Portrait Schlüters oder ein Landschaftsbild mit Narzissen.

Wie in den guten alten Zeiten im Pariser Café du Dôme suchten sich die deutschen Künstler einen Stammtreff. Im Café Giubbe Rosse an der Piazza della Repubblica stellte Rudolf unter anderem sein Können im Schachspiel unter Beweis. Von Battkes Mutter wurde er eingeladen, die Sommermonate in Vallombrosa zu ver-

bringen. Doch seine Sehnsucht nach den Freunden ließ Rudolf
Levy schon nach einem Monat in sein Zimmer in der Pension Bandini zurückkehren. Nur dort verspürte er ein Gefühl von Ruhe und
Sicherheit, obwohl die Nachrichten aus Deutschland Unheil ver-
hießen. Im Februar 1943 teilte Rudolf seinem Bruder in Berlin mit,
daß er an einer Nierenerkrankung leide und beabsichtige, vorerst
in Florenz zu bleiben. Sein Brief kehrte ungeöffnet mit einem kurzen Vermerk auf dem Umschlag zurück: »Empf. Nestorstr. vier-
undfünfzig unbekannt. Jude.«

In Florenz hatte Rudolf auch Hans Purrmann wiedergetroffen,
den Weggefährten aus Pariser und Berliner Bohemetagen. Purrmann war im Jahre 1935 nach Florenz gekommen, um die Villa
Romana zu leiten, eine private Stiftung, die deutsche Künstler ausstellte und seit 1939 enge Verbindungen zum deutschen Regime
hatte. Die Wege Purrmanns und Levys hatten sich oft gekreuzt und
wieder getrennt, und auch ihre Freundschaft kannte ein beständi-
ges Auf und Ab. Purrmann war bei der Flüchtlingsgemeinschaft,
die im Palazzo Guadagni logierte, nicht gerade beliebt, und als er
eine Ausstellung eigener Gemälde eröffnete, erntete er von diesen
Flüchtlingen kein einziges Wort des Zuspruchs. Auch Rudolf
scherte sich nicht um diese Ausstellung. Während des gesamten ge-

meinsamen Aufenthaltes in Florenz zwischen 1940 und 1943 suchte Purrmann kein einziges Mal die Pension Bandini auf, und Rudolf setzte niemals seinen Fuß in die Villa Romana, was jedoch nicht heißen soll, daß sie einander nicht trafen. Sie mieden lediglich die Öffentlichkeit, wenn auch nicht aufgrund des Banns, den die anderen Maler über Purrmann verhängt hatten. Im Gegensatz zu Rudolf Levy, der die Gefahr – aufgrund seines fehlenden Bewußtseins dafür – abtat, wußte Purrmann nur allzugut, daß es in Florenz von Gestapo-Spitzeln nur so wimmelte und beide in Gefahr schwebten; also achtete er darauf, daß sie nicht zusammen gesehen wurden. Schließlich stand Purrmann einer zumindest inoffiziellen Institution des Dritten Reiches vor, und Rudolf Levy war Jude.

Auch Leo Stein hatte seinen Wohnort von Paris nach Florenz verlegt. Er residierte in einer alten und luxuriösen Villa im Stadtviertel Settignano, von wo aus man den Arno überblickte. Einmal die Woche saßen Hans und Rudolf auf dem Balkon dieses Hauses zusammen, tranken Wein und genossen die Aussicht. Ganz Florenz lag ihnen zu Füßen.

»Wenn man von solcher Schönheit umgeben ist, verfliegen alle Sorgen und Ängste«, sagte Rudolf.

»Nero steckte Rom in Brand, als es in voller Blüte stand«, entgegnete Purrmann.

Zunächst hätte man glauben können, daß die Gerechtigkeit Rudolf wohlgesinnt war. Am 10. Juli 1943 landeten alliierte Truppenverbände in Süditalien. Zwei Wochen später erwachte der faschistische Große Rat aus seinem Schlummer und wandte sich gegen den Duce. Italien hatte vom Krieg und seinem Achsenpartner Hitler genug. Benito Mussolini wurde zum König gerufen und verhaftet. In einem als Ambulanz getarnten Wagen wurde der Duce an den Ort seiner Gefangenschaft gebracht, zunächst in eine schmutzige Polizeistation in Rom, später auf die Insel Ponza und schließlich auf den Gran Sasso in den Bergen Abruzziens. Marschall Badoglio wurde zum neuen Ministerpräsidenten ernannt. In den Straßen von Florenz skandierten ausgelassene Massen: »Hitler ist kaputt! Viva Italia!« Im Tagesraum der Pension Bandini stieß man darauf an. Doch schon Anfang September wendete sich das Blatt. Am 3. September unterschrieb Badoglio einen Waffenstillstand mit den Alliierten, der fünf Tage später bekanntgegeben wurde; Hitler antwortete mit dem Einmarsch der Wehrmacht nach Italien. Am 9. September, einen Tag nach dem Einmarsch der Nazis in Florenz, rief Purrmann Friedrich Kriegbaum an, den Leiter des Deutschen Kunsthistorischen Instituts, dessen Büroräume sich im selben Haus wie die Pension Bandini befanden. Purrmann brüllte in den Hörer: »Geh sofort zu Levy und sag ihm, er soll untertauchen!« Kriegbaum führte den Auftrag aus, doch Rudolf weigerte sich rundweg, den Ratschlag zu befolgen. Er benahm sich wie ein sturer kleiner Junge und erwiderte: »Ich habe ein reines Gewissen. Ich habe überhaupt keinen Grund, mich verstecken zu müssen.« Kriegbaum begab sich in die leeren Institutsräumlichkeiten zurück, packte seine Habe, bestellte eine Kutsche und fuhr auf dem kürzesten Weg zum Bahnhof. Er wußte, daß nicht alle seine Taten das Wohlgefallen der neuen Herrscher Norditaliens finden würden.

Drei Tage zuvor, am verregneten Abend des 6. September, hatte Mario Carito, ein Offizier im gehobenen Dienst der italienischen Sicherheitspolizei, der es bereits geschafft hatte, der Stadt seinen Stempel aufzudrücken, seinen Wagen neben dem Haus Via del Bardi 20 geparkt. Am Eingangstor des Hauses prangten Hakenkreuze sowie das Schild des deutschen Konsulats. Carito blickte zu den Fenstern hinauf. Sie waren erleuchtet. Mit einigen Sätzen hüpfte er über die Pfützen, überquerte den Bürgersteig zum Tor und drückte auf die Klingel. Die Sekretärin des Konsulats erkannte ihn sofort. »Welche guten Geister führen Sie denn zu so später Stunde zu uns?« Carito ließ sie wortlos stehen und ging direkt in das Büro des Konsuls. Dr. Gerhard Wolf war zuvor Repräsentant des Außenministeriums in Warschau und im Vatikan gewesen und galt als Vollblutdiplomat. Er diente seiner Regierung schon seit zwei Jahren im Florenzer Konsulat, und durch seine Position unterhielt er gute Beziehungen zur örtlichen Sicherheitspolizei.

»Guten Abend, Herr Kommandeur. Ist etwas passiert? ... Sie sind ja ganz naß. Wollen Sie nicht vielleicht Ihren Mantel ablegen?«

»Danke. Ich bin in Eile.« Carito setzte sich. Wassertropfen rannen an seiner Uniform herunter. »Ich muß mit Ihnen eine wichtige und streng geheime Aktion besprechen.«

»Bei uns wird sogar Toilettenpapier nur mit der Aufschrift ›Streng geheim‹ versandt«, scherzte Wolf.

Carito ignorierte die spöttische Bemerkung und fuhr fort:

»Heute nacht wird hier ein Sonderkommando eintreffen, um sich der Juden anzunehmen. Wir wollen die Stadt gründlich und so schnell als möglich von diesem Ungeziefer reinigen.«

»Ungeziefer? Das scheint mir eher ein Fall für das Gesundheitsamt zu sein«, erwiderte Wolf weiterhin in scherzhaftem Tonfall und schrieb irgend etwas in sein Notizbuch, das vor ihm auf dem Schreibtisch lag.

»Ich sehe keinen Anlaß für Witzeleien«, reagierte scharf der Offizier.

»Ich wollte Ihnen nicht zu nahe treten, Herr Kommandeur. Das ist nun einmal so meine Art. Das Konsulat wird ihm übertragene Aufträge selbstverständlich ausführen. Wie kann ich Ihnen behilflich sein?«

»Wir brauchen eine Liste aller Juden, die im Besitz von Pässen des Reiches sind. Auch von denen, die sich nicht beim Konsulat gemeldet haben und keine gültige Aufenthaltsgenehmigung besitzen.«

Dr. Wolf wurde ernst: »Ich kann nicht versprechen ... ich möchte sagen, daß uns keine genauen Angaben über die Illegalen vorliegen.«

»Ich verlasse mich auf Ihre Fähigkeiten und Ihre Loyalität«, machte Carito unumwunden Druck. »Ich benötige Namen und Anschriften. Jede Information, derer Sie habhaft werden können.«

»Ich werde mein Bestes versuchen«, lenkte Wolf ein. »Meine Sekretärin wird das Material bis morgen gegen Mittag zusammenstellen. Wann beginnt die Aktion?«

»Am 9. November.«

Der Konsul stand auf und streckte die Hand zum Abschied aus. Carito grüßte hingegen mit dem üblichen Faschistengruß. »Danke. Ich wußte, daß Sie mich nicht enttäuschen werden«, sagte er knapp und ging.

Dr. Wolf wartete, bis er hörte, daß der Motor angelassen wurde. Dann begab er sich zu seinem Schreibtisch und wählte eine Florenzer Telefonnummer: »Hallo«, flüsterte er in die Sprechmuschel, »Signora Combarti? Gut, daß ich Sie daheim antreffe. Bitte benachrichtigen Sie umgehend Rudolf Levy, daß er sofort die Stadt verlassen muß ... Nein, ich kann Ihnen keine Einzelheiten mitteilen, aber es ist eine Angelegenheit auf Leben und Tod ...«

Signora Combarti, die Inhaberin einer exklusiven Kunsthandlung, fungierte schon seit längerem als Verbindungsglied zwischen dem Konsul und einigen in Florenz weilenden Künstlern. Auch diese Warnung wurde Rudolf rechtzeitig zugestellt, doch er beachtete sie nicht, genau wie zuvor. Das Flehen Heinz Battkes, Rudolf möge sich doch bei seiner Mutter in Vallombrosa verbergen, half ebenfalls nichts. Rudolf war allenfalls bereit, Battke zwanzig seiner zuletzt entstandenen Gemälde zu übergeben. Am darauffolgenden Morgen konnte er behaupten, schier unglaubliches Glück gehabt zu haben, denn sein Name stand nicht auf der Liste, die der Konsul hatte anfertigen lassen, und in der ersten Nacht der Verhaftungswelle übergingen ihn die Polizisten. Am Morgen saß er mit seinen Nachbarn bei einer Tasse Kaffee zusammen. Etwas später stand er vor der Staffelei, um sein Bild »Selbstportrait mit Brille« zu vollenden.

Je mehr Tage dahingingen, desto intensiver betrieb die Gestapo ihre Suche nach untergetauchten Juden. Es verging keine einzige Woche, in der nicht jemand entdeckt und in das Übergangslager Carpi bei Modena deportiert wurde. Niemand kehrte von dort zurück, niemand wußte etwas über das Schicksal der Häftlinge. Zum ersten Mal begann auch Rudolf Levy, sich ernsthaft um seine Sicherheit zu sorgen. Anfang Dezember schüttete er seinem Freund Schlüter, der wieder in Berlin war, sein Herz aus:

»... Ich war bis hierher immer optimistisch gestimmt, fange aber langsam an, noch lange schreckliche Dinge vorauszusehen. Werde ein Greis sein, wenn man sich wieder einmal in einen Schnellzug wird setzen können, um nach Paris oder anderswohin zu fahren ... Ich lebe wirklich wie ein Gefangener. Und muß mich noch bedanken, daß es mir nicht schlechter geht. Meine Bilder verkaufe ich immer noch ganz gut, trotzdem ich die Preise höher gesetzt habe, den Zeitumständen angemessen. Ich habe auch Dein früheres Zimmer bei der Lodoli dazugemietet, wo ich manchmal schlafe, der Abwechslung halber. Du siehst, das Leben kostet allerhand. Doch wie gesagt, ich halte mich über Wasser. Die Abende sind gewiß schrecklich lang und eintönig, und die Verdunkelung finde ich eine der schrecklichsten Begleiterscheinungen des Krieges. Tötet alle Lebensfreude ...«

Erst jetzt gab Rudolf dem Drängen eines anderen Freundes, Max Krell, nach und stimmte zu, in dessen Wohnung zu übernachten. Doch keine Macht der Welt konnte ihn die ganze Zeit in diesen vier Wänden halten. Im Morgengrauen zog er aus, um in der Stadt umherzustreifen. Gegen Mittag zog es ihn zur Künstlergemeinschaft, die sich auch weiterhin in Cafés zu treffen pflegte, obwohl hinlänglich bekannt war, daß öffentliche Treffpunkte beständig sowohl von italienischen als auch von deutschen Geheimagenten observiert wurden. Nachmittags begab er sich in sein Atelier in der Pension Bandini und malte. Er konzentrierte sich voll und ganz auf ein Stilleben – ein weiteres Gemälde mit Blumen in einer gelben Vase. Er liebte gelb; gelb, die Farbe der Sonne.

Wir werden niemals erfahren, wie die Häscher seine Spur aufnahmen. Ungefähr eine Woche vor Weihnachten, in den frühen Morgenstunden, teilte ihm Signora Bandini mit, daß der Kunsthändler Corsini um elf Uhr zu Besuch kommen werde, um ein weiteres Bild, vielleicht sogar zwei zu erwerben. Rudolf spazierte von Krells Wohnung zur Piazza Santo Spirito und betrat das dunkle Treppenhaus des Palazzo Guadagni. Als er im fünften Stockwerk angelangt war, bemerkte er zwei Männer, die neben der Eingangstür zur Pension standen. Er bat, vorbeigelassen zu werden, doch sie versperrten ihm den Weg. Noch bevor sie etwas sagten, wurde ihm klar, daß er in eine Falle getappt war. Einer der beiden zog irgendeinen Ausweis aus der Tasche, hielt ihn Rudolf unter die Nase und verkündete trocken:

»Geheime Staatspolizei. Das Versteckspiel ist zu Ende. Versuchen Sie nicht ...«

»Ich werde nicht fliehen«, verkündete er gelassen. Einer der Polizisten klingelte an der Tür. Signora Bandini öffnete und schrie irgend etwas auf italienisch. Sie wurde angewiesen, zur Seite zu treten, und die Besucher gingen gemeinsam mit Rudolf in dessen Zimmer, um es zu durchsuchen. Erschrocken und völlig durcheinander bot sie an, allen einen Kaffee aufzubrühen. »Das ist gar keine schlechte Idee«, sagte einer der Gestapo-Männer. Signora Bandini ging in die Küche, doch als sie mit den Kaffeetassen auf einem Tablett zurückkam, war Rudolfs Atelier bereits leer. Die Eingangstür zum Treppenhaus stand offen. Die Schritte auf der Treppe hallten noch lange in ihren Ohren wider, auch als die Schmetterlingsfänger längst mit dem eingefangenen Falter verschwunden waren.

Seitdem sich Siegfried und Lisbeth im September 1939 von Rudolf verabschiedet hatten, war das Zimmer mit der Nummer 35 im Hotel Windsor in der Rue Valpozzo in Nizza zu ihrer festen Übergangsbleibe geworden. Es war ein graues fünfstöckiges Haus, dessen Erscheinung die beschränkte Vision des Architekten widerspiegelte, doch Lisbeth genoß die Bequemlichkeit und vor allem die Aussicht: Von ihrem Fenster aus sah man einen kleinen Garten, in dem einige Bäume und drei hochgewachsene Palmen standen. Auch mit der Lage des Hotels war sie zufrieden, weit weg vom Treiben des Hafens und dennoch in der Nähe der Strandpromenade. Außer dem Ehepaar Levy wohnten noch einige andere deutsche Flüchtlinge im Hotel, Juden und Nichtjuden. An den Abenden saßen alle in der Bar im Erdgeschoß zusammen, die direkt neben dem Eingang lag. Sie tranken Branntwein, spielten Karten und wetteiferten darum, die Zukunft vorherzusagen. Im allgemeinen klaffte ein tiefer Abgrund zwischen Erwartungen und Realität. Im Osten war der Krieg zu Ende, Polen hatte sich nach von vornherein aussichtslosen Kämpfen ergeben, die dennoch insgesamt siebzehn Tage gedauert hatten. Das Land wurde zwischen Sowjetrußland und Nazi-Deutschland aufgeteilt. Im Westen war noch kein Schuß gefallen, doch in Erwartung dessen herrschte gespannte Besorgnis und großes Mißtrauen.

Obwohl Lisbeth und Siegfried zu Flüchtlingen geworden waren, die nicht in ihre deutsche Heimat zurückkehren konnten, galten sie in Frankreich als Angehörige eines feindlichen Staates, dessen Armee die Existenz der Dritten Republik bedrohte. Allein schon die Tatsache, daß in ihren Pässen Stempel mit einem Hakenkreuz auftauchten, rief feindselige Reaktionen hervor.

Der 9. November ist ein Datum, das in der Geschichte der Familie Levy immer wieder mit Schrecken verbunden ist. Am 9. November 1923 stand Rudolf Levy in München und wurde Zeuge des ersten Versuches Hitlers, die Regierung an sich zu reißen. In der Nacht vom 9. auf den 10. November 1938 wurde Leo Levy in seinem Haus in Bad Polzin erschossen, wodurch die Geschichte der Levys auf deutschem Boden ihr Ende fand. Am 9. November 1939, genau ein Jahr später, klopften zwei französische Polizisten an das Zimmer Nummer 35 im Hotel Windsor und befahlen Siegfried, einen warmen Mantel mitzunehmen und ihnen zu folgen.

»Was habe ich getan? Wohin bringen Sie mich?« wunderte sich Siegfried.

»In das Internierungslager Fort Carré«, antwortete einer der Polizisten und fügte höhnisch hinzu: »Sie, Madame, dürfen ruhig im Bett bleiben. Wir Franzosen erachten das Bett als den passendsten Ort für das schwache Geschlecht.«

Lisbeth war fassungslos. Kaum hatte sich die Tür hinter ihrem Ehemann geschlossen, eilte sie hinunter in das Büro des Hotelbesitzers. Monsieur Alfred Cafiero, mit Leib und Seele Hotelier, verstand es, seinen Gästen zu Diensten zu sein. »Sorgen Sie sich nicht, Madame«, beruhigte er Lisbeth. »Ich kenne einen Arzt, der mit

Freuden ein Wunder-Attest ausstellen wird, so daß Ihr Ehemann mit Sicherheit freikommt. Angesichts der Umstände lassen wir ihn an Aussatz oder der Pest erkranken, er könnte jedoch auch im neunten Monat schwanger sein. Doktor Delair hat die richtige Antwort auf jede Frage. Außerdem spart er für die Übersiedlung seiner Praxis nach Casablanca. Schon seit vielen Jahren träumt er vom strahlenden Weiß der nordafrikanischen Häuser – und immer fehlen ihm ausgerechnet die allerletzten tausend Franc.«

Doktor Delairs Praxis befand sich keine dreißig Schritte vom Hotel entfernt. Der Arzt war über Lisbeths Anliegen keineswegs erstaunt. Als auch Monsieur Cafiero ihm zunickte, setzte er sich an einen Schreibtisch mit vielen Schubladen und schrieb mit deutlicher Handschrift:

»Ich, der Unterzeichnende, Doktor Delair, zuvor Abteilungsleiter im Krankenhaus Chardon-Lagache in Paris und leitender Arzt im britischen Krankenhaus Hartford, Kardiologe und Spezialist für Blutgefäße, bestätige hiermit, daß ich Siegfried Levy, zweiundsechzig, examiniert habe. Ich habe bei ihm eine chronische Infektion der Bronchien mit sklerotischen Elementen der Pleura im Rahmen einer elektrokardiographischen Untersuchung festgestellt, wodurch eindeutig bestätigt wurde, daß eine Schwächung der Herzkranzmuskulatur und ein mögliches Herzversagen vorliegen, die eine umgehende stationäre Behandlung erforderlich machen.«

»Das sollte die überzeugen«, lachte er und setzte seine Unterschrift darunter. »Ich kenne den Oberleutnant von Fort Carré, Dupuy. Er hat Respekt vor Doktortiteln und Herzleiden. Sein Vater ist vor einiger Zeit an einem Herzinfarkt gestorben. Er war ein guter Mensch ... Jetzt gehen wir zur Präfektur, um meine Unterschrift beglaubigen zu lassen. Wir könnten das auch von einem Notar machen lassen, aber ich habe festgestellt, daß ein Stempel der Polizei ärztlichen Attesten zusätzliches Gewicht verleiht. Eine durchaus peinliche Partnerschaft, doch was kann man unter diesen Umständen schon machen. Aber bevor wir aufbrechen, vielleicht ...«

Lisbeth öffnete ihre Geldbörse: »Wieviel, Monsieur le Docteur?«

Cafiero legte seine Hand auf das Portemonnaie. »Nicht jetzt. Ich kenne den Tarif, Madame. Wir rechnen die Summe einfach zu Ihrer wöchentlichen Hotelrechnung hinzu. Wir machen das immer so.«

»Merkwürdige Sitten, aber ... wie immer Sie wünschen, meine Herrschaften.«

»Sie müssen verstehen, Madame Levy. Jeder sorgt sich um seinen Teil vom Kuchen.«

»Offensichtlich wird die Welt auf diese Weise regiert«, lächelte sie und streckte dem Doktor die Hand entgegen. Doktor Delair erwiderte ihren Händedruck herzlich.

Siegfried Levy hatte sich an die Annehmlichkeiten eines bequemen Lebens gewöhnt, und so war es kein Wunder, daß ihm die Lebensweise im Internierungslager keineswegs behagte. Die Häftlinge schliefen in den Schlafsälen einer verlassenen Kaserne, auf dreistöckigen Pritschen, ohne Kopfkissen. Das Essen war ohne Geschmack und, als sei dies nicht genug, wurde es auch noch in verrosteten Blechschüsseln ausgeteilt. Die herbstliche Kühle machte Siegfried genauso zu schaffen wie die dünne, rauhe Decke. Er bestach einen der Wachhabenden und konnte so Verbindung zu Lisbeth aufnehmen. Mit Spannung verfolgte er ihre Anstrengungen, ihn freizubekommen. Der heißersehnte Tag sollte auf den 18. Dezember fallen. Oberleutnant Dupuy brachte ihn höchstpersönlich zum Tor. Draußen wartete ein Taxi.

Nizza hatte sich für das bevorstehende Fest herausgeputzt. In der Empfangshalle des Hotels hatte man einen geschmückten Tannenbaum aufgestellt. Auf ihrem Zimmer zündete Lisbeth *Channuka*-Kerzen an, denn in diesem Jahr fielen Weihnachten und der Beginn des mehrtägigen *Channuka*-Festes auf ein und denselben Tag. Am 31. Dezember wurden – trotz des Krieges – in den meisten Restaurants und in fast allen Hotels Silvesterbälle veranstaltet, als gelte das Motto: »Heute esse und trinke ich, als sei dies mein letzter Tag.« Bis zum Heiligen-Drei-Königstag waren die staatlichen Ämter geschlossen. Sobald sie wieder geöffnet hatten, machte sich Siegfried unermüdlich auf Behördengänge. Er tippelte von einem Amt zum nächsten, denn das Ehepaar Levy benötigte dringend eine Aufenthaltsgenehmigung in Frankreich; ansonsten würde sich eine erneute Internierung nicht abwenden lassen. Ihre Touristenvisa waren inzwischen völlig wertlos. Frankreich wurde von illegalen Einwanderern und politischen Flüchtlingen regelrecht überflutet. Sie gaben sich als Touristen aus, galten angesichts der gegebenen Umstände jedoch als Spione oder Saboteure. Von Tag zu Tag wuchs der Stapel der Genehmigungen, der Ausweise und Dokumente, die sie vorlegen mußten, und für jedes Blatt Papier mit einem Stempel mußten sie tief in die Tasche greifen. Drei alteingesessene Einwohner mußten außerdem die Loyalität der Levys gegenüber Frank-

HOTEL WINDSOR

11, RUE DALPOZZO
ANGLE RUE DU MARÉCHAL JOFFRE

NICE

JARDIN OMBRAGÉ - PARC AUTOS

TÉLÉPHONE 830-59

Je soussigné Albert Cafiero
Hotelier français né a Bordeaux
certifie connaître Madame
Levy Lisbeth, depuis plus
d'un an et je suis certain
de son loyalisme et de sa
vie correcte ne prêtant pas
a suspision.
Nice le 29 Mai 1940

propriétaire Hotel Windsor

Albert Cafiero, der Besitzer der Hotels Windsor, verbürgte sich persönlich für die »Loyalität« Lisbeths gegenüber Frankreich.

reich bezeugen. Der Kommandeur des Internierungslagers La Mila, der Verantwortliche für »Judenangelegenheiten« im Süden Frankreichs, befahl Siegfried, sich bei der Polizei von Aix-en-Provence zu einer Untersuchung einzufinden, und ließ erst davon ab, als Doktor Peaudeleu, Amtsarzt und Gerichtsmediziner am Obersten Gericht, so gütig war, Doktor Delairs Diagnose zu bestätigen. In der zweiten Januarhälfte erhielten Siegfried und Lisbeth endlich eine Bescheinigung, die ihnen zubilligte, sich ein Jahr lang in Frankreich aufhalten zu dürfen. »Mir scheint«, sagte Siegfried zu seiner Frau, als er mit dem ersehnten Ausweis ins Hotel zurückkehrte, »daß in diesen verrückten Tagen ein solcher Fetzen Papier weit mehr wert ist als ein Mensch.«

Doch die wirklich schweren Tage lagen noch vor ihnen. Im Sommer 1940 füllten sich die Strände der Riviera nicht mit Feriengästen, die exquisiten Hotels von Cannes wirkten trostlos, und lediglich die im Hotel Windsor in Nizza abgestiegenen Flüchtlinge aus Deutschland bewahrten Monsieur Cafiero vor dem Bankrott. Im Mai kam in den Norden Bewegung. Der deutsche Oberbefehl startete mit hundertdreiundvierzig gut ausgebildeten und ausgerüsteten Divisionen die Offensive im Westen, unter Verletzung der Neutralität Belgiens, Luxemburgs und der Niederlande. Die französischen Verteidigungsstellungen brachen wie ein Kartenhaus zusammen. Innerhalb von sechs Wochen war die Armee der »Froschesser« besiegt. Ein dramatisches Ereignis jagte das andere: Am 10. Juni trat Italien in den Krieg gegen Frankreich ein. Am 12. Juni floh die französische Regierung von Paris nach Tours und innerhalb weniger Tage von Tours nach Bordeaux. Am 14. Juni flatterten Hakenkreuzfahnen auf dem Pariser Eiffelturm. Am 16. Juni trat Ministerpräsident Reynaud zurück, dessen Platz der greise Marschall Pétain einnehmen sollte. Einen Tag später wurden Angehörige des deutschen Pionierkorps mit Preßluftbohrern tätig, um die Wand des Museums in Compiègne einzureißen und den alten Eisenbahnwaggon herauszuholen, in dem 1918 der Waffenstillstand besiegelt worden war. An diesem Tag sandte der damalige deutsche Kaiser aus seinem Exil im holländischen Doorn ein Glückwunschtelegramm an Hitler: »Unter dem tiefgreifenden Eindruck der Waffenstreckung Frankreichs beglückwünsche ich Sie und die gesamte deutsche Wehrmacht zu dem von Gott geschenkten gewaltigen Sieg mit den Worten Kaiser Wilhelms des Großen: Welch eine Wendung durch Gottes Fügung ...« Der deutsche Diktator ließ das Telegramm archivieren, auch wenn seiner Meinung nach nicht göttliche Vorsehung, sondern sein persönliches Geschick als Oberbefehlshaber diesen glorreichen Sieg herbeigeführt hatte. Wie auch immer. Die französischen Delegierten mußten jedenfalls zu ihrem Entsetzen feststellen, daß der Waffenstillstand auf derselben Waldlichtung und in demselben Salonwagen diktiert wurde wie schon 1918. Doch dieses Mal thronte Adolf Hitler auf dem Sessel Marschall Fochs. Man hatte den Spieß umgedreht.

Ausländische Zeitungen gaben die Vorgänge in allen Einzelheiten wieder. Siegfried kaufte sie am Kiosk neben dem Hotel und war auch noch eine volle Stunde danach in die Meldungen vertieft. Der Duft frischen Kaffees erfüllte den Speisesaal. Eine hübsche Kellnerin schlängelte sich zwischen den Tischen hindurch, und der Oberkellner des Speisesaales wachte mit Argusaugen darüber, daß alle Gäste standesgemäß bedient wurden. Die Anwesenden führten leise Unterhaltungen, die Luft war von einem unverständlichen Säuseln erfüllt, das von Zeit zu Zeit durch den hohen Klang eines Teelöffels oder einer Gabel, die gegen Porzellan stießen, unterbrochen wurde. Kurz: Es herrschte die alltägliche Geräuschkulisse, die typisch war für ein gutbürgerliches Hotel an exquisitem Platz, an dem die übrige Welt mit ihren Verfolgungen, Kämpfen und politischen Ränkespielen ausgesperrt schien. Doch diese Ruhe war trügerisch – die Nachrichten ließen Böses ahnen.

Der vierundachtzigjährige Philippe Pétain wurde zum Regierungsoberhaupt jenes »unabhängigen« Frankreich ernannt, dessen Entstehung die Nazis in den Kapitulationsverhandlungen zugestimmt hatten. Am 9. Juli trat in Vichy das Parlament zusammen, um über die Zukunft Frankreichs zu beraten, als läge es tatsächlich in seiner Macht, darüber zu bestimmen. Hitler hatte die Existenz eines »unabhängigen« Frankreich lediglich zugestanden, um auf diese Weise eine französische Exil-Regierung in London oder Nordamerika zu verhindern. Doch jeder, der halbwegs bei Verstand war, wußte, daß bei einer Veränderung der Gegebenheiten – wenn Hitler auf die Zusammenarbeit mit Pétain würde verzichten können oder müssen – die Wehrmacht in Südostfrankreich einmarschieren und der Farce des »unabhängigen« Staates ein Ende setzen würde.

Vichy-Frankreich glich einem baufälligen Kahn, der auf stürmischer See trieb und eine leichte Beute für Piraten war. Die ausländischen Konsulate übernahmen dabei die Rolle von Rettungsbooten. Abertausende blinder Passagiere – Flüchtlinge aus den von Deutschen besetzten Gebieten, aber auch Heimatlose aus Franco-Spanien – versuchten, sich auf diese Boote zu drängen, um sich vor dem Untergehen zu retten. Gerissene Schieber, die Beziehungen zu ausländischen Vertretungen und den örtlichen Sicherheitsbehörden besaßen, forderten für ihre Dienste große Beträge in Devisen, natürlich sofort zahlbar. Der Dollarkurs auf dem Schwarzmarkt kletterte auf sechzig Franc. Jeder, der seine Seele retten wollte, wurde zur Ader gelassen. Wer nicht das nötige Kleingeld besaß, war keiner Mühe wert. Der Gesetzesdschungel und die sich fortwährend ändernden Verordnungen produzierten wahrhaft absurde Situationen. So konnten zum Beispiel Flüchtlinge, die nachzuweisen vermochten, daß sie südfranzösischen Boden verlassen würden, bleiben. Auf diese Weise entstand ein neuer Dienstleistungsmarkt. Die Gesuche um Visa für ferne Länder überstieg die Nachfrage nach Brot und Fleisch. Der Stempel der Konsulate von Paraguay, Kuba, Siam oder irgendeines anderen exotischen Staates im Reisepaß eines Flüchtlings war die notwendige Vorbedingung für eine polizeiliche Aufenthaltsgenehmigung. Doch die Stempel reichten nicht, um tatsächlich von Nizza oder Marseille aus den Weg nach Übersee anzutreten. Vor seiner Abreise mußte der Flüchtling Dutzende unterschiedlicher und sonderbarer Bescheinigungen einholen: daß er kein Kommunist war, keine ansteckenden Krankheiten hatte, nicht der Armee beizutreten wünschte, keine Schulden hatte, daß er im Besitz seiner vollen geistigen Kräfte war und, zu guter Letzt, daß er nach seiner Abreise aus Frankreich dem Status des Landes und dessen gutem Ruf in der Welt keinen Schaden zufügen würde. Im besetzten und verängstigten Europa hingegen war sogar der Erhalt einer Geburtsurkunde fast so schwierig wie ehedem die Durchquerung des Roten Meeres. In den Besitz aller notwendigen Dokumente zu gelangen war eine Sisyphusaufgabe. Gefälschte Papiere und Zeugen, die Falschaussagen machten, waren einfacher aufzutreiben als einwandfreie Dokumente und glaubwürdige Zeugen.

Die Cafés Roma und Aux Brûleurs des Loups in Marseille entwickelten sich zu Drehscheiben dieser Dokumenten-Börse. Siegfried begab sich alle zwei Wochen dorthin, um auf dem laufenden zu bleiben und inoffizielle Informationen aufzuschnappen, die nicht in den zensierten Zeitungen gedruckt wurden. Kellner wurden zu Spekulanten; Schankwirte verkauften mit Wasser gestreckte Getränke sowie Informationen über den nächsten Schiffsverkehr; die anwesenden Gäste analysierten mit tiefem und verzweifeltem Ernst den neuesten Tratsch. Von Zeit zu Zeit machten Gerüchte über Passagierschiffe die Runde, auf denen angeblich noch Plätze nach Tanger oder die im Stillen Ozean gelegenen Fidschi-Inseln zu haben waren. In derselben Regelmäßigkeit ließen die »amtlichen Mitteilungen« über den Einmarsch der Wehrmacht »in der nächsten Woche« oder »im nächsten Monat« die Café-Besucher erzittern. Entmutigte und mittellose Menschen trieben sich stundenlang am Quai de Belges im alten Fischerhafen herum, in der Hoffnung, sich auf eines der auslaufenden Fischerboote stehlen zu können, um auf diese Weise eventuell nach Nordafrika zu gelangen.

In den Reisepässen des Ehepaares Levy gab es keine einzige leere Seite mehr. Siegfried hatte Einreisevisa nach Spanien, Portugal, Bangkok und Siam erworben, für den berühmten Fall der Fälle. Ungeduldig wartete er nun auf eine Antwort von Francis Maclaren Withey, dem stellvertretenden Konsul der Vereinigten Staaten in Nizza. Ungefähr einen Monat zuvor hatte dieser Mann kundgetan, Siegfrieds Chancen, eine Einwanderungsgenehmigung in die USA zu erhalten, stünden »sehr gut«. Doch die Mühlen der Bürokratie mahlten langsam, und die ersehnte Genehmigung ließ auf sich warten. Die örtliche Polizei drohte, seine Aufenthaltsgenehmigung für ungültig zu erklären, da er für eine Auswanderung nicht offiziell registriert war. Siegfried reiste erneut nach Marseille und erstand für fünfhundert Dollar von einer großen Schiffahrtsgesellschaft eine Bescheinigung, wonach er im Besitz von zwei Billetts für eine Passage nach Havanna war. Mittels dieser Bescheinigung konnte er die Ausweisung nach Deutschland weitere zwei Monate hinauszögern.

»Havanna? Wo liegt das denn bloß?« fragte Monsieur Cafiero, als er die Bescheinigung sah.

»Für mich, mein Freund«, antwortete Siegfried, »ist das eine Zwischenstation auf dem Weg von Marseille nach New York. Doch es ist durchaus davon auszugehen, daß ein Blick auf die Landkarte eine solche Logik nicht bestätigt.«

Cafiero lachte. »Landkarte? Welche Bedeutung haben heutzutage schon noch Landkarten?! Sie ändern sich so rasant, daß sie kaum auf dem aktuellen Stand gehalten werden können. Die merkwürdigste Landkarte, die ich jemals gesehen habe, war eine Karte von Frankreich vor einem Jahr. Als ich sie mir angesehen habe, mußte ich lachen und gleichzeitig weinen.«

Nach zwei Monaten war Siegfried gezwungen, erneut eine Bestätigung für eine Schiffspassage zu erstehen. Alle paar Monate war eine neue Bescheinigung fällig, da die Konsuln, die leichten Gewinn witterten, die Gültigkeitsdauer solcher Dokumente beschränkten. Am 21. September wurde die erste Verordnung über die Pflicht, sich als Juden registrieren zu lassen, herausgegeben. Die Beamten der Vichy-Regierung ließen zwar gegenüber Franzosen mosaischen Glaubens Nachsicht walten, nicht aber gegenüber Juden, die nicht in Frankreich geboren waren und nicht die französische Staatsbürgerschaft besaßen. Diese verfolgten sie um so unbarmherziger. Lisbeth und Siegfried spürten, wie sich die Schlinge immer enger um ihren Hals legte. Auch wenn sie es nicht hören oder sehen wollten, so bewiesen die Briefe, die noch aus Berlin eintrafen, eindeutig, welches Schicksal einem Juden widerfuhr, der den Nazis in die Hände fiel: Bereits im Februar 1940 waren die Stettiner Juden in einen Güterwaggon verfrachtet und in den Osten Polens deportiert worden. Planierraupen rissen das Synagogengebäude nieder und ebneten es ein. Die Rechnung für diese Arbeiten wurde der Reichsvereinigung der Juden in Deutschland überstellt. Die antiken *Thora*-Rollen, die in gestickten Samtbezügen aufbewahrt wurden und mit kostbaren Silberkronen verziert waren, brachte die Gestapo, wie sie es ausdrückte, »an einen sicheren Ort« in Hamburg. Auch in Bad Polzin lebten keine Juden mehr. Die Firma Ascher Levy war liquidiert worden, die Geschäftszweige, die bis zur sogenannten Reichkristallnacht nicht beschlagnahmt worden waren, gingen in den Besitz einer neuen Nazi-Institution über: Allgemeine Treuhandstelle (ALTREU).

In New York setzten sich Vertreter der »Guaranty Trust Co.« für die beschleunigte Abwicklung bei den Einwanderungsämtern ein. Im Frühjahr gab Siegfried die Anweisung, einen Großteil seines Vermögens, das noch immer auf Schweizer Konten ruhte, an dieses Geldinstitut zu überweisen. Noch bevor ihm der stellvertretende Konsul Withey mitteilen konnte, daß sein Gesuch positiv beschieden wurde, war im Hotel Windsor bereits eine telegraphische Nachricht von Siegfrieds New Yorker Rechtsanwalt eingetroffen: »visa nummer eins-acht-eins-sechs-drei, das an deutsche quote gebunden ist, wird diese woche nach nizza geschickt stop haben kabine zweiter klasse auf excalibur gebucht, abfahrt lissabon 23. August stop us-konsul angewiesen, angelegenheit bevorzugt zu behandeln stop herzlichst willkommen ...«

Doch sie freuten sich zu früh. Die »Excalibur« lichtete ohne das Ehepaar Levy die Anker. Die amerikanischen Einwanderungsbehörden benötigten mehr als ein halbes Jahr, um die Bearbeitung der Akte Levy abzuschließen. Und auch als Siegfried am 17. Januar 1941 auf das Konsulat bestellt wurde und der stellvertretende Konsul in seinen Paß und in den seiner Ehefrau die Einwanderungszertifikate eintrug, waren noch immer nicht alle Steine aus dem Weg geräumt. In der Zwischenzeit waren schon wieder neue Gesetze erlassen worden, und niemand konnte ohne polizeiliche Zustimmung Frankreich verlassen.

Ein düster dreinblickender Offizier begutachtete Siegfrieds Gesuch, eine solche Genehmigung zu erhalten, gab ihm das Papier zurück und stellte fest:

»Es tut mir leid, Monsieur, aber Sie müssen mir zunächst eine Bescheinigung Ihrer Vertretung in Aix-en-Provence vorlegen.«

»Vertretung? Wer vertritt mich denn in Aix?«

»Ich beziehe mich auf die Vertretung des Dritten Reiches, Monsieur. Wir können Flüchtlingen deutscher Abstammung ohne die schriftliche Zustimmung dieser Vertretung keine Ausreisegenehmigung mehr ausstellen.«

»Was will man bloß mit mir hier?« fragte Siegfried aufgebracht. »Man ist doch sicher froh, einen Flüchtling wie mich, den Angehörigen einer minderwertigen Rasse, loszuwerden!« »Monsieur«, entgegnete der Offizier ebenso ungehalten, »ich habe keine Zeit, mit Ihnen Diskussionen zu führen. Sie sehen doch, daß Hunderte von Menschen hier anstehen. Kommen Sie erst wieder, wenn Sie die Bescheinigung haben. Au revoir.«

Es war alles andere als leicht, dieses letzte Hindernis auf dem Weg an das sichere Ufer zu überwinden. Die deutsche Vertretung in Aix-en-Provence hatte natürlich kein Interesse an zwei weiteren Flüchtlingen. Sie zeigte jedoch reges Interesse an deren Besitz. Siegfried erklärte vergeblich, daß er keine Güter mehr in Deutschland habe, daß alles entweder verkauft oder konfisziert worden sei. Mehrmals mußte er zu langen Befragungen erscheinen, bis man sich schließlich auf einen Kompromiß einigte: Siegfried und Lisbeth erhielten die schriftliche Zustimmung im Gegenzug für das Anwesen in Bisone.

Siegfried wollte keinen Tag länger als unbedingt notwendig in Frankreich bleiben. Wer konnte schon wissen, welche Verordnungen noch kommen mochten. Außerdem war die Ausreisegenehmigung, die er erhalten hatte, nur bis zum 25. März gültig. Das Ehepaar verabschiedete sich vom Hotelier Cafiero und den anderen Bekannten, die im Windsor logierten, und am 13. März überquerten sie auf ihrem Weg nach Portugal zunächst die spanische Grenze. Am 4. April trafen sie in Lissabon ein, und Anfang Mai warfen sie vom Passagierschiff »Nafar« aus einen letzten Blick auf die schnell entschwindende Küste Europas.

»Merkwürdig«, sagte Siegfried und wandte sich zu Lisbeth, die neben ihm am Schiffsheck stand, auf die Reling gestützt wie er, »ich hätte niemals gedacht, daß ich mich von Europa ohne Abschiedsschmerz würde trennen können. Ich habe immer gedacht, außerhalb Europas gäbe es kein Leben. Und jetzt stellt sich heraus, daß genau das Gegenteil zutrifft.«

Epilog

Die Lebenden und die Toten

Die »Nafar« ging in der zweiten Maihälfte des Jahres 1941 in New York vor Anker. Freunde, die Lisbeth und Siegfried am Kai erwarteten, begleiteten sie sofort in die Wohnung, die für sie in Forest Hills angemietet worden war. Krieg und Schrecken, die in Europa herrschten, lagen nunmehr hinter ihnen, waren in weite Ferne gerückt. Als sie vom Kriegseintritt der Vereinigten Staaten in den Zeitungen lasen, erschien ihnen selbst das unendlich weit weg. Sie hatten sich schnell vom alten Kontinent gelöst; das bedeutete allerdings nicht, daß sie im neuen Heim Wurzeln schlugen. Siegfried fand keine Betätigung, doch das Geld, das er einst aus Deutschland in die Schweiz gerettet hatte, ermöglichte ihnen ein unbeschwertes und sorgenfreies Leben. Nachdem Siegfried 1955 verstorben war, hielt Lisbeth nichts mehr in den USA. Die meisten ihrer Nichten lebten in Israel, und sie verging vor Sehnsucht nach der Familie. Sie starb im hohen Alter von zweiundneunzig Jahren in einem privaten Altersheim in der Nähe von Tel Aviv. Die Nachlaßverwalter hatten an den diversen Dokumenten, Briefen und Photographien, die sie in einem Koffer in einem Schrank aufbewahrte, kein Interesse, und so fanden diese ihren Weg auf den Flohmarkt von Jaffa.

Siegfried hatte zwei Brüder: Rechtsanwalt Ernst Levy verstarb 1934 bei seinem Besuch in Palästina an einer plötzlichen Erkrankung; Leo Levy wurde während der Ausschreitungen der sogenannten Reichskristallnacht in Bad Polzin ermordet. Seine Witwe Else verfügte, daß folgender Text in seinen Grabstein gemeißelt wurde: »Hier ruht Dr. Leo Levy, der aufrichtig starb, denn er führte ein aufrichtiges Leben.« Sie selbst wanderte kurz nach der Ermordung ihres Mannes nach *Erez Israel* aus und starb dort im Jahre 1943. Auch Käthe, Ernst Levys Witwe, lebte bis zu ihrem Tode in Israel. Siegfrieds Cousins, der Eisenbahningenieur Paul Levy und der Maler Rudolf Levy, fielen den Nazis zum Opfer. Paul wurde in einem Konzentrationslager ermordet. Rudolf Levys Spur verlor sich auf einem Transport zum Sammellager Carpi bei Modena.

Da den Nachfahren von Bernhard und Julius Levy keine Söhne beschert waren, endet damit die Geschichte des Hauses Levy. Die Firma Ascher Levy in Bad Polzin existiert nicht mehr; die Erben – oder genauer gesagt: die Erbinnen – zeigten kein Interesse, den Betrieb wiederaufzubauen. Keiner der Nachfahren der Familie Levy wollte sich wieder in Deutschland niederlassen. Im allgemeinen Gedächtnis wird wohl nur der Name Rudolf Levys erhalten bleiben, der mit seinen Gemälden das deutsche Kulturgut bereicherte. Zwei seiner Bilder machte der deutsche Bundeskanzler Willi Brandt der israelischen Ministerpräsidentin Golda Meïr anläßlich eines offiziellen Staatsbesuches in Jerusalem zum Gastgeschenk. Dutzende andere seiner Bilder verschönern Privathaushalte und Museen.

Nachdem Rudolf gefangengenommen worden war, hatte Heinz Battke den größten Teil seiner Gemälde gerettet. Genia Levy und ihr zweiter Ehemann Heinrich Koppold scheuten weder Geld noch Mühe, um die in ganz Europa verstreuten Bilder ausfindig zu machen und zu katalogisieren. Mit diesem Unterfangen hatte Genia an jenem Tag begonnen, als ihr das Internationale Rote Kreuz mitteilte, daß der Name ihres ersten Ehemannes nicht unter den Überlebenden des Holocaust sei. Bis zu ihrem Tod im Jahr 1953 in München widmete sie sich dieser Aufgabe. Außerdem sollte festgehalten werden, daß die Galeria Firenze als erste die Initiative ergriff und Rudolf Levys Gemälde nach dem Krieg ausstellte. Frau Susanne Thesing aus München widmete dem Maler ihre Dissertation und veröffentlichte 1990 eine gut dokumentierte Monographie.

Bernhards Tochter Lina und ihr Ehemann Karl Hamburger kamen in Theresienstadt ums Leben. Ihrem einzigen Sohn Alfred gelang die Flucht. Er lebt als Pensionär in New York. Ida, die zweite Tochter, heiratete nach ihrer Scheidung von Paul Levy erneut. Ihr zweiter Ehemann, Otto Feldmann, war ein jüdischer Kunsthändler tschechischer Herkunft. Ihre Zeit verbrachten Ida und Otto zwischen Bad Polzin, Berlin und Paris. Aus der Ehe mit Paul hatte Ida eine Tochter, Susanne, genannt Sanna. Im Spätsommer 1938 begaben sich Mutter und Tochter auf eine Reise nach Südeuropa – eine Reise, die ihnen das Leben retten sollte. Ida verstarb im Alter von einundneunzig Jahren in den Vereinigten Staaten von Amerika. Sanna heiratete einen nichtjüdischen Deutschen namens Stumpf und führt noch immer einen Buchladen in Los Angeles.

Leo Levy hatte vier Töchter: Hannah, Eva, Grete und Ruth. Alle vier konnten noch rechtzeitig aus Nazi-Deutschland fliehen. Hannah und Eva leben auch heute noch in Israel und haben ihre eigenen Familien gegründet. Hannah Slijper, Witwe eines gebürtigen Holländers, lebt in einem kleinen Haus umgeben von einem wunderschönen Garten voller Blumen, in Ramat Hascharon unweit von Tel Aviv. Sie war eine große Hilfe bei der Rekonstruktion der Geschichte der Familie Levy. Eva Sondheimer setzte ihr Leben lang die *Hachscharah* um: Bis zum Tode ihres Ehemannes betrieb sie eine kleine Landwirtschaft im Genossenschaftsdorf Beit Yitzhak.

Grete Levy war etwa ein Jahr vor der Reichspogromnacht nach London gegangen, wo sie in einer jüdischen Pension arbeitete. In England heiratete sie Klaus E. Hinrichsen, einen Kunsthistoriker, der Deutschland 1933 verlassen hatte. Das Paar besitzt ein kleines, hübsches Häuschen im Norden Londons, in Highgate. Hinrichsen verdiente sein Geld mit der graphischen Werbegestaltung für die Pharmaindustrie. Grete eröffnete einen Spielwarenladen, der ein ganz besonderes Sortiment anbot, so daß viele Londoner den Weg nach Highgate auf sich nahmen. Nach eigenen Aussagen sah sie in dieser Beschäftigung eine Entschädigung für jene Jahre, in denen sie selbst kein Spielzeug zum Spielen gehabt hatte. Ihre beiden Kinder wuchsen als waschechte Engländer auf.

Ruth war zum Zeitpunkt der Ermordung ihres Vaters siebzehn Jahre alt. Da sie damals noch minderjährig war, konnte sie auf das Zertifikat ihrer Mutter Else mit eingetragen werden. Beide kamen im Jahr 1939 nach Tel Aviv. Ruth heiratete 1953 einen gebürtigen Berliner, wanderte mit ihm in die Vereinigten Staaten von Amerika aus und ließ sich dort an der Westküste nieder. Übrigens kam ihr einziger Sohn 1977 bei einem Verkehrsunfall ausgerechnet an jenem Tag ums Leben, der für die Familie Levy zu einem schicksalhaften Datum geworden war: am 9. November.

Ernst Levy hatte ebenfalls vier Töchter: Thea, Marianne, Brigitta und Gabriele. Auch sie haben Deutschland vor Ausbruch des Zweiten Weltkrieges verlassen können und wanderten nach Palästina aus. Dort gründeten sie ihre eigenen Familien und schenkten Söhnen und Töchtern das Leben. Es soll ausdrücklich festgehalten werden, daß fast alle Frauen der Familie Levy überlebt haben, da sie rechtzeitig nach Palästina auswanderten, wo sie sich aktiv am zionistischen Aufbau des Landes beteiligten. Sie waren also ausgerechnet auf jenem Gebiet tätig, das die vorangegangenen Generationen der Familie Levy so vehement abgelehnt hatten. Gabriele Bradmann lebt heute mit ihrem Ehemann in Givatajim. Thea Löwenthal ehelichte einen Bankangestellten, Brigitta den Rechtsanwalt und Notar Wolfsohn, der inzwischen nicht mehr lebt; Marianne Lewin war die einzige, die sich wieder der Religion zuwandte und die *Mitzwoth* einhielt. Bis zu ihrem Tod wartete sie auf den Tag der Ankunft des Messias.

Glossar

Adar
→ Jüdische Zeitrechnung

Ahavat Zion
heb., »Liebe zu Zion«

Alliance Israélite
»Alliance Israélite Universelle«, die erste moderne internationale jüdische Organisation, 1860 ins Leben gerufen, mit Hauptsitz in Paris. Die Entstehung der »Alliance Israélite« wurde von den ideologischen Trends und politischen Ereignissen der zweiten Hälfte des neunzehnten Jahrhunderts beeinflußt. Ihre Zielsetzungen und Tätigkeitsbereiche waren vielfältig: Sie vertrat politische Interessen auf diplomatischer Bühne, leistete Hilfestellung für Einwanderer nach Palästina und war vor allem auf dem Erziehungs- und Bildungssektor tätig.

Aschkenasim
Name eines unbekannten Volkes der Bibel, der in der hebräischen Literatur für Deutschland und deutsche Juden verwendet wird. Jüdische Familien, die seit dem zwölften Jahrhundert aus Deutschland nach Südeuropa oder in den Orient flohen, führten als Abstammungsnamen den Zusatz Aschkenasi. Aschkenasim steht im heutigen Sprachgebrauch für das westliche Judentum. Siehe Gegensatz → Sepharden

Bakschisch
pers., 1. Almosen, Trinkgeld; 2. Bestechungsgeld

Bar-Kochba-Rebellion
Im Zuge der römischen Besatzung Jerusalems war es bereits vor der Zerstörung des Zweiten Tempels ca. 70 n.d.Z. zu einem Aufstand gegen die römische Fremdherrschaft gekommen. Um 129 n.d.Z. ließ Kaiser Hadrian die Stadt wieder aufbauen, zog jedoch nach römischer Sitte eine Furche um die Stadt, was die jü-

dische Bevölkerung erneut zum Aufstand gegen die Römer veranlaßte. Unter der Führung Simon Bar-Kochbas eroberten die Aufständischen 132 n. d. Z. Jerusalem und errichteten einen Tempel. 135 n.d.Z. wurde der Aufstand blutig niedergeschlagen und Juden der Zutritt zur Stadt untersagt.

Bar-Mitzwah
heb., »Sohn des Gottesgebotes«. In diesen Status wird ein Junge mit dreizehn Jahren erhoben, indem er zum ersten Mal in der Synagoge mit den anderen erwachsenen Männern zum → *Thora*-Lesen aufgerufen wird.

BeSchanah HaBa´a BeJeruschalajim
heb., »Nächstes Jahr in Jerusalem«. Herkömmlicher Segensspruch, der die Sehnsucht der Juden nach Jerusalem seit der Zerstörung des Tempels symbolisiert.

Bestattungsritus
Im Judentum müssen Beerdigungen innerhalb von vierundzwanzig Stunden nach dem Tod erfolgen; lediglich im Falle der Abwesenheit enger Familienangehöriger kann eine Bestattung geringfügig hinausgezögert werden.

Bruchim HaBaim
heb., wörtlich: »Gesegnet seien die Ankömmlinge«

Chabad-Gruppe
Eine populäre Gruppierung des → Chassidismus, die die permanente Kommunikation mit Gott und das intensive Gefühl und die innige Konzentration während der Gebete betont.

Chacham
heb., plur. *Chachamim*, der Weise

Challe
jidd., heb. *Challa*. Geflochtenes, meist süßliches Weißbrot, das am Schabbat und an Festtagen zu Beginn des Mahles gesegnet wird und von dem alle nach dem Segensspruch ein Stückchen erhalten.

Chaluka
heb., »Verteilung«. Bezeichnung für die traditionelle finanzielle Unterstützung der jüdischen Einwohner in → *Erez Israel* durch ihre Glaubensgenossen in der Diaspora. Im weiteren Sinn steht

Chaluka seit dem achtzehnten Jahrhundert für die organisierte Form der finanziellen Zuwendungen und die dafür verantwortlichen Institutionen; mit Gründung des Staates Israel 1948 wurde das *Chaluka*-System aufgehoben.

Channuka
Achttägiges Lichterfest zum Gedenken an die Wiedereinweihung des Tempels nach dem Makkabäeraufstand unter Antiochus IV. Epiphanes (165 v. d. Z.), kein biblisches Fest.

Chassidismus
Verschiedene religiös-mystische Bewegungen des Judentums seit dem zwölften Jahrhundert; im achtzehnten Jahrhundert fand der Chassidismus vor allem in Osteuropa weite Verbreitung und ist heute weltweit durch die Lubawitscher-Bewegung vertreten. Die Chassidim betonen das Gefühl in der Religion und die Offenbarung der Natur gegenüber dem Gesetzesglauben. Sie entziehen sich allen modernen Phänomenen und führen ein sehr spirituelles Leben, das vollkommen in den Dienst Gottes gestellt und dem Studium religiöser Schriften gewidmet wird. Siehe auch → *Chabad*-Gruppe

»Chovevei Zion«
heb., »Zionsfreunde«. So nannten sich Zusammenschlüsse in Rußland und Rumänien, Westeuropa und den USA, die als Vorläufer des politischen Zionismus gelten. Sie propagierten die Rückkehr des in der Diaspora vertsreuten jüdischen Volkes nach → *Erez Israel*.

Chuppa
heb., »Hochzeitsbaldachin«. Unter der *Chuppa* gibt sich das Brautpaar das Eheversprechen, die Braut erhält einen Ring als Zeichen des Bündnisses, und der Bräutigam zertritt in Gedenken an die Zerstörung des Tempels ein Glas.

Deutsche Kolonie
Bis heute Bezeichnung für die Wohnviertel, die die pietistischen Templer aus Württemberg Mitte des neunzehnten Jahrhunderts unter anderem in Jerusalem und Haifa gründeten.

Dragoman
türk., »Dolmetscher«. Übersetzer im Nahen Osten, besonders für Arabisch, Türkisch und Persisch.

Elijahu
Prophet, Wundertäter und Eiferer für Gott (2. Könige 1, 3); Prophet der Verheißung; Vorbote des Messias; Retter und Tröster in der Not und unerwarteter Gast am → *Sederabend* zu → *Pessach*.

Erez Israel
Das Land Israel, das Land der Väter, auch als »Zion« umschrieben.

Fes
türk., in muslimischen Ländern getragene kegelförmige rote Filzkappe mit flachem Deckel

Feste Davids
Auch bekannt als Zitadelle mit Davidsturm; neben dem Jaffator der Altstadtmauern Jerusalems gelegener ehemaliger Palast Herodes' des Großen mit dem weithin sichtbaren Davidsturm.

Gedenkkerze
In der Trauerwoche (→ *Schiwah*) nach dem Tod einer nahestehenden Person wird zum Zeichen der Trauer eine Gedenkkerze angezündet, ebenfalls dreißig Tage nach dem Tod und später am Jahrestag des Todes, was im Judentum als »Jahrzeit« bezeichnet wird.

Gemara
heb., »Vervollständigung«. Aufzeichnung der auf der → *Mischna* fußenden Rabbiner-Diskussionen. Aus *Mischna* und *Gemara* setzt sich der → *Talmud* zusammen.

Goj/Goja/Gojim
heb., Bezeichnung für alle anderen Völker als das jüdische Volk; steht auch für Nichtjude.

Hachschara
heb., »Vorbereitung«. Fortbildung vor allem für jüngere Menschen, die praxisnah auf ihre Auswanderung nach –> *Erez Israel* (*Alijah*) vorbereitet werden sollten. Unter den verschiedenen jüdischen Jugendbewegungen in Europa gewann die *Hachschara* schon seit Beginn des zwanzigsten Jahrhunderts an Popularität, in Deutschland erst nach der Machtübernahme Hitlers. Die Jugendbewegungen pachteten zumeist Bauernhöfe, Gartenschulen

oder ähnliche Betriebe, wo Jugendliche zu Landwirten, Vieh-
züchtern, Haushaltsgehilfen, Bewirtschaftern, aber auch zu
Schmieden, Schustern etc. ausgebildet wurden.

Halacha
religiöser Gesetzeskodex

heilige Schriften
Alle Schriften, die die Geschichte des jüdischen Volkes und die
religiösen Vorschriften, Verhaltensregeln und deren Auslegun-
gen betreffen. Als *die* Heilige Schrift wird einzig und allein die
→ *Thora* bezeichnet.

Jekkes
jidd., sing. *Jekke*. Spöttisch-liebevolle Bezeichnung für Einwanderer aus Deutschland, die darauf zurückgehen soll, daß sie
selbst im heißen Klima Palästinas ihre Jacken nicht auszogen.

Jeruschalajim
heb. für Jerusalem

Jewish Agency
heb. *Sochnuth*. Internationale, nicht-staatliche Institution mit
Sitz in Jerusalem, die Exekutive der Zionistischen Weltorganisation. Die Jewish Agency soll Juden in aller Welt bei ihrer Ansiedlung in → *Erez Israel* Hilfe leisten und die Entwicklung des
Landes fördern.

Jischuw
heb., Bezeichnung für die jüdische Ansiedlung in → *Erez Israel*.
Man unterscheidet zwischen altem *Jischuw* – der vor-zionisti-
schen Ansiedlung – und neuem *Jischuw*, der die Keimzelle des
Staates Israel bildete.

Jontef
jidd., »Feiertag«

Jüdische Zeitrechnung
Der jüdische Kalender richtet sich nach dem Mond. Ein neuer
Tag beginnt daher am Abend, die Rechnung der Monate erfolgt
entsprechend der Mondzyklen. In der Regel hat ein Jahr zwölf
solcher Monde oder 354 Tage. Das jüdische Jahr ist deshalb
durchschnittlich elf Tage kürzer als das nach dem Sonnenkalen-
der berechnete. Damit die zeitliche Einhaltung jahreszeitlich ge-

bundener Feste gewährleistet ist, wird ein dreizehnter Monat eingeschoben. In einem Zyklus von neunzehn Jahren gibt es sieben jüdische Schaltjahre.

Die Zählung der jüdischen Kalenderjahre beginnt mit der angenommenen Schöpfung der Welt im Jahr 3760 vor der christlichen Zeitrechnung. Das christliche Jahr 1998 ist demnach das jüdische Jahr 5758.

Monate (beginnend mit dem Neujahrsfest): Alul-Tischri – September; Tischri-Chaschwan – Oktober; Chaschwan-Kislaw – November; Kislaw-Teveth – Dezember; Teveth-Shevthe – Januar; Shevthe-Adar – Februar; Adar-Nissan – März; Nissan-Ijar – April; Ijar-Siwan – Mai; Siwan-Tamus – Juni; Tamus-Av – Juli; Av-Alul – August.

Jüdischer Nationalfonds

heb. *Keren Kajemet Leisrael*, geläufige Abkürzung: JNF. Fonds der Zionistischen Weltorganisation für Landerwerb und Entwicklung in → *Erez Israel*, gegründet auf dem 5. Zionisten-Kongreß 1901 in Basel.

Jüdisches Viertel

Innerhalb der Altstadtmauern (→ Stadtmauern) Jerusalems gibt es vier unterschiedliche Wohnviertel: das Armenische, das Christliche, das Muslimische und das Jüdische Viertel.

Kabbala

heb., »Überlieferung«. Die Lehre und die Schriften der mittelalterlichen jüdischen Mystik, die sich mit dem vermeintlich geheimen mystischen Sinn des Alten Testaments und der → *talmudischen* Religionsgesetze beschäftigt. Die → Vertreibung der Juden aus Spanien und Portugal (1492) ließ die Kabbalistik zu einer Volksbewegung werden. An die jüngere Kabbalistik des sechzehnten Jahrhunderts knüpft der → *Chassidismus* an.

Kaddisch

heb., »Heiligung«. Das *Kaddisch* ist eine im Gottesdienst und von Trauernden vorgetragene Lobpreisung Gottes, kein Gebet für den Seelenfrieden Verstorbener, wie oft fälschlicherweise angenommen wird.

Kadi

arab., religiöser Richter in muslimischen Ländern

Kaschrut

heb.; die jüdischen Speisevorschriften, die verbotene und erlaubte Speisen umfassen, aber auch die Art der Zubereitung und des Verzehrs. So erfordert die Einhaltung der *Kaschrut* zwei unterschiedliche Geschirre; eines für Milch- und eines für Fleischwaren. Zur *Kaschrut* gehören auch die religiösen Schlachtvorschriften.

Kawassen

arab.-türk., »Ehrenwächter«. 1. Wache für Diplomaten im Osmanischen Reich, 2. Wächter und Bote einer Gesandtschaft im Vorderen Orient.

Kibbuz/Kibbuzim

heb., »Sammlung«. Freiwilliges landwirtschaftliches Kollektiv in Palästina-Israel; Arbeit wird ohne Entgeld gegen Sicherung des Lebensunterhaltes der Familien ausgeführt.

Klagemauer

Westmauer, heiligste Stätte des Judentums. Der einzige Überrest des im Jahre 70 n.d.Z. von den Römern zerstörten –> Tempels, an dem Juden bis auf den heutigen Tag beten und klagen und Zettel mit Wunsch-Gebeten an Gott zwischen die Mauerritzen stecken.

Königsgräber

Eine der interessantesten Grabanlagen Palästina-Israels, die lange für die Grabstätte der jüdischen Könige gehalten wurde. Tatsächlich wurden diese Höhlengräber erst von Königin Helene von Adiabene (Mesopotamien) angelegt.

Koheleth

(lat. Ecclesiastes), fälschlicherweise manchmal als Buch König Salomos aufgefaßt, da der Autor sich selbst als »Sohn Davids, König von Jerusalem« bezeichnet. Die Autorenschaft Salomos haben Historiker allein schon durch linguistische Beweise ausschließen können. Das Hebräisch des Buches repräsentiert eine der letzten Entwicklungsstufen des biblischen Hebräisch.

Kolelim

heb., sing. *Kolel*, plur. *Kolelim*. Eine Gemeinde von Juden aus dem gleichen Herkunftsland im alten –> *Jischuw* in –> *Erez Israel*.

Konservatives Judentum
Entwickelte sich in Abgrenzung zum → Reformjudentum, das
einigen Rabbinern zu weit ging. Sie befürworteten zwar eine veränderte Haltung hinsichtlich der Rituale und der Befolgung von
Gesetzen, wollten jedoch jüdische Traditionen wahren. Im Gegensatz zum Reformjudentum waren die Anhänger des Konservativen Judentums von Beginn an sehr pro-zionistisch.

koscher
Aussprache der deutschsprachigen Juden; heb. *kascher*, »recht,
tauglich«; den rituellen Speisegesetzen → *Kaschrut* entsprechend.

Maimonides
Rabbi Mosche Ben Maimon (1135-1204), Religionsphilosoph
und Theologe, der maßgebliche jüdische Gesetzeslehrer des Mit-
telalters; wirkte auch als Philosoph auf die aristotelisch orien-
tierte christliche Scholastik.

Massel Tov
jidd.,»Herzlichen Glückwunsch«

Megille
jidd., »Rolle«. Das biblische Buch Esther, das die zu —> *Purim*
in den Synagogen gelesene und aufgeführte Geschichte der Rettung der Juden des persischen Königreiches durch die Königin
Esther erzählt.

Meir Ba'al HaNes
der »Wunderrabbi«; Spendenbüchsen in Gedenken an diesen
Rabbiner waren seit dem sechzehnten Jahrhundert ein wichtiges
und äußerst erfolgreiches Instrument zur Sammlung für die in
→ *Erez Israel* lebende jüdische Gemeinschaft.

meschugge
jidd., »verrückt«, »nicht normal«

Minjan
heb., für die Anrufung Gottes bei Gottesdiensten erforderliches
Mindest-Quorum von zehn erwachsenen Männern.

Mischna
> heb., »Zweitschrift«; die Auslegung der mündlich überlieferten *Thora*, die ca. 200 Jahre n.d.Z. schriftlich niedergelegt wurde. *Mischna* und → *Gemara* bilden zusammen den → *Talmud*.

Mischnajot
> Die → *Mischna* ist in sechs Ordnungen unterteilt. Jede Ordnung enthält gewöhnlich 63 Traktate. Jeder Traktat ist in Kapitel gegliedert, die wiederum eine Reihe von einzelnen Lehrsätzen enthalten und ebenfalls jeweils als → *Mischna*, pl. *Mischnajot*, bezeichnet werden.

Metzije
> jidd., »Schnäppchen«

Mitzwah/Mitzwoth
> heb., sing. *Mitzwah*, pl. *Mitzwoth*; Bezeichnung für die religiösen Ge- und Verbote im Judentum, insgesamt 613 Vorschriften, davon 365 Verbote und 248 Gebote.

Mohel
> heb., »Beschneider«. Gottesfürchtiger Mann, der am achten Tag nach der Geburt die Beschneidung eines Knaben vornimmt, als Zeichen für dessen Aufnahme in den Bund Gottes.

Morgengebet
> Das jüdische Gesetz legt täglich drei Gebete fest: *Schacharith* – Morgengebet , *Minchah* – Nachmittagsgebet, *Ma'ariv* – Abendgebet. An Feiertagen sowie am → Schabbat kommen weitere Gebete hinzu.

ORT
> russ., Abkürzung für »Obschtschestwo Rasprostranenija Truda sredi Jewrejew« – Gesellschaft für Handwerk und Landwirtschaft unter Juden. Ursprünglich eine Privatinitiative zur Verbesserung der Situation russischer Juden unter Zar Alexander II., gibt es heute ORT-Schulen und Bildungsstätten in der gesamten Welt. Die erste internationale ORT-Organisation wurde 1921 in Berlin gegründet.

Orthodoxes Judentum
> Der Begriff tauchte erstmals 1795 auf und etablierte sich im neunzehnten Jahrhundert in Abgrenzung zum → Reformjuden-

tum. Die Orthodoxen sehen sich als diejenigen, die die Authentizität der jüdischen Religion wahren. Sie beachten alle geschriebenen und ungeschriebenen Gesetze und legen besonderen Wert auf die Befolgung der → *Halacha* und des → *Schulchan Aruch*.

Palästina-Amt
Der → Zionistischen Weltorganisation angeschlossene Abteilungen, die vor Ort den Auswanderungswilligen beratend und tatkräftig zur Seite standen.

Para
türk., kleinste Münzeinheit im Osmanischen Reich

Pessach
Siebentägiges Fest im Gedenken an die Befreiung aus der ägyptischen Sklaverei. Am ersten Abend – dem → *Sederabend* – wird die *Haggadah* gelesen, die Erzählung über den Exodus aus Ägypten. An diesem Abend wird eine besondere Mahlzeit zubereitet, ein Becher für den Propheten → Elijahu auf den Tisch gestellt und ein Stuhl für ihn freigehalten, denn der Volksglaube besagt, daß der Vorbote des Messias gerade an diesem Abend, wenn das verstreute Volk Israel beisammensitzt, eintreffen könnte.

Purim-Fest
»Losfest« im Gedenken an die Königin Esther, die einen geplanten Massenmord an den Juden des persischen Königreiches vereitelte, indem sie dem König Ahasveros zu erkennen gab, daß sie Jüdin war. *Purim* ist ein ausgelassenes Fest, bei dem man sich verkleidet.

Reformjudentum
Mitte des neunzehnten Jahrhunderts wurden vor allem im deutschen Raum die religiösen Gebräuche angesichts der Emanzipation hinterfragt. Die herausragende Persönlichkeit dieser Bewegung war der Rabbiner Abraham Geiger, der bis heute als der eigentliche Begründer des Reformjudentums gilt. Er verwarf von wissenschaftlichem Standpunkt aus die Offenbarung, erklärte eine Heimkehr nach → Erez Israel für sinnlos und reduzierte die → *Thora* auf eine »Quelle der Ethik«. Dementsprechend werden im Reformjudentum der → *Talmud* und der → *Schulchan Aruch* nicht mehr als verpflichtend betrachtet, die messianische

Hoffnung galt bereits durch die jüdische Emanzipation als erfüllt. Später sollten die Auffassungen des Reformjudentums insbesondere in den USA Fuß fassen.

Reichsvertretung der deutschen Juden,
später: Reichsvereinigung der Juden in Deutschland
Dachorganisation aller großen jüdischen Organisationen und Gemeinden seit 1933. Zum Vorsitzenden wurde der angesehene Rabbiner Dr. Leo-Baeck gewählt. Die Arbeit der Reichsvertretung beschränkte sich hauptsächlich darauf, die Tätigkeiten der jüdischen Organisationen für folgende Hilfsmaßnahmen zu koordinieren: Vorbereitung und Durchführung der Auswanderung; Berufsumschichtung; Schul- und Bildungswesen; Wirtschaftshilfe; Wohlfahrtspflege. Politischen Einfluß hatte sie nicht. 1939 wurde die Reichsvertretung von den NS-Behörden in »Reichsvereinigung der Juden in Deutschland« umbenannt. Von nun an unterstand sie den NS-Behörden, wurde von diesen kontrolliert und in ihrer praktischen Arbeit für die Ziele des Regimes instrumentalisiert.

Rosch-Chodesch
heb., »Monatsanfang«, der mit besonderen Gebeten gesegnet wird

Sanhedrin
heb., grch. Synedrion, »Versammlung«, der hohe Rat der Juden in griechischer und römischer Zeit

Sarazenen
Im Altertum bezeichnete man damit die Araber in einem Teil der Steppe des nordwestlichen Arabiens und der Sinai-Halbinsel, im Mittelalter zunächst alle Araber und dann alle Muslime des Mittelmeerraumes, besonders die Gegner der Kreuzfahrer.

Schabbat
Der im Judentum vorgeschriebene Tag der Ruhe ist auch ein Tag der geistigen Einkehr. Religiöse Juden arbeiten nicht am *Schabbat*, wobei die Auslegung des Begriffes »Arbeit« unterschiedlich weit gefaßt wird. Es wird kein Feuer entzündet, ein bestimmtes Wegemaß eingehalten, so daß in modernen Zeiten religiöse Juden weder elektrische Geräte – einschließlich Beleutung – noch Transportmittel benutzen.

Schabbatkerzen
Zu Beginn des *Schabbat* oder eines Feiertages entzündet traditionell die Frau des Hauses zwei Kerzen und spricht einen Segen.

Scheidung
Scheidung ist im jüdischen Religionskodex nicht nur zugelassen, sondern für den Fall, daß eine Ehe endgültig als gescheitert gilt, sogar vorzuziehen. Ist die Frau unfruchtbar, wird dem Ehemann von orthodoxen Rabbinern die Scheidung sogar angeraten.

Schickse
jidd., Schimpfwort für eine Christin

Schiduch
heb., Heiratsvermittlung

Schiwah
heb., »sieben«; der sieben Tage währende strenge Trauerritus nach einem Sterbefall

Schulchan Aruch
heb., »Gedeckter Tisch«, von Josef Karo im sechzehnten Jahrhundert verfaßter Gesetzeskodex, der bis heute von sehr religiösen Juden befolgt wird.

Sederabend
siehe → *Pessach*

Sepharden
Spanisch-portugisische Juden und deren Nachkommen, die sich nach der Vertreibung aus Spanien und Portugal (1492) im gesamten Mittelmeerraum und dem Orient bis hin in die Fernen Osten verteilten. Im heutigen Sprachgebrauch meint Sepharden in Abgrenzung zu → Aschkenasim Juden aus dem orientalischen Raum.

Stadtmauern
Jerusalem wurde seit seiner Besiedlung durch die Jebusiter und der darauffolgenden Eroberung durch König David immer wieder in unterschiedlichen Verläufen – entsprechend der geographischen Gegebenheiten und der Bevölkerungsdichte – befestigt. Die Stadtmauern, so wie sie heute bestehen, ließ Suleiman der Prächtige während seiner Herrschaft über die Stadt (1520-1566) erbauen. Im Zuge der Ausdehnung Jerusalems im neunzehnten

Jahrhundert änderte sich die Bezeichnung der Stadtmauern in Altstadtmauern.

Talmud

»Enzyklopädie des Lehrgutes«, Fertigstellung ca. 500 n.d. Z., bestehend aus → *Mischna* und → *Gemara*. Es gibt zwei *Talmudim*: den *Jerusalemer Talmud* (im Lande Israel zusammengestellt) und den *Babylonischen Talmud* (im babylonischen Exil verfaßt). Der *Jerusalemer Talmud* ist anders strukturiert, kürzer, knapper und bisweilen rätselhaft sowie stärker auf juristische Probleme konzentriert.

Tanach

Im Heb. Abkürzung für Heilige Schrift, zusammengezogen aus den drei Wörtern → *Thora, Neviim* (Bücher der Propheten), *Ketuwim* (gesammelte Schriften: Psalmen, Buch Hiob etc.).

Tempel

Der Erste Tempel in Jerusalem wurde von König Salomo um ca. 960 v.d.Z. erbaut und von Nebukadnezar um 587 v.d.Z. zerstört; daran schloß sich das Exil der Juden in Babylonien an. Unter Kyros, 538 v.d.Z., kehrten sie teilweise nach Jerusalem zurück und begannen erneut mit dem Bau eines Tempels. Der Zweite Tempel wurde um 70 n.d.Z. von den Römern zerstört. Mit der Zerstörung des Tempels sind immer beide Vorfälle gemeint.

Thora

heb., »Weisung, Unterweisung«. Im engeren Sinn die Schriftrolle des Pentateuch, der fünf Bücher Moses, wie sie in jeder Synagoge aufbewahrt werden; im weiteren Sinne die Lehren der heiligen Schriften.

Tischah Be-Av

der neunte Tag des Monats Av; Fastentag zum Gedenken an die Zerstörung des Tempels.

treife

jidd., Begriff aus dem Kodex der jüdischen Speisevorschriften, → *Kaschrut*, ursprünglich auf ein wegen Krankheit oder Verletzung verbotenes Tier bezogen, im weiteren Sinne alles, was nicht → *koscher* ist.

Vertreibung der Juden aus Spanien
   1492 wurden Juden aus Spanien, aber auch aus Portugal vertrieben, sofern sie den Übertritt zum Christentum verweigerten. Siehe → Sepharden

Vorbeter
   Auch unter dem heb. Begriff *Chazan* bekannt; der Vorbeter leitet das gemeinschaftliche Gebet der Synagogengemeinde bei den Gottesdiensten und sollte ein besonders strenggläubiger Jude sein, weil er für die Gemeinde Vorbildcharakter hat.

»Weiser von Zion«
   Bezieht sich auf die angeblichen »Protokolle der Weisen von Zion«, die lange vor 1933 als Fälschung erkannt wurden, jedoch bis heute für antisemitische Propaganda benutzt werden.

Zionismus
   Der Begriff des politischen Zionismus wurde Ende des neunzehnten Jahrhunderts durch Theodor Herzl populär, der in seiner Schrift »Der Judenstaat« 1896 erstmals die Gründung eines jüdischen Staates in → *Erez Israel* forderte.

Zionistische Vereinigung in Deutschland
   Die Dachorganisation aller Zionisten Deutschlands wurde im Oktober 1897 ins Leben gerufen. 1902 gründeten die Zionisten in Deutschland die Wochenschrift »Jüdische Rundschau«, die zu ihrem Sprachrohr werden sollte. In der Zeit der Weimarer Republik erreichte die Mitgliederzahl der ZVD mit 35 000 Personen ihren Höhepunkt. Unter dem Nazi-Regime wurde die ZVD besonders für Auswanderung und → *Hachscharah* tätig. Nach Verabschiedung der sogenannten Nürnberger Gesetze 1935 wurden der ZVD diverse Beschränkungen auferlegt; 1938 wurde sie von den Nazis für aufgelöst erklärt.

Zionistische Weltorganisation
   Gegründet 1897 auf dem 1. Zionisten-Kongreß in Basel als Dachorganisation der weltweiten Zionistischen Bewegung, wurden ihr im Laufe der Jahre immer mehr Gremien, Ausschüsse und Tochterorganisationen zugesellt. Grundsätzlich sind alle parteipolitischen Strömungen in der Organisation vertreten.

Die Levys

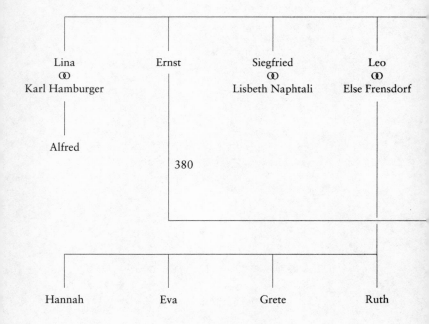

Lina
∞
Karl Hamburger

Ernst

Siegfried
∞
Lisbeth Naphtali

Leo
∞
Else Frensdorf

Alfred

380

Hannah

Eva

Grete

Ruth

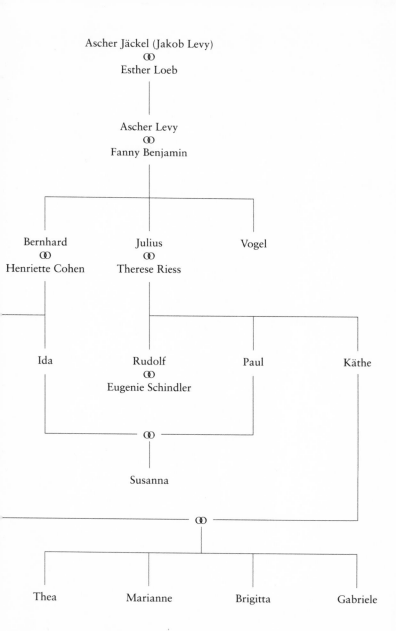

Ascher Jäckel (Jakob Levy)
⚭
Esther Loeb

Ascher Levy
⚭
Fanny Benjamin

Bernhard   Julius   Vogel
⚭   ⚭
Henriette Cohen   Therese Riess

Ida   Rudolf   Paul   Käthe
             ⚭
             Eugenie Schindler

⚭

Susanna

⚭

Thea   Marianne   Brigitta   Gabriele

Abbildungen

Archiv Eduard Bargheer Haus, Hamburg: 343

Archiv Purmann, Starnberg: 267

Privatbesitz Gabi Bradmann, Giratajim: 189, 246, 247, 261

Privatbesitz Roman Frister, Tel Aviv: 10, 27, 43 (o), 43 (u), 49,
70, 77, 94, 123, 126, 127, 159, 172, 178, 180, 194, 198, 213,
221, 240, 254, 275, 305, 310, 318, 327, 352, 357, 361

Privatbesitz Susanna Stumpf, Los Angeles: 116, 174